让我们

一起追寻

新浪微博
weibo.com/oracode

莱
丛
Rhein

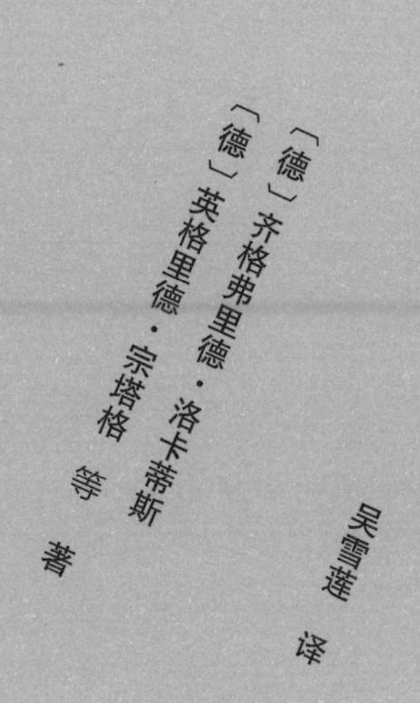

民主德国的秘密读者

Heimliche Leser in der DDR
Kontrolle und Verbreitung unerlaubter Literatur

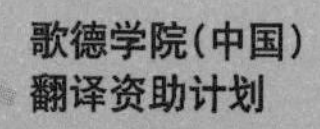

社会科学文献出版社
SOCIAL SCIENCES ACADEMIC PRESS (CHINA)

The translation of this work was financed by the Goethe-Institut China
本书获得歌德学院（中国）全额翻译资助

献给西蒙·巴尔克

1944～2007

目　录

在专制下读书
——审查效应研究概述　齐格弗里德·洛卡蒂斯　1

迷宫与窗户

大墙后迷宫中的读者　马克·莱姆施泰特　25
东德社会公众与秘密使用媒介　米歇尔·迈恩　39
脑袋中的保险柜
——对东德秘密阅读的走访调查　安妮·里希特　66
秘密阅读与颠覆性写作
——80 年代东德图书审查与反对派公众
托马斯·克莱因　74
“我们从未偷偷做过什么，我们就那么做了”
——奥博格拉本印刷所与领头狼出版社（德累斯顿两家私人艺术出版社）　让尼娜·瓦内克　88
“根据‘斜线战术’排兵布阵”
——莱比锡图书制作人的自由空间
黑尔佳特·罗斯特、罗兰德·林克斯、弗里茨·米劳与英格里德·宗塔格的座谈　107

经审查的审查官与顽强反抗的读者

海关审查官
——东德海关在国家安全部委托下实施图书审查
约恩-米歇尔·谷尔 129
向西行，向东行
——西柏林四日记 克里斯蒂安·埃格尔 142
为阶级斗争参与秘密阅读
——国家安全部邮政审查 格尔德·赖尼克 146
关于私自偷带图书的各种回忆 芭芭拉·阿梅隆 158
外婆的卡尔·麦
——图书走私商雷纳·埃克特
科琳娜·布绍，玛利亚·多布纳 161

冷战与垃圾书

检查站的煽动性刊物
——1954年柏林各检查站重要通报 173
秘密读者
——《月份》杂志及其1949~1951年在东德的传播推广
哈罗德·霍尔维茨 176
库斯勒、奥威尔与《真相》
——看反对非人道战斗团以及1948~1959年苏占区和东德的秘密阅读现象 恩里克·海策尔 206

一种“现象”被揭穿
——西德早期的反东德刊物 克劳斯·克尔纳 229
“低俗之作”令人身不由己
——我的奥威尔 巴德尔·哈泽 249
“建议死刑”
——非法书刊与美占区广播电台（一段历史的碎片）
汉斯－格奥尔格·索尔达特 260

毒草柜与守夜人

摘自一名图书管理员的生活传记 君特·德·布律 281
柏林国家图书馆的毒草柜 莱蒙德·瓦利戈拉 287
莱比锡德意志图书馆
——德语总书库及其特殊背景
乌尔里克·格斯勒 詹妮弗·霍赫豪斯
克斯汀·施密特 303
我曾深爱德意志图书馆
——一段讲述
西格马尔·福斯特 313
隐喻中穿行
——“毒草室”体验 伊莲娜·德姆克 318
“他们还是半信半疑”
——一个读者眼中的德意志图书馆毒草柜
托斯滕·泽拉博士教授接受克斯汀·施密特、
戴安娜·施密特和詹妮弗·霍赫豪斯的访谈 320

“图书筛除”
——莱比锡大学图书馆图书使用限制
克劳蒂娅－莱奥诺蕾·泰施纳 331

经批准方可读书
——魏玛图书馆1970年至1990年图书使用限制
罗兰德·贝温克尔 339

图书展览与图书盗窃

大千世界馥郁芬芳
——莱比锡国际书展与秘密阅读
帕特里夏·F.采卡特 351

带着图书和文稿穿越边境
——一位记者在两个德国的文字经历
海因茨·克隆克 372

向两个方向穿越边境
——70年代末莱比锡书展之所见所闻
卡尔·科里诺 382

西德图书之于东德作家
埃里希·略斯特接受英格里德·宗塔格访谈 389

宗教读者群体

“成袋成袋地上缴图书”
——在法律的灰色地带（教会界向东德运送图书）
海德维希·里希特 399

“仅供教会内部公务使用”
——回顾公务性和私人性秘密阅读
彼得·席克坦茨　418

国家安全部为何秘密阅读《守望台》?
——东德对耶和华见证人的迫害
汉斯－赫尔曼·德克森　428

“教会重视独立”
齐格弗里德·布罗伊尔博士（教授）、
沃尔夫冈·欣茨、康拉德·冯·拉伯瑙博士
与海德维希·里希特的座谈　447

政治读者群体

未能赶上的追赶?
——70年代末知识分子内部探讨话题
（以柏林潘科区“阿多诺圈”为例）
汉斯－J.米塞维茨　461

鲁道夫·巴赫罗的作品与接受
君多尔夫·赫尔茨贝格　472

“另辟蹊径的写作之路”
——看罗伯特·哈费曼为在东德传播作品而采取的不同策略
贝尔恩德·弗洛哈特　483

无审查
——看波兰萨密兹达中的德语文学
马雷克·哈耶奇　501

"他们那么多自由刊物令我们自愧不如"
——看80年代东德萨密兹达中的波兰
安德里亚·格内斯特 514
萨密兹达—文学—现代性
——东欧萨密兹达与东德独立刊物
克劳斯·米歇尔博士 526

一书难求

卡尔·麦
——秘密读物与极端事件 克里斯蒂安·黑尔曼 557
科幻小说与唱片
——秘密交易与偷运入境
埃格贝特·皮奇、卡尔海因茨·施泰因米勒与
齐格弗里德·洛卡蒂斯的座谈 583

编辑致辞 594
编者及作者简介 597

在专制下读书
——审查效应研究概述

齐格弗里德·洛卡蒂斯（Siegfried Lokatis）

我喜欢剪报服务用的那些袋子，我要是一名自由职业人，就没有资格订阅那些报纸了。其中很多报纸都可以扔掉，但从《新苏黎世报》上整页摘取的可不能扔！特别一提的是：报纸反面经常有更多有意思的东西。有些我留存起来，其他的寄给国外，“仅供剪报服务使用”这样的警告也不管不顾了。像我一样，1944 年的时候作为一个 18 岁的战俘，每天对比着读过《纽约时报》里一篇接一篇关于二战各个敌对势力的报道之后，便不愿再让别人规定他可以读什么看什么和听什么。[1]

德国作家海因茨·克诺布洛赫（Heinz Knobloch）

莱比锡文化馆“书之屋”项目于2007年9月26至28日举行了会议“民主德国的秘密读者”，会议上讨论了一种现象，对于曾经生活在读书的国度下精神文化丰富多彩的东德人民和造访这个国度的西方客人来说，这一现象最为熟悉不过：读者们经常以相当冒险的方式尝试接近那些在东德难以见到，出于文化政治原因被隔离或禁止的书刊。退休游客和书贩过海关时紧绷的神经，图书馆里的毒草柜不可抗拒的吸引力，还有书展展台上令人朝思暮想的西方图书，这些回忆在二十年后仍然存在于脑海：那是一种将生活打上专制烙印的日常经历。

这种体验如今已经很难领会。与现如今媒体过度饱和的情况相反，一个没有一台自己的打印机和复印机的世界，让人们领略了其对立世界那稀有而珍贵的文字带来的魅力。大家竞相以各种巧妙的形式读书，整本抄下莱比锡书展上的各种图书，然后在秘密圈子里交易买卖。“专制育人”，一位秘密读者曾这样评论道，为此他还学习了速记法，并为了读波兰的秘密出版物萨密兹达（Samisdat）学了波兰语。[2] 我们来把电影世界里的神话串联到一起：人在华氏451度下就

---

① Knobloch，Heinz：*Mit beiden Augen. Mein Leben zwischen den Zeilen*，Berlin 1997，S. 123f.

② Peter Fix 在为大会拍摄的电影《Gift für die Republik》中说道。该电影在一门有关莱比锡图书学的讨论课基础上，于2007年拍摄而成，导演、策划及剪辑分别为Tina Stepan，Anika Heintze和Geraldine von Googswardt。

能把书背下来了。[①]

其实秘密阅读只是事情的一面，另一面是审查。

学界对东德审查体系的核心内容到目前已经研究得比较成熟了。[②] 文化部的出版社与图书贸易总局作为图书审查的枢纽，扮演着东德统一社会党中央委员会下国家行政机关的角色。出版社与图书贸易总局以最终授权的78家出版社为依托，批准各项出版计划，并向各出版社下发文件。出版社每出一本书事先都要通过所谓的发行许可审查，这是一种经典的系统化预审查模式。出版社与图书贸易总局自1963年成立以来，同时还管理着莱比锡大宗图书交易委员会中央发行处以及大众书店零售贸易，也就是图书销售系统，还领导着图书馆、旧书交易以及相关外贸机构尤其是版权办公室的工作，并严格组织安排图书授权事宜。

主要是外汇短缺在最大限度上限制了西方图书进口，对学术书刊的投入也就相当有限，并且促成了50年代末“比特费尔德道路”下闭关自守的文化政策，从而在西方现代文学“颓废派”面前彻底地自我封闭。此外出版社与图书贸易总局还不定期地向海关提供官方咨询性服务，但和邮局一样，海关处理礼品邮递以及日常图书审查还是更多地和国

---

① 《华氏451度》为美国作家雷·布拉德伯里所著的小说，讲述了一个压制思想自由的世界，不允许人民持有图书，一旦发现一概烧掉，最后一群人只好把书整本地背下来。华氏451度是纸的燃点。此书后经改编拍成同名电影。

② 参阅 Westdickenberg，Michael：*Die “Diktatur des anständigen Buches”. Das Zensursystem der DDR für belletristische Prosaliteratur in den Sechzigerjahren.* Wiesbaden 2004。

安部合作。除此之外还有其他众多领域（如报纸杂志、无线电广播、某些出版社和图书馆）暗藏着审查这一导致麻痹瘫痪的毒瘤，更不用说自我审查了，自我审查接管了上述各种机构的工作，其作用已经多次证实，但又不太容易得到证实。这种多方面的审查体系如何在总体上对读者产生影响、限制并压制读者，而又在紧急时刻激励读者，这是一个对于我们来说足够大的研究课题。在审查体系遍布的各个分支里，从档案卷宗和图书馆到旧书交易再到海关，形成了各种为秘密读者带来挑战的审查机关，砌成了国家文学政策这堵看不见的墙。

那么，涉及秘密读者的这项新学术课题就是审查效应研究。

关于东德的这一全新研究领域可以找到历史上的范例作支撑，可参考的有美国历史学家罗伯特·达恩顿（Robert Darnton）的几篇论述，讲法国大革命前夕无奇不有的书贩世界，[1] 但在奥地利政治家梅特涅引领的时代，当然还有“第三帝国”时期[2]都存在与这里所讨论的类似现象。可惜到目前无论是针对“秘密阅读”还是图书走私，还是纳粹时期受到左派宗教环境阻挠的地下读物，都没有进行过系统的研究。现在研究可能为时已晚，第三帝国时期的秘密读者，他们丰富的经历和体验已经再也无从找回。而东德也需

---

① 参阅 Darnton，Robert：*Literaten im Untergrund. Lesen，Schreiben und Publizieren im vorrevolutionären Frankreich.* Frankfurt a. M. 1988。

② 参阅 Gittig，Heinz：*Illegale antifaschistische Tarnschriften 1933 – 1945* . Leipzig 1972。

要得到解释，为什么晚了整整十五年才开始研究这一重要课题。

90年代初期，大家对犹如大众体育般普及的秘密阅读还明显有着共同的经验体会，这种体验可能也很难专门作为一项研究课题与经济落后的其他表现形式区分开来。国家文学政策隐藏的秘密、国安部和审查局隐藏在幕后的文献档案及其下属的大型出版社似乎是更值得我们研究的对象。①

然而审查研究不能局限于图书出版发行及图书审查，要通过研究审查实现的各种途径对审查研究进行修正调整，并且不能忽略其他不同的、与现存制度相悖的信息来源。一本在东德被禁止或未能印刷的图书，在西柏林能够轻松入手，或者甚至在美占区广播电台作为朗读节目播出，了解这种现象及其原因以及经何人禁止，都没有多大意义。不对隐藏在背后的图书结构进行分析就完全不能对审查措施的真实效应下结论。

另一方面，审查效应研究需要已经系统化进行过的审查研究，以此为依托并从中找出研究的标准规范，否则很难确定哪些图书杂志，在什么时间出于哪些原因，被施以多少政

① 参阅 Bräuer, Siegfried; Vollnhals, Clemens (Hg.): “*In der DDR gibt es keine Zensur*”. *Die Evangelische Verlagsanstalt und die Praxis der Druckgenehmigung 1954 – 1989*. Leipzig 1995; Mix, York – Gothart (Hg.): *Ein “Oberkunze darf nicht vorkommen”. Materialien zur Publikationsgeschichte und Zensur des Hinze – Kunze – Romans von Volker Braun*. Wiesbaden 1993; Walther, Joachim: *Sicherungsbereich Literatur. Schriftsteller und Staatssicherheit in der DDR*. Berlin 1996; Wichner, Ernst; Wiesner, Herbert (Hg.): “*Literaturentwicklungsprozesse*”. *Die Zensur der Literatur in der DDR*. Frankfurt a. M. 1993。

治压力而被禁止，或者只因不受好评而下架。然而事情是极其复杂的，哪些图书和文本体裁被禁止没有统一的标准，认识到这一点，对于我们的审查研究来说也许就是最好的结果了。

接下来的文章中会多次提到一些特别的作品，比如英国作家乔治·奥威尔（George Orwell）的《1984》，阿瑟·库斯勒（Arthur Koestler）的《日食》①，还有耶和华见证人的杂志《守望台》。这些都是 40 多年铁打不动的禁书，传播此类书籍受到的处罚最为严重。

然而很多在五六十年代还被隔离的图书，自 70 年代以来又可以出版了！其中有德国探险小说家卡尔·麦（Karl May）的小说，1982 年开始在新生活出版社出版，从人民与世界出版社当时发行的世界文学作品书目中也能了解 50 年代后期有哪些禁书。人民与世界出版社虽然推迟了很久，也一如既往地经过诸番讨论，但还是出版了爱尔兰作家詹姆斯·乔伊斯（James Joyce）（1977）、西格蒙德·弗洛伊德（Sigmund Freud）（1982）、君特·格拉斯（Günter Grass）（1984）和法国作家萨缪尔·贝克特（Samuel Beckett）（1989）的首批作品，还有乔治·奥威尔的《动物庄园》，即使没有“和平革命”，这本书 1990 年也能在东德出版。

相反，斯大林的作品最初大量发行，后来最迟在 1961 年苏共第 22 次代表大会之后便消失了，在此期间还有数不清的文章和书籍遭到摒弃，这些书籍有来自南斯拉夫、中国、阿尔巴尼

① 英译本名为《中午的黑暗》。——译者注

亚或者以色列的，还有德国作家普利维尔（Plievier）的小说和匈牙利马克思主义哲学家卢卡奇（Lukács）的作品。这里涉及国家文化政策的基本方针，这些方针从来没有统一的实施标准，而本身在审查机关内部就对如何实施这些方针存在争议，在此期间出台的一系列权威性决策也许与不断变动的意识形态背景相关，但也许仅仅只是出于审查官的一时偏好。然而，海关和各图书馆在每件案例上是否遵守出版社与图书贸易总局出台的规定并且在多大程度上遵守规定，还是独断专行，这个问题有待研究。至少有时每个海关辖区图书没收的情况各不相同，如 1959 年，一些海关没收图书时做了相关记录，而其他一些海关就没有。边防警察扣了一本黄色书刊，而交通运输警察遇到年纪大的游客携带旅行读物时则睁一只眼闭一只眼。[①]

柏林和莱比锡各大图书馆处理封存图书的标准也不统一，有时令读者迷惑不解，有时也出人意料地向读者亮绿灯。

所以禁书没有固定统一的标准，因为不存在具体哪一位秘密读者。宗教团体对政治禁书的残酷本质并不感兴趣，根据海关的统计数据，40 多年来被没收的书籍中，纯粹从数量上看，毫无争议占据绝对优势的是爱情小说和类似的庸俗文学。

---

① Bericht betr. Unentgeltliche Einfuhr von Literatur u. a. Druckerzeugnisse aus Westberlin und Westdeutschland, 10. 11. 1959. BArch DL 203, 294, AZKW, HA 2. 参阅 Vorlage für die Dienstbesprechung beim Minister, Begründung, S. 4. 同上，AZKW, Leiter。

同时海关也会把庸俗但并无害处的文学作品当做政治事件处理。

比如海关当局曾经这样论证《米老鼠》画册的危险性："所谓的青少年杂志像《米老鼠》等，尤其会使我们的青少年脱离社会工作。在此提出以下目标，在东德成立所谓的青少年俱乐部，以防止青少年加入德国共青团和少先队。这样就完成了实践的第一步，将我们的青少年从西方当权者罪恶的阴谋诡计之中拯救出来。"①

也就是说哪一类文学体裁从一开始就被赋予优先权或者落得被剔除的命运，都没有经过认真思考定夺。不管是令我们感到舒服还是厌倦的秘密读者，他感兴趣的是《抉择》，当然还有公路地图和占星术、诗人沃尔夫·比尔曼（Wolf Biermann）、《Bravo》杂志和《图片报》、连环画、中国的宣传报道和美国人类学家卡斯塔尼达（Castaneda）、瑞士作家埃里希·冯·丹尼肯（Erich von Däniken）、《日瓦戈医生》和瑞士作家弗里德里希·迪伦马特（Friedrich Dürrenmatt）的《密西西比先生的婚姻》、新教修身读物和色情文学、电视节目单和《法兰克福汇报》、君特·格拉斯和古拉格刊物、煽动性刊物和哈费曼（Havemann）、画报和法国作家尤内斯库（Ionesco）、《詹姆斯·邦德》和恩斯特·荣格尔（Ernst Jünger）、艺术家手制书、《踢球者》杂志和诗人莱纳·孔策（Reiner Kunze）、康拉德·洛伦茨（Konrad Lorenz）和作家

---

① Bericht zur Ein -, Aus - und Durchfuhr von Druckerzeugnissen, 15. 7. 1959. BArch DL 203, 294, AZKW, HA 2.

沃尔夫冈·莱昂哈德（Wolfgang Leonhardt）、军事书籍和时装杂志、弗里德里希·尼采和《新周刊》、奥威尔和《Otto》商品目录册、朋克杂志和《花花公子》、《Quelle》商品目录册、旅行读物、《明镜周刊》、列夫·托洛茨基（Leo Trotzki）和导演路易斯·特伦克尔（Luis Trenker）、环境图书馆的杂志和地下杂志、企业地址名录、耶和华见证人的杂志《守望台》、斯蒂芬·海姆（Stefan Heym）的《六月的五天》、瑜伽书和美国未来科幻小说等。

为了展现各种禁书丰富的内容结构，就要做到有的放矢，区分特殊的重要读者群，走访了解某个群体的行家，获取各种类型的禁书对于这些行家具有特殊的意义。像之前关于“两德图书交流”[①] 和“东德杂志”[②] 的会议一样，让来自东西德的各位老中青学者和时代见证者们聚首，对我们来说很重要，这样能将观察事物的细致性和保持距离的客观性这二者创造性地融合在一起，让每一位参与者都有丰富充实的感受，如能实现这一融合，“犯案者”和“受害者”之间的对峙便不那么令人畏惧。

和研究审查效应密切相关的是抵抗审查的行为，而轻率地评价抵抗审查的行为是不可取的。当然，我们对秘密阅读的牺牲者，如巴德尔·哈泽（Baldur Haase）和西格马尔·福斯特（Siegmar Faust）给予全部的同情。但是审查也是有

---

① Lehmstedt, Mark; Lokatis, Siegfried (Hg.): *Das Loch in der Mauer. Der innerdeutsche Literaturaustausch* (*Das Loch*). Wiesbaden 1997.

② Barck, Simone; Langermann, Martina; Lokatis, Siegfried: *Zwischen Mosaik und Einheit. Zeitschriften in der DDR*. Berlin 1999.

其原因的。比如为抵制西方污秽刊物而进行的斗争就受到了教会的绝对支持，而受东德文化政策指引的反法西斯的改造理念也并非毫无根据。德国现实的秘密读者可绝对不能盲目定论为“政治上正确”，西德一些研究反苏联宣传的专家便在戈培尔（Goebbels，纳粹德国时期国民教育与宣传部部长）那里习得了他们的手艺。而在今天，禁书、青少年保护条例和刑法法典也依然存在，网络上在此期间出现的全球范围内的“永远的审查官”[1] 和秘密读者之间的斗争早就进入了新一轮较量。也许在这种背景下，我们的研究课题就获得了公开性的重要现实意义：文字和信息审查的官僚作风覆盖了整个社会，一方面是这种官僚制度的强制压迫、野心勃勃和层层阻碍，另一方面被审查者的回应反馈，还有他们几乎永不枯竭的战略资源和逃生之法，东德历史的例子能让我们犹如在一所庞大的实验室里，在慢镜头下注视观察这一切。

如果想在这里观察并学习这些复杂的游戏规则，那么把个人政治倾向置于一边将不无裨益。研究这一课题，编者的任务不是再次实行审查，然后打分数，起到政治上、美学上或是宗教上的激励作用，而是要考虑并尊重各位作者的视角。

本次大会的一个讨论重点是50年代冷战背景下两德之间的宣传手册之战。我们最年长的时代见证者哈罗德·霍尔维茨（Harold Hurwitz）自1947年以来和他的妻子共同组织推广由美国人梅尔文·拉斯基（Melvin Lasky）创办的杂志

---

① Houben，Heinrich Hubert：*Der ewige Zensor.* Berlin 1926.

《月份》（*Der Monat*）。霍尔维茨早在60年代就写了《秘密读者》一书，我们大会的名字也由此得来。[①]

1961年之前的图书走私规模是很难估计的：1956年海关对柏林利用城市轻轨、地铁等方式通过两德边境的人数进行了估算，每月共计1200万，即使投入大量人力物力实行专项行动，也无法检查其中的百分之一。[②] 在西方冷战先驱的眼里这里是一块用来分发大量传单和小册子的优先地带。相反，柏林墙建立以后，秘密读者能秘密读书的地方就少了很多，像柏林国家图书馆、莱比锡德意志图书馆，当然还有书展。德国作家君特·德·布律（Günter de Bruyn）对此讲道："即使因为不能去西德书店和图书馆买书看书感到失望，这种失望也会随着时间的推移而淡化。获取信息有其他各种渠道，比如无线电广播节目，这种方式现在对我来说变得更重要了，还有学术图书馆，如果了解图书馆里的情况并和管理员建立起互信关系，那么读者会看到更多图书馆里收藏的精神走私品。柏林墙另一边如果有亲朋好友不怕费时费力地应对审查，敢于偷带图书杂志，也会起到帮助，再后来通讯记者也成为一处信息源泉。"[③]

1996年，在题为"墙中洞"的有关两德图书交流的会议上，出版商马克·莱姆施泰特（Mark Lehmstedt）就"大

---

① Hurwitz Harold：*Der heimliche Leser. Beiträge zur Soziologie des geistigen Widerstands.* Köln 1966.

② Analyse der Schieber Tätigkeit an der Sektorengrenze im Monat Dezember 1955，21. 2. 1956. BArch DL. 203，127，15 –0100.

③ De Bruyn，Günter：*Vierzig Jahre. Ein Lebensbericht.* Frankfurt am Main. 1996，S. 111.

墙后迷宫中”的读者现状出现研究被忽略而表示不满。从他的这项研究可以知道有何种方法在何种地方为获取西方图书发挥了最重要的作用，也就能基本了解秘密阅读的情况，所以我们有足够的理由在此向他的会议报告授予荣誉席位。①

审查效应研究预先划分为三个要点。首先，最重要的是实施图书审查的重要机关，海关、邮政和国家安全部，审查局本身始终居于次要地位。

其次是关于一些敏感的临界点、相对有渗透性的地方和“墙中洞”：也就是关于书展和“书展偷窃”或是各大图书馆持特殊学术研究许可便能破门而入的毒草柜。我们想从最了解这些地方的行家那里获知，为什么有些书德意志图书馆里有，而莱比锡大学阿尔贝蒂娜图书馆和柏林国家图书馆就没有，或者反之。还有，是否存在统一的标准，这些标准是何时开始有的，是什么样的又是如何得以实施的。

最后要区分特定的重要群体。毒草柜的问题尤其涉及学者和大学生；而在政治背景下，东德批判家鲁道夫·巴赫罗（Rudolf Bahro）或者波兰秘密出版物萨密兹达就比较重要；在教会领域，大家就可能对其他书籍感兴趣，尤其是神学类书籍。但各个群体之间的界限也不是固定的，因为教会的上层覆盖面很广。

---

① Lehmstedt, Mark: *Im Dickicht hinter der Mauer – der Leser*（后简称为：Im Dickicht）. In: Lehmstedt; Lokatis（Hg.）: *Das Loch*, S. 348 – 357.

图1　海关抓获一起报纸走私的档案资料

这次大会打开了一个全新的研究领域，这也就意味着这一领域包含的所有课题目前并非都得到了适当的研究和处理。虽然学界对宗教领域的秘密阅读已经有了相关的详细研究，并且是以教会式、对比式的研究方案进行的，尽管如此，该领域毫无疑问还是需要单独召开一次研讨会议。

此外还要考虑到东德统一社会党中央委员会的马列主义学院里存在的秘密阅读现象，以及类似的与统治阶层密切相关的学院，这些地方藏有共产党党史上最为敏感的机密。这里举行过经篡改出版的机密文件的保密仪式，如布鲁塞尔会议记录等，这次保密仪式散发着一股不可抗拒的力量吸引着一些历史学家，也让最忠实保密的人反而成了秘密读者。然而根据所有海关统计数据，走私最多的绝对是低俗文学刊物。根据这一统计结果，必须对相关的日常生活经历进行相当广泛的研究，而我们的会议仅能对此起到发起倡导的作用。

这次大会上取得的一个重要结论是非法引进的低俗书刊意义巨大，然而对此无法进行适当的详细研究。还有50年代为反抗西方“垃圾”刊物和私人租书业而进行的各种运动目前还未揭开面纱。

1955 年《柏林报》一篇报道阐明了这里所讲的意思：“保罗·肯泊（Paul Kempe）的文学谣言发源地，位于 8 号房门的私人书铺，关门了。‘书友’保罗从来不注意妥善保存图书或者添增新的出版作品。他那些原封不动的资本就是一个鸡蛋箱那么多的书，全是凶杀、色情类烂书，每本 10 芬尼借给特别好的读者，大多都是年轻人［……］几天前，城区参议会的工作人员发现肯泊在倒弄西柏林和西德出版的凶杀类书刊，紧接着人民警察和参议会的工作人员一起进行了调查，最后在肯泊家中的家具后发现一个箱子，里面藏了一个鸡蛋箱，装有 200 多本低俗的破烂旧书［……］。”①

旧书商受中央旧书局的协调安排，既为读者供书，又为清除查抄图书发挥了至关重要的作用，他们非常了解这其中的来龙去脉，可以说是这个领域的专家，但经过各种努力始终未能找到合适的旧书商了解情况。有待研究的还有西德在社会主义兄弟国家首都的“常设代表处”②、国际宾馆和书

① H. M.：*Kempe und “Der Mord im Sonderzug”*. Berliner Zeitung, 22. 11. 1955.

② Christoph Demke 记述过的一段回忆性文字对此很具有代表性：“每到夜晚我们都读《夜霜》，就像我们 1968 年时晚上听布拉格的广播，穿着长睡衣辛苦地蹲在收音机前［……］这本书给我们带来了来自西德常设代表处的朋友。差不多应该是 1979 年。我妻子和我换着读，只有几天的时间，因为还要把书继续传给别人。我们就在夜里看书，一页接一页飞快地读［……］我不得不说：最新的书刊让我很失望。那本书当时给我们留下的印象，明显完全依赖于当时的读书环境，那种环境早就不复存在了。”摘自 Horch und Guck 53/2006，S. 22f。

店的重要作用，不过这些地方就是个没有底的筛子，这类题材放在回忆录和奇闻轶事里有其价值所在，但基本上不适用于做系统性的研究。

图 2　1980 年 6 月，东德海关在边境一辆从西德开往波兰的小型运输车里总共发现了 4080 本宗教书籍，藏在汽车各个隐蔽的地方

从研究方案来看，及时调查走访那些过境旅行的退休人士是最缺失的一项工作。用莱姆施泰特的话说，“他们被儿

孙们肆无忌惮地变成了走私者”，“他们像在书商那儿正规订货一样，把政治上绝对无害的走私品带过海关”，为“在德国图书贸易史上赢得一席值得尊敬的地位”。[①]

尽管缺少这项调查结果，本次大会还是阐明了很多基本问题。

第一，经印制并传播的非法书刊数量大得惊人。一辆大众客车就能填满44000册耶和华见证人的《守望台》[②]。各个不同领域的人士都一致认为，无论是50年代西德发行的数以百万计的宣传册和传单，还是海关和邮政查抄图书的统计数据都说明西德图书生产市场的超高活跃性。据海关统计，比如1979～1980一年半的时间里共检查了140600件装有宗教书刊的大宗货物和小包裹，其中28437件全部没收，4302件部分没收，561件发回西德。[③]

这就引申出一个更有趣的问题：读者能见到的，也就是说比如被海关漏掉或者通过检查的是些什么样的图书，又有多少数量。当然我们无法根据统计数据给出一个笼统的回答，最终只有书贩和秘密读者知道答案，为此我们的会议纲领就起到了作用，为回答这个问题提供了多种出发点。从邮

① Lehmstedt：Im Dickicht，S. 355.

② “一位西德人（联邦邮政的工作人员）去参观书展，把书藏在一辆小巴士的侧板和顶板，试着偷带出境运往东德，总共有44149本书刊和174盒耶和华见证人的录音带［……］还有一次，一个西德人和一个挪威人一起将39653本波兰语和俄语的教会小册子、图书还有1000张唱片藏在一辆为此特制的小轿车里（车内还加了两层底板）偷运到波兰。”Information der Zollverwaltung der DDR，7. 8. 1980. BArch DL 203/294/04－07－05。

③ 同上。

政和海关的有效行动和薄弱环节，进入图书馆毒草柜的渠道，到耶和华见证人发明的种种技术手段，准确无误流传的巴赫罗《抉择》(*Alternative*）的样本，《月份》杂志的传播网络，再到逃脱海关检查的商业性唱片走私，一切都要具体现象具体分析，但总体上都证明了图书消费市场的繁荣活跃，毫不逊色于图书生产市场。

秘密阅读的纷繁多样的对立世界引发出了更多的问题，这样一来，一种“秘密阅读经济学”便粗具雏形。实际上这场同审查的交易和审查本身一样历史悠久，早在16世纪，教皇设立禁书单以及意大利特兰托宗教会议上建立防疫封锁线的决议对保护天主教国家发挥了重要作用，荷兰的印刷商和书商就利用因图书被禁而扩大的读书需求，向两边推进贸易。这样的贸易能达到什么样的规模，达恩顿在讲述法国大革命前夕的作品中，以一家发展势头良好的瑞士出版社以及百科全书的传播为例给出了回答。①

“东德秘密阅读经济学”可以首先以此为出发点：出于政治原因剔除西德图书的行动得益于外汇差价而披上合法的外衣，由于外汇差价西德图书价格翻倍，对每一位东德民众都产生了影响。还有国家图书总局的外汇储备短缺，只能优先用来购进学术书刊。

面对这样的现状，西德方面开始发放非法刊物，比如

---

① Darnton, Robert: *Glänzende Geschäfte. Die Verbreitung von Diderots Encyclopédie oder Wie verkauft man Wissen mit Gewinn.* Berlin 1993.

《月份》杂志。除了反对非人道战斗团这样的战斗组织，我们还听说不下50个这类传播刊物的团体都出现了日益繁荣的援助经济。在东德，特别受欢迎的图书还促成了交易所的出现和黑市交易机制的形成，比如看卡尔·麦的书能缩短购买汽车的等待时间，比尔曼的有声读物售价绝对超过200东德马克。

就连人民与世界出版社在东德出版的世界文学图书也成了“热销品”，在大众书市上很快一售而空，只有通过最硬的关系才能搞到，所以来自西德的特许出版物都以超大印数发行。1991年被揭发的图书加印事件虽然是违法的，但却有力地说明了读者们对西方图书的巨大需求。像美国推理小说家钱德勒（Chandler）的《湖中女子》，并非如合同及官方统计数据所称印数是30000册，而是240000册，法国作家圣·埃克苏佩里（St. Exupéry）的《小王子》不是出版了98000册，而是388000册。① 人民与世界出版社在两德统一后对其非法印制的图书总共须赔偿1200万，利润都流入了统一社会党的账户，这样，统一社会党凭借因图书审查而扩大的读书需求，让自己有条不紊地发了一笔横财。这条值得关注的价值链最终在碎纸机里，在德意志图书馆的封锁书库里，或者在中央旧书局进行图书再出口的时候结束了。

关于“秘密阅读的技艺”值得特别写一个篇幅。在这个问题上，一方面可以回溯到以前的图书印制方法，因为先

---

① 见柏林艺术学院收藏的人民与世界出版社档案中的印数统计。

进的图书复制方法已被国家垄断。从手抄、背诵到手工印制艺术家手制书，各式各样的办法犹如剧场保留节目一般，令人看了不由得发出赞叹。

耶和华见证人的做法是把文稿藏在李子干里，或者化在蜜蜡里。雷纳·埃克特（Rainer Eckert）用了一招，是他在研读普鲁士海关资料时发现的：用十字金属线把书捆绑起来藏在火车厕所马桶下面。另一方面，西德策划秘密阅读的组织者采用更上乘的技术手段，邮政审查官的 X 光设备里还存有图像为证，比如用无线电广播为图书做宣传，利用西风和热气球，还有用定位精准的火箭分发传单和宣传手册，耶和华见证人则利用起微型电影胶片。

不仅海关和毒草柜的看守人，还有利用白灰黑三种不同掩藏手段的西德倒运图书的组织者，都让我们了解了官僚统治的变化发展。审查措施通常都是面对各种非透明又存在内部官僚现象的问题及一种看不见的竞争力结构做出的反应，所以审查措施像是偶然现象，很难被秘密读者发觉。

此外我们还了解到审查官面临的一些问题：圣诞期间的包裹数量太大，而且很麻烦的是，审查官总要对禁书目录上没有的新书新册子做是允许通过还是没收的决定，在不断接受思想灌输的同时，自我防线肯定会失去免疫能力，最终变得脆弱不堪，帕特里夏·采卡特（Patricia Zeckert）也讲到一位审查官参观书展时偷了一本色情字典。还有一些秘密读者肯定感兴趣的是铁路和邮政，哪个方式更适合图书走私，并且何种方式在何时适合何种图书，是否能在柏林国家图书馆借到一本在莱比锡被禁的图书。然而这些事后认识掩藏了一点，就是参与图书走私的人在当时面临着一个难以预料的“黑盒子”，必须小心谨慎地试验自己的活动空间。

秘密阅读、书展行窃和走私图书在当时要冒多大的风险，如果被抓到要受到什么样的惩罚，这些问题向来没有简单统一的答案。散布图书的动机、没收图书数量及图书带来的政治轰动性都是量刑时要考虑的因素。从强制长期监禁——像东德初期，巴德尔·哈泽在没有事先警告的情况下就遭受了牢狱之灾，还有对耶和华见证人更是长期如此——到国安部敲诈勒索，再到例行公事般地没收图书并且不予上报等，惩处方式是多种多样的。

就像秘密阅读非政治类实用书籍在这里被视为大众现象一样，可以利用石蕊测试这种很好的调研方法，来展现审查在多大程度上得以贯彻实施，比如人们在不同时期不同环境下与专制独裁的日常交涉体验，包括应对专制如何统筹安排、采取了哪些投机手段，以及最终如何准备反抗专制。

然而还有一个问题是，秘密读物本身扮演了哪些政治角色。从今天的视角来看，大量信息基本上自由开放，很容易令人低估文字的危险性。但在审查体系下，各种不同的图书文字无论在得到政府的批准还是被政府禁止后都带上了政治色彩，进而具有了轰动效应。这样，秘密阅读作为反抗本身的最简单形式被赋予了一层象征意义。

此外还有很多自传式的事例证明政治热书如何对个人产生震撼而又深刻的影响，就像奥威尔的《1984》对于巴德尔·哈泽一样。学者托马斯·克莱因（Thomas Klein）提出了一个吸引人的问题，这种私下里推行的秘密阅读究竟是从什么时候开始变成以小型团体的方式运作，并最终和精心策划的反对派公众一同从事着具有危害国家倾向的全新活动。

但是与秘密阅读的常态相比，这是个例外情况。在40年两德共存的背景下，这种常态是可以理解的，秘密阅读不正是证明了广大群众超越东德而扩及整个德国的努力和追求吗？过于推崇哲学的目的论是不可取的，特别是在西德最受欢迎的热销书中没有多少是苏联戈尔巴乔夫时期的著名作品，如作家艾特马托夫（Aitmatow）、拉斯普京（Rasputin）、田德里亚科夫（Tendrjakow）和特里福诺夫（Trifonow）等人的作品。如果将秘密阅读的对立世界置于适当的背景之下，就要看到东德获得印制许可的批判当代现实的纯文学作品得到了广泛接受，还要看到文学界批判性公众的形成，他们拥有的可信度还是来源于各个重要作家反抗审查的斗争。

图3　海关抓获的报纸走私附属走私品

秘密读者们也读了很多公开发售的书刊。最后简而言之，研究秘密阅读要建立起广泛的维度，从允许读书、容忍读书到出于文化政策需要而读书。众所周知，东德是一个“读书的国度”，或者用作家约翰内斯·R. 贝歇尔（Johannes R. Becher）的话说是一个“文学社会”更好，这并非是完全凭空而谈的。看看公布于众的审查档案、国安部档案以及90年代初的图书加印丑闻，再看看统一社会党图书贸易的财政盈利机密，就会得到新的认识，某些神话传奇便不攻自破。在这个“读书的国度”秘密历史背后隐藏着哪些神秘的未知，我们现在要做的是利用起我们对这一问题的了解，将当代视角和过往经验融入未来的多样性之中并互动地结合在一起，描绘出一幅更广阔翔实的蓝图。

迷宫与窗户

大墙后迷宫中的读者*

马克·莱姆施泰特（Mark Lehmstedt）

在过去两天半的会议中，我们以1945年后两个德国的界定与合作为背景，针对图书的印刷发行和贸易问题已经进行了详尽的讨论，然而对其中一个层面却完全没有给予应有的重视，甚至可以说彻底忽略掉了，这就是读者。毕竟图书的受众是读者，图书是否遭到禁止直接对读者产生影响，因此至少在大会临近结束时将读者作为主题就显得更为重要。但作为读者的各位女士们先生们对很多讨论过的问题根本不

---

* “墙中洞：两德图书交流”会议发言稿，Leipzig 14. – 16. September 1996. 发表于同名会议录音带，Wiesbaden 1997，S. 348 – 357。

了解，或是仅有一种十分模糊的想象，他们积累的完全是自己的经验，随之也就产生了各自看问题的视角以及解决问题的策略。

接下来我在讲到有关读者的各方面时，重点既不是具体有哪些西方图书在东德找到了读者，更不是读者如何阅读这些图书这个还很难回答的问题。我探讨的问题十分简单：东德读者有哪些渠道可以接触到西方图书。我的资料来源不是档案数据，而仅仅是通过对一些人进行访谈获得的回忆性信息（当然也包括我自己的回忆）。我的民意调查绝对不求具有代表性，有代表性的民意调查还有待进行，大家可以期待通过这类调查而有更多的细节浮出水面。

首先我想进行一些铺垫：

1. 对“Literatur”一词我自然不是取其狭义——纯文学，而是取其广义—— 一切以印刷品的形式公开销售的东西。不过在此我先将报纸和大众刊物尽可能排除在外。

2. 从东德读者的视角出发，那么历史进程中的差异是务必要考虑到的。1961 年之前两德边境开放时与柏林墙建立后的近三十年，接触西方文献的渠道可能存在着根本性的差异。在 1972 年的《基本协议》以及 1975 年赫尔辛基《最后文件》（又称《赫尔辛基宣言》）签署前后也有很大区别。

3. 就像历史进程中的差异一样，东德的不同区域也有差别，一般划分为两部分：柏林与“共和国”。除柏林外，其他几个大城市也有特殊意义，首先是那些大学城以及有深厚历史渊源而形成了丰富的文化底蕴的城市，特别是莱比锡和德累斯顿，当然也包括耶拿、哈雷、罗斯托克和格赖夫斯瓦尔德。

4. 最后不能忽略的是七八十年代东德一项读者社会学研究得出的基本结论：读者的主要阅读年龄期基本上随着进入职场和建立家庭而结束。这意味着从 20 岁到 30 岁，读者的数目、读书所用的时间以及所读的书籍数量均急剧下降，这当然不包括职业读者或因工作需要所读的书。

“西方图书”这一概念对东德读者而言首先意味着来自德意志联邦共和国和西柏林的书籍。来自其他西方国家的出版物仅对小众才有一定意义，这类人群被称为科技知识分子，可能还包括一些以生产出口产品为主的企业的高级管理人才。毫无疑问，这是因为要想阅读此类书籍必须掌握外语；重要的非德语世界文学，东德读者当然可以读德语译本，但这肯定在很大程度上仅限于纯文学领域。

从 40 年代末起，对东德读者来说西方国家的书籍就是特别的书籍。无论其内容如何，它们均有一个共同的属性：在东德境外的地方出版，也就与本地出版发行的书籍相反，没有接受过必须的标准审查。每本东德自己出版的图书，仅仅鉴于它是在本地出版的这一事实，就意味着它符合相应的标准。哪怕放大或者破坏了迄今为止的（各类）标准限度，它也被打上了党与国家权威的印记。而东德境外出版的图书虽然并无害处，本来也并无恶意，因为在境外出版而无须获得党（领导）和国家的明确批准，不受这种调控机制的束缚，因此不光对于秘密警察和海关人员，就连对于普通读者来说它们始终都有足够的理由“引起怀疑”。来自西方的图书是“异常”的，处在必须遵守的标准之外。

在出版过程中社会环境的差异解释了西方图书为何具有特殊地位，即使在东德可以合法购得这类图书，它们仍旧享有这种地位。毫无疑问，最大数量接触西方图书的渠道（至少从1961年起）当属东德各出版社推出的授权版本，即德语原版以及德译版本（此外还有西方其他语言译本）的特许授权版。尽管这些版本在东德也得接受标准审查并且必须获得认可，但其文字内容毕竟不是在东德写作条件下写出的，更不是着眼于东德标准体系写就的。因此这些书处于标准之外，起码或多或少地游走于灰色地带。

罕见的是，这一点同样适用于那些（为数不多）虽然冠有西方出版地和出版社的名字，但在东德书店却能买到的图书。这方面首屈一指的当推出版马克思主义书籍的如帕尔－鲁根斯坦（Pahl－Rugenstein）和勒德贝格（Röderberg）出版社，还有出版马克思主义期刊的出版社。先不说这些都是德国共产党自己的出版社，或是亲德国共产党的，因为这些出版社的出版物涉及的政治题材非同一般，甚至有被禁止的题材，而且其表述风格也不像人们所熟悉的迪茨（Dietz）出版社那么平淡无奇，所以在东德肯定会特别吸引读者的兴趣。[在东德唯一一本通过正常渠道可以买到的有关罗伯特·哈费曼（Robert Havemann）、鲁迪·杜奇克（Rudi Dutschke）和沃尔夫·比尔曼（Wolf Biermann）的书，是罗伯特·施泰格瓦尔特（Robert Steigerwald）的《“真正的”或反革命的“社会主义”：哈费曼、杜奇克和比尔曼想要什么?》（*Der* “*wahre*” *oder konterrevolutionäre* “*Sozialismus*” . *Was wollen Have-*

mann，*Dutschke*，*Biermann*?），1977 年由位于美茵河畔的法兰克福的马克思主义期刊出版社出版。这样在东德就可以以完全合法的方式阅读该书中所引用的上述三人已发表的文章。]

在东德书店中出售的除了少量西方出版物外，就是上述马克思主义文献了。当时读者根本不清楚，比如苏黎世第欧根尼（Diogenes）出版社的许多书以及英国的泰晤士 & 哈德森（Thames & Hudson）艺术书籍出版社的书如何能够进入东德市场。（我所知道的这些书肯定不是在东德的印刷厂印制的。）

除了正规的书店，甚至与西德之间正式的图书贸易也成了一种渠道。70 年代末在东德知识界突然兴起了一份订书单，谁想要慕尼黑汉泽尔（Hanser）出版社的尼采选集三卷本，或是卡尔·施莱希塔（Karl Schlechta）的三卷本《尼采传》，或是威斯巴登的因泽尔（Insel）出版社的六卷本叔本华选集，可以在上面登记预订（自然是用东德马克按1∶1汇率兑换），订购的读者还真的把书拿到了手中。至于这种非同寻常的方式背后隐藏哪些原因，当时的读者百思不得其解。毕竟那个时候各家出版社的相应计划一再受到冷遇，东德的出版社出版尼采或叔本华的著作还是根本无法想象的事情。甚至 1987～1988 年时还公开进行过一场激烈的辩论，探讨东德是否允许出版尼采的作品。这样看来，上面提到的三部作品仅仅是冰山的一角，恰恰是在科技领域有更多的西方图书以同样的方式流入东德买主的手中，当然每种书的销售量要相对少得多。

版权贸易肯定是 60 年代才开始繁荣起来的，而 50 年代，确切地说是在 1961 年 8 月 13 日之前，另一个获取西方图书的渠道是在西柏林（也包括西德，但条件限制很大）买书，该渠道无疑占了主导地位。西柏林作为前沿城市，在为东柏林的居民提供图书、报纸和杂志方面的作用无论怎样高度评价都不过分，对此也迫切需要进行独立而详细的研究。东德对外及两德贸易副部长库尔特－海因茨·默克尔（Curt－Heinz Merkel）的一段话非常富有启发性，他在 1958 年 5 月 17 日写给文化部副部长埃里希·文特（Erich Wendt）的信中提到，根据东柏林刑警提供的资料，“1957 年仅在东柏林就有 40 万册漫画书被没收”，而在 1958 年前四个半月内又有“近 8 万本已经”被没收。这些数字不仅让人猜想到经西柏林流入的出版物数量之巨大——有多少逃脱了查抄?!——而且同时令人确信东德读者的首要阅读兴趣根本不在于那些经图书学的标准衡量过的经典之作，也不在于那些文学史或科学史著作中经常出现的阳春白雪之作。

当然黑市的兑换率一般是 5～10 个东德马克才能换到 1 个西德马克。在这种条件下，一本在西柏林买的书就获得了很高的物质价值，相当于一天甚至几天的劳动所得。（一本平装袖珍版书售价 2 西德马克 = 10～20 东德马克，50 年代每月 26 个工作日的月平均收入为 400 东德马克，这意味着日收入约为 15 东德马克，一本书的开销至少等于 0.7～1.3 个工作日的所得；一本精装书售价 7.5 西德马克 = 37.5～75 东德马克，为此甚至要工作 2.5～5 天!）其后果不言而喻：如果不是总归得从东德人感到眼花缭乱的各种不同报纸和（大众）杂志中进行抉择，买书时人们首先尽量挑便宜的，也就是买平装袖珍版的，或是偏爱如雨后春笋般大量冒出的小册子（如前面提到的漫画）。在内容方面也严格筛选，只买非买不可的，也就是确实想读的，此外还得是适合一读再读的。这同时对读者的读书态度也产生了决定性影响：由于不菲的价格和书市的特殊情况（换钱自然是非法行为，把印刷品带入东德同样是不允许的），读者对书和杂志收藏得格外精心，读书时也更为全神贯注；即使那些读后本该扔掉的小册子，都被作为经典的可反复阅读的“精读”对象收藏起来。物以稀为贵，因得之不易所以还私下互相借阅，这样每本书的读者数量就更多了，通常情况下这是难以想象的。此外这些书籍还代代相传：50 年代在西柏林买的书，10 年 20 年后，孩子们就开始读起了父母书柜中的图书，到了 80 年代甚至孙子辈的也开始读祖父母书柜中的书了。（仅举一个例子：我有达姆施塔特现代图书俱乐部 1958 年版的《尤利西斯》，而东德版本 1980 年才在民族与世界出版社出版，我不知道我母亲是如何弄到 1958 年那一版的。然而可能 50 年代西德的各种图书俱乐部因其物有所值的图书价格，对东德读者起过十分重要的作用。）

由于黑市汇率让西方图书几近天价，所以起码在西柏林，对于住在轻轨可达范围内的东德居民的读书生活来说，图书馆业——从美国纪念图书馆到各占领区附近特别密集的商业性图书出租店——也起到了不容忽视的作用。西德方面也花了大量财力来支持，像波恩政府向西柏林与文化生活有关的众多机构包括图书馆给予了大量经济补贴，让这些机构更好地为东柏林和东德居民提供服务，这些服务有些收取东德马克，有些甚至是免费的。

1961 年东德边境封锁后，就基本不存在在西德购书的可能性了，借阅就更不用谈了。这么一来上面提到过的版权贸易和本地图书馆的图书供应作用就显得更为重要。

戈特弗里德·罗斯特（Gottfried Rost）和赫尔穆特·勒策施（Helmut Rötzsch）在他们的发言中已经谈到莱比锡德意志图书馆的杰出作用。1945 年以后，一代代的大学生、科学工作者和教授们一直把这座图书馆作为或许是世界上最好的大学图书馆来使用（或者从那里的图书管理员的角度来看：滥用）。德意志图书馆的作用不仅仅限于为莱比锡市的读者提供服务，全国各地的读者都来这里借书，因为只有这里藏书丰富，能借到很多西方图书，而东德其他图书馆借阅西方图书需要特别批准。

除德意志图书馆外，西方文献馆藏丰富的首推柏林国家图书馆、德累斯顿和哈雷的州立图书馆、魏玛德国古典文学中心图书馆以及各大学图书馆，还有到目前几乎还没提过的各工商企业、研究院与学会的内部图书馆体系也具有非常重要的意义，其在各自领域中收藏的西方文献特别是期刊数量可观。然而一般来说这类图书馆只对内部员工开放，不是人人都可借阅其藏书。

上述各类图书馆不仅为公众及某些特殊群体提供西德出版的图书，而且在这里需要特别强调，它们还提供东德各出版社购买版权后出版的图书，这一点就具有了特别的意义。鉴于众所周知的事实，许多这类特许授权出版的书在书店供不应求。特别是这类东德特许版本也在那些根本没有外汇额度无法购买西方出版物的图书馆上架（如各市、区、乡镇的公共图书馆、青少年图书馆、企业图书馆等），在这些图书馆读书的是“一般”读者，这样的读者基本上不会误入某所学术性图书馆，而且也没有机会去专门的企业或机关内部图书馆。

还有要说明的是，除了在图书馆内读书和公开合法外借图书，有些图书馆工作人员还私下为其亲友非法借书，通过这种方式，一些禁止公开流通的图书便到了没有特许借书证的读者手中。这样非法借阅西方图书在极端情况下能够达到什么规模，从柏林国家图书馆一位负责人的故事中可见一斑：他把特种书库中的上百本非借阅图书拿回了家，不说数年，也至少有数月用这些书办了个流动图书馆。当然他最后为此进了监狱。

东德读者在布拉格、布达佩斯甚至是在莫斯科（少数）几家书店中也许能以最民主的方式，不受来自社会方面限制地自己购买西方出版物。这些书店通常都有平装袖珍版的卡夫卡、黑塞、萨特、埃里希·弗洛姆（Erich Fromm）和西格蒙德·弗洛伊德等人的作品，但也有通俗文学［比如法国和比利时风格的漫画书《阿斯泰利克斯》（*Asterix*）或《丁丁》（*Tintin*）］，这些书自然数量十分有限，具体能碰到哪些书纯靠运气，而且价格不菲。顺便说一句，在布达佩斯也能买到西方非德语国家的报纸，如法国的《世界报》、英国的《泰晤士报》和美国的《国家先驱论坛报》。可蹊跷的事还在后面，在布拉格、布达佩斯或莫斯科的国家书店，甚至在政党的下属书店完全合法购买的图书、报刊和杂志在过边境到东德的时候还是完全有可能被海关没收，这时候指给海关看上面写有卢布、克朗或者福林价格的赫赫有名的印章也于事无补。

几十年来莱比锡书展一直是东德文学界的盛事。出版商克劳斯·G. 绍尔（Klaus G. Saur）等人十分正确地指出了该书展对东德所有读书迷的重要意义，它让人有机会全面了解西方出版社的出书信息：一方面通过书展上展出的书籍，读者可以在各个展台把书拿到手中翻阅，站功好的还能在那里把书从头到尾看完［甚至像沃尔夫冈·希尔毕西（Wolfgang Hilbig）报道的那样，居然有人在那儿用手抄书］；另一方面免费发放的图书目录一般收录了所有可供货的图书，这些琳琅满目的书籍给人留下了深刻的印象，但同时又让人气馁，因为这些书在东德一本也买不到。倘若有人试图得到一本在莱比锡书展展出的图书，要么通过偷窃（虽然西方书商不愿看到图书被偷，但他们对此常常能宽容对待），要么反过来西方出版社的工作人员在尽可能远离展览馆的地方赠送图书，比如有些出版社［如乌尔斯坦（Ullstein）出版社］整箱整箱地送，一旦这样就离违法不远了。

定期参观书展会令读者很纠结，因为看到书展上有如此众多的书籍，大家根本无法理解为什么不能在街角的书店中买到。这样就产生了一种精神分裂的状态，几乎每个人有意或无意间都遭受过这份罪。大概每个参观过书展的读者都能回忆起当他或是她琢磨着如何才能至少搞到一两本认为特别重要的书时，就陷入了一些荒诞又经常令人十足绝望的思想迷途。

特别是1972年以后，两德之间的旅游往来就成了获取西方出版物最重要的大众化渠道。在这方面家庭关系自然起着十分重要的作用。（从图书史的角度来看，家庭联系占多大份额是个十分有趣的问题：10%、40%或者甚至80%的东德家庭在西德或西柏林有远近亲戚，他们中有多少人和这些亲戚至少不定期地保持联系？）退休者成了东德倒运西方图书最重要的“书商”，他们被儿孙们肆无忌惮地变成了走私者。他们像在书商那儿正规订货一样，把政治上绝对无害的走私品带过海关，这么一来他们在德国图书贸易史上就赢得了一席值得尊敬的地位。

1972年后两德旅游往来越频繁，在交界另一边有家庭以外的熟人和朋友关系也就越重要。在这方面大家尽可能地以物易物：100东德马克的图书（或其他物品）被寄往西德，为此，视友谊程度而定可以收到价值10～100西德马克的图书。这些书或被带来（也就是走私）或被邮寄，常常遭到没收，从而给被牵涉到的人带来了麻烦。虽然以这种方式流入东德的图书数量有限，但从整体上看也不能过于低估这类需求对西德出版社和书商的经济意义。

在这种图书交换体系中，与宗教、政治、意识形态、科学或其他方面建立的联系从一开始就发挥着一种特殊作用。特别是自然科学家和医学家凭借他们的业务关系，系统地安排同行们将各种专刊从世界各地邮寄过来，便能够建立起正规的拥有西方文献的图书馆。教会的“干部”在这方面也起着特殊作用，此外就是70年代初开始数量飞速增加的外交人员、商务代表以及在东德工作的西方记者。所有这些人都往东德带报纸杂志，数量多得往往令人难以置信，他们从柏林开始，走到哪儿散发到哪儿。此外其他社会主义国家的外交官也可以自由出入东西柏林不受检查，所以未必是他们本人，但他们的孩子肯定就成了为同学们带书的人。

东德读者无论想以什么方式拥有西方图书，都面临着一种两难选择：先不考虑他的购买力十分有限（无论是亲朋好友送给他们的西德马克，还是准备去黑市上兑换的东德马克），他们不光要在令人眼花缭乱的图书中进行选择，而且首先要想想，一台钻机或是一张阿特·塔图姆（Art Tatum）的唱片对他来说是不是比一本书更为重要。因为要知道，一本书除了要跟其他媒体产品还要和所有产品竞争，而最终获胜的常常不是书籍。

就从东德读者的视角出发，无论是1948年的货币改革还是1961年柏林墙的建立，都没有彻底分裂德国的图书市场，反而形成了一种多层次获取西德出版物的体系。其特点是传统的商业获取模式一定程度上被前现代化的非商业获取模式所取代；但后者仍具有的商业性质，在很大程度上以非机构化的形式（出版社和图书贸易）显现出来。同时需要强调之所以能够保持跨边境的联系往来，首先是因为两个德国的出版业自50年代初就发展了多种商业合作模式（特许授权版本、代印和代销等），就像国际上不同国家间常见的那样（在这方面对两德间的关系与同样使用同一种语言的英美之间的关系进行比较肯定会很有启发）。出版业，还有不能漏掉的图书馆业以复杂的方式同时为德国战后政治和经济秩序起了稳定化和非稳定化作用。

很难断言，在全部阅读的书籍中西方文学对东德读者具有什么样的意义，因为它们对不同年龄、职业和社会地位的人的影响有很大差异，当然还要考虑到文本体裁。从宏观上看，意义最大的大概要算一些纯文学作品（特别是那些非诗歌和非戏剧作品），至少东德读者的核心像西德读者的核心一样熟悉西德和其他西方国家的纯文学经典之作，这些作品在东德拥有的读者群体从社会意义来看恐怕比在西德还要广。而相反，只有很少一部分读者对纯政治作品感兴趣，图书审查、监控以及封禁体系在很大程度上还是奏效的，但是有两本西德出版社出版的政治书籍（特点是作者生活在东德），对 1989 年夏秋之际一个国家整个体系的崩溃起过重要作用：罗尔夫·亨里希（Rolf Henrich）如今显然完全被遗忘了的论文《行使监护权的国家》（*Der vormundschaftliche Staat*）和瓦尔特·扬卡（Walter Janka）的《真相难白》（*Schwierigkeiten mit der Wahrheit*）。当然，扬卡的那些自传体文字只有脱离了印刷品的形式，通过 1989 年 10 月 28 日在东柏林德意志剧院的朗诵会上还有经电台与电视台转播变成口头传诵的东西后，其炸弹般的爆破力才充分显示出来（幸好部分作用效果被专门记录在了另一本书中）。

在此我还要谈到现代化电子媒体传播方式，也就是电台和电视台，从东德读者的角度看，它们又为获取西方图书提供了新的可能性。从东德的统计年鉴中不难发现家庭配备收音机和电视机的数量呈上升趋势。自 70 年代初国家不再系统地对收听与收看西方广播和电视进行干扰以来，就出现了一种不受国家监视和控制的传播体系，令国家花费力气建立起来的整个标准监控流程显得十分荒谬。只要愿意，谁都可以毫不费力（也几乎不冒任何风险）地参与西方政治、文学、哲学、自然科学及所有其他领域的讨论，其中也包括以书籍为主的讨论。由于有了录音带，70 年代起又有了盒式磁带录放机，人们可以借此创建自己的图书馆，还可以复制后在私人圈子内流传。许多在东德多年后才出版或者根本没有出版的书籍，都以这种方式传入东德，虽然没有到达读者手中，却到达了听众耳中。比如我记得 1977 ~ 1978 年间曾听过伦敦英国广播公司（BBC）一连数周播出的英文版的亚历山大·索尔仁尼琴的《古拉格群岛》（*Archipel Gulag*），没过多久还听过自由柏林广播二台播出的恩岑斯贝格（Enzensberger）针对“再社会化”所写的匕首般锋利的小品文。我在什未林的朋友们有一整套电台播出的作家作品朗读会的录音剪辑，从海因里希·伯尔到齐格弗里德·伦茨（Siegfried Lenz）再到君特·格拉斯，应有尽有，还有几百种比尔曼的科隆音乐会剪辑。

东德读者接受西方图书后受到了哪些影响，如果可以梳理的话，也只能具体情况具体分析。尽管如此，还是可以提炼出一些基本的模式，当然前提条件是，为德国书商与出版社协会历史委员会的以出版商和书商为侧重点的口述历史项目提供系统性和有代表性进行的读者调查结果。通过这种方式可以取得令人满意的结果，也正是从事历史性阅读研究或读者研究的学者希望看到的结果。此外还需一提的是，文字只要在“正确”的时间遇到“正确”的读者或听众，必将产生深远的影响。

东德社会公众与秘密使用媒介

米歇尔·迈恩（Michael Meyen）

1. 一种原本不可能存在的现象

按照德国当代社会学家尼可拉斯·卢曼（Niklas Luhmann）的观点，“秘密使用媒介”是不可能存在的，其在1996年提出将大众传媒称作“社会的记忆”。[1] “大众传媒系统”将各种信息散播得如此之广泛，以至于接下来就必须假定这些信息已经众所周知——或者假定对信息的熟知度至少达到这样一种程度，只有当人丧失身份地位才能承认对信息一无所知。卢曼将这一功能称作“记忆”，因为每次进

① Luhmann, Niklas: *Realität der Massenmedien*. Frankfurt a. M. 1996.

行信息传播时，都可以认为其他人已经具备了同样的背景知识。按照这种对“大众传媒系统”的解读方式，“秘密使用媒介”便失去了意义。

同样，“秘密”和“公开”这两个概念第一眼看上去并不匹配。“秘密”发生的事情如何与“公众”相联系？德国社会学家尤尔根·格哈茨（Jürgen Gerhards）和弗里德海姆·奈德哈特（Friedhelm Neidhardt）将“公众”描述为一种原则上所有社会成员都可以参与的“讨论系统”，这种讨论系统具有的功能对于政治就像市场的功能对于经济一样，并且在复杂的社会下，没有大众传媒形成不了讨论系统。我们都知道，这样一种作为“讨论系统”的公众在东德是不存在的。

大众传播
- 东德媒体（“政治上精心策划的公众”）
- 西方媒体（“广播媒体为主，也包含其他出版机构”①）
- 反对派公众（“非官方公众或反公众”②）

公开活动
偶遇（“小众”）

图1 Arena 模式对公众的划分（格哈茨/奈德哈特 1990）

尽管存在“秘密”与“公开”的对立问题，格哈茨和奈德哈特的理论模式依然具有可行性，因为二人都将东欧变

---

① Silberman, Marc: *Problematizing the "Socialist Public Sphere": Concepts and Consequences.* In: Marc Silberman (Hg.): *What Remains? East German Culture and the Postwar Public.* American Institute for Contemporary German Studies. Washington 1997, S. 1 – 37.

② Bathrick, David: *The Power of Speech: The Politics of Culture in the GDR.* Lincoln and London 1995.

革的各种经验融入了 Arena 模式——首先一条经验就是，即使没有大众传媒也能实现传播过程，为社会变革做准备。格哈茨和奈德哈特区分出三种公众层面（见图 1）：大众媒介传播、公众活动或集会以及所谓的“小众”（公车上、工作中以及酒吧里的谈话）。在 Arena 模式中，这三种层面之间是相互作用的。例如游行或集会是各种观点意见的试验场，“小众”的参与者及其言论可以说是多种多样的，同时，“小众”能够接收并审查大众传播媒介的信息。对于东德的图书文献，图 1 这种模式要稍作改动，大卫·巴斯里克（David Bathrick）所称的“反对派公众”可能就要归入公众活动一栏了。[①] 像东德 80 年代由反对派或艺术家通常在教会背景下编辑出版的杂志《环境报》或者《两难选择》（*Grenzfall*）的读者就很少，几乎谈不上“大众传播”。[②]

虽然可以将这种公众模式解读为对东欧国家政治变革做出的反应，但“秘密”这个概念在此所占的分量依然非常有限，对于接下来要谈到的西方媒体同样如此。在公众活动层面，最多能将密谋集会称为“秘密”使用媒介，但这必

---

① Behrend, Hanna: *Feministische Gegenöffentlichkeit im "Realsozialismus"*. In: *Medien und Zeit* 1/2002, S. 16 – 26.

② 参阅：Kowalczuk, Ilko – Sascha (Hg.): *Freiheit und Öffentlichkeit. Politischer Samisdat in der DDR 1985 – 1989*. Berlin 2002; Poumet, Jacques: *Die Leipziger Untergrundzeitschriften aus der Sicht der Staatssicherheit.* In: Deutschland Archiv 1/1996, S. 67 – 85; Knabe, Hubertus: *Nachrichten aus einer anderen DDR. Inoffizielle politische Publizistik in Ostdeutschland in den achtzigen Jahren.* In: Aus Politik und Zeitschrifte B36/1998, S. 26 – 38; Lotz, Christian: 《*radix – blätter*》. Zur Geschichte eines Untergrund – Verlages in der DDR. In: Deutschland Archiv 3/2002, S. 424 – 432。

然不符合格哈茨和奈德哈特对这一层面的定义，在偶遇层面是指陌生人之间的交流：比如火车小隔间里碰巧坐在一起的乘客进行交谈，这个隔间里的乘客不一样，谈话的主题也不一样，这里就没有“秘密”可言了。

从这次会议纲要来看，“秘密使用媒介”的现象是肯定存在的。会议宣传中提到一个“全新的又极其广泛的研究领域”、各种“动力”和“策略”让东德民众投入这一研究领域当中，还有提到一堵“看不见的墙”，是这堵墙建立起了国家文学政策。齐格弗里德·洛卡蒂斯（Siegfried Lokatis）在他的邀请函中将“秘密”一词翻译为“非法”，并且提及众多组织和联合会，还提到“特别难以获取”的图书和杂志，因为“经审查被海关隔离”所以“或多或少遭到禁止”。我们从会议纲要中便可了解到审查带来的各种各样的后果：过境走私、图书馆里的“毒草柜”、非法读书圈子，还有手抄复制全部图书。在我的记忆中，我对所有这些都没有什么特别的印象。我在东德北部的吕根岛长大，那里被称为一个“一无所知的山谷”。[①]虽然邻屋有各种西部牛仔杂志和英雄主义杂志可以借阅两天，像《拉斯特》（*Lassiter*），副标题为“那个年代最刚烈的男人”，但为了不让所有人都拿到杂志，对于村子里其他青年来说才算得上真正的秘密阅读。我记得有一次一家人的平安夜我们都很生气，因为从西德寄来的包裹破损得巧克力

① 参阅 Stiehler，Hans－Jörg：*Leben ohne Westfernsehen. Studien zur Medienwirkung und Mediennutzung in der Region Dresden in den80 er Jahren*（以下简称：*Medienwirkung*）. Leipzig 2001。

和咖啡都没法吃了，爸妈把责任归咎到住在西德宾根的亲戚，因为包裹底层放着三期旧的《时代周报》。而下次收到圣诞礼物时就没有报纸了。一次，班里一些同学在村子里的广场上放乌多·林登贝格（Udo Lindenberg）的歌曲《通往潘科的特别列车》，声音特别大，惹来了麻烦。后来服兵役的时候，如果上级进了房间发现没有按规定把东德广播电台做标记，接着所有收音机的调台旋钮上相应的位置都要被贴上白条。[①] 当时在我们所在的州首府罗斯托克最有诱惑力的是西德北部的“石荷州电台”。谁被逮住，一般就要上交收音机，服役结束后能拿回来，一些人服完兵役离开兵营的时候带了三个收音机走。秘密收听广播在当时首先是个经济问题。

当然这些都是非常特殊的经历——80年代，小地方，一个一般的东德家庭，即使允许估计也没有人打开收听西德广播电台。时间、地点和社会环境早就不是影响媒介使用以及秘密体验的全部因素了。为将“秘密使用媒介”从社会学的角度定位，我将在第4章节就这一现象阐述我如何划分东德媒介使用者类型[②]，并且对其他影响因素进行讨论。第2、3章节首先讲的是本文所应用的原始资料，接下来是东

---

① 参阅 Osang，Alexander：*Keinen Sender mehr.* In：Ulrich，Andreas，Wagner，Jörg（Hg.）：*DT64 . Das Buch zum Jugendradio*；*1964 – 1993* . Leipzig 1993，S. 54 – 61。

② 参阅 Meyen，Michael：*Denver Clan und Neues Deutschland. Mediennutzung in der DDR*（以下简称：Denver Clan）. Berlin 2003；ders.：*Mediennutzer in der späten DDR. Eine Typologie auf der Basis biographischer Interviews*（以下简称：Mediennutzer）. In：Medien & Kommunikationswissenschaft 1/2004，S. 95 – 112。

德“秘密”使用媒介的背景条件。最后第5章节提出一个问题，是否可以对Arena模式进行修改以及如何修改，这样也将大会上的讨论内容包括了进来。

2. 原始资料

我对东德媒介使用情况的两项研究已经对这里讲到的相关素材做了分析。第一项研究是有关五六十年代的电视传播，以及这种在当时看来的“全新媒介”如何改变了东西两德的国民日常生活，改变了其他媒介的使用情况。[①] 民意调查结果是主要的原始资料来源。虽然东德60年代中期才开始进行具代表性的民意调查，但媒体人在此之前就已有意试着了解公众，因此试着通过分析公众来信，举行听众、观众及读者集会，在农村和小城市开展全民问卷调查来了解清楚公众反馈情况，此外还有位于波恩的全德事务部或者美国当局委托对东德难民和西柏林外来人群进行采访。这些调查研究虽然同样不具代表性，但都是匿名进行的。为检验、归类并权衡调查结果，我还以历史性数据分析法调出一些官方统计数据，包括文学及学术论文、流行文化讨论以及职业媒体观察家的评论。因为每种媒介都直接或间接地包含这种媒介的受众信息，所以我在一项系统化抽样调查中针对研究涉及的时间段，对统一社会党的中央机关报《新德国》、媒体节目杂志《广播电视在手》和幽默杂志《厄伦施皮格》进

① 参阅 Meyen，Michael：*Hauptsache Unterhaltung. Mediennutzung und Medienbewertung in Deutschland in den 50er Jahren*（以下简称：Unterhaltung）. Münster 2001。

行了翔实的分析。第二项研究有关80年代媒介使用情况，[①]这些研究结果作为资料来源重新得以利用。重新塑造这段时期西德广播电视节目的影响力范围，这一要求虽然从未在研究中直接提出过，然而借助于听众及观众研究还是可以实现的。

此外，为了将东德媒介的不同使用情况展现出来，我们在2000～2002年间对100多个东德人进行了走访，了解了其生平经历（见图2）。各种媒介在人们的生活中具有哪些意义，对于这一问题，质性研究方法胜过一般性调查法。生平采访能达到的最好成果也就是在不要求完整性的前提下，记录一些典型的事例，而对于特别现象在整体人群中的分布情况，从来都给不出有启发性的结果。一方面有些人已经离世，或者年岁已高，很难回忆起往事。另一方面这种访谈的前提是，受访者有意愿并且有能力同一位陌生人讲述他的生活，在同一个社会阶层里，这两个方面不可能同时兼备。[②]

然而为了不使调查结果失去全面性，我们是按照"理论抽样"（或者也叫"理论饱和"）法选取的受访人群。这种方法源于"扎根理论"，该理论旨在针对某一现象来发展并归纳式地引导出扎根的理论。[③] 理论饱和法认为，某种研

① 参阅Meyen：*Denver Clan*。

② Fuchs，Werner：*Biographische Forschung. Eine Einführung in Praxis und Methoden*（以下简称：Biographische Forschung）. Opladen 1984；Hirzinger，Maria：*Biographische Medienforschung*（以下简称：Biographische Medienforschung）. Wien 1991。

③ 参阅Glaser，Barney；Strauss，Anselm：*The discovery of grounded theory*. Chicago 1967。

性别和受教育程度

- 57 位女性，44 位男性
- 45 人具有高中或大学学历，56 人学历较低（初中毕业）。

出生年份

- 1930 年及更早：4 人
- 1931 至 1940 年：17 人
- 1941 至 1950 年：28 人
- 1951 至 1960 年：31 人
- 1961 至 1970 年：16 人
- 1971 年及以后：5 人。

其他说明

- 33 人在西德没有亲戚或朋友（标准是指至少定期通信）
- 28 人为统一社会党党员
- 23 人接收不到西方电视节目
- 21 人在东德的曾经居住地人口少于 10000
- 19 人有宗教信仰（标准是指 1989 年以前时常参与教会组织活动）
- 7 人在 1989 年 11 月 9 日以前逃往西德

图 2　生平采访—抽样调查（n = 101）

究对像比如媒介使用包含的形式非常广泛。[①] 研究这一领域，受访者必须尽可能具有多样性，决定选取哪些人作为受访者的标准也应不断补充调整，直到“新的采访结果”不能再提供新的信息为止——这个只有理论可行性，因为当采访了八九十个人后，每个人的生平都还可以挖掘出更多意想不到的细节。

如何选取受访人，一方面以“使用与满足”理论和工业化社会媒介使用情况为依据，另一方面还要考虑到，对东西德媒介的使用及评价是与对社会系统持有的基本观点相关联

① Fuchs：*Biographische Forschung*，S. 228 - 230.

的，使用媒介是出于社会情况和心理状况的需要。因此可以推断出，在东德人们对媒体的期望和使用情况也各不相同，并且模式和在西欧类似：女士使用媒介区别于男士，城市居民区别于农村居民，老人区别于年轻人，对于职位较高或者经济独立的人，媒体传播的信息对于他们所具有的意义也不同于对于女秘书或者贤内助的意义。东德与西欧的区别之处在于是否能接收西方广播电视。大约六分之一的东德居民接收不到西方电视节目，为了解这六分之一的情况，我们对来自德累斯顿地区的 23 人进行了采访。满足“接近体制”的条件不那么容易，也不是每个人谈到东德时都直言不讳。建立必要的信任是需要时间的，受访者一旦确定就不能再变，因此我们采取了一种间接的方式，以职业、职位和生平为标准挑选受访者。政党事业、专职选举以及领导岗位都属于“接近体制”的范畴，相反“远离体制”指的是教会领域、艺术家和医生、工匠、店主等，当然还有 1989 年之前离开东德的人。起初只按照一般社会人口统计的标准进行筛选：性别、年龄和西方广播电视接收权，而后我在现有资料的基础上又提出了如下问题，即是否能够在其他领域取得不同的调查结果，因此最后在自由艺术家、出于政治原因离开东德的人士、党校老师或者某位统一社会党地方报的编辑这些人中进行选取。

我们在对受访者生平的采访记录中还发现，一些中上层人士（通常包括大学生）与所谓的草根之间存在理解上的问题。[①] 此外二者通常都存在很大的年龄差距，有时候一方

① 参阅 Hirzinger：*Biographische Medienforschung*。

希望影响另一方的历史观，比如有些人想告诉青少年曾经到底是怎么回事。为了鼓励受访者，在采访之前都对他们称“专家”，他们在东德生活过因此是这个国家最了解日常生活，因而也就是最了解媒体的人。

在东德的生活水平：80年代中期日常生活结构，对东德的态度，是否在西德有亲属关系；
可使用的媒介，获取信息的渠道：电器、广播电视节目、订阅读物、报刊亭、电影院、图书；
媒介使用模式及使用原因：“与媒介打交道的日常生活”，部分电视节目汇总（东德和西德），各种日报专栏汇总；
对媒介的评价：可信度、形象、信息时效性；
目前生活水平：物质条件、媒介使用情况、东德印象。

图3　采访话题

回忆总是一种再造。1989年后，东德人被强迫改写生平，将以前的生活合法化——不仅在自家镜子前，工作中也经常如此，对东德的评价很大程度上依赖于各自的生活水平以及当时的“政治气候”。从访谈可以看出，两德统一十多年后，生活水平相比之前得到了改善。愿意接受采访的人能够流畅地谈及统一社会党党员身份、担任的重要职务以及曾经的信念，或许是经受住了回忆过去带来的考验，或许是调整自己适应了新形势。因为随着时间流逝，受访者很难再想起曾经经历了哪些转变，有关80年代中后期的回忆不是很全面。我们首先向采访者询问生平简历，然后试着再造非常普通的一天，比如东德后期某个时候，1986年切尔诺贝利事件之后，1988年11月苏联的月刊杂志《人造地球卫星》被封杀之前。住房是什么样的？什么时候吃早点？孩子什么时候要出门了？报纸什么时候被塞进了报箱？晚上什么时候开始看电视？这些问题能够帮助重新激活记忆，因为媒介使用和日常生活是紧密交织在一起的，同时这些问题能够缓解谈话时的紧张气氛。有关生平和日常生活的问题是采访主题的一部分，采访内容纲要见图3。采访主题仅仅说明应该触及哪些话题，这样也就留给了受访者一定的空间，描述他们自己的观点、讲一些小插曲以及确定谈话重点。同时所有访谈都被录音，然后再进行文字记录。

3. 东德媒介秘密使用情况：三个论题

论题1：由于法律从来没有禁止使用“不受欢迎”的媒介，所以为了避免来自道德上的压力或者防止经济损失，通常也只能“秘密”地使用这些媒介。

图4总结了所有在东德国家试图阻止民众接触西方媒介的措施。然而这一目标却没能实现，因为干扰发射台信号太弱，也阻碍了自己节目的接收，旨在切断西方广播电视的“牛头行动”也就成了一个小插曲。两德边界封锁以后，本来应该进行“内部消毒”，而德意志自由青年联盟的中央机关报《青年世界》于1961年9月5日写道，今天开始闪电再次来袭，“这次击中的是所有牛头和精神越境者”。为了拯救“卷入西德之流”的受害者，《青年世界》的解决方案是：商讨，紧急情况下就“一顿痛打”，“不可教化的”就拧下天线或者立即彻底拔了天线。“我们的目标是：所有人都要收听社会主义电台，收看社会主义电视！”谁在自由青年联盟的召集大会上依然执迷不悟不改邪归正，就要等着受到青年联盟分队的制裁，将天线从屋顶拆掉。拆卸工人的努

力没有收到很大成效，在柏林的边界地带和交界处50千米的带状区，由于东德居民里出来的业余手工天才发挥了作用，家用天线还是能够接收西德电视节目。此外自由青年联盟的干涉也破坏了东德民众的生活氛围，1961年9月7日，《青年世界》发出枪响后的两天，统一社会党中宣部就意识到，抵抗西德电视的行动让民众纷纷行动起来，自8月13日建柏林墙以来还没有哪一项措施能产生如此大的效应。①

印刷物：1948年以来的“新闻墙”②

- 从订阅报纸列表上删除西德特许出版物：邮政销售和邮政运输垄断集中化；检查来自西德的包裹信件，搜查来自西德的旅客
- 1955年9月15日青年保护条例

广播和电视③

- 干扰发射台（主要干扰美占区广播电台，1952年开始，持续到70年代中期）
- “牛头行动”（1961年8月13日柏林墙建立后的几周）
- 实行禁令地点：兵营、住所、公共场所（如旅馆）

图4　在东德接触西方媒介的渠道

虽然国家安全部接管了邮政审查，允许持有西德出版物，但传播西德出版物要受到处罚，即便如此“新闻墙”也未能完全关闭。审查体系抗衡不过两德之间的交流往来，很多印刷物通过正常邮寄渠道到了东德，也不是所有的包裹信件都被开包检查，邮政部在1957年称之为一种“系统性的销售推广”，没有人知道这种销售推广具体达到了什么样

① Meyen：*Unterhaltung*，S. 218.

② Meyen：*Unterhaltung*，S. 194 – 196.

③ Meyen：*Unterhaltung*，S. 202 – 207.

的规模。[1] 1961 年以前，柏林的两德边境还是开放的，西柏林各报社时不时以东德马克价格向东德居民提供订报业务，报纸在报社自取。对于小册子之战，西柏林也拥有最好的基础条件。50 年代末期，柏林估计共有 50 家协会从美国情报局那里获取资金，向东德走私出版物。[2]

和收看西方电视节目一样，使用其他西方媒介同样面临着思想道德层面的问题。1950 年《新德国》开设专栏“谎言报纸不可信”，1953 年底该报对“色情文学、流氓图书和战争煽动书籍泛滥”表示强烈不满，认为这类书籍通过众多地下渠道外流并危害东德青年，1955 年 5 月这些书甚至还被告上了法庭。“反对毒害青年斗争委员会”在一次公审中判处“阿登纳政府”有罪，并要求东西两德政府严惩引进和持有漫画书刊的行为。[3] 一些 1952 年出版的小说如埃里希·略斯特（Erich Loest）的《西德马克再度贬值》表达了这样一种思想，即那些低俗图书、流氓电影还有反对收听美占区广播电台的政治运动脱离了为和平而战的方针，会直接将人引向犯罪的地狱。1952 年 3 月 11 日东德信息局局长格哈特·艾斯勒（Gerhart Eisler）在《新德国》中写道，谁打开美占区广播电台，要么是蠢货，要么是美国间谍。1952 年 4 月 8 日艾斯勒同样在《新德国》重申了这条警告，让

---

① Meyen：*Unterhaltung*，S. 196.

② 参阅 Körner，Klaus：*Politische Broschüren im Kalten Krieg 1947 – 1963*. In：Vorsteher，Dieter（Hg.）：*Deutschland im Kalten Krieg*. Berlin 1992，S. 88。

③ Meyen：*Unterhaltung*，S. 198.

更多的人引起重视。柏林市中心的钓鱼者协会在对外开放时间里放着美占区广播电台的节目。艾斯勒写道，如果战争来了，钓鱼活动也就结束了。“是的迈耶先生，问题就是这么严肃，所以我们也这么严肃地进行反抗偷听敌对广播电台的斗争。”1950 年 12 月，国家有关部门在《和平保护法》的基础上针对“战争煽动者”又增添了一条模糊的法律规定，警告凡是“轻视或侮辱”和平运动的一律判刑。一些宣传积极分子还收集起反对收听美占区广播电台的个人承诺和签名，萨克森州迈森附近的一个生产队甚至还在拖拉机上拉起了反对美占区广播电台的战斗口号。[①]

论题 2：1973 年时任德国统一社会党中央委员会第一书记的埃里希·昂纳克（Erich Honecker）提出正常接收西德广播电视节目的要求之后，来自公众道德上的压力在逐渐减弱，并且承受这种压力的也只有公共场所、国家武装部门和党员干部，因此“秘密使用媒介”的情况主要与当事人的出生年份、与体制的接近程度以及事业方向相关。

60 年代中期很流行的做法是大家到了晚上再把西德电视节目天线安置到阳台上，节目结束之后再拆掉。但当时宣传部的一份内部报告中就明确写道，发现有人在工作中、啤酒桌旁，尤其是在火车里毫无顾忌地谈及此事，并且有的电视节目也以文字的形式散播开来。[②] 一位教师，生于 1944 年，在采访中谈到他小时候就曾签字保证不会打开收音机和

① Meyen：*Unterhaltung*，S. 204.

② Meyen：*Unterhaltung*，S. 219.

电视接收西德节目，但很快就意识到了“我们在互相隐瞒欺骗”。他上大学时偷偷读过黑德维希·库尔茨－马勒尔（Hedwig Courths－Mahler）和海因里希·伯尔（Heinrich Böll）的作品，后来在学校一位同事给了他一本《铁皮鼓》，因为当时东德还没有出现过君特·格拉斯的作品，所以用一份《新德国》报纸包起来偷着塞给了他。

正如这位教师所讲，到了1988年还有教师声称收看西德电视节目的人不允许在社会主义教育机构工作，还有在一次抽样调查中，一位来自莱比锡的初中教师虽然住在装有电视天线的新房子里，但至少理论上是否可以打开电视收看节目，她还是不知道。年青一代只有父母在东德发展过事业，或者至少父母为他们的事业操心过的，才会有这方面的经历体验。一位女口译员，1972年生，当时生活在开姆尼茨，虽然能在家里把西德电视台的每日新闻和巴伐利亚三台的流行歌曲录到磁带上，磁带是他父亲“花了很多钱在越南人那买的”，“是索尼之类的”，但有些敏感歌曲还是要删掉，比如盖尔·斯图尔兹弗鲁格（Geier Sturzflug）的《我们提高了国民生产总值》。“那时候我父母就很关心，不希望我们那么早就因为这些没用的东西糟蹋了我们的未来。”

经历过类似良心斗争的主要是老一代的人和国家武装部门相关的工作人员。“我坚持不收听西德电台节目”，一位装配工人这样说道，这位装配工来自德累斯顿附近，生于1918年，他能升职为劳动保护监察员要归功于党组织的提拔。还有一位来自德累斯顿的党校女教师，生于1949年，称自己为“东德生人”，说她“原则上”没有听过西德广播电台、“德国广播电台或者美占区广播电台之类的”，称大多数节目“到头来全部都是反共产主义的”。一对来自图林根州格拉市的夫妇，两人都生于40年代，都是党员，“和东德一起成长”并且“愿做东德人”，这对夫妻同样意志很坚定，用他们的原话说是“我们对自己很忠诚”。有位汽车司机，“比如有球赛之类的”，他就到邻居那去看，而采访中没有了解到他妻子是否知道此事。两德统一前没多久他们那片住宅区装配了电视天线，“正式装上了天线以后”，这对夫妻也就无“忠诚”可言了。

莱比锡大学教授汉斯-约尔格·施蒂勒（Hans-Jörg Stiehler）对国安部有关德累斯顿地区收看西德电视的资料进行了分析研究，看到了一篇关于电视天线安装队的报告。安装队在80年代末试着到各个住宅小区尽可能揽到更多的客户，自然也会遇到国安部工作人员，这些人是不允许接触西德广播电视的，资料中也提到他们曾经承受着道德上的压力。如果坚守纪律，不光会遭到邻居鄙视，安装队的人也抓住统一社会党的思想标语不放，用什么全球开放或者改善工作和生活条件来为开展工作做宣传，并称之为“国民经济性的群众创举”。谁不配合，就会被指责有“思想问题”。[①]

很多受访者还提到，对西德电视的管制程度到了80年代有所减弱。“就是这样”，一位生于1966年的记者说道。他谈到曾经在公民学的课上大家对西德电视节目展开了讨论，然后他还在墙报上写了一些对节目的评论。一位来自图

① Stiehler：*Medienwirkung*，S. 105.

林根的旅店老板，生于1952年，住在离西德交界只有几公里的地方，说道，“在图林根充斥着一切西德的气息”。虽然公共场所“一律禁止”收听西德广播，可他自己还是有时在酒馆里打开巴伐利亚三台收听节目。一次市长来了，问他是不是调错了电台。这位店主讲述的时候还很骄傲地说他根本“没当回事”，就说：“哎哟市长啊，我可能又弄错了，我一会儿把它调过来。”就这样问题解决了。

就连在东德自由工会联合会的假期疗养所，电视厅里都在放西德电视一台和二台的节目，还有那些本没有收看权限的人也对禁令视而不见。一位警察的妻子说她虽然看了，但是必须“小心点儿”并且“不能谈论”。一位在罗斯托克的海军军官认为，有线电视软化了相应的军队规定。大家私下里都知道，收看西德电视不予处罚，而在此之前比如可能会遭到降级军衔的警告，“撤职并退出现役”是最高惩罚。这位军官虽然一直遵守规定，但是从不明白为什么这些规定还要涉及军官，因为他们已经用行动证明了自己的立场。还有另一位军官，1953年出生，在国防部宣传司工作，为了给他的“宣传言论”添加引用更丰富的辞藻，在办公室里读起了西德报纸，然而“过去多年”他对“西德电视禁令”其实一直抱以接受态度。他对此已经习以为常，因为父亲一辈就“在警察局工作”，“我知道我从事的是什么职业”。“最近”不知什么时候他开始不明白，为什么可以看报纸，而不能看每日新闻或者政治类节目。

论题3：虽然“走私”印刷物也是东德生活不可缺少的一部分，然而只有少数人对“不受欢迎”的政治题材或者高等文化书籍感兴趣。“秘密”阅读的主要是低俗图书、漫画和商品目录册。

那位国防部的军官是个例外，因为只有少数东德人对政治报道、对只能“秘密”收看收听的东西感兴趣，当然几乎在所有生平采访中受访者都讲到了走私的故事，这些故事中有老奶奶（精密机械工人，生于 1931 年）把《新邮政》和《彩色周刊》杂志藏在紧身内衣下带过了边境；有一位工程师（生于 1943 年）从匈牙利度假回来在行李箱里面装了 10 本《值得冒险》画报；还有海关人员，没收了一位老奶奶的《踢球者》杂志，显然因为他自己想看（对一位生于 1974 年的牙医助手采访中得知）。从采访结果来看，走私最多的是各种彩印杂志和《Neckermann》及《Otto》商品目录册，而非小说、日报和新闻杂志这类禁书。这个结论与一项 50 年代进行的民意调查结果相符，虽然这个时期购买阅读西德印刷物很方便，但当时大多数东德人只是偶尔看看西德报纸，不乐意花很多钱在上面，也可以说不愿冒险。TNS 市场研究公司在 1956 年对曾经逃离东德的工人进行了民意调查，想知道他们都通过哪些途径了解西德的情况。大约 30% 的受访者表示通过走亲访友、收听广播、信件往来，还有道听途说也能获知一些信息。只有 3% 的人读西德报纸。1953 年夏天美国对西柏林食品分发站的研究也证实了以上结果，只有 2% 的受访者是从新闻报道中获知西德的救助行动。[①]

---

① Meyen：*Unterhaltung*，S. 197.

在大多数人物采访中受访者都表示对西德报纸、政治类周报和新闻杂志不是特别感兴趣。一位来自魏玛市政厅的工作人员，1951年生，80年代在伊拉克工作过一段时间。她说有一次在一家酒店大厅里看到两本新闻杂志《明镜周刊》，里面有关阿富汗和苏占区的报道“确实值得一看”，“但对于我们来说不是什么新闻，因为我们可以看西德电视”。一位长途司机，1948年生，统一社会党党员，长期在国外跑客运，说他做到遵守“规定”没问题。当然“每个高速公路休息站都放着”报纸，他到了晚上会时不时地翻一翻。“我们坐在车上，想干点儿什么呢？吃面包，喝瓶啤酒，看看报纸”，主要是“为了打发时间，不然就睡着了”，看完报纸就进了废纸篓。“我们要那些报纸干吗呢？”里面的内容和他的生活没有关系，很多文章他也看不懂。“然后就在那闲聊”，聊关于某个女王，他可从不想因为这种报纸“丢了工作”。

对于那位了解伊拉克的魏玛人来说，德国服装裁剪类杂志《Burda》比《明镜周刊》重要多了，因为她时不时想缝制一件“西式连衣裙”。一位女会计，1954年生，她说在时尚领域西德至少比东德走在前面五年。为了一本《Neckermann》商品目录册她甚至“出卖了她的奶奶”。这类商品目录册也在各个公司里互相传看——当然是秘密地，因为大家可不想丢了这么件宝贝。“那本目录册。简直难以形容”，一位生于1943年的女出纳员说道。“连衣裙，窗帘，工业品。还有电视！那本商品目录就是全世界。”还有西德的八卦报纸也“总是在互相传阅”，这些报纸甚至被她称为“圣物”。在她的经历中有一件事特别难忘，有天晚上她女儿把一张画报掉进了洗脚水。“我快崩溃了，因为那报纸都湿了，西德的报纸可是价值连城呀。我发火了。然后我们用手把报纸晾干，一页一页地晾啊！第二天我跟同事道了歉，因为把她的报纸弄湿了。”比这位出纳员年轻的人就不换女性杂志或者画报来看，而是换青年杂志《Bravo》，当时学校里都在看这本杂志，还有卖杂志配套的装饰画。那位女口译员，就是曾经在她父母的帮助下把巴伐利亚三台的流行歌曲录到索尼磁带上的，记得那些装饰画曾经卖到了10东德马克以上。

各种商品目录册、画报还有低俗小说给人们的生活增添了一些亮点。一位来自莱比锡的普通职员，1950年生，讲到她从西德过来的亲朋好友只给她带来了“八卦报纸”，她当时“如饥似渴地扑了上去”，又谈到在东德实际上从来没有关于艺术家和政界名流私人生活的报道，而看看西德的报纸能见到各类题材报道得淋漓尽致，“对于我们来说是全新的东西，所以也就很吸引人”。类似的还有一位售票员，1959年生，认为那些低俗图书在亲戚之间传来传去不易破损，比报纸更好保存，说到东德从未有过“这样一本爱情小说或者低俗作品”，在电影院花上1个东德马克看一部童话电影就能给业余生活增添色彩。虽然西德的报纸杂志“既无意义又没内容”，但大家还是互相传看，“那些东西就是与众不同”，而且越是“禁止的”就越是有意思。

4. 东德媒介秘密使用者之类型划分

为将论题3提到的少数人，就是也对禁书或者《明镜周刊》里的文章感兴趣的读者从社会学的角度定位，也为了进一步阐述此次大会确定的研究主题，本章我将用到我对东德媒介使用者的类型划分图。[①] 归类划分能够使复杂多样的事物条理分明，并且使事物各要素之间的区别一目了然。一种类型代表的是共同具有某些特征的人群。在此我对东德媒介使用者类型进行划分时依照两个标准，首先根据使用媒介的基本出发点——是为获取信息提高文化水平，还是为了娱乐消遣——其次是根据对统一社会党传媒政策的态度以及倾向于西德的程度，这二者的关系非常密切。受访者对西德媒介的倾向度越高，在类型图中就占据越偏上的位置（见图5），越希望从大众传媒中获取信息，那么在类型图中就占据越偏左的位置。阅读全国性的报纸、收听文字广播节目，比如德国广播电台的节目，以及收看电视里的政治时事述评节目，比如“Panorama”（全景）、“Kennzeichen D”（D标志）和“Objektiv”（物镜），都能表明这种以获取信息为主的媒介使用导向。

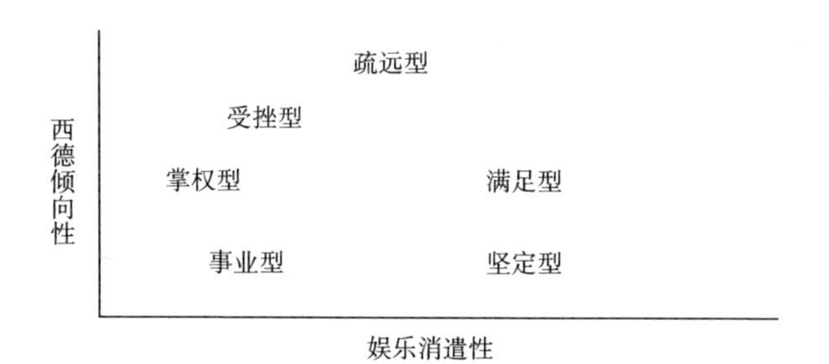

图5　东德媒介使用者类型

① 参阅 Meyen: *Denver – Clan 2003*. Ders.: *Medienwirkung*, 2004。

以上所列举的采访案例，都应归为图 5 右下方的位置。比如把画报掉进水里的出纳员，就属于“满足型”，这类人群在民意调查中占的比重最大。“满足型”是指在东德日常生活满负荷运转的一类人——主要是女性，一般为中学学历，非党员，生于 1930 ~ 1960 年之间，在生产单位工作过，在食堂、商店以及其他服务行业任职，或者普通办公室职员，像打字员、秘书或者会计等。她们每天必须早起早睡，要照顾孩子打点家务，所以很少有业余时间与媒介打交道。当然晚上会看看电视，但只是为了放松，了解一些能够拿来闲聊的话题，换换脑子和心情。虽然总会有一些东德和西德的新闻节目，不过能始终了解社会最新情况也是不错的，但像《每日新闻》《今日》以及《时事聚焦》这样正式的新闻节目对于她们来说并不重要。这类“满足型”最多也就是粗略浏览一下报纸，私下里偷着看的只有商品目录册、小说或者彩印杂志这类书刊，因为总是对东德没有的东西感到好奇。一位女工人，1931 年生，说她想“看看不一样的面孔”，“读读不一样的笑话”。这类人群没有受到“秘密行为”带来的道德上的压力，因为社会地位的上升不是“满足型”的追求。

这一点也适用于“疏远型”，这类人群和“满足型”接触的各种媒介类型差不多，主要是出于休闲娱乐，家里也没有统一社会党出版发行的报纸，并且几乎都与教会有联系。其中部分人有收入来源，或者至少有个落脚处，并且通常也有工作任务在身，类似于社会服务机构，比如在出版社工作，或者管理出境申请、负责青少年有关事务，此外也有少数人或是艺术家，或在小型公司、旅店或个体商户工作，或者朋友圈子仅限于朋友及家人。“疏远型”具有中等教育水平，或者至少接受过职业培训，也许这类人群放弃接受高中教育的原因是，不愿在东德谋求事业。此外没有人担任和政党有关的职务，从事的工作都和像教育这样“敏感又棘手”的领域无关，比如做理发师和裁缝，做装配工人、经纪商，或者做旅店老板、秘书、锁匠、橱窗装饰师，又或在一家科普出版社做销售主任，即使没有政治信仰也可以保证经济来源。作为“疏远型”一类的人没有必要秘密收听收看西德广播电视，因为没有人对他们有什么特别要求，这类群体也不会想到去读《铁皮鼓》的。

“坚定型”也不会有这种想法，至少到图书公开发售之前是不会去读的。属于这类群体的有莱比锡女教师，不知道自己的房子里是否能接收西德电视节目，还有来自魏玛周边的夫妇以及那位老工人，“原则上”没打开过西德电视台。“我没兴趣看西德电视节目”，一位生于1932年的中学校长说道，“西德电视恰恰也是帝国主义的工具”。“坚定型”已经融入了东德生活，或者出生于东德刚刚成立后的十年内，他们从事的是负责党和国家领导宣传工作的重要领域——教育系统、传媒界、国家武装部门和行政部门，不与生产打交道。这一点区别于“事业型”，“事业型”的人在经济领域或者党内任领导职位，所以知道哪些渠道是行不通的，也就对信息的需求量更大。一位来自莱比锡的女士，生于1937年，一家联合企业的部门领导，负责住宅建筑和住宅分配，说她通过工作“当然也进入了一些圈子”，这些圈子里的人

“与一般民众相比，持有非常强烈的批判态度”。她最终“稍微挽回了糟糕的局面”，必须自己到本来没有信息资料的地方设法弄到这些信息资料。对于这类人实际上不存在“秘密使用媒介”。由于国家让他们实现了社会地位的上升，因此他们面对任何批判时都与国家密切联系在一起。此外，“事业型”群体认为在一个由他们参与重大事宜决定的国家，不必“秘密”行事。一位来自莱比锡的女士，生于1944年，在市政委员会工作，清楚地回忆起一件特例——70年代中期，有一次女党委书记来探望生病的她，她就把阳台上的天线拔掉了，因为她“不愿这个时候被卷入任何讨论”。

围绕“东德媒介秘密使用”这一主题召开的大会上所讨论的现象，主要归为“受挫型”和“掌权型”。这两类人群信息需求大，并且对西德的倾向程度很高。属于“受挫型”的主要是男性技术类知识分子，具有中等收入水平，非统一社会党党员，没有过升职经历，或者升职受到阻碍，因此并不受制于国家，在国家面前作出的更多是一种防卫反应。一位来自哈雷的学者，1952年生，1985年去了西德，以前在东德时每个季度都要到华沙或者布达佩斯买一次《明镜周刊》来看，并且定期看作家汉斯·马格努斯·恩岑斯贝格（Hans Magnus Enzensberger）创立编辑的杂志《大西洋通讯》。“只要想看，总能找到途径，但确实比较难。我自己一直都是个大读者。想弄到奥地利作家汉德克（Handke）和托马斯·本哈德（Thomas Bernhard）的最新作品也是有办法的，这些书肯定已经流传出来了。”“掌权型”

也同样可以找到这些途径，而与“受挫型”相反，因为渴望权力的位置，所以为了获得第一手信息，也频繁地使用东德的媒体，属于这一类型的的有牧师、艺术家以及其他能够相对自由选择从业领域的群体。“掌权型”在东德并非普遍现象，虽然我们是有针对性地选取受访者进行民意调查，然而结果只有四位受访者属于这一类型。一位作家，生于1953年，1974年就申请离境，然后成功冒充司炉工和仓库管理员离开了东德。采访中他讲述了很多通过教会或者莱比锡书展和西德接触的事情，比如曾经偷着读过统一社会党的中央机关报《新德国》——用他的话说就是被别人抄袭的报纸。他在一家教会出版社工作，在办公室里看这种报纸很难。“在那没法顺利地看报纸，尤其是《新德国》，不然同事都会被震惊到的。”

以上类型图说明，在东德接触媒介以及与之相关的“秘密使用媒介”受到诸多因素的影响：[1] 性别、日常工作、职位、私人圈子里的言论氛围、个人条件以及知识水平、和西德的联系、获取信息的渠道以及和东德体制打交道的经验，这些经验主要依赖于生活年代、出身、所受教育以及投向其他领域的可能性，比如教会领域。我们这次大会上最主要讨论的话题——政治活动家罗伯特·哈费曼（Robert Havemann）和批判家鲁道夫·巴赫罗（Rudolf Bahro）、政治读者群体和图书馆借阅限制——是精英群体讨论的话题。本文所涉及的题材对于大多数东德人的日常生活来说无足轻

① 参照 Meyen：*Denver - Clan*，S. 156 - 167。

重，也是因为很多人生活忙碌并已将自己融入了这个国家之中。走私最多，也是拥有秘密读者最多的是娱乐性书刊或者商品目录册，80 年代中期，幽默讽刺杂志《厄伦施皮格》的编辑们就已经知道了这一点（见图 6）。

图 6　“你知道吗，我们是一个读书的国度?”（曼弗雷德·博芬格，Manfred Bofinger）

5. 秘密使用媒介：一种对公众理论的挑战

本章总结不再对新的公众理论进行讨论，而仅仅针对研究东德“公众”传播普遍应用的理论如由格哈茨和奈德哈特提出的 Arena 模式（见图 1）提出几个问题：

问题 1：公众理论通常着眼于政治范畴。Arena 模式将公众描述为一种活动于政治和社会之间的系统。但政治对于很多东德人民，并且不仅仅对于东德人民来说，是一类边缘题材。然而像杂志《Bravo》《新邮政》或者《Neckermann》商品目录册这些西德书刊，即使大多数东德人一年仅仅看上两三回，这些西德刊物也毫无疑问已对公众言论产生了一定的影响。

问题2：格哈茨和奈德哈特只论及“一种”公众——也就是唯一一种Arena模式和一种趋向“无穷尽的公众”。只有在大众媒介传播层面才能保证“所有”人士的参与，至少保证以公众的身份参与。而有相当数量的东德人依然既无法接触到西德媒介，也无法获得另一种“反对派公众”的信息。[①]这一点至少符合“坚定型”群体，也适用于部分“事业型”群体，即使他们不曾生活在东德北部“一无所知的山谷”。因此还需要对多种公众组成部分进行区分，然后研究这些组成部分之间是否存在联系，并且存在着怎样的联系。

问题3：Arena模式过于强调了媒介传播的意义。格哈茨和奈德哈特虽然认为三个层面原则上平等一致，但其排列顺序（见图1）就已说明其实并非如此。当然，Arena模式，还有特别是大众传播这一层面之所以这样定义，也是为了体现民主。显然，大众传播保证“所有人”确实都可以参与舆论以及决策的形成过程，至少以公众的身份参与。然而东德的例子说明舆论形成于大众传播层面之下的精英阶层，并且只包含很少一部分人群，这类人群也具有很重要的意义，他们有在拥挤的客厅里议论纷纷的艺术家，有读者群体，有反对派或者互相传阅看书的朋友圈等。虽然东德长期以来从未有过所有人一起参与这类传播过程，很多人参与的情况可能也未曾有过，然而还是为一场政治转折做好了铺垫。

---

① 参照Wimmer，Jeffrey：（*Gegen -*）*Öffentlichkeit in der Mediengesellschaft. Analyse eines medialen Spannungsverhältnisses.* Wiesbaden 2007。

脑袋中的保险柜

——对东德秘密阅读的走访调查

安妮·里希特（Anne Richter）

拿着一台老式索尼 M－335 录音机，我想就“东德秘密阅读”这一题目对身边的人展开调查，身边在这里指的是广义上我直接认识的人。

H 是国家安全部的工作人员，职位甚至还相当高。从他那儿我本希望能获悉国家安全部是怎么找到那些有禁书和读禁书的人，以及他们如何对待这类“罪犯”。这个线索本来是能够从法律的角度来为我具体介绍情况的，可惜他尊口不开。H 负责军事谍报部门的工作，因此很少与普通读者的读书经历有关，甚至可以说根本无关。有一次 H 需要一本在东德买不到的有关音乐理论的书，很快就发现不管通过什么渠道想获得这本书都很难，而且对身居要位的他来说也太棘手。

接下来的又一次失败更令人感到可惜。我以为夫妇 U 和 W 肯定能给我讲述一些奇闻轶事，当我告诉他们俩自己现在对禁书这个题目感兴趣时，U 马上就提起了他们在捷克的亲戚，说他们定期从亲戚那儿拿到一些西德杂志。就连 W 也想起了好几个大概从熟人那儿听到的段子，正要讲出来助兴，这么一来为了将整个谈话赋予正式以及学术的背景，我就兴冲冲地掏出了录音机，但也许有些太迫不及待了。U 马上反对录音，她不想接受采访，包括她丈夫也是。当我问到她为什么这么激烈反对时，她说是因为国家安全部，这个部门可能仍旧在工作，对这种事谁都没有把握，到最后还可能被秋后算账。这次本来很可能收获很大的访谈突然中止了，我也在大家面前表现出不愿再过多谈及这个话题的样子。

巧合的是，U 和 W 跟 H 还是姻亲。当我继续探索 U 对国家安全部的恐惧从何而来时，发现她在东德时期与国家安全部的关系就很糟，所以她在访谈中由于不信任而表现出的强烈反应也就可以理解。

当然就此题目也进行过富有启发意义、有趣并且成功的访谈，其中最长、内容也最丰富的一次是对 H 的采访，她是一位 67 岁的退休教师，曾经教授德语和俄语。她回忆起的东西很多，特别是涉及作者生平每每很精确。她回想起了一些禁书，还有一些只有部分作品被禁止的作者，他们还有很多“批判性”作品却可以自由阅读。作为俄语教授，她的兴趣不在西方文学，而首先是苏联或批评苏联的文学，然而她所能想起的秘密阅读过的第一本书却是玛格丽特·米切尔（Margaret Mitchell）的《飘》（*Vom Winde verweht*）。这本书是她在60年代“拐了好几道弯”才借到的，而且必须在一夜间读完。“因为很多人谈论此书”，禁果自有其诱人之处，可读后她却觉得其实尽是“瞎扯”，要是有人发现她读这本书，也许会笑话她的，因为一位教师要注意“一定的品位”，但根据她的说法却“相安无事”。

接下来她读了鲍里斯·帕斯捷尔纳克（Boris Pasternaks）的《日瓦戈医生》，“当然是从西德偷带过来的”，然而没有读完，因为借期太短。还有亚历山大·索尔仁尼琴的《癌症病房》她也是赶着读完的，至今那些对苏联政权“非常尖锐的批判”还令她记忆犹新，这种批判在帕斯捷尔纳克的笔下也毫不逊色。

“所以这些书在苏联不能出版，在我们这儿自然也不能。我得说禁止出版也并非全无道理。帕斯捷尔纳克的批评，怎么说呢，有时候那是真叫一个尖锐。今天我们所能知道的一切，包括在苏联发生过什么，还有斯大林，等等、等等、等等［……］，这些事很可怕。我，或者说我们经常不愿承认这些事。我不愿相信这些事。”

一个在东德城市埃尔富特（Erfurt）的熟人有个姐姐在西德，她把东西裹在换洗衣物中，“总是不断地带点儿什么过来”，“要是边防的人查到这些东西，就会没收，没收也就没收了”。毫无疑问，H 知道每次走私，每次阅读禁书都是违法的，可她似乎并不惧怕如果被抓到会带来什么恶果。她一共去过两次西德，当她讲起其中一次借着去西德旅游的机会给儿子带了一本《Bravo》[①] 杂志时，再次证实了她的这种态度。杂志被她毫无遮拦地放进了手提包，她说这是最佳办法。“如果要是得开包检查我就说：哎哟，这是什么？这怎么会进了我的包的?！接着杂志就会被没收，不过也仅此而已。”此外她还深信，她所阅读的东西不会被当作禁书认出来，因为“那些人根本不懂，那都是些珍贵的文学作品”。

有些批评苏联的图书或是作者，其发行量虽然很小，却仍旧可以出版。这类书她回忆起苏联作家布尔加科夫（Bulgakows）的《大师与玛格丽特》以及“斯蒂芬·海姆（Stefan Heym）或是施特里马特（Strittmatter）的一些作品”。还有苏联作家钦吉斯·艾特玛托夫（Tschingis Aitrnatow），他“稍微沾点儿异议分子的边儿”，“但比较谨慎、温和，其出发点是改进社会体制，所以人们也就比较包容”。针对他的作品也采取的是限制印数的对策，书卖完后就很难再弄到了。此外她还想起鲁道夫·巴赫罗（Rudolf Bahro）和瓦尔特·扬卡（Walter Janka），这两位的作品也因太具批判性而难以出版。当问起沃尔夫·比尔曼（Wolf Biermann）时，她说：“我不喜欢他，对我来说他太粗俗了［……］太尖刻。”她并不认为比尔曼的批判是善意的。

---

① 德语国家发行量最大的青年周刊，创刊于1956年。——译者注

“后来到了70年，他被开除国籍的时候，要不就是73年或是某一年，反正是70年代初至70年代中期。他在科隆举办了一场大型音乐会，西德电视台当然进行了实况转播。那场转播我看了，看到半截就睡着了。”

A：你看过《1984》吗？

H：没有，那本书我没读过。我对它不怎么感兴趣。我也不是那种人，如果有什么事不受欢迎，我也并不是非要做不可。只是有时好奇心太强，一些书也就读了。

后来她丈夫R走进了房间，当问他对东德的秘密阅读体验能想起些什么时，他脱口而出：“丹尼肯（Däniken）！”1973年根据这位瑞士作家的同名作品拍成的电影《回忆未来》在上映三天后被封杀，“因为它对人的权威提出了质疑”。有一次R从“一个意大利人”那借过这本书，R有个同事的祖父母是意大利人，持意大利护照。

H：后来他父母去意大利，带回这么一本书，我也跟着看了。R硬塞给我一些禁书，这些书给人提供了全新的视角，那种感觉真是好！我并没有完全相信书里所写的一切，但还是感兴趣：持这种态度也未尝不可［……］

R：大家根本不知道都有些什么东西，怎么谈得上去弄到这些东西呢。我的意思是说，对根本不了解的东西是不会惦念的。当然了，那些退休者还是带回了一些东西的［……］

H：没错，我到底从哪儿知道这些的呢？想起来了！通过西德电视节目，比如斯蒂芬·海姆，我挺想有几本他的书的，但我没有跟那位同事的父母打听，我不想惹麻烦……

还有什么书是禁书？

R：斯大林的书，不过那些书反正也没有人读。

总之我认为与 H 和 R 进行的访谈很成功。我在所有谈话中都发现，避免使用“禁书”这个词，而是用少见的或不受欢迎的、难获得的图书，有助于谈话顺利进行。

本来还想采访 K，他在莱比锡学徒时学的是图书出版与营销，后来在一家名为 B. G. 托伊布纳（B. G. Teubner）的科学出版社工作过。在本该进行访谈的那个星期他外出旅行了，我们就又约定一次电话访谈。可我几乎还没开始问一两个问题，他就意识到自己根本与禁书没任何关系，而且“本是个不喜欢让别人以电话方式刨根问底的人”。他把听筒给了他妻子 T，他妻子试图尽量讲述她所能忆起的一切，而且一再强调自己能想起来的并不多，可后来还是想起一些往事。

50 年代她看过一本讲述苏联劳改营沃尔库塔的小说，书名、详细内容还有自己是从哪儿借到这本书的，她全不记得了，只记得“当时有一些书在私下”流传。此外大家在战后很喜欢读“太平盛世”的书，许多人还有“1945 年以前”的书。

T：如果问大家当时都读了哪些书，这个问题没有什么意义了。就像如今有一些低级趣味的廉价小说是绝不会出版的，是的，这类小说、这种廉价小册子是绝不可能出版的。

A：没错，这我听说过，经走私偷带过境的消遣文学作品特别多。

T：消遣文学！这是个准确的定义。

A：没什么内涵。

T：没有，肯定没有内涵。

A：尽管如此，这种书到了边境还是被没收了。

T：是这样，我能想起来，那时候我偏巧喜欢读这类书，就是因为书里描述的与日常生活不同，日常生活中总是问题多多。

70年代她表姐的丈夫从西德带过来一本杂志，大概是藏在汽车坐椅下带过来的，没有被发现。”

T：也许是边检人员没有严查吧。

A：他们查起来也是时松时紧。

T：就是这样，不是吗？有时要是看着某人的相貌比较顺眼，边境人员查起来就不那么严，有时他们甚至连厕所卷纸都要打开来彻查。她表姐夫还带来过邮售目录和商品广告，让人大开眼界。

A：您家里还有不该有的书吗？

T：噢，（笑）这我可真是无可奉告了。虽然我们有很多书，但哪些是现在还是当时［……］我现在还真说不好，我不知道。特别炙手的没有，像当时写沃尔库塔（Workwta）的那种书没有。

［……］对不起，我们无法再向您提供更多的信息。

P女士也是一位采访对象，与她访谈的时间不长，因为我们以前就谈论过东德禁书的问题，我直接就问起了有趣的逸事。她的第一次有关经历发生在70年代末，那是三本《Bravo》杂志被没收的故事。她当时坐在从吕贝瑙（Lübbenau）开往科特布斯（Cottbus）的短途火车上，心无旁骛地读着《Bravo》，三本杂志被叠放在一起，外边还用一张报纸裹着。不知何时两位男子站到了她身旁，告诉她，她所读的东西是违禁品，并把杂志没收了，但并没有进一步的惩罚，倒霉的是那几本杂志不是她的，而是她跟一个在西德有亲戚的街坊借的。但那位大方的施主大概也估计到了可能会失去那些杂志，因为它们“总是在同一类人中间传来传去”。

P再一次接触禁书是通过一位朋友，一个“文学发烧友”。他有一次问P读没读过比尔曼的书，认为她不妨读一读，接着说到做到就把书借给了她，她也很喜欢。后来这位朋友去德累斯顿上大学，他们失去了联系，那本书现在还放在她家的书架上。P的禁书不算多，她父亲是党员，在一家报社当领导。“他不愿意我看禁书。”此外她还有的唯一一本禁书是《反权威教育》，这“当然不符合社会主义教育和教养纲领”。她不记得是怎么得到这本书的，不过她经常光顾位于弗里德里西大街和科特布斯的旧书店，她认识那里的老板娘，总会不时得到一些书。或者朋友之间换书看，“年轻人总是爱干违禁的事［……］嗯。我肯定还记得更多趣事，只是一时想不起来了，我把一切都锁进了脑袋中的保险柜”。

秘密阅读与颠覆性写作

——80年代东德图书审查与反对派公众

托马斯·克莱因（Thomas Klein）

在秘密小圈子内进行的秘密阅读与讨论，只要涉及违规犯法的行为，即出版和传播自己撰写的针砭时政的文章，那性质就完全不一样了。“禁书”大多来自国外，持有这类书籍，根据海关与警方条例，一般情况下后果仅是没收而已。只有传播这类书籍才可能追究刑事责任。相反，试图通过出版和传播印刷品来塑造一群反对派公众针砭时弊，这本身就已经是对统治者的最大挑衅了。这在专制政治体制内怎么可能做到呢？这种体制的特点就是统治者对其精心策划的公众实施极端监控。

80 年代出现了一些和平主义社区工作小组，后来从中发展出独立的和平运动，形成政治上的另类团体网。只有通过这些团体的政治化，反对派在不断开展行动的同时，才能克服社会内部欲对其进行隔离的阴谋，通常被夸张地称作倍增器的“西方媒体”才能对它们进行报道，而这类报道才不会那么轻易地被贬斥为“西方通讯社异想天开的煽动”。

这种反对派公众是在 80 年代逐步兴起的，其活动形式多种多样：例如各种成功的公开政治宣传活动如“化剑为犁”[①]，1986 年切尔诺贝利核电站事故后的征集签名活动和抗议宣言，由于 1987 年国家安全部对柏林环境图书馆入侵搜查而进行的警戒守卫以及对 1988 年李卜克内西—卢森堡纪念活动上发生逮捕事件的反应。还有一系列声援活动也进一步促进了公众势力的形成，如声援柏林某中学由于政治原因被开除学籍的学生，1989 年举行的另类教育代表大会，抗议对教会发行的报纸进行审查以及抗议 1989 年 4 月地方选举中出现的舞弊现象。这些现实政治行动记录了政治化进程，是对内部社会矛盾和外部影响力量的反应，这些影响力量包括东欧的民主化与人权运动、西德的和平与生态运动以及苏联的政治演变等。政治化过程发生在独立的和平运动之中，它显示出自我组织的特殊形式与方法，也受制于各另类

① 东德 20 世纪 80 年代呼吁世界范围内裁军的和平创意活动，口号源自《圣经》，见以赛亚书，第二章至第四章。——译者注

团体与其顶头对手如国家安全部、国家主管教会领域的机构和国家教会之间的抗衡。国家教会对这些团体在半公众化的教会内部以及教会之外的过激化行为是惧怕的。

政治性图书审查一般是指：在一个经控制的政治空间对文字或其他公开发表的意见的监控。简而言之，凡是有图书审查的地方，由反对派和抵抗者形成的公众就是反对派公众，这是对对国家或体系持批判态度的公开言论被阉割的反应。反对派公众的形成始于一种经历，即自己的愿望在现存社会中无法自由说出，或是自己的声音毫无影响力。必须打破这种社会的清规戒律，才能让别人听到自己的声音，才能与别人交流，所以推动了反对派公众的形成，这个形成过程是一种政治实践，一种为有针对性地对当下经官方精心策划的公众产生冲击的政治实践，同时也是一种对统治关系及其辩护性宣传的求解放性的批判。但反对派公众也是一种称谓，它指的是一个行动者和接收者的圈子，还有在内部交流意义上拥有自己公众的社会空间，这种内部交流是指比如进行一场为反对经统治者策划和监控的公众而进行的社会运动，并提出其他可行性方案。

图书审查与随之而出现的为反对派公众而战的局面，不光是独裁和专制的独有特征。出于政治原因而进行的图书审查，还有刑法政策对西德刚直不阿的常态的影响，这些都有着相当漫长和极为丰富的历史。这类出于国家安全考虑而赋予自身权力的行为，就是在当今德国也仍在延续，而且匪夷所思。正如各个国防机构与体制相联系，对当下经精心策划的公众进行落实、维护和再造的手段和形式就像为反对派公众而战的方式方法一样，也是与体制相联系的。现代公民社会通行的准则是：在政治或商业上站住脚的公众通过与以下各派势力的不断融合再次得到巩固，这些势力包括反对派公众、具有批判精神的新闻界和亚文化群。其中起着披露作用的新闻界，比如可以对某一集团或政府的不轨行为予以曝光，同时传递着民主自控力和自由媒体的密函。在这个例子之外，对社会政治机制的调研则对具有批判精神的新闻界的作用进行了中和。早在60年代，赫伯特·马尔库塞（Herbert Marcuse）就借用他创建的“压制性宽容”的概念进行了这方面的研究。

相反，东德是一个垄断官僚专制下对公众直接进行政治监控的例子。这意味着体制对反对派公众异常敏感，这些反对派公众的影响力可能极高。然而问题是，反对派公众能否形成以及是如何形成的，因为反对派公众求解放的势力就在其颠覆性能力中得到证实。在专制体制下，对具有颠覆性的反对派公众所进行的压制性化解一般采取图书审查的手段，并对从事反体制论坛活动的人给予刑法制裁。一旦这些化解措施失败，反对派公众就可以成为形成反对派对立势力的要素。这类成功的解放过程在东欧通常是与出现“社会平行结构”的例子联系在一起的。

对公众进行监控的效应不仅仅在专制体制下体现在体制的决心与能力上，即摧毁公众任何形式的颠覆资源和任何对体制的统治合法性的质疑。为了限制反对派公众活动的影响所采取的办法有对其他可行的社会环境进行隔离，让社会讨论对反对派公众的话题获得免疫性，或者促使民众进行自我审查。如果自我审查能定期在自己的头脑中以搜查的方式进行，从而让寻找颠覆国家行为物证的实际搜查变成多此一举，那么体制捍卫者就获得了成功，否则无遮拦的思维过程就会导致刑事诉讼。司法这时就常以文学批评者的身份出现，即使在专制体制下，也常常伪善地强调："思想是自由的。"可谁要是准备把自己的所想说出来，那他可能还是会遇到麻烦的。这种事情发生得越公开，言论自由到头来不过只是特许的言行自由这一点就越清楚明了。

80 年代东德反对派的特点确实在于其反对派公众的形式。如果不了解东德反对派的历史，就无法理解这一点。[①] 到了 1951 年，统治者以残暴的攻势镇压了所有反对活动和抵抗行为，从而导致由公民和左派反斯大林人士组成的反对派被肃清。东德统一社会党内的斯大林主义摆脱了各种反对派势力的残余，这些势力以党派的形式活跃着，或带有工团主义色彩，或从事秘密谋反。60 年代时，新一代反对派的冲突场所转移到了生活文化领域，冲突的地点很少发生在街头，从 70 年代起其活动越来越向机构化文化领域的公共场所转移，首先是青年俱乐部，有些也在基督教教会的受保护场所进行。70 年代末，禁止在机构化公共场所举办任何反对派活动的规定富有成效，多数左派圈子内反对派组织的一些阴谋企图也被最大限度地粉碎了，当权者不再准备也不再有能力将持各种不同观点的人纳入体制内。也就是从那时

① 详见 Klein，Thomas：*Frieden und Gerechtigkeit! Die Politisierung der Unabhängigen Friedensbewegung in Ost – Berlin während der 80er Jahre.* Köln 2007。

起，新产生的、非正式以及持不同政见的各种组织与体制之间的距离越来越大，并且被迫退出政治舞台，进入“替代性公众”角色，以私人聚会的方式在住宅中搞一些作品朗诵会、文化展览或是沙龙聊天会变得频繁起来。这类活动的危险性与其“无害性”相当，国家方面不用大动干戈，也不用花很高的“政治代价”就可以将其取缔。在比尔曼因被开除国籍而遭排挤之前，70 年代政治上雄心勃勃的另类反对派文化界一直试图系统地对官方文化设施进行渗透，以便取得更大的社会反响。不同的是，80 年代亚文化圈内的艺术文化界则不问政治，并在很大程度上把自己封闭起来。

然而回归到一种有限的社会公众之中还有另一条道路，在 1978 年 3 月 6 日国家与新教官方教会达成的妥协方案下，国家有限度地承认了教会的自治，此举提高了教会作为组织机构的地位，被封锁的反对派公众在教会中似乎有了代理，这样被封锁的反对派公众就可转入教会那部分受到保护的“半公众”圈内。在这块社会飞地上自这时起也就形成了一小块特殊土壤，国家认为与监禁反对派相比这是“两害相权取其轻”。在这块自治的团体交流新场地，各种不同的流派于是聚集到一起，组成了“文化反对派”，其中包括 70 年代被粉碎的阴谋集团的积极分子，60 年代末以来以“公开活动”方式进行青年文化抗议的群体，还有 1964 年起在基督教教会内产生的建筑兵[①]和拒服兵役者和平组织。

① 东德国家人民军的特有建制，当建筑兵的人可以不接触武器，俗称铁锹兵。——译者注

然而在年代交替之际，不仅反对派活动的地点改变了，活动内容也发生了变化：1978 年 9 月引进了军事教育课，这特别激起了教会领域内传统和平主义者的情绪，他们更加反对社会的进一步军事化。军事体系的对峙，如有关扩充军备的辩论以及北约双重决议在东德和西德掀起了一场跨越国界的和平运动。基督教和平主义与此政治领域的亲和力在为追求和平而发展起来的社区性工作小组中可见一斑。与新的先锋派“文化界”完全相反，这里可以观察到迅猛发展的政治化倾向，正是这一时期潜在的“和平问题”变得异常敏感，从而让无神论社会化和高度政治化人士出乎意料地与教会人士走到了一起。同时西方的一些新的社会运动，如对“后工业化”体系的批评，对生态经济与文明批评的兴起，以及反对核能源的运动对东德新反对派的格局也产生了影响。随着基础团体的政治化，有关反对派公众形成的最有效的讨论方式就获得了一种实际尺度。一个对这类团体的实践具有主导意义的问题是：在不必进行自我审查的条件下，如何以政治上和刑罚上的最小代价使自身立场尽可能地在公众中得以传播？

70 年代末，对任何形式的反对派组织和反对派公众给予刑法处罚的恐吓虽然不断加强，却收效甚微。一般而言，1979 年第三次刑法修正案中对违反国家秩序的犯罪行为的恐吓模式到 80 年代已经不再实施。仅仅将此归功于国际安全与欧洲合作会议[①]，认为是国际法和国际趋势起了作用，

① 1975 年 8 月在芬兰赫尔辛基举行。——译者注

还有失全面。在此还要考虑到在不断深入的“合法化”方面内外压力的综合作用，这种合法化既关系镇压幅度也关系教会作为“保护地带”的独特之处。通行的集会权和出版权概念在法律上为半合法的灰色区域留下了缺口，国家的干预触及国家与教会关系这一敏感领域，基础团体、新受众和定居下的社区成员的聚合促使教会周围社会结构的混合，使“反对派公众”达到新水平，也让国家的监控和约束能力受到限制，国家教会越来越成为政权在行使这类能力时的替代物。在基督教教会与政权的关系中，前者的特殊兴趣和特殊地位因此就成了国家、国家教会和反对派关系结构中依存态势的组成部分。这种态势的一个后果就是管理法成为刑法的优先代理。

属于反对派公众范畴的自然还有传单、报纸、杂志、书籍和其他可复制的文字制品，还有西德的印刷品，接收西德的广播电视信号的可能性，这些对东德的反对派来说都发挥着巨大效力。反对派公众的行动方式当然还包括收集签名、示威游行、举办音乐会或展览。从表面上看，反对派公众与官方精心策划的公众在所使用的技术手段上几乎没有区别。然而反对派公众的意图首先是除了实现个人畅所欲言的愿望，还要提供政治上与官方消息对立的信息，并追踪这类信息在社会上的交流状况。东德 80 年代的反对派工作体现在区域性人脉网如“和平工作站”，跨区域人脉网“专为和平”，但也包括电话热线和跨国合作，如捷克斯洛伐克、匈牙利和东德反对派的联合声明。在许多半合法及非法杂志中都有资料表明这类工作开展富有的稳定性及成效，尽管有来

Nur zur innerkirchlichen Information

INFORMATIONEN UND MITTEILUNGEN

3. MOEGLICHKEITEN
ALTERNATIVER
ENERGIEERZEUGUNG
4. SCHWARZE TAGE IN SCHWARZ
5. EINGABENBEANTWORTUNG
-Schönberg-

Möglichkeiten alternativer Ebergieanwendung
(zur Eröfgnungsveranstaltung am 2.9.86)

Seit dem Reaktorunfall bei Tschernobyl wurden die Stimmen wieder lauter,
die eine Abkehr von der bisherigen Energiepolitik und damit die Zuwen-
dung zu alten neuen Energienutzungsformen fordern.Nur ganz wenige die-
ser sogenannten alternativen Energien sind ein Nebenprodukt der moder-
nen Technologien,den größten Teil hat der Mensch schon vor Jahrhunder-
ten und Jahrtausenden genutzt.Das meiste Wissen darüber ist aber wieder
verlorengegangen.Daraus leiten Zeitgenossen den Schluß ab,daß diese
Energien keine Bedeutung erlangt haben und sie auch nicht erlangen
werden.Dann bilden sich Meinungen wie,"man könne nicht auf Atomenergie
verichten".Daß dem nicht so ist,daß ganze Volkswirtschaften auf Alter-
nativenergie aufgebaut werden können,gilt es immer wieder aufzuzeigen.
Diese Energieformen (Wasserkraft,Sonnenenergie,Wind-
kraft,Umgebungswärme) haben im Gegensatz zu fossilen und nuklearen
Brennstoffen den Vorteil,daß ihre Nutzung nichts an ihrem Gesamtbe-
trag ändert,da die ständige Sonneneinstrahlung ihn konstant hält.
Die direkte Sonneneinstrahlung läßt sich am vielfäl-
tigsten nutzen.So sind schon einfache große Fenster geeignet,das Treib-
hausprinzip auf Wohnräume zu übertragen.In Sonnenkollektoren wird Son-
nenenergie in Wärme umgewandelt.Damit läßt sich der Bedarf an Nieder-
temperaturwärme (bis 60°C,macht in den meisten Ländern über 50% des
Gesamtverbrauches aus) voll decken und das nicht nur für Haushalte.
In Aufwindkraftwerken wird durch Sonne elektrischer Strom erzeugt.Die
vielfältigsten Trocknungsprozesse in landwirtschaftlichen u.s. Betrie-

图 1 批判性杂志如《柏林环境图书馆信息》躲避国家审查的方法是印上“仅供教会内部参考”（1985 年 9 月版）

自国家和国家教会的攻击，但这些杂志还是得以出版。①

像传单、没有印刷许可的出版物和其他秘密印制、经西

① 在东德约 150 种秘密出版物中，国家安全部 1989 年特别点到柏林以下各报刊：Zions 教区和平与环境小组的《Umweltblätter》、《Friedrichsfelder Feuermelder》、东德人脉网《Arche》出版的杂志《Arche Nova》以及《Kontext》杂志。与教会无关的秘密杂志《Grenzfall》一直出版到 1988 年。

德出版后又流入东德的非法刊物，它们都有一个共同的特点，就是缺少版权说明，或者版权说明故意含含糊糊，以防止人们根据线索找到原作者。

谁在东德宣称存在图书审查，言论、新闻或是集会自由受到限制，那他就会吃官司进监狱。因为早在 1949 年的东德宪法第 9 条第 2 款就已写道："不进行新闻审查。" 1968 年宪法第 27 条则称："根据宪法的基本原则，任何东德公民均有权自由和公开地发表自己的见解。新闻、广播和电视自由受到保障。"国家监控和广义上的出版许可（审查实为预审查）的实施，让公众声音符合统治者需要以及令社会活跃分子习惯于社会公约的社会实践性训练，这些都在悄然进行，方式微妙，令人难以捉摸。在东德，部长会议主席新闻处（前身是信息主管局）以党组宣传部给记者们制定的《指导说明》为纲领监控公众。在艺术领域有"质量保证验收"，图书印制受到文化部出版社与图书贸易总局的监控，其前身是图书与出版社事务局。此外在出版社，甚至在审查机构内部还有国家安全部通报和对作者的监控。最有效的控制和培训监控技术的真正目的是自我审查，把作者、电影制作人和词曲作者、记者和科学工作者都变成自愿的政权"精神帮凶"（布莱希特语）。

在获许可的平面媒体出版物中教会的平面媒体占有特殊地位。如同该机构本身，其出版物亦不直接受到国家干涉。国家对有出版许可的教会出版物在送往邮寄前并不进行监控，出版物送达德国邮局后许可授予方才开始检查，方法是由部长会议新闻处对所提交的样本进行审查。样本符合出版许可规定[①]，方可发行，邮局才能开始投递。如果违反了出版许可条例，许可授予方可无条件没收相关报纸。国家一再干涉有出版许可的教会报纸，导致1988年爆发了“图书审查之战”[②]。作为基础团体成员引发的读者抗议要比国家教会相关出版人的抗议激烈得多。

根据1959年7月20日颁布的《对印刷品和复制品特许批准程序的规定》，教区教会的内部通告以及活动公告无须申请印刷特许，但这类出版物每一本都得有印刷设备的登记号、出版年份序号以及标明“仅供教会内部公务使用”，那些与教会关系密切并有十足的把握出版自己印刷品的反对派组织在80年代中期纷纷利用起了这一自由空间。能找到一个在形式上承担法律责任的教会机构，并能使用国家承认的教会书刊号，这类团体出版的报纸印数一般都会超过规定[③]，有时还超出得很多。1959年颁布的《有关对印刷厂和复制业进行登记的条例》为国家对所有教会印刷厂和复制业实行监控铺平了道路，国务秘书处主管宗教事务的部门认为此条例有一个很大的漏洞，即没有规定对教会或教区的每个印刷或复制设备也要进行登记，可是那些半合法的出版物经常是使用这类设备印制的。

① 1959年7月20日颁布的《对印刷品和复制品特许批准程序的规定》的第一与第二条。

② 教会出版物1988年多次受到各种干涉，全部出版物禁止发行，涉及出版物数量创50年来最高。见教会对国家专制的无动于衷，忍辱负重的200名骨干读者于1988年10月10日走上街头，要求新闻自由，遭到警方残暴镇压。

③ 出版法规定，无须国家批准的教会出版物印数不得超过100份。

尽管1980年以前也有半合法的活动空间供选择，但直到1985年以后产生于教会内部由基础团体操办的半合法杂志和第一批非法期刊才开始印制，这时才形成成熟和可靠的组织形式。同时内外压力也在起作用，使得国家在对这类行为进行刑法处罚时不得不取克制态度。然而规则并非是固定不变的，1987年11月国家安全机构对环境图书馆进行的大规模入侵搜查失败就是明证，非法杂志《两难选择》（*Grenzfall*）的编辑们和柏林环境图书馆杂志的承印人都应受到控告。在柏林以外的地方，比如（奥德河畔的）法兰克福，从此萨密兹达秘密出版物的编辑们自然又面临着一系列强硬措施。

就在政治上的另类团体纷纷以各种活动方式开辟公众空间的同时，80年代针对反对派的措施也日益增强，开始是作为刑法处罚的辅助措施，后来虽然刑法处罚并未完全废除，但是有被取代的趋势。这一置换过程意味着政权在法律政策方面的新调整，其历史既漫长又有趣，对几乎三十多年习惯主要靠刑事处罚来确保自己成就的国家机器来说，在政治镇压不断合法化的时期，国家安全部在与“政治地下行为”和“政治思想破坏活动”进行斗争时所使用手段的历史经验证明，这种变化意味着即将发生重大转折。法律政策方面的新调整是伴随着70年代末就已经出现的例子变化而来的，国家权力机关使用了不同的策略，从主要靠镇压变为采取预防性措施。“分化瓦解”的手段越来越受到重视，这就意味着实施监控的人力物力剧增，这表现在国家安全部门防御组织结构的变化以及雇员数量大大增加。

国家安全部本身无权实施处罚，其调查部门（第IX部）

被迫与其他有处罚权的机构以及警察局开展有效合作，关键是在80年代的条件下，使用不同的手段来监控、干扰或者防止反对派“对公众有影响的活动”发生。“在某些案例中，虽然有关行为在客观上符合刑法处罚标准中的原文内容，但迫于政治原因或战略原因不适宜采取刑事处罚。”这种过度的困难之处就在于将这些“规定［……］应用于此类案例”。[①]

各种不同流派的反对派和随时准备使用处罚手段的政权，在二者长达几十年之久的力量悬殊的斗争中，80年代的东德对统治者提出的实际挑战变得更大了。各类分散的反对派公众扩充和巩固，内部社会关系发生的变化以及外部框架条件，都迫使国家对抑制性策略进行调整并对法律准则进行修改。然而即使在安全政策发生策略性过度，预防性技术受到更多重视，以及把违法犯罪适用的法律法规同防患于未然的考虑结合在一起的过程中，经过修缮的中央集权的政权权力架构也已是强弩之末。1989年10月国家安全部的法学类高校在其最后几次资料汇编中，有一次对《德意志民主共和国政治抵抗行为的最新表现及其主要发展趋势》分析道：

> 特别是在信息传输方面，未来技术有可能借助普通电话网使用微型计算机，那么在通话过程中就可用计算机将信息加密，然后通过国际电话网络传输这些

---

① Karlstedt, Uwe: *Möglichkeiten und Voraussetzungen der Nutzung des Gesetzes zur Bekämpfung von Ordnungswidrigkeiten bei der vorbeugenden Verhinderung und Bekämpfung politischer UntergrundTätigkeit in der DDR.* Hauptabteilung IX/2, Diplomarbeit Mai 1998, MfS, JHS, Reg. - Nr. 21293.

信息［……］。届时国家安全部［……］不仅要与个人和团体进行技术上的较量，而且要同外部全体敌对攻击势力以及与其勾结在一起的内部活跃起来的敌对力量进行斗争，因此国家必须以“全面战略过程”作为出发点。能否高质量地运作此过程依赖于一系列决策，直接触及政权稳固与安全问题的决策。[①]

① *Das aktuelle Erscheinungsbild politischer UntergrundTätigkeit in der DDR und wesentliche Tendenzen seiner Entwicklung*. Studentenmaterial Oktober 1989, MfS, VVS JHS 0001 – 89/89, eingesehen im MDA, Reg. – Nr. PUT5.

“我们从未偷偷做过什么，我们就那么做了”
——奥博格拉本印刷所与领头狼出版社（德累斯顿两家私人艺术出版社）

让尼娜·瓦内克（Jeannine Wanek）

与其他社会主义国家相比，在东德私人出版的图书杂志更应该说是一种例外现象。尽管它们也曾以这样或那样的形式存在过，然而图书审查、物质材料匮乏以及对出版社和印刷厂实施的极为严格的监管制度，桎梏了所有印刷物的生存空间。这一点既适用于正式也适用于非正式的图书印制。东德不存在例如西德在1968年学生运动中出现的盗版现象，一方面在于缺乏技术可行性，另一方面自然也是由于国家的监控。在东德很少有什么事是偶然发生或者甚至是偷偷进行的，就连以所谓代印形式出现的盗版也成了社会主义出版政策的工具。

自己印制图书，因为既没有可以自由使用的计算机和印刷机，也没有复印设备，就需要有高超的发明精神与即兴天赋，还得需要勤奋。仅仅是对文本的自行复制就很麻烦，必须抄写、速记、打字或照相。有些地下文人想出一个诀窍，把自己写的诗伪装成有感而发的文字形式，比如生日、洗礼或者婚礼的祝词。这类诗文无须批准就可以在几家有数的印刷厂印制，然后分发到人们手中。

独立的出版社是 80 年代才出现的，这类出版社不仅绕开了国家严格推行的印刷许可制度，而且多数情况下干脆无视相关规定。起因是 1981 年以来作者正式发表作品的机会越来越受到限制，能以自由作家身份生存的先决条件必须是作协成员，或是某家出版社出具相关合同或证明。

这类独立出版社推出的第一批诗集和文集还是打字机打出来的复写本，比如《诗集》系列是折叠装订在一起的。各种文本越来越多地在私人艺术家工作室打印复制，其中包括艺术家作品集、私人出版的杂志和艺术家手制书[①]，这类印刷物的印数一般都很少，所以对广大公众产生的影响就很小。

刊物印数依赖于对艺术独创性的要求，除了物质材料匮乏是既定的事实，还有图书审查方面的原因。与文字印刷品

---

① 参阅 Henkel, Jens: *Die Bibliophilie der "Andersdenkenden" – Künstlerbücher in der DDR*. In: ℿ1980ℿ1989ℿ. Künstlerbücher und originalgrafische Zeitschriften im Eigenverlag. Galerie Gunnar Barthel, Berlin 1991, S. 10。

图 1　约亨·洛伦茨（Jochen Lorenz）在米兰打样机旁，1978 年

相反，根据东德 1971 年视觉艺术家付酬规定，印制图像印数达 100 份时才需要审批。[①] 如果是图片与文字合在一起，

① 参阅 Sauer，Helgard：*Nonkonforme Kunst - illegale Bücher in der DDR*. In：Non kon form. Künstlerbücher，Text - Grafik - Mappen und autonome Zeitschriften der DDR 1979 - 1989 aus der Sammlung der Sächsischen Landesbibliothek Dresden. Galerie der Stadt Esslingen，Villa Merkel und Stadtgalerie im Sophiehof，Kiel. 1992，S. 9f。

文字嵌于图片之中，那么印数在 99 份以内也无须审批即为合法刊物，私人艺术出版社常常就利用起了这一规定。

东德私人艺术出版社的刊物通常是在形式上，而很少在内容上有违官方规定，这些刊物与政治类的萨密兹达秘密出版物没有关系，这一点同样也是东德私人艺术出版社与其他社会主义国家私人出版社的区别。但恰恰是这些出版社推动了政治出版物的发行传播，因为它们展示了如何在没有印刷许可的情况下出版图书。

“我们从未偷偷做过什么，我们就那么做了”，当问到他们在东德是否进行过秘密印刷时，德累斯顿奥博格拉本（Obergraben）印刷所的约亨·洛伦茨（Jochen Lorenz）理直气壮地回答说。在东德，自主行动既不是日常生活的常态，也不受到欢迎，更不用说自主从业，所以 1978 年作为独立自主的印刷所问世的奥博格拉本印刷所完全不是理所当然的。艺术家自己的印刷所只能印刷造型艺术作品，而且只能由视觉艺术家协会的成员来运营。由于奥博格拉本印刷所的创始人怀着艺术家的雄心壮志，而且他们又都不是视觉艺术家协会的会员，因此就放弃了强势的艺术家协会的庇护，不顾文化界的常规，独立自主地创建了这家印刷所。

五位艺术家朋友——画家埃伯哈德·格舍尔（Eberhard Göschel）、彼得·赫尔曼（Peter Herrmann）和拉尔夫·温克勒（Ralf Winkler）（艺名：A. R. Penck）、平版印刷师约亨·洛伦茨以及印刷机制造师兼作家本哈德·泰尔曼（Bernhard Theilmann）——合开印刷所的初衷是：把铜版画与木刻版画配上漂亮的诗作一起印制。这类组织方式是史无前例的，这样奥博格拉本印刷所就踏上了一片在东德未曾尝试过的新领域。虽然拉尔夫·温克勒和彼得·赫尔曼在70年代初曾是德累斯顿艺术家小组“空隙”（Lücke）的成员，这在当时是第一个，在很长时间内也是唯一的一个艺术家自己的独立组织，成员们自信地称之为“地下”组织，然而其创始人并不想依靠这个组织的经验与传统。艺术家首先追求的不是颠覆式行为，而是自主创造艺术的美好新事物，但在东德的环境下，后一种追求已然是足够具有挑衅性了。

成立一家印刷所需要印刷机。幸好彼得·赫尔曼还有一台1908年产于米兰的老式打样机，非常适合印刷铜版画。为了把这台重400公斤还有故障需要维修的机器运到埃伯哈德·格舍尔的画室去，先得把它化整为零地拆开。因为懂行、手巧并且掌握印刷艺术，这台老古董机器终于又得以重新组装，既符合艺术家们自己制定的艺术与美学高标准又能无障碍地运转。操作这台当时已有70年寿命的手动打样机不是一件容易事，对操作者要求很高，不光印刷雕版和模板必须手工制作，就是印刷过程本身也是一件重体力活，有时印一页就需要45分钟。

由于不想落得一个地下印刷所的名声，也不愿卷入与政权之间不必要的纠纷，奥博格拉本印刷所一向在禁止与许可之间的灰色地带运作。“我们当然很小心。我们根本不想惹麻烦，也不想扮演乖张的抵抗斗士的角色”，约亨·洛伦茨回忆道，他至今仍在德累斯顿从事彩色艺术品印刷工作。[1] 画室是埃伯哈德·格舍尔租的，第一台印刷机属彼得·赫尔曼所有，印刷者是有工作报酬的。这样表面上看就更像是一种偶然形成的财产关系，而不是从事非法集团活动。由于所有决定都由全体成员共同做出，也就不存在所谓该承担责任的负责人。此外奥博格拉本印刷所的一切活动也都是公开的，他们的口号是："永远公开，从不隐瞒。"

获得德累斯顿市参议会文化处的正式印刷许可后，第一版《图诗集》中的第一批诗歌才得以出版。虽然后来此许可又被收回，但起初极力争取合法许可的努力还是奏效的，展览开幕时也邀请了市里负责文化工作的官员，这些人看上去显得有些忐忑不安，他们对奥博格拉本印刷所的活动评价不高，但也确实没有什么危险性。

第三版《图诗集》名为《酒吧与酒吧诗》，包含拉尔夫·温克勒的6幅画和6首诗。从艺术的角度就要另辟蹊径来领会这部作品，那时已经以艺名 A. R. Penck 而闻名的这位艺术家绘画风格属于抽象派和表现派，从现实社会主义的角度来理解，这类画就是"资本主义没落"的表现，因此官方从未承认过拉尔夫·温克勒的合法艺术家身份与从艺资格，所以想都不要想为他的诗申请印刷许可。"这样我们就对自己说：'那几行诗你完全可以反向刻到模板上，把它变成一幅铜版画，这么一来你就有了原创铜版画，也就不需要印刷许可了，那是张真正的图画。'无论图画上有什么，印

① 源自作者与 Jochen Lorenz 于 2007 年 5 月 30 日进行的访谈，地点在德累斯顿奥博格拉本印刷所。

数在 99 份以下都不需要印刷许可，可有些模板根本印不了这么多就坏了。”①

《图诗集》3 还在印制的过程中，拉尔夫·温克勒就像许多其他令人不快的艺术家一样，80 年代初必须离开东德。他那些献给德累斯顿心爱酒吧的作品集都没有来得及签名，印刷所所有的人对印好的作品集都束手无策。德累斯顿州立艺术博物馆铜版画陈列室的头儿维尔纳·施密特（Werner Schmidt）和另一位支持奥博格拉本印刷所的人想出一个好主意。“如果印制人授权，［……］只有作者，也就是拉尔夫·温克勒有权反对，但他肯定不会这么做。”②

该作品集印了 50 份，版权页上只标出了印制人的名字。这位不受欢迎的艺术家以这种方式出版诗画，既绕过了印刷许可，也避开了付酬规定。“他们无计可施。［……］没有哪条法律明文禁止这么做，也没有哪条法律要求艺术家签名。没有印刷许可，也没有签名，上面只印着：‘印制人：约亨·洛伦茨。’”③

把文字刻入印刷模板经证明是个避开印刷许可的实用方法，而且它还开创了新的设计形式。“不知有谁想到这个主意：嘿，我们没有许可也能印刷，而且没有印数限制。这我们得好好弄，我们来印诗。［……］把诗印成铜版画，把文

① 源自作者与 Jochen Lorenz 于 2007 年 5 月 30 日进行的访谈，地点在德累斯顿奥博格拉本印刷所。

② 源自作者与 Jochen Lorenz 于 2007 年 5 月 30 日进行的访谈，地点在德累斯顿奥博格拉本印刷所。

③ 源自作者与 Jochen Lorenz 于 2007 年 5 月 30 日进行的访谈，地点在德累斯顿奥博格拉本印刷所。

字变成图画。［……］结果我们就这么做了，印得非常唯美。”①

图2 米歇尔·维斯特费尔德（左）和本哈德·泰尔曼在一次私人朗诵会上，朗诵会1982年在德累斯顿一家私人住宅中举行，朗诵作品是恩斯特·杨德尔（Ernst Jandl）的《人道主义者》。

1982年出版的《诗集》印了30册，以下3位诗人每人选取了6首诗：米歇尔·维斯特费尔德（Michael Wüstefeld）、萨沙·安德森（Sascha Anderson）和本哈德·泰尔曼。泰尔曼还把这种折叠装订的《诗集》寄给了作家西格马尔·福

① 源自作者与Jochen Lorenz于2007年5月30日进行的访谈，地点在德累斯顿奥博格拉本印刷所。

斯特（Siegmar Faust）一本，他不无骄傲地想向西德的朋友展示一下，如今在东德这个国家都可以做些什么。由于通过邮局邮寄太不安全，他把《诗集》交给了一位常来东德旅游的荷兰友人。1984 年 3 月 1 日西格马尔·福斯特在《世界报》撰文介绍这本折叠装订的《诗集》，并称这本在德累斯顿出版的诗集为东德的第一本秘密出版物。这场出人预料的地下行为经西德媒体曝光后给这些文字印刷艺术家们带来了诸多后果。从那时起国家安全部开始调查此事，展开了一场名为“恐吓石”的调查计划，此词取自米歇尔·维斯特费尔德的一首同名诗，描写的是东德西部与东部不同的紧张局势。奥博格拉本印刷所的成员被请到位于德累斯顿射击巷的警察局，接收单独审讯并被隔离拘留了数小时之久。“那时我们才意识到我们的行为带来的所有后果。他们本该放过我们的作品集的，那本小册子，印数本来也不多啊，我们已经梦想着下一册了。虽然知道这么做避开了印刷许可的麻烦，但我们主要面对的是以前从未有过的艺术上和美学上的问题。那肯定是美妙的，他们也肯定抓不到我们的把柄。我们不仅试图嘲笑国家，后来也必须这样做。但最终这些都成了具有美学价值的解决方法。”①

就在国家安全部拘留这些艺术家期间，印刷所被一辆大型客车封锁，并安装了窃听器。国安部的秘密档案显示，相关部门曾计划“破坏格舍尔、泰尔曼和维斯特费尔德的榜

---

① 源自作者与 Jochen Lorenz 于 2007 年 5 月 30 日进行的访谈，地点在德累斯顿奥博格拉本印刷所。

样作用，以防止造型艺术和作家圈内反对派/负面新生力量效仿”[1]。自那时起奥博格拉本印刷所就一直受到监视，并且收到明确指示，无论以何种形式印刷文字都必须经过德累斯顿市参议会文化处批准。事态没有进一步恶化，事后大家分析是萨沙·安德森的参与起了作用，他作为国家安全部的通报合作者参加了《诗集》的出版工作。大家猜测国安部除了有正式访问，私下里肯定还进行过暗访，但对于监察的细节没有做进一步猜测。与很多其他案子一样，这位诗人的双重身份人们也是后来从秘密档案中才获悉的。

反正这件事过后，印制图文诗集就根本不可能了。“在惹了这么多麻烦以后，我们知道再也拿不到印刷许可了。我们的所作所为够不上受处罚，但我们总是让人头疼。事情本来就是这样。其实要想整治我们一向还是有很多机会的，但为什么没有这么做，我不明白，我们之中也没有人明白。不只有我们自身的原因，外界也都说我们很精明圆滑。”[2]

1985 年奥博格拉本印刷所仍旧开始了出版《图诗集》4 的工作，起名为《Ritze》。“起这个名字是因为当时印刷所位于 Ritzenberg 大街，这个词有双重意思，一幅铜版画也得刻[3]，我们也一直在刻。我们可不想讨好什么人，大概就是

① Theilmann, Bernhard: *Unter Druck und über Wasser*. In: Verein der Freunde des Kupferstich - Kabinetts e. V. (Hg.): Unter Druck. 20 Jahre Obergrabenpresse Dresden. Dresden 1999, S. 80.

② 源自作者与 Jochen Lorenz 于 2007 年 5 月 30 日进行的访谈，地点在德累斯顿奥博格拉本印刷所。

③ 德语动词为 ritzen。——译者注

这么个意思吧。”①

因为无论如何不想放弃图文并茂的形式，所以他们说服了很多东德作家，比如埃尔克·埃尔贝（Elke Erbe）、阿道夫·恩德勒（Adolf Endler）、埃伯哈德·黑夫纳（Eberhard Häfner）、乌韦·许布纳（Uwe Hübner）、贝尔特·帕彭富斯-戈雷克（Bert Papenfuβ-Gorek）和吕迪格·罗森塔尔（Rüdiger Rosenthal），他们为《Ritze》将自己的作品手抄了40遍。“监管部门对手抄签名无计可施。但不能把它作为一种方法，不能重复，只能一次性尝试。”② 对手抄复制文本的处理法律上没有案例可依。由于A. R. Penck也贡献了一幅画，这样仅仅由于版权页上出现了非艺术家协会成员的名字，奥博格拉本印刷所被指责违反了付酬规定，并收到最后警告被明确告知：“依法而言印刷所根本不存在，因为既没在国家有关部门登记，也没注册，所以没有资格出版作品。理由是，根据造型艺术付酬规定，只有社会主义的商业部门、出版社和文化协会才有权出版画册。”③

印刷所从一开始也向其他艺术家敞开了大门，特别是当艺术高校的学习条件越来越令人无法忍受时，许多大学生都利用起这个小印刷所，因为在这里可以更加自由，特别是能

① 源自作者与Jochen Lorenz于2007年5月30日进行的访谈，地点在德累斯顿奥博格拉本印刷所。

② 源自作者与Jochen Lorenz于2007年5月30日进行的访谈，地点在德累斯顿奥博格拉本印刷所。

③ Aktennotiz des Rates des Bezirkes Dresden. Abteilung Kultur（Dr. Schumann），10. 5. 1985. In：Theilmann：Unter Druck und über Wasser，Abb. S. 82.

够跟志同道合的人一起创作。“那时有很多学生在学校确实有政治麻烦。他们去哪儿了呢？到我们这儿来了。克巴赫（Kerbach）如今是教授。沙伊布（Scheib）世界闻名，还有康尼·施莱默（Conni Schleime）、克里斯蒂娜·施莱格尔（Christine Schlegel）和桑迪（Sandy）[①]，他们都在我们那儿。”[②]

对于艺术家来说，奥博格拉本印刷所既是一个开放型的工作坊，也是画廊和出版社。除了画展，这里还举办朗诵会、音乐会，许多艺术家也在此举办庆祝活动。在日常对外开放时间里，还可以参观印刷所里陈列的工作成果。有一段时间我们故意把对外开放时间定在星期二下午 14 点至 18 点，因为这段时间所有机构都办公。

需要特别小心的还有税务局，因为奥博格拉本印刷所并没有获官方认可，所以也没有自己的税号，因而也就不允许有任何形式的收入。为了避免与税务局的麻烦，所有在印刷所印制的画册，扣除印制人酬金和固定开销外，销售所得全部归相关艺术家。可以为印刷所捐款，这是允许的。“在钱的事上我们决不动摇，不做违法的事。我们做别的事。[……]《酒吧与酒吧诗》作品集当时是我签的名，为此我得去区参议会和税务局。我可以明白地告诉他们：你们可以审查收据，以艺术家的名义我是可以出售该作品集的。钱归艺术家所有，尽管艺术家人在西德。至于他在西边怎么花东边的钱那就是他的事了，他是否把钱捐给我

① 即 Reinhard Sandner。

② 源自作者与 Jochen Lorenz 于 2007 年 5 月 30 日进行的访谈。

们或是［……］那也有相关凭证。他们想在钱上抓我们的把柄，那是做梦。”①

奥博格拉本印刷所自始至终因其我行我素的作风常遭到有关部门监控，而“稍微带些无政府无组织的色彩向来没错”。虽然众所周知印刷所最早的所址就在奥博格拉本 9 号，然而市里相关的负责同志们曾煞有介事地琢磨，Obergraben 印刷所的名字是不是跟“untergraben”②一词有关，比如破坏性文化政策。一次印刷所要举办展览没有通过审核，该展览应该到少年图书馆举办，理由就是奥博格拉本印刷所的展览会破坏城市展览规定。外界也一再试图猜测印刷所拥有非法生产设备，但那些老掉牙的设备让东德当局也很难证明是否带来了国民经济损失。

Rähnitzgasse 画廊是国有艺术贸易机构，1985 年该画廊邀请奥博格拉本印刷所参加《德累斯顿画坊作品》展览。印刷所呈上的自我介绍没有获得通过，因为介绍中提及了所有创始会员，其中有两个人已经离开了东德，所以不允许再出现他们的名字。剩下的艺术家也放弃了提名权，因此目录中仅仅写道：“奥博格拉本印刷所由三位画家、一位胶印师和一位印刷机制造师创建［……］。”③

---

① 源自作者与 Jochen Lorenz 于 2007 年 5 月 30 日进行的访谈。

② 此词有削弱、破坏的意思。——译者注

③ *Selbstdarstellung der Obergrabenpresse.* In：Verband Bildender Künstler in der DDR，Bezirksvorstand Dresden（Hg.）：Grafik aus Dresdener Werkstätten. Ausstellung gewidmet dem 40. Jahrestag der Befreiung vom Faschismus；4. Mai bis 16. Juni 1985. Katalog der Galerie Rähnitzgasse，Dresden 1985，S. 21.

尽管受到种种阻挠，该印刷所还是能在市艺术圈内外证明自己的地位。从一开始就有各种机构定期收购其作品集，这对印刷所的自信心是种很大的支持。这些机构主要包括德累斯顿州立艺术博物馆铜版画陈列室，后来还有萨克森州立图书馆、柏林国家博物馆铜版画陈列室以及维也纳阿尔贝蒂娜博物馆。至1989年，奥博格拉本印刷所还出版过两册青年艺术家的作品合集，1988年《图诗集》5问世，其中的画作由克劳斯·魏登斯多尔佛（Claus Weidensdorfer）提供，诗歌出自卢茨·拉特瑙（Lutz Rathenow）的手笔。当时国家安全部一直在奥博格拉本印刷所的亲信中散布谣言说画家埃伯哈德·格舍尔是为他们工作的，可没人相信这种说法。印刷所的人彼此之间绝对开诚布公，他们对政府也毫无隐瞒，所以艺术家们就不会上这种当，毕竟他们也没什么可隐瞒的，在奥博格拉本印刷所艺术总是占中心地位，这不是什么秘密。

> [……] 我们不是想挑衅，而是想创造上乘艺术，这是我们的最大心愿，我们可以自由地思考我们思考的事情。[①]

领头狼出版社："1982年百无聊赖，糟糕透顶"[②]

领头狼出版社是书籍艺术领域的一个即兴项目，产生于80年代初德累斯顿的某个定期举行的餐馆聚会。学艺术的

---

① 源自作者与 Jochen Lorenz 于2007年5月30日在德累斯顿奥博格拉本印刷所进行的访谈。

② Leitwolfverlag（Hg.）：*Klappentext. In*：*Leitwolfverlag 1983 – 1996* . Dresden 1996.

大学生彼得拉·卡斯滕（Petra Kasten）、安德烈亚斯·黑格瓦尔德（Andreas Hegewald）与自由职业艺术家卢茨·弗莱舍尔（Lutz Fleischer）定期在德累斯顿的餐馆聚会，由于时而感到无聊，为了排遣无聊三位朋友开始晚上一起做诗或画画。“一般而言这就像是一种深入的谈话。［……］至于结果，往往是你事先根本想不到的。”[①]大家以接龙的方式——上一位写了一首诗，下一位应和一首诗——慢慢共同创作出了许多诗歌，后来又一起为这些诗歌配了插图。画画时将纸张竖着折叠，桌旁的人事先画出的东西只能看到最后几笔，下一位要接着画下去，也就是说只有粗粗几笔可供参考。“由于不知道前面的人画了什么，最后总是能出现非常有趣的东西。有些插图我们也一画再画，直到我们满意为止。［……］几年以后到了80年代中期，一次偶然的机会我们弄到一本有关超现实主义者的书，读完才知道，他们也这么做过，不过他们是横向折叠画纸。我们开始根本不知道这一切60年前已经出现过了。”

当晚间艺术创作越来越形成规模时，便萌发了出一本书的兴趣。“那段时间出版东西困难，作家们有时候用打字机复写的方式复印他们的作品，我们考虑后决定如法炮制，用丝网印刷，很原始的方法。”

领头狼出版社就是诞生于一种以某种形式保存自己作品的设想。经过艰辛的家庭手工制作，第一本图文诗集于

① 源自作者与 Lutz Fleischer 于 2007 年 10 月 30 日在德累斯顿进行的访谈。以下引语均出自此访谈。

1983 年问世，起名《领头狼》。这是一位上了岁数的先生的外号，常出入于德累斯顿的“摩卡咖啡吧”，由于他的模样引人注目，人们管他叫“领头狼”。第一本书的书名在出第二本书时就成了出版社的名字“领头狼出版社”。因为没有特许证是不能公开出书的，所以起个“领头狼出版社”的名字，表面上就将自己合法化了。

那两位学艺术的大学生彼得拉·卡斯滕和安德烈亚斯·黑格瓦尔德在学校鼓捣过丝网印刷。这种印刷技术不像传统印刷技术那么复杂，因而比较容易在家里操作。80 年代私人出版物多用此种印刷方式，因为丝网印刷工艺可以对手写稿和打字稿大量复印，特别是这样印出来的手写体可被看成图形艺术形式，从而也就成为艺术家手制书必不可少的方法了。

领头狼出版社的图书原型印数不多不少正好 64 份，原因很简单，弄不到更多的纸张。“我们考虑了规格，怎样才能尽可能地节省，不需要太多的下脚料就能用一张印纸弄出我们想要的东西。[……] 封面我们用板纸，无论什么地方总是能找到点儿什么东西。虽然有时很困难，但总是有些收获的。”

随着时间的推移，我们想让领头狼出版社成为一个平台，把它做成“青年艺术家的通讯论坛”。具体方式是这样的：一位或多位作家，通常以团队合作的形式，自己印刷、装订并为其书籍签名。“我们后来发出公告，任何人均可使用这个地址发表作品。我们这么做是为了把一切搞得更疯狂一些，但仅有少数人利用了这种机会。”

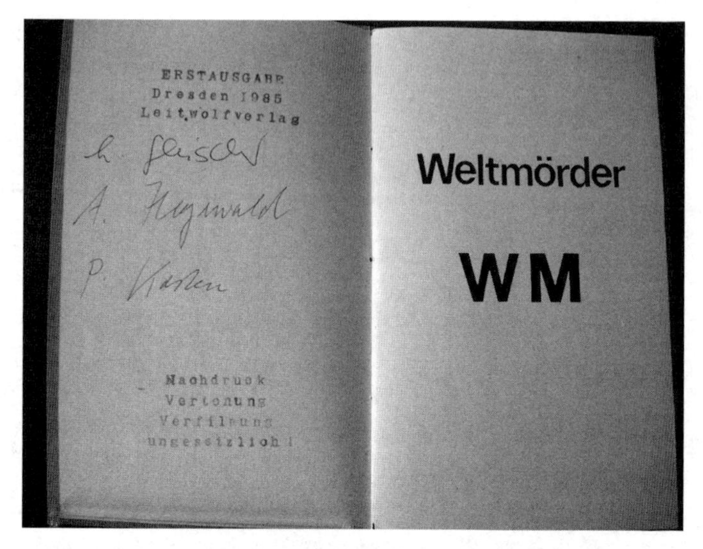

图 3　领头狼出版社的第一版书，德累斯顿，1985

到了 1989 年，领头狼出版社名下共出版了 11 种艺术家手制书，其中多数是弗莱舍尔、黑格瓦尔德和卡斯滕合作印制的。第一册书的规格经证明可行后被沿用下来，出版社为后来的版本准备了比较充足的纸张，因此后来的印数大方地提高到 100～200 份。

为了提高成书质量，艺术家们不断试验改变颜色合成以及印色强度。为了出版一本书，总要辛勤地工作好几个晚上。“文字部分很快就可以搞定。有时我们一晚上可以弄出五段或十段文字，一两个晚上就凑成一小本。有时候趁着晚上没人，他们甚至可能在学校里做起了丝网印刷曝光。[……] 印制绝对是在家里完成的，我们把印好的东西挂在绳子上，小屋里挂满了散发着臭气的半成品，这时我们就躲到酒吧去继续创作。”

恰恰是在封面设计上大家下了很多工夫。给每本书敲章也是让人乐此不疲的事，有可能的话尽量使用朋友和熟人们提供的真章。印章里写的是听起来尽可能正式的文字，比如在图书扉页上可以读到如下提示：“翻印、配乐、拍成电影属于违法！”，“科研文献。须提供学术使用目的证明！”或是“因缺乏劳动力无法保证供货时间”。有时大家还喜欢用在东德可以买到的成套儿童印章。“这东西非常有用，我认识的人中有的用这玩意儿敲出了整本书，当然书中的文字部分不多。”这种成套儿童印章有个优点，因为其材料易磨损，所以不会形成刑侦技术可以鉴定的特征，这样就很难对印章持有者进行登记与追踪。然而这对同时使用好几套这种印章的领头狼出版社来说并不重要，他们从未与国家权力机关有过什么麻烦。“我们估计早晚会惹恼当权者的，可却什么事也没发生过。我认为，怎么说呢，大概是因为事情从未搞得非常正式，也许他们从未认真对待过我们的小把戏。”

出的书我们都赠送掉，或是 20 东德马克一本卖掉。感兴趣的人不少，定期购买我们书的还有萨克森州立图书馆，如今这家图书馆除了我们的书，还收藏了大量其他独立私人出版社出版的原版图集。

如今对我们来说有个好消息：80 年代官方机构购买无印刷许可的出版物的数量也增加了。当时许多私人艺术出版社把这一情况当作是获得承认的标志，或者相关部门至少能够接纳他们的工作。领头狼出版社也觉得受到了激励，愿意继续做下去。然而当时他们还不知道，图书馆购买这些艺术书籍并非用于一般借阅目的，而是为了收入图书馆的毒草柜。

像许多私人艺术出版社一样，领头狼出版社没有统一的美学目标或政治目标，其存在的目的就是为了反对艺术界和生活中的独断专行和外界干预。领头狼出版社的理念首先是对出版业现状强烈表示不满，继而也是对出版业现状的挑衅。“原则上讲那是开玩笑的。重新拥有一摞这种小册子，总是一种美好的经历。”

“根据‘斜线战术’排兵布阵”

——莱比锡图书制作人的自由空间

黑尔佳特·罗斯特（Helgard Rost）（R）、
罗兰德·林克斯（Roland Links）（L）、
弗里茨·米劳（Fritz Mierau）（M）与英格里德·
宗塔格（Ingrid Sonntag）（S）的座谈

S：因为我们讨论的是莱比锡图书制作人拥有的自由空间，我们就从莱比锡雷克拉姆（Reclam）出版社的总编辑尤尔根·特勒（Jürgen Teller）开始谈起。雷克拉姆出版社总社和总行政处位于柏林，特勒在莱比锡领导出版了许多图书，其中涉及的题材远远超出东德各大学的授课内容，图书质量同西德出版社推出的刊物不相上下。

M：像东德专门从事苏联文学出版编辑的拉尔夫·施罗德（Ralf Schröder）一样，尤尔根·特勒的存在是雷克拉姆出版社出版20世纪俄国文学作品的幸事。他的思想智慧包罗万象，涵盖了从古典主义到马克思主义的全部哲学范畴，此外还拥有扎实的文学知识。像尤尔根·特勒这样的人是不会屈服的，特勒因坚定地捍卫支持自己的老师哲学家布洛赫（Bloch）而遭遇了悲剧，被送到莱比锡一家钢厂接受“缓刑劳动改造”期间因一次事故而无辜地失去了左臂。我们俩之间还有一层私人关系，因为我们都来自萨克森州的德伯尔恩（Döbeln），但由于有代沟，关系不是很密切。等他当了总编辑后，我们自然才有机会进一步互相了解，于是觉得是否可以合作干点儿什么，因为我也倾向于做图书项目，所以我们就走到了一起。

60年代初我给负责斯拉夫语言文学的编辑汉斯·洛泽（Hans Loose）写了一封信，提出15个有关俄国文学的选题项目，并说自己这儿还有更多货源，这份选题项目单还可以继续补充，后来雷克拉姆出版社也确实非常积极地补充了一些。我保留着一些信件，其中敲定的选题项目有七八项。当然那只是计划，没能全部实现，只有极少数图书出版了，不过那也只是个开始。特勒1964年到任后开始大刀阔斧地制定策略，他找大家谈话，最后决定由雷纳·基尔施（Rainer Kirsch）负责翻译，马尔加·埃尔布（Marga Erb）任编辑，我以书信形式参与，这样一项重要工程就此启动。1969年特勒在一封信中写道，我们应该推介奥西普·曼德尔施塔姆

(Ossip Mandelstam)——东德当然没人知道他，但他在西德很出名，因为保罗·策兰（Paul Celan）翻译过他的诗——不是把他作为20世纪欧洲现代派的重要代表，而是作为苏联文学的边缘现象处理。特勒认为我当然同意他的观点，我们这样做就是根据“斜线战术”安排出版计划。公元前371年底比斯统帅埃帕米农达（Epaminondas）在留克特拉(Leuktra）战役中便用此战术排兵布阵大败斯巴达。“斜线战术”就是左翼的步兵大举进攻，右翼的则后撤。当时古希腊的这种战术与政治无关，我们这么做却与政治密切相关。因为曼德尔施塔姆根据苏联的分类属于右倾、保守和崇尚古典的作家，追求理想主义的世界文化。左翼有足够的作家，都是国家部委规定要推介的。可笑的是，当时我还正在为左翼作家们忙活。快到列宁诞辰100周年纪念日的时候，我说服人民与世界出版社以此为由出版俄国形式主义者分析列宁语言的文章。1924年列宁逝世时，这些人曾用古典语文学家的方法并借助古典雄辩术的知识撰文对列宁的语言激情进行过分析。那些文章确实非常出色，最后也果真出版了。我还搞了一本大画册，名叫《左！左！左!》，是些革命中出现的张贴画和诗歌。还有谢尔盖·特雷雅科夫(Sergej Tretjakow）是个绝对危险的左派，但他很出色，写的东西振聋发聩。这些都是在左翼发生的事情，左翼的步兵已经披挂上阵，这时可以在右翼为曼德尔施塔姆做点儿什么了。

S：罗斯特女士，1969年您大学毕业后来到雷克拉姆出版社。在结束大学生活，在党的第11届全体大会和1968年学生运动之后，这对于您来说是否意味着步入了一个完全不同的氛围，一个避难所？

R：当时的情况确实很特殊，因为出版社的印刷部正在经历着一场变革。实际上一年之久什么都没印，所有出版计划延迟一年，编辑们都很沮丧，我刚到出版社时气氛很糟糕，因为我还没有参加任何项目，所以感触不深。后来情况又慢慢好转了，当然是以东德的速度好转。在出版社自然能够学到、必须学到而且可以学到很多东西，每做一本书其实都是一个学习的过程。当然还可以向同事学习，以及向工作中所接触的出类拔萃的人学习，比如我这个搞罗曼语的从卡尔－海因茨·巴尔克（Karl－Heinz Barck）那儿获益匪浅。

S：林克斯先生，在去莱比锡基朋霍伊尔（Kiepenheuer）出版集团前，您作为负责德语文学的编辑与麦克斯·弗里施（Max Frisch）和罗尔夫·霍赫胡特（Rolf Hochhuth）有联系，还和阿道夫·穆施格（Adolf Muschg）是朋友。您推动了很多书籍的出版，同时还是图霍文斯基（Tucholsky）作品的出版人。1977 年您自愿放弃了在人民与世界出版社的职位，何出此举呢？

L：那是我 46 岁生日时做出的狂怒而不负责任的决定。我在剃须的时候意识到在人民与世界出版社刚好干了 23 年，碰巧占去我生命中的一半时间。当时大家都在读弗朗茨·菲曼（Franz Fühmann）的书《二十二天或生命之半》。像晴天霹雳一样我突然意识到：你不可能再在人民与世界出版社待下去了。因为气氛在一夜之间发生了根本性变化，所以我离开了。基本上是没有自由空间留给你的，就像弗里茨·米劳刚才形象地用“斜线战术”所说一样。实际上，人要善于在双态国家的两个原则之间斡旋——措施国家与规范国家。虽然有规范准则，但不知道这些规范是否有效或者其中哪些是有效的，而且你总是要争取与作家卡尔·克劳斯（Karl Kraus）或穆西尔（Musil）或弗里施之间建立联系。您知道，麦克斯·弗里施的小说《斯蒂勒》（*Stiller*）在东德有一段时间是“禁书”。

突然一切都不对劲了。现在我知道，当时有一位国安部的通报合作者，我本应该去暗中监视拉尔夫·施罗德所在的编辑部。有一次谈话很诡异，出版商尤尔根·格鲁纳（Jürgen Gruner）提醒我说：你有客人来访！结果真就有人来拜访我了。我在人民与世界出版社做巴赫罗（Bahro）及其作品的责任编辑，因此我被问及对他的评价。我以为指的是他的诗，就说了自己的看法。那位满头银发，看上去挺招人喜欢的老先生突然问我对他的新作怎么看。我中了圈套，回答说我认为他对东德情况的分析还是比较准确的，至于他在《抉择》（*Alternative*）中写的那一套则很疯狂。负责我们所有人的人是居特林（Gütling），在每一本有关国家安全部的书中都少不了他，我们管他叫安全别针，居特林少校在椅子上扭来扭去，如坐针毡，老先生微笑着说我们也这么看。可是林克斯先生，您怎么会了解这本书的？这下全完了。大概我的回答，像我后来在国家安全部档案中看到的，让那位通报合作者觉得被戏弄了，因为我说：两周后我要去会见麦克斯·弗里施，我正在编辑一本《今日瑞士》的文集。要是我说自己不知道巴赫罗的书，您以为麦克斯·弗里施还会拿我当回事吗？所以我必须要了解这本书，我对此书有自己的看法。好，他说，没问题。谈话就这样结束了。可社里的一切突然都变了样，气氛不对了。

S：情况是不再和从前一样了。米劳先生，您曾写到70年代末80年代初人民与世界出版社委托您负责的三个大项目突然下马了。

M：其中最重要的项目被我称作《俄国诗人传奇》，我想把两个没落的传奇重塑在一起，即德国的俄国传奇和俄国的德国传奇或是西欧传奇，这在两国文学中都极为错综复杂。西德有很多人翻译俄国诗人的作品，并且出版阿赫玛托娃（Achmatowa）或是曼德尔施塔姆、勃洛克（Blok）和玛雅科夫斯基（Majakowski）的诗集，我想找这些人谈谈出一本不超过200页的合集。我在人民与世界出版社递交了选题申请，编辑部负责人莱昂哈德·科苏特（Leonhard Kossuth）和拉尔夫·施罗德全力支持，可尤尔根·格鲁纳等社领导却不松口。我的论点是俄国诗人在赢得世界声誉前都吸取过西欧诗歌创作的经验，对此我可以通过他们对西欧诗歌的翻译和接受情况来详细证明。格鲁纳抓住这一点不放并反问道：您是想断言，每个住在普伦茨劳贝格（Prenzlauer Berg）①写诗的小子，日后到了伦敦或巴黎就都成了伟大的德国诗人了？我对此给出了肯定的回答。这个项目的命运您诸位可以猜到，被枪毙了！

那些青年诗人我是在“年轻天才之家”的活动上认识

① 柏林的一个地区，是崇尚另类生活方式的年轻人聚集的地方。——译者注

的，那些人里还包括安德烈亚斯·科齐奥尔（Andreas Koziol），他不太出名，但我很赏识他。我还想到了洛塔尔·特罗勒（Lothar Trolle）和芭芭拉·霍尼希曼（Barbara Honigmann），他们都与俄国诗人有关，或者阅读翻译过他们的作品，格鲁纳的问题问到点子上了。1988 年雷克拉姆出版社做了这个不错的项目，出版了《俄国人在柏林 1918 ~ 1933》，这样之前的失败才不算输得太惨。

L：我认为，在东德，与今天的情况不同，文学是由编辑部和项目发起人推动发展起来的，编辑的职责与今天完全两样。后来在莱比锡的基朋霍伊尔，我既不是真正的出版商，也不再是编辑。我成了一个奇怪的阴阳人，像格鲁纳一样，我的职责就是必须对选题予以肯定或否定。

我们讨论的主题是莱比锡的自由空间。汉斯·马夸特（Hans Marquardt）因他所谓的国家安全部的身份而受到攻击。我不信，我认为他作为地方小出版社编辑，是被逼着为争取一席之地而奋斗，不像那些柏林的出版社拥有得天独厚的优势。我 70 年代末到莱比锡工作时首先被告知，每年得为上一年写一份总结报告，上交给党在该地区负责主管文化的同志。马夸特同志多年来也是这么做的，而且做得很好。我给他打了个电话，他说：是的，按要求做吧，这事推不掉。你得想法子跟这位同志把关系搞好。一年后，这位同志的继任者罗兰德·韦策尔（Roland Wötzel）单独请我吃饭。我们坐在饭馆吃饭，四周都是服务员，大家一开始保持沉默，后来我先打破沉默，然后有了如下对话：

说说吧，为什么请我吃饭？

－我想知道你归谁领导。

－那还用说，自然是最高主管部门。

－不对吧，为了庆祝基朋霍伊尔建社100周年，赫普克（Höpcke）[1] 在这儿搞了大型活动，这个出版集团最早还是设立在东德呢。赫普克明确说过，出版社直属于统一社会党，所以你受党中央的领导。

－那好，要是这么看我是受党中央领导。

－这就好，这样我们之间的关系就清楚了。你做的事，得算在你的账上，我不负责。

－这是给我的特许还是警告呢？

－你要是愿意的话：二者皆是。你必须搞清楚你与柏林的关系。

双态国家就是这个样子。我经历过便体会到，在各种机构间必须要斡旋得干脆明确。

将近10年之久我一直在为遗产文学写后记。遗产文学不像当代文学那么“容易出问题”，可出版遗产文学也并非易事。70年代就遗产问题曾经展开过大规模的讨论，其中最大胆的文章出自米劳的手笔。那篇三页长的文章中这样写道：沙皇有一次对普希金说，如果普希金先生能够修改自己的剧本，像苏格兰诗人瓦尔特·斯科特（Walter Scott）那样去写，那就有可能被搬上银幕。米劳以此为理由攻击

[1] 前东德政治家，曾任文化部副部长。——译者注

“比特费尔德道路”[1]，他说：你们的行为就像沙皇，你们为作家们规定他们该写什么，但只有放手让作家们自由写作，才会诞生伟大的艺术作品。同一时期，为纪念海涅诞辰175周年，汉斯·考夫曼（Hans Kaufmann）发表了《社会主义需要整个海涅》[2] 的文章，这个非常非常重要。那时出书还不出全集，只出选集。很多年以来读者只能读到法国作家萨特的名句，海涅的也一样。我们人民与世界出版社第一次出托勒尔（Toller）文选的时候，只许出艺术科学院规定我们出的，符合当时清规戒律的东西，也就是那些革命诗歌，但不包括他那些深邃悲观的诗作。文学就这样被利用来进行当时所需要的宣传活动。米劳先生，您和汉斯·考夫曼在当时那场有关遗产问题的讨论中，还有您在后记中为勃洛克进行辩护的方式为我们大家打开了一扇门。出版勃洛克的作品要冒风险，因为勃洛克实际上是反对革命的。在后记中米劳是这么写的：是的，没错，他在自己的诗中展示了矛盾，但他实际上是把自己独有的矛盾投射到时代中了，这当然令人难以置信。对不起！可这篇文章已经发表在《意义与形式》杂志上，也就是得到了格鲁纳的认可。永远是这种游戏，先发表文章，这样就拿到了作为后记出版的通行证，或者找个名叫库钦斯基（Kuczynski）的教授，或者科学院的一位女

---

① 1959年4月24日哈雷东德出版社在比特费尔德化工厂召开作家代表大会，讨论如何让劳动者积极参与艺术与文化创造。此后“比特费尔德道路”成为东德社会主义文化政策新方案的代名词。

② 准确标题为《Der Sozialismus braucht Heines Werk ganz. Zum 175. Geburtstag des Dichters.》，In：Einheit 12/1972.

教授，然后关于二三十年代破败的科学院出一本书，书中会有一些以前在东德没机会发表作品的作者写的文章。只有通过联合的方法尝试才能为自己争取到自由空间。

R：这一点在雷克拉姆出版社表现得很明显，所以编辑们在社内拥有很多自由空间，所有的选题都出自他们的想法，他们也在很大程度上负责这些选题计划的实施。如果有关最高主管部门有反对意见，也只跟社领导交涉。编辑从来看不见书面的东西，只能听到最高主管部门传达下来的意见。

S：1986 年那本有关超现实主义的书是怎么回事？

R：我不能说这本书带来了什么特殊的麻烦，也从未有过任何请求或改动的想法。一切都很顺利。除了文化政策之外，另一个至少同样扮演着扼杀角色的因素我们在此还没有提到过，也就是物质境况。恰恰是我所在的部门，如果我们想出一本法国或英国作家的书，那我们得支付版权费。出版社的外汇储备很少，仅仅因为这个原因，许多书都没法出版，特别是《巴黎的超现实主义》那本书有很多插图，弥足珍贵，也得用外汇支付。出版社为此花费了不少努力，这种物质上带来的限制还有很多。每家出版社的纸张都是限量供应，每本厚书，无论来路如何，要想出版都很困难，往往很容易因厚度而夭折，我们出版社的排字能力也同样受到规定限制。此外东德能印制平装袖珍版书籍的印刷厂也只有一家，即德累斯顿的民族友谊印刷厂。所有出版社的平装袖珍版书籍都得送到那里去排字和印刷，也就意味着一部手稿印成一本书几乎需要一年的时间。

M：这也很快了。

R：嗯，这是平均速度，也完全有可能提前印出来。

M：但前提是没有人有任何反对意见。要是最高主管部门或是其他什么人，比如外请的鉴定人有异议，那事情立马就变得复杂了，得讨论来讨论去，部委和社领导之间还要进行多次电话沟通，很棘手难办。

R：那过程真是长得可怕。一位编辑有了选题得先在最高主管部门那儿登记，这么规定是明智的，这样就不会出现选题重复的现象。

M：选题卡片索引！

R：对，就是这个名字。检索很快，工作人员只需要翻翻卡片，就知道这个题目是否有人已经选了。但如果工作人员不查，那么递交上来的选题问询可能会耽搁好几个星期。作为编辑没有资格往最高主管部门打电话询问：进行到哪一步了？但一般工作人员还是会按部就班做的。当时没有像现在这样专家过剩的局面，所以为了最终争取到足够的雇员，社内会较快地作出决定。在莱比锡我属于最后一批学罗曼语的大学生，所以出版社雇员紧缺，非常优秀的就更少了，得等到这些人有时间才行。当编辑就更要不断地等，等着作者交稿，这且得等呢，然后是书，因为稿子得交给最高主管部门审查。排版许可要等多久，编辑是帮不到忙的。一切办妥之后，印制图书的技术过程还需要这么长时间。

L：我刚才想起一件轶事，是长年担任迪特里希施（Dieterich'sch）出版社负责人的马克思博士先生讲的，这件事说的就是在莱比锡能拥有的自由空间以及莱比锡和柏林出版社之间的关系。我们大家都得报选题，我们这些条件优厚的柏林出版社要报，莱比锡的出版社也要报，如果选题撞车，往往莱比锡的出版社就得让步，迪特里希施私人出版社的领导马克思博士觉得这欺人太甚。当时是计划经济，每年同行业都要开大会报下一年的选题，一次开大会时马克思声称买了一位乌克兰著名作家所有作品的版权，这位作家我们就叫他 Krassilnikow 好了，准备出版六本小说。柏林的建设出版社立即报了 Krassilnikow 的选题，声称他们已经登记过了，然后要求马克思把相关书籍寄到柏林去。他回复说寄不了，事情是他杜撰的，只不过是想知道他们的反应而已。他们的举动证明马克思已经被骗了三次。最近几年没再发生这种事，这得归功于强悍的汉斯·马夸特，他在这儿所做的一切值得人们尊敬，当然其实是和特勒以及编辑室一起合作的。我和他关系并不好，我本来应该接替特勒的工作，但我拒绝了，也就没能接他的班。尽管如此我还是要说：事实就应该是事实。

R：这说明，在任何体制中个人的雄心壮志都起着较大作用。马夸特来自西德，他想成为一名不光在东德，也要在西德和全世界受人认可的出版商。他有抱负，为了实现自己的抱负做了一切。他的贯彻执行力很强，建立了各种联系，也造福于出版社和东德的读书界。

沃尔夫冈·欣茨（Wolfgang Hintz）：诸位都是原东德出版界的人物。我来自西德，从您的话中我听出来，诸位为了施展能力实现自我，在工作上和生活中每天都得同某些东西进行斗争。各位是否有过这种情绪——想说：我不干了！还是一再对自己说：坚持!?

R：要抗争的事情肯定有很多，但也有很多机遇，像资金充足，在适度的条件下付给雇员工资不用讨价还价。东德马克起的作用不大。首先销售的事不用发愁，这对出版社来说是件好事，而如今编辑们和出版商为了卖出他们制作的精美书籍，头发都愁白了。最后还有让人喜笑颜开的酬劳，你克服重重困难做出了好书，大家有目共睹便向你开口称赞。

M：我们的情况要复杂一些，我只能谈谈我和妻子的情况。柏林墙建起来以后，在一次特别的关头我们决定，只要不危及我们和孩子们的性命，我们还是留在这里。我们做出这个十分坚定的抉择意味着我们愿意面对可能遇到的各种难题并且咬牙挺住，这样后来确实如您所说，真是每天都要奋斗。但做出这一抉择的前提自然是我们不反对社会主义，认为社会主义就像每个人把它建成的那样可以如此美好。我们如何理解社会主义到头来是我们自己的事，是我妻子和我的事。至于这和党与政府的命令不相符，那又是另一回事。我们觉得自己属于社会主义，再加上作为搞斯拉夫语言文学的，我知道俄国人在苏联时期是非常困难的，他们是在更糟糕的情况下经历的这一切，也记录了这一切，而并非从索尔仁尼琴的笔下一切才为众人所知。

如果在这儿讨论的是秘密阅读，那么比如我在 1963 年弄到过一本书，要比索尔仁尼琴早，是卡尔·阿尔布雷希特（Karl Albrecht）的《被出卖的社会主义》（*Der verratene Sozialismus*）。有人知道这本书吗？一位信仰共产主义的人去了苏联，在那儿经历了一些很平常的事情，最后几经周折在德国大使馆的帮助下离开了苏联，回到德国后进了希特勒的集中营接受审查。1938 年他写了一本书，他在书中说，与在苏联经历的事情相比，希特勒的集中营要好很多。这可以说是纳粹宣传的巨大成功！这本书是一位老共产主义工人党人（KAP[①]）送给我的，一起送我的还有一整箱敌对书刊。KAP 是 20 年代初从德国共产党（KPD）中分裂出去的，但它作为宗派党却比真正的共产党拥有更多党员，所以 KAP 才是实际上的 KPD。箱子里还有共产国际的宣传小册子，小红本，里面有列宁派老共产党的核心领袖：托洛茨基、李可夫和布哈林等，满满一大箱都是这类刊物。这个人我们是在 KAP 的创始人之一弗朗茨·荣（Franz Jung）的妻子克莱勒·荣（Cläre Jung）那儿遇到的，当年 KAP 的老人们彼此还很团结。那次会面也很隐秘，监视我们的人非常警惕地监视着并记录了我们的言行。我想说的是：既经历过纳粹迫害，也经历了 1945 年以后德国统一社会党在这儿搞的历次党内清洗的人，总要被人问及以下问题：你曾经是另一个共产党的党员吗？你如今对其持什么态度？我们中间就有这些人，早在 1958 年或 1956 年的时候就跟他们认识了。我们从未幻想过这儿会存在一个精美的社会主义。相反，我们认为在这片德国土地上重新进行了一场实验，其结果不明。当然出版业有一定的物质保障，虽然雷克拉姆出版社给的报酬不

① 指德国共产主义工人党［Kommunistische Arbeiterpartei Deutschlands（KAPD）］。

高，但毕竟钱是有的，甚至一些未能实施的选题项目有时候也能得到酬金。但是事情首先就包含一种潜在的思想跨度，前后都有给人思考的余地，至于其结局如何就不得而知了。

克里斯托夫·林克斯（Christoph Links）：我还想问问关于秘密阅读的事，因为你们在出版社有特权，可以读到别人见不到的原版书。海关禁止进口的货物清单上对出版社设置了特别许可，海关不会没收出版社的书籍，所有出版社预订的书籍都会作为样书畅通无阻地投递。因此你们享受这种极大的特权，可以公开进行秘密阅读，令人又羡慕又激起欲望。你们可以把工作中读过的作品转借给朋友和熟人去秘密阅读吗？还是严格禁止此类行为？

S：1976 年到 1982 年我在哈雷东德出版社工作，埃里希·略斯特（Erich Loest）的《按部就班》（*Es geht seinen Gang*）就是在这家出版社出版的。编辑们事先不允许看这部手稿，只有责任编辑和第二编辑才可以公开审阅，可是工人作家兼党领导小组成员哈利·坎普林（Harry Kampling）把巴赫罗的《抉择》借给了我一周。我是维尔纳·布罗伊尼希（Werner Bräunig）《天边一只鹤》（*Ein Kranich am Himmel*）一书的第二编辑，这是第一本被称为横截面文集即删节本的书，常被戏称为“截瘫”，还有他的小说《游乐场》（*Rummelplatz*）在建设出版社出版后，我听说稿子被冻结了，社里虽然有未经审查的原稿，但文集中的节选本却是在党的第 11 届全体大会后布罗伊尼希本人的修改稿，也就是说印出的是审查后的版本。沃尔克·博朗（Volker Braun）的《欣策－孔策小说》（*Hinze－Kunze－Roman*）80 年代初在编辑部内流传，我可以把稿子带回家看个通宵，但大家并不公开讨论。

台下听众问：也就是说出版社里也有毒草柜?

台上答：有!

L：但那是最后十年的事情，东德已不再是以前的东德。1954年我当编辑后接到的第一个任务是为一本书写鉴定意见。总编要把书稿给我，女秘书们则一直等到总编辑去吃饭了，才把那部书稿和两份专家鉴定意见给我并且清楚地告诉我说，专家鉴定意见也要看。我喜欢这本书，而其他鉴定人持反对意见，所以我就写了一份模棱两可的鉴定，说这本书我其实很喜欢，但另一方面也可以说该书如何、如何、如何。总编辑认为我很明智，是个很善于权衡利弊的编辑。这样我就被雇用了。

那是一段很艰难的日子，有火眼金睛的有时甚至不是头儿们，而是我们身边的人。那还是批评和自我批评盛行的时代，编辑部里的各种争辩非常激烈。瓦尔特·乔莱克（Walter Czollek）引入了各编辑部联席会议制度，那真是争吵得一塌糊涂。那时当编辑的首要任务是辨风向：风从哪儿刮来?不久前我吃惊地在自己保存的资料中发现了一页会议记录，我本人居然完全反对出版著名小说《麦田里的守望者》，说我们不需要这种东西，幸亏我们几年以后出版了这本书。当时我刚到出版社不久，说的做的都是在迎合别人对我的期望。

不知什么时候，由于麦克斯·弗里施的《斯蒂勒》，在读过这本我想做的书，接下来与写了后记的汉斯·迈尔（Hans Mayer）的交谈之后，我向自己问道：唉，你在这儿到底在干什么？从那时起我就信奉这句话：能做好事而不做，就是犯罪。后来随着时间的推移，我才意识到自己有哪些选择，自己的任务是什么。

《斯蒂勒》未能出版，持反对意见的是阿尔弗雷德·安特科维亚克（Alfred Antkowiak），1958 年他被判两年零六个月的监禁，在狱中被国家安全部招募进来。我在国家安全部的档案有 500 页，都是阿尔弗雷德·安特科维亚克写的，要是为我写传记的话这些档案材料可就太棒了，可惜从来没有人对我做过什么。我发现这个人是借着我和其他人来进行他与总编的论战，因为总编允许我们做的事曾让他坐了几年牢。他甚至还曾警告过我，也给我出了不少点子，也许是为让我不要轻率行事。

M：就像特勒在他那绝妙的警句中所说，我们当然并非自愿地扮演埃帕米农达的角色，因为肯定很耗神费力。

R：那是对能量的巨大浪费。那么多有天赋的人本来是可以出版更多东西的……

M：这可说不准，事情是错综复杂的，在强制逼迫下也能释放出能量。

台下听众问：您可以把从西德弄来的书给您妻子或是近邻看吗？还是这种书属于机密文献？最后还想再问问《斯蒂勒》一书的事，那本书不是出版了吗？

L：是的，但是在 10 年以后，1975 年，书后有一篇我写的后记。

夜里有人给我打电话，我也不知道为什么，当时就是那样，晚上总有人打电话。电话铃响，没人去接，我以为是国家安全部打来的。我把当时对我来说最重要的一本书，吉拉斯（Djilas）的《新阶级》（*Die neue Klasse*）装进塑料袋捆好后丢入了我们的化粪池，让它沉下去，结果书被弄坏了。后来我才知道，国家安全部知道这种藏法，每个白痴都是这么干的。我很小心的，不随便把某些特定的图书转借他人，但拉达茨（Raddatz）把库斯勒（Koestler）的《日食》借给了我，我又把它转借给了其他人，借给谁我当然是经过深思熟虑的，最多也是在朋友圈子里借书，大家知道要遵守哪些游戏规则。在读吉拉斯的著作之前，我还读过莱昂哈德（Leonhard）的《革命舍弃了自己的孩子》，那时我就知道了，不要再抱任何幻想什么的。是的，社会主义，没错，不过现在也仅仅是一个新生的阶级。

莱蒙德·瓦利戈拉（Raimund Waligora）：林克斯先生，因为您说只把书借给好朋友，我只想告诉在座的各位，您儿子在一次“大弥撒”上，也就是在一次党的选举大会上，把鲁道夫·巴赫罗的书装在一个简易信封中给了我，以便我能阅读。

L：这是信任的标志。

莱蒙德·瓦利戈拉：从此以后我们就成了好朋友。

S：最后请诸位向我们透露一下，第一次秘密阅读时读的是哪本书。

L：库斯勒的《日食》。

M：《毒蜘蛛》（*Tarantel*），在1951年世界青年联欢节上。我是自由德国青年团（FDJ）的积极分子，还为这次聚会活动募捐过。由于听父亲讲述过查理·卓别林的电影，我从萨克森州的德伯尔恩来到柏林，急着做的第一件事就是跑到西柏林的泰坦妮亚宫（Titania – Palast）影城去看他的电影。结果我们在通往太阳街的雅诺维茨桥附近被抓住了，然后被塞进一辆卡车，其中全是自由德国青年团团员，11 年级的，也就是 17 岁。当时我身上还带着《毒蜘蛛》，于是急中生智把那本杂志叠得非常小，塞进了车上一根木头与苫布之间，结果被发现了，这确实是一份非常尖锐彻底反东德的杂志，以连环画的形式反社会主义。审问者手里耍弄着那本《毒蜘蛛》，察言观色逐个审问，看我们对他的问题如何反应。我一直保持沉着冷静，不承认与这本杂志有什么干系。可最后我的团员证被没收，一年半都是没有团员证过来的。

R：使我成为秘密读者的那本书，今天好像有人在报告中已经提到过。其外观就与别的书籍不同，没有封面，而是用一层油布包着，里面也没有内封，是苏联女作家叶夫吉尼娅·金斯堡（Jewgenija Ginsburg）写她在劳改集中营经历的《生命的轨迹》（*Marschroute eines Lebens*）。那是我第一次对古拉格体系有了详细了解，读后震惊不已。在拉达茨传记中我读到了关于这本书的故事：该书是受德国联邦情报局委托由罗沃尔特（Rowohlt）出版社出版，然后被空投到东德境内的，所以才用防水油布作封面。后来我还听说一位朋友的母亲在采蘑菇时捡到了这本书，然后又传给了其他人看。拉达茨反对出版这本书，也反对其经销方式，从他的立场出发也是可以理解的，因为当时是冷战时期。但这本书对我们来说是一本真正的启蒙书。

L：拉达茨在1958年离开人民与世界出版社之后的很长很长时间还向我们提供了大量信息，多年来我一直与他保持着良好关系，我们常在书展上见面。图霍文斯基作品的出版工作我也是从他手上接过来的，通过他我认识了玛丽·图霍文斯基，从而可以在罗塔－埃格尔恩（Rottach－Egern）工作。

拉达茨非常关心我们，给我们出过很多主意，有没有这些点子可大不一样。一次在法兰克福书展上，我们社的头儿刚走，一位先生牵着一条松狮犬站在那儿。不是每个人都可以把狗带进展览会的，我马上就知道了这是位人物。他很和善地问我乔莱克先生在不在，请您把乔莱克找来！然后两个人一见面就热烈拥抱说道：你还活着！乔莱克在布痕瓦尔德（Buchenwald）集中营受过残酷的折磨，他被人吊起来往下拽他的腿，导致横膈膜撕裂，后来他也是因此身体受到损伤去世的。乔莱克和这位先生霍伊曼·冯·莫尔博克斯（Heumann von Mohrbooks）后来坐在一块儿聊了两个钟头，聊纳粹时期和集中营什么的，任何其他人来我都得挡驾。然后这位先生对乔莱克说：我可以给你提供每一样你需要的东西！从那时候起，我们就从著名的莫尔博克斯文学代理处那儿得到了所有我们想要的样书，当然看完还得寄还给他们。这些很重要，格外重要的是要知道方向在哪，除此之外还可以利用全球剪报服务和各种期刊。就像在船上一样，一切全靠定位，才知道自己处在什么位置，什么地方发生了什么事，现在世界上都出了哪些书，然后我们就阅读这些书。我们是否算秘密读者呢？这是我们的职业。

经审查的审查官与顽强反抗的读者

海关审查官

——东德海关在国家安全部委托下实施图书审查

约恩-米歇尔·谷尔（Jörn-Michael Goll）

在东德史研究中，有关国家安全部的文献有很多，而有关东德海关的文献少之又少，但不能就此认为东德海关的工作就和我们现如今了解的那些海关日常工作一样。其实，东德海关远远不能和我们今天看到的西方国家的海关相比。区别二者的一个基本特征是，在东德海关，监管审查始终优先于指挥调节。

东德海关作为所谓的安保机关代理人，同时也是党和国家领导人的统治工具。其工作任务明显带有共产主义教条色彩：东德海关行使审查机关的职能，审查文字、图片及音视频，此外还担负着“外贸外汇垄断”保护的任务——这些内在职能使东德海关成为东德计划经济的一个要素。另外海关在执行审查的同时，始终还有一项任务就是阻止人口非法入境，既包括逃亡者也包括有逃亡意图的人。

为履行工作任务，海关拥有多种权限。根据海关法，海关有权审查所有运输工具、行李物品及集装箱，可以以检查为由收管货物及运输工具，且不予赔偿。此外还有搜身审讯的权利，尤其这项权利将东德海关与国安部紧密地联系在一起。渐渐海关越来越多地被纳入国安部的管辖领域，并且经常扮演着零杂工和义务工的角色。为使海关在国安部的指挥下行使职能，国安部委派许多“特派官员”和通报合作者大范围地渗透到海关并对其进行监察。所以我将东德海关关员称为“经审查的审查官”。

尤其有一项工作任务由海关和国安部不分高低共同承担：二者都致力于阻止东德人民受到西方影响。国家安全部一直担心西方对东德的影响会带来诸多严重后果，用海关和国安部的行话说就是“政治思想破坏活动”“敌对联系政策”及“地下活动”。① “政治思想破坏活动”的目标在于引发“犯罪行为及违法、违规和违纪的消极反社会主义思想举动”②。海关要特别压制由文字、图片及音视频带来的影响。

---

① BStU, MfS, AS Chemnitz, StOp 103, Bd. 2, Bl. 220.

② BStU, MfS, JHS 22070, Bl. 170.

图 1 海关关员首先大致查看出入西柏林的车辆，如有疑点则带到专用停车场进一步检查

海关总局将图书审查的任务分派给边境海关和邮政海关，国安部介入了这两处海关的工作。在东德出入境，除了边境海关，还有护照检查工作组也负责审查等各类工作，向出入境旅客声称他们属于边境军队的一部分。而海关关员清

楚地知道自己属于国安部，除了检查护照，协助国安部其他工作组展开缉查行动也是一项工作内容。虽然边境海关能够审查人员车辆，但护照检查官有权支配海关关员。海关关长的工作守则中写道，所有携带禁书入境的旅客，都要上报至护照检查工作组，[①] 并由该工作组决定进一步处理办法。

国安部对邮政海关的工作介入得更多，从1964年起，除了邮政及海关工作人员大约还有350人负责邮政缉查。[②] 这一岗位作为合法职务来看拥有双重身份，一方面是正式海关工作部门，另一方面是国安部的工作组。[③] 负责邮政缉查的工作人员穿海关制服，直到1985年，个人资料都交给海关管理，[④] 工作证也是海关的，这样对外对内都给其他工作人员明显造成一种印象，他们是海关的工作人员。

对印刷物的审查，边境海关和邮政海关都遵守以下原则：定期出版的报纸杂志，如果在德国邮政的报刊列表上没有，那么和姓名地址录、挂历、各类统计年鉴和目录册等刊物一样禁止入境。[⑤] 对于图书的基本规定是，所有“反对维护和平”，也就是包含所谓煽动思想或者以其他方式“违背国家利益”的刊物不准入境。[⑥] 60年代起，文化部图书委员会出台规定，指明哪些图书允许入境哪些禁止入境，以后海

① BStU, MfS, HA VI 1380, Bl. 12.

② BStU, MfS, JHS VVS 0001 Bl. 73 - 74 Bl. 73 - 74314/81, Bl. 72.

③ BStU, MfS, JHS/MF/VVS 314/81, Bl. 6.

④ BArch DL 203, Az 01 - 02 - 12.

⑤ BStU, MfS, ZAIG 22821, Bl. 1.

⑥ BStU, MfS, JHS VVS 0001 - 314/81, Bl. 73 - 74.

关关员便有据可依。[①] 海关领导在这一规定的基础上定期发布相关指示，1963～1984 年间，共发布了 150 份指示规定图书处理办法。[②] 东德最高领导人昂纳克（Honecker）1987 年出访西德，因此从 1987 年 11 月 1 日起，这项严格的规定得以放宽。此后，即使德国邮政报刊列表没有的刊物只要不违反以上规定也允许入境。[③] 虽然新规定很模糊，但规定实施三个月以来，上报审查的包裹信件比去年同期减少了 52900 件，过境旅客被没收刊物的事件也由 12600 起减少到 9800 起。[④]

新规定出台之后，某些特殊刊物的处理办法有所变化，尤其是所谓的煽动性刊物。[⑤] 比如体制批判者鲁道夫·巴赫罗（Rudolf Bahro）、罗伯特·哈费曼（Robert Havemann）还有沃尔夫·比尔曼（Wolf Biermann）的作品就被当做“煽动性刊物”处理。[⑥] 尤其到了 80 年代初期，海关关员的目标更多地集中在那些支持当地反对派的活动，从西柏林和西德偷着运往波兰的书籍、印刷纸和复印机。[⑦] 除了煽动性刊物和所有印制图书需用的材料，还有其他党派及宗教团体，[⑧] 特

---

① 50 年代时由学术书刊总局评定哪些图书允许入境，该局撤销后从 1957 年起海关技术学院接管了这项工作。Bericht der HA 2 – Abteilung Recht, 15. 7. 1959. In：BArch DL 203，Az. 04 – 07 – 05，Ka. 294.

② *Schreiben des Leiters der Zollverwaltung zur Dienstanweisung*，2/86，28. 2. 1986. In：BArch DL 203，Az. 04 – 07 – 05，Ka. 294.

③ BStU，MfS，ZAIG 22821，Bl. 2.

④ BStU，MfS，ZAIG 22821，Bl. 2.

⑤ BStU，MfS，HA *VI* 66，Bl. 70.

⑥ *Schreiben des Stellvertreters des Leiters der Zollverwaltung*，1. 9. 1977. In：BArch DL 203，Az. 04 – 07 – 05，Ka. 294.

⑦ BStU，MfS，HA IX 2219，Bl. 67 – 68.

⑧ BStU，MfS，HA IX 5368，Bl. 6.

别是耶和华见证人的出版物也无一例外地被没收。

图书走私的后果是各不相同的，惩罚措施依据走私的形式和数量而定，轻者进行说教，重者大量图书被没收，更为严重的被上诉到检察机关，接受刑事处分。同时，海关更多地进行具体情况具体分析，而不是毫无例外地一律没收图书。[①] 尤其对于艺术家、宗教界名流、科学家及记者，海关越来越有针对性地采取措施，以防止他们公开发表不利于海关的言论。

边境海关和邮政海关的工作除了很多相同之处，还有很重要的不同之处。和邮政海关不同，边境海关在检查时，旅客和海关关员有直接接触。在海关检查之前、之中和之后，旅客的行为举止都要受到监察。如果一直盯着审查官行事，或者在海关关员的注视下过于紧张、仓促或者过于礼貌，都会引起注意。审查官不仅要检查过境旅客，旅客的汽车还有行李也要检查。此外审查官还应留意其他疑点，比如旅客年龄或总体外貌特征是否和他开的车匹配？从出行时间来看是否带的行李太多？接受询问时回答内容是否自相矛盾？[②] 如果出现类似疑点，除了打开后备箱盖、发动机罩、按压坐椅这些基本检查步骤外，还要做进一步检查。为此每个过境处都有用于检查的车库，外人是看不到的，旅客的人和车就被带到这里拆车查看，直到证实疑点或明显排除疑点为止。海关关员有特殊的检查工具，比如用探针和内窥镜就可以查看到车里的隐蔽空间。此外，

---

① BArch DL 203, Az. 04 - 07 - 05, Ka. 294.

② *Probleme der Auswahl von Personen und Transportmitteln zur Zollkontrolle.* In: BArch DL 203, Ka. 125, Bl. 6 - 9.

从70年代起，边境海关还配备了X光机，能很好地检测识别图书。[①] 操作X光机的检查官是经过特别培训的，学习过如何发现识别隐藏的图书。

还有一种特殊情况是在西德和西柏林之间过境的旅客。一般根据过境协议，海关是不能检查这些旅客的，所以海关的工作组、国安部和人民警察就对东德边境的高速公路进行监察，以防过境旅客和东德人在停车场或者加油站碰面然后进行交易。1976年记录到684起这样的双方会面，大约50%的情况是向东德人转交图书报刊等印刷物。[②] 东德邮政海关查获在案的禁书数量明显多于边境高速公路上或者边境海关查处的数量：高速公路过境处每年大约查获10万起偷运具有“思想道德败坏性”图书的案例，而邮政海关每年查获大约300万起，内含印刷物的邮政包裹总计1200万件。[③] 经邮政海关通报的印刷物中大约94%包含政治类及神学类违禁期刊，剩下6%包含所谓的煽动性刊物、低俗刊物及耶和华见证人的刊物。[④] 此外每年约有12000份来自各个研究领域的专业杂志被没收，因为杂志中刊登有招聘启事，国家安全部担心西德会“有目的地挖走东德的专家人才”，所以这些杂志被认定为高度危险刊物。[⑤]

为了查明邮政包裹里的图书制品，东德所有15个行政

① BStU, MfS, HA VI 13910, Bl. 41.

② BStU, MfS, JHS 22070, Bl. 240.

③ BStU, MfS, JHS 22070, Bl. 191 - 192.

④ BStU, MfS, HA VI 15664, Bl. 161. 旅客被没收的各种图书类别与此类似，参阅BStU, MfS, HA VI 15664, Bl. 164 - 165。

⑤ BStU, MfS, JMS 22070, Bl. 228.

区都设置了邮政海关。需要检查的包裹首先经传送带送至缉查处，这样就进入了国安部的检查视线，然后按照国安部给出的名单对寄件人和收件人进行核查。之后所有包裹再经传送带送至海关处，有四个特别小组负责检查。第一组检查是否有走私和投机倒卖的嫌疑，第二组使用X光机，第三组检查包裹内容，第四组为图书鉴定处，负责鉴定包裹中含有的所有印刷物。[①] 首先所有包裹都要经过X光机照射，出现问题的要开包查看，必须由训练有素的邮局人员将包裹打开送至海关关员，然后和原来一样封好。发现的印刷物送至鉴定处，由特别经过培训的官员进行鉴定。[②] 其中用到四种不同的索引。[③] 第一种是作者索引，包含各作者及其作品引进许可的说明。第二种是杂志索引，标注了邮政报刊列表包含的也就是允许入境的期刊。第三种是机动索引，包含一些国际组织协会、出版社和书店的地址和说明，其出版物在一定条件下是允许入境的。最后一种是特许索引，包含某些机构和人员的地址列表，经文化部特批，可以一直或在一定时间段内接收西德刊物。此外海关关员图书检查还用到各种工具书像作家辞典以及各种不同的专业书籍。

很少有资料表明如何处理被没收的图书。大体来说处理

---

① Grube u. a., *Die historische Entwicklung von Zöllen, Steuern und Abgaben.* Zur Chronik des Hauptzollamtes Halle an der Saale. Halle 2002, S. 189.

② *Schreiben des Stellvertreters des Leiters operativ*, 8. 5. 1968. In: BArch DL 203, Az. 01 - 14 - 01, Ka. 169.

③ Plessow档案，专科学校阅读材料，第14科目：*Die Anforderung an die Durchführung einer wirksamen Röntgen - und Inhaltskontrolle*, Plessow 1985。

没收图书的流程是这样的：首先所有图书被送到海关物证中心处，然后分配给一些特定机构和国家部门，比如莱比锡德意志图书馆、国防部、波茨坦军事博物馆或者负责宗教事务的国务秘书处。另外，低俗垃圾书刊一部分交至国安部，一部分销毁，还有一部分只有德意志图书馆的封锁书库可以收藏。[①] 60 年代中期，海关领导争取不再由海关，而由其他重要部门负责这些图书的分配处理。[②] 但由于资料有限，到目前还不清楚后来是否改了规定。

现在我想转换一下视角，把视线从作为国家机构的海关转移到海关关员个人，以及海关关员和图书审查之间明显的矛盾关系。

“海关工作人员［……］有坚定的阶级立场，很强的纪律性，革命警惕性以及社会主义的思想、生活和处事方式。”[③] 这就是海关的职务规定，每一位关员在入职时都要签字保证。而在录取之前，海关和国安部就要检验申请者是否忠诚于国家社会体制。所有关员及其亲属都禁止以任何方式同西方国家接触并保持联系，同样也不允许接收西方电视广播节目，还有非社会主义国家的书籍也属于禁书。海关关员的入职教育中这样写道：“不允许阅读、流传来自这些国家地区的印刷物，不允许传播其内容。”[④]

---

① *Schreiben der Deutschen Bücherei Leipzig an das Amt für Zoll und Kontrolle des Warenverkehrs* 31. 7. 1959. In：BArch DL 203，Az. 04 – 07 – 05，Ka. 294.

② *Schreiben des Leiters der Zollverwaltung*，24. 6. 1965. In：BArch DL 203，Az. 04 – 07 – 05，Ka. 294.

③ BStU，MfS，JHS VVS 001 – 873/81，Bl. 41.

④ BStU，MfS，JHS VVS 001 – 873/81，Bl. 50.

为了尽可能减少西方的影响，海关关员一直被思想洗脑。每个月有 30 小时至 35 小时的培训、教导以及其他各种形式的教育措施。[①] 从海关提供的资料中得知，尽管采取了以上这些措施，但还是有违反纪律的现象发生。国安部对其在海关针对关员实行的“政治战略性防御工作”评价道：“从海关关员的政治战略性保护工作结果来看，可以肯定的是，在两德边境长期直接接触具有政治思想破坏性的事务，尤其是与西德及西柏林公民有关的事务，出于工作需要接触西德货币，对来自资本主义国家的高端产品进行观察、鉴定、评估，以及接触西德书刊，这些总会产生一定的影响。”[②]

图 2　海关工作人员接受培训，使用特殊 X 光机识别图书

① BStU，MfS，JHS 21934，Bl. 107.

② BStU，MfS，HA VI 4392，Bl. 473.

图 3　由海关记录在案的在两德边境没收的杂志

为阻止传阅西德书刊，1973 年海关关长发布一项工作守则，规定如何处理没收上来的西德书刊。[①] 各海关都应防止关员接触此类书刊，为此还专设了收集图书和杂志的箱子。[②] 已形成广泛覆盖网络的国安部通报合作者也应确保及时发现政治思想不稳定的关员并进行审查。一份国安部的报告中对此写道："首先要有重点并有效地对工作中直接受西方势力影响，被迫面对消极敌对势力，以及担任边境检查、手续办理及安全保护要职的海关关员做好保障工作。"[③] 根据这一规定，1979 年就有 100 多名海关工作人员接受国安部所谓的"特别人员检查"，国安部估计其中 50 名和西方国家的人保持联系，[④] 而且违纪阅读西德书刊的不止一例。

---

① DA 14/73 des Leiters der Zollverwaltung.

② BStU, MfS, HA VI 4393, Bl. 113.

③ BStU, MfS, HA VI 66, Bl. 86.

④ BStU, MfS, HA VI 66, Bl. 78.

过境旅客总是试图贿赂关员，希望关员能够放松检查或者避开检查，1971年8个月内记录到405起“试图与官员建立这种特殊关系”的行为。国安部发现用来贿赂审查官的首先有食物和酒，然而更多的是图书，尤其是色情图书。①

结尾我想举一些海关关员处理西德书刊时违纪的事例：德累斯顿海关在1976年8月23日总结分析“政治保护工作”时记录道：“某位审查官由于主动索贿，于1976年3月无限期开除出海关。相关通报合作人也提供了重要的信息，表明有关员思想堕落，倒弄西德书刊，并且缺失审查结果记录。[……] 有位海关关员认为从那些低俗图书中比从党组织的各项决议中收获更多，这位关员后来被开除了党籍。”②

德累斯顿邮政海关的一位通报合作人1979年在报告中讲到一位女关员时说道：“饶有兴趣地认真研究西德书刊并且讲给其他同事听。”③

还有一个例子讲到海关审查官向旅客索要东西，然后可以适当通融。收受的物品除了圆珠笔、录音带、酒精饮料还有色情图书。④ 对此一份国安部调查报告中写道：“他们都爱拿收受的东西互相炫耀，看性爱杂志，有时在班上喝旅客送的啤酒或者白酒。”⑤ 涉事关员也因此被立即开除。

---

① BStU, MfS, HA VI 13910, Bl. 91.
② BStU, MfS, HA VI 4393, Bl. 109.
③ BStU, MfS, HA VI 4393, Bl. 144.
④ BStU, MfS, HA VI 4393, Bl. 151.
⑤ BStU, MfS, HA VI 4393, Bl. 152.

以上事例说明，有些海关关员本身也是“秘密读者”的一员，这些关员的数量并不多。然而我们要认识到的是，即使严厉的惩罚措施也不能完全阻止这些精挑细选通过考核的统一社会党拥护者，利用西德报纸杂志，越过自己所处的体制这堵思想高墙，看看外面的世界。

向西行，向东行

——西柏林四日记

克里斯蒂安・埃格尔（Christian Eger）

当我能踏上西德的土地时，那年我22岁，在读大学第四个学期。1989年3月，东德已经不复存在，然而旧东德还依旧活跃着，我外婆在西柏林过83岁生日，亲戚关系这张通行证为我打开了那扇大门。发证机关没有一系列烦琐的手续，也没有为难我，我第二次去就拿到了入境许可；四天的西柏林签证，在护照里盖上章，第二天开始生效。早上6点钟，弗里德里希大街火车站空无一人的检查大厅，工作人员刚刚换班：牙膏、烟丝盒——没有一样东西检查的时候没被打开。

我带了一个小记录本，里面有60年代德国学生运动领袖鲁迪·杜奇克（Rudi Dutschke）作品的笔记，引起了他们的兴趣。离开检查处的传送带，我被带到一个六平方米大小的屋子：一张Sprelacart牌的仿木小桌，前后各一把椅子，窗台上始终拉紧的窗帘前有一盆绿色植物，很茂盛，像食人草。记录本被没收了，大约每隔半个小时就有两位穿着制服的官员过来问话，来了四次，比如我是不是认识鲁迪·杜奇克；两个小时后，西柏林对我来说还是一如既往的那么远。我一个人在屋里的时候，把窗帘拉到一边，透过栅栏看看弗里德里希大街早上的车辆行人是什么样子：这就是东德，永远停滞不前。我被告知这个本子没收了，需要审查鉴定。

他们不想轻易放过你，还要告诉你，你即将离开什么地方，等回来后可以拿回什么东西。我没有迈开步子，软绵绵地拖着身子，像新来的走错了路一样各种混乱，进入那个全是小房间、隔离室和过道的大厅。退了休的东德老人拖着箱子排起无穷尽的长队，拥挤在攒动的人群中，一切混乱不堪，以至于我好几次都失控差点儿想回到东德。走下地铁通道，帮年迈的妇人拖箱子。害怕不小心坐错了地铁的方向。忘不了左边的绿色通道，经过那从东德到西德免受检查的过境旅客轻而易举地消失在拥挤的地铁里，这也是德意志民主共和国。列车有三节车厢长，很快就挤满了人，旅客们像缝合在一起一样坐在木椅上。我还是选择站着，紧紧抓着栏杆，列车开到地上见了阳光，经过博物馆岛和军械库，慢慢见到施普雷河弯曲的流向；眼泪还是流了下来，接连不断的景象令人心生感触。渐渐延伸的河岸、沙滩和石子路，边境士兵在那里沐浴晨光。到国会大厦的这一片整洁利落。勒尔特火车站，贝尔维尤宫，动物园，下车然后换乘坐到哈登堡广场，闪烁着耀眼金属光芒的 Kranzler - Westen 咖啡厅：白色汽车尾气、柴油味儿、甘醇的香烟。动物园街区是我对西德的第一印象，也一直会是我对西德最原始的印象。坐地铁和公交，路过一个又一个村庄到了马林费尔德城区，我摘下墨镜，认出了站在舅舅家花园大门前的母亲和姐姐，她们作为东德先驱比我早一天到来，也早就适应了西德。没人想到我能来。我简直不敢相信：来了西德做的第一件事情，就是睡觉。

四天西柏林，四天走路，坐车，走路，期间也去探访亲戚。这四天，就像是不由自主地在西德寻找东德，就是寻找那些贴近东德排斥西德的纪念地。柏林墙，勃兰登堡门，查理检查站，阿尔布雷希特王子大街上的户外博物馆"恐怖地形图"，6 月 17 日大街上的苏联纪念碑，克罗伊茨贝格城区，还有罗莎·卢森堡（Rosa Luxemburg）被抛尸的兰德维尔运河。我只有政治上和伦理道德上的感触，几乎没有因景色带来的感官体验，这也是东德对我的影响使然，是长期不会改变的影响。动物园街区的 Beate - Uhse 成人用品商店，一眼就能辨认出里面的东德人，行为举止就像喜欢吃肉的人在蔬菜店里一样。当时还有西洋镜，可以投币然后透过窥视镜观看色情表演。一排排旧书店，现在早就没有了。阳光下的柏林艺术科学院，安静平和。君特·格拉斯（Günter Grass）向埃纳尔·施勒夫（Einar Schleef）和埃德加·希尔森拉特（Edgar Hilsenrath）授予了德布林奖，为数不多的观众席上，有很多人我都在日思夜想的西德文学史读物中读到过；我想我是属于这里的。我，一个东德人，见到科学院那可以掐灭烟头的烟灰缸很是惊讶。这里没有任何问题值得考虑。问题出现在了一天晚上，我和从东德出来的朋友们通电话，他们说：你留在这吧，回去的话你会疯的！我听得出来，他们的要求是出于好意，但我无法接受。我觉得用亲戚关系的通行证待在这儿不是个正当的理由。如果是亲戚要求我留在这儿，我会怎么办呢？我拒绝了朋友的要求，虽然并不那么喜欢东德，但还没有到如此严重的地步——至少没有那么快，没有在那外婆坐下去颤颤悠悠的沙发里。机会是有过一次；我已经收拾好了东西，就差告别了。

弗里德里希大街的火车站，4 天之后又回来了：我的牛仔裤口袋里鼓鼓的装着希尔毕西（Hilbig）、胡赫尔（Huchel）、乌韦·约翰逊（Uwe Johnson）和托马斯·布拉什（Thomas Brasch）的书，那些在西德不愿与东德告别的作家。又是各种过道、小房间，工作人员办事利落，不知不觉很快就过去了。母亲和儿子，通过最后一个站岗人，一扇铁门啪嗒一声在我们身后关上了。拥挤在金属栏杆后面，我们又回来了：东德。不对。我已经不完全是以前的样子了。在东大厅想起来还有我的记录本。我走到铁门前，等着门再打开，这扇门朝东德那面没有把手。门丝毫没有要开的样子，我跳到前面拉开门，又挤进了西德。站岗人惊慌失色，机枪戒备。我置之不理，说我还有东西要拿回来。我动作很快，期间那扇门又打开了几次。一切进行得很快，国安部真是秉公办事。一位边境女警察签字证明已将记录本当面交还给我，我走过那扇铁门后回到东德，母亲还在那儿等着我，脸颊瘦小，脸色蜡白。

为阶级斗争参与秘密阅读

——国家安全部邮政审查

格尔德·赖尼克（Gerd Reinicke）

东德国家安全部的工作人员一起参与秘密阅读，已是“公开的秘密”。因为统一社会党“迫切需要”使用各种各样的手段，尽可能在其能力范围内对所有交际渠道进行检查和审查。但是如果东德把审查和检查都委托给国安部来实行，就能减少财力的投入。就在当时的国安部内部，也只有M部门直接负责邮政审查的工作人员详细清楚地知道邮政审查是如何进行的。M部门为国安部其他行动部门提供支持帮助，有时也有人问我，M代表什么意思，是否有什么深刻的含义，我对此一无所知。可能“老同志们”由信封联想到这个字母，当时的标准信封封上后，背面看起来就像字母 M。

1979 年我被安排到 M 部门工作，他们给我这个年轻的成员讲的所有东西都并非“无足轻重”。根据基本法规定，我们只需要知道用于执行工作而必须知道的东西，我作为“信息分析处”的“分析员”进行了为期 12 个月的入职培训，在这期间我一点一滴地学到了所有我的上级认为举足轻重的东西，而没有什么是我想知道的东西。比如我问到有关情报侦查的问题，像反东德的情报机构有哪些消息来源，这些问题令他们起了疑心而拒绝回答。我的工作任务是搜集“可疑”人员和事件的信息，至少如果其他部门发现可疑之处，我都要向他们提供帮助。

到了 1986 年，在我任职的七年间，伴随着“不断激烈的阶级斗争”，审查的规模也在不断扩大。根据党组织的决议，全国上下都要拿出高效的工作成绩，当然也包括国安部，这一点从 M 部门严格的工作规定和越来越多地投入使用“灵活机动”的工作人员就能看得出来。M 部门的工作人员总数从 1980 年的 1074 上升至 1989 年的 2192。[①] 1972 年时女性工作人员还占到 40%，到 1989 年只有 20%，原因很简单，党组织在社会工作方面提出的决议主要针对女性，由于照料孩子占用时间，所以很多女性雇员的工作时间很

① Kallinich, Joachim; Pasquale, Sylvia de (Hg.): *Ein offenes Geheimnis: Post und Telefonkontrolle in der DDR. Eine Publikation der Museumsstiftung Post und Telekommunikation.* Heidelberg 2002.

有限。

因为拿不到有价值的数据资料，无法具体了解经拆封查看的信件情况，所以我对国安部“参与秘密阅读”的规模无法做出准确的估计。我在M部门任职期间虽然进行了相关统计，但只能回忆起大概数值，经国安部打开查看的信件中差不多有3.5%～5%成了秘密读物。如果拿到更准确的数据，那么也有助于确定邮政审查的规模，但需要知情人士提供资料。当时对于不知情人士来说，除非特意调查，否则即使有各种统计数据和分析报告也还是很难清楚了解身边同事的一举一动。

在东德，从各种社会团体、党派和教育机构的防备性措施中可以看出，不信任作为一种“文化”以多种多样的形式存在。东德民众很难认清各种审查标准，导致有关当局在对待西德异议分子的出版物时容易出现一种半官方半违法的局面，当局做决定时而大刀阔斧，独断专行；时而鼠目寸光，不可理喻。我作为国安部的人员在邮政检查的工作中，每天都要被迫面对这种为“顺应阶级斗争形势”而不断变化的各种决定。在国安部M部门的“信息分析处”，我的工作任务是对邮政信件的文字内容进行评判和分类，在极特殊的情况下建议没收，或者如条件允许，自行决定没收。对邮政的干涉是在极高度保密下进行的，如果信件没有送达收件人，那么必然会引起怀疑，收件人肯定会猜测是否国安部在背后动了手脚。但是不允许有证实这种行为的迹象存在。所以我在工作初期作为特别分析员对M部门没收信件的做法产生了强烈的质疑。这样可以么？毕竟根据海关法，如果没收信件是要通知当事人的。我小心谨慎地向一位“老战友”提出了这个问题，他摇摇头，不认为这样不可行，然后回答说：“当事人肯定知道国安部这样做是不对的！谁不理解，就要倒霉，还是你真的相信他们会来我们这投诉?”不，我也不相信，所以最初我很高兴不用独自行事。大体上来说有两种方式让民众成了邮政审查的受害者。一种是民众由于特殊行动或者仅仅有“可疑行为”而引起有关部门注意，另一种是信件可能由于“外部特征”而落入 M 部门或邮政海关广泛覆盖的搜寻网络。这种搜寻网络有三种基本搜寻标准，而且每种标准还可以继续分类，这样对客观情况进行统计分析时就有据可依，并能够将其纳入 M 部门的存储系统。这三种标准为“疑似情报”“有政治思想破坏倾向”（简称 piD）以及从外表来看显示有“可疑内容”的信件。属于哪类信件决定了接下来如何在 M 部门的运作流程中处置该信件。

M 部门的分支机构邮政局和邮政海关事先就已经对信件进行了筛选，筛选信件的通常都是有经验的调查员，调查员们一直都在接受培训如何识别信件包裹，以提高检查效率。接下来按照国安部其他部门的要求，也包括国安部部长的直接指示，对信件包裹的内容进行分析。部长的指示和决议通常都是在“政治大事件”的基础上做出的，像党代会、全民节日、东德领导人的外交活动、军事演习以及所谓“在民众中引起轰动”的意外事件。此外国安部还经常下达关于审查和监察的具体指示，例如国安部部长就曾明令禁止传播由东德歌舞剧演员尤尔根·哈特（Jürgen Hart）的一句著名

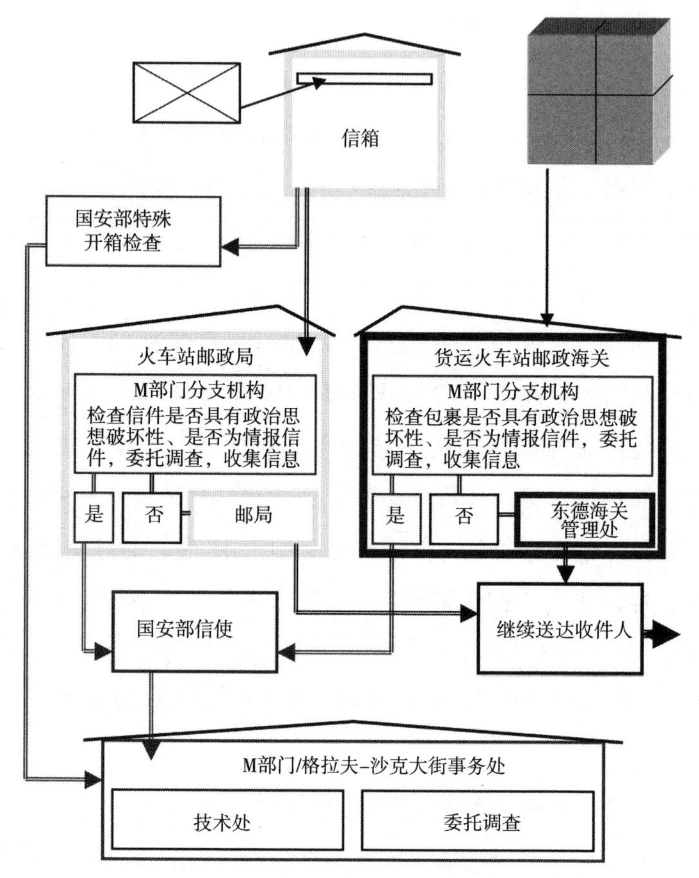

图 1　国安部邮政审查流程图，以罗斯托克的 M 部门为例

歌词“Sing，mein Sachse，sing”（歌唱吧，我的萨克森人，歌唱吧）改写成的“Schwimm，mein Sachse，schwimm”（游泳吧，我的萨克森人，游泳吧）。

邮政审查的特征体现在对信件文字内容和印刷物的分析及利用，发现问题的信件首先予以没收，然后进行分析调查。这里指的是附带包装看不到里面内容的信件，没有包装或者能看出里面印刷物的事先在分支机构就已经被划为 piD

类信件，并且没收后特别上交至 M 部门。对寄件人自己写的，并且内容涉及反东德或东德领导人物的信件，要进行思想审查，极端情况下以“教唆反国家”为由被没收，这样公民的非公开意见也受到了直接审查：这类信件经过读取、分析，情形严重的被没收，并且有可能事后立案，作为刑事诉讼的证据。根据东德刑法典 §106 规定，印制、引进、传播或者利用“歧视性”文字、物品或符号都要受到相应处罚。[①]

与“阶级斗争”有关的权利是一个如何阐释法律的问题。虽然根据东德宪法第 27 章的规定，“根据本宪法原则”，每位公民都享有“自由公开发表言论”的权利，然而是有限制条件的，见第四章“人民福利”。信件中包含的杂志或文章都要经相关部门认真检查，接着或者没收或者正常投递。

有时候不巧会遇到信件内容和动机复杂结合的情况就特别难做决定。我记得有一封来自西德的信件，里面有纳粹宣传资料的复印件。寄信人非常气愤这种“垃圾污秽”在西德流通，可以看出政府对于这种颠覆活动是多么的无能为力。怎么处理呢？信件里含有纳粹宣传的资料——应该没收。而寄信人的观点——并非如此。当时是怎么决定的？我

---

① 参照 §106 教唆反国家，第一段，第一条：“如持有破坏德意志民主共和国社会主义国家规定或社会规定的目的，或违反上述规定从事煽动活动，1. 引进、印制、传播或利用歧视德意志民主共和国国家、政治、经济及其他社会局势的文字、物品或符号；［……］判处一年到五年有期徒刑。” In：Strafgesetzbuch der Deutschen Demokratischen Republik. Berlin 1986，S. 35.

不记得了。

信件是没收还是投递，为了使判定“更有可靠性”，相关人士的观点意见都被分类整理并存入档案。如果某个特定的交际圈子具有“政治可疑性”，那么相关各部门就要查看其所有通信往来，以获得这类人员及其社会关系的相关信息，利用这些信息为情报活动做准备。从跨越东西德的恋爱关系到约定会面或者通信往来，所有个人关系都要纳入监察范围。对于M部门的分析员来说，初次建立的联系很难处理，因为一方面要没收信件切断联系，另一方面还要通过这种联系获取其他有效信息。为避免出现错误判定，这类初次联系要经过“委托调查”，也就是说，M部门的分支机构邮政局和邮政海关已经对信封上的收件人和寄件人进行了调查。这些分支机构的工作人员按照邮政编码专门负责特定的地区，必须记住大量的名字和字样，尽管这些名字都可以在调查名单上找得到。这样一来，每天的调查工作就能几乎做到上级要求的“毫无纰漏”。有些可疑信件因没有被识别出而正常投递，也就出现了安全漏洞，因此领班会对每一位工作人员仔细抽查，漏掉信件被视为渎职，并受到纪律处分。为了减少接下来的损失，所有上交至“信息分析处”的信件都要额外通过“委托调查”的筛选排查。委托调查，原先在国安部内部被称为“邮政参与”或“邮政审查”，是国安部各行动部门直接干涉邮政最重要的形式，被列为“进攻法”。与国安部开箱取件以及在投递过程中通过通报合作者截获信件相比，“委托调查”无须额外增加成本，并且将通报合作者泄密的可能性降到最低。

通过原东德公民发出或收到的所谓的反馈联络可以进一步获取相关信息，比如可以详细了解原东德公民现居于何地及其对现状的满意程度。一定要切断“后续效应”，阻止传播关于如何合法离开东德的指导信息。为进一步做好“进攻性”工作，M部门还依据国内外各党派的政治纲领、行动目标以及知情人士提供的信息开展调查。统一社会党中央委员会成员尤其重视所有党派团体的纲领中引人关注的细节部分，就是党派团体中的宣传员可以用作宣传辩护的内容。对于宣传教育总局的情报工作来说，了解一下这些纲领或者各党代会的筹备情况也是很重要的，以便向党组织里的通报合作者施加影响，或者检验这些“侦查员”的诚信度。为了事先了解西德各政治团体以及东德反对派的目标和意图，利用他们获知的信息或者阻止传播文字资料，所有的纲领、言论和信息都有利用价值。

各种被党组织归为“复仇主义”一类的本地协会及组织需要特殊对待。M部门接到指示，不允许阻止这类团体的通信往来，不允许对其印刷物进行分类、统计及销毁。科技类信息同样也享有高度优先权成为国安部的秘密读物。挖掘利用所有获取的信息属于商业间谍活动，其中包括获取技术文件、分析当下科技趋势及各个公司的优劣势。所有可利用的技术类资料通常都上交至柏林M部门下的“战略技术部”。我专门负责用于电子数据处理的所有资料和指南。随着美国个人计算机的出现以及这一技术在西方的迅速传播，虽然埃里希·梅尔克（Erich Mielke）及一些领导人对计算机技术持怀疑态度，大概因为“个人”这一概念意味着某些个人信息可能无法掌握，但国安部还是越来越重视计算机技术的应用。

国安部各领导层对于在各个公共机构和学校任职的检查官，无论是正式的，还是通报合作者，都不能做到百分之百的信任，所以对检查进行检查一直是领导的工作重心。根据安全规定需要上报的信件先记录在案然后进行投递，等待观察收件人作何反应。从事科研领域的大学工作人员、技术人员以及具有重要军事战略意义的能源产业和交通业的从业人员，都可能参与了西德情报活动，自然也就成了国安部重点监察对象，通过邮政审查可以始终了解这些人员的可信度。被监察的对象先总体上划为“可疑”人员，然后以“18”为代码记录在案，“18”表示“可疑人员”。被监察的人员数量不断增加，说明了国安部在不断加强安全保障。

80 年代初期以来，东德和西德教会之间的官方及私人往来得到了很大的关注，核武装的建立推动了和平运动的迅速发展。越来越难说和平运动的发展是好是坏。在教会和平组织具有说服力的辩护面前，统一社会党的“防御宣传”不再奏效，M 部门越来越多地接到指示，不可阻止教会和平组织的文本及印刷物的传播，因此东德内部的通信往来也受到了监察，也出现了信件被没收的情况。被称为“收集及分发站点”的大学生和牧师们得到了国安部的“特别关注”，国安部不再信任一般的邮政审查，在当地额外雇用起了邮递员作为通报合作者，其中还包括中学生。

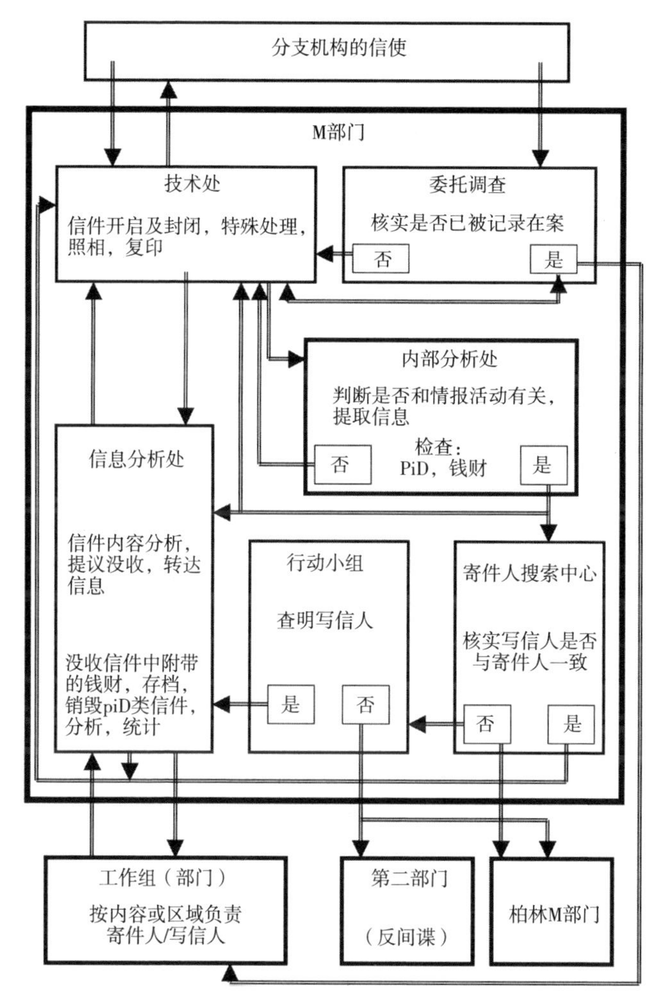

图 2　罗斯托克 M 部门内部邮政审查流程图

根据国安部部长 1983 年 12 月 20 日第 20/83 号令，邮政海关并入 M 部门。M 部门履行海关的职能，同时还要检查信件内容是否具有“利用价值”。海关按照明文规定行使职责，没收违法物件及印刷物，而邮政海关按照 M 部门内的规定行事。所有从重量、大小、寄件人和外观上来看内容可能具有政治思想破坏性的信件首先被挑出，然后送至 M 部门进一步调查。低俗刊物一律没收，包括报纸、剪报及广告等。只要不“危害基本原则”的刊物，像某些特殊的专业杂志及资料经和相关工作组商讨达成一致后，可以正常投递。禁书没收后，如果没有“有意义”的利用价值便被销毁。比如我曾经每隔几个小时就从部门主任的保险柜里拿到一本关于教派和宗教团体的书，用来为我在“教会与教派”领域的工作提高专业技能。现在我知道了耶和华见证人的宗旨是什么，（但）不知道他们为什么在东德受到迫害，也不知道他们早就受到了纳粹分子的迫害。

在论及邮政审查这个话题的过程中，始终都伴随着一个问题，那就是如何明确定义与“信件没收”有关的各种概念及规定。在我的工作实践中，像“低俗刊物”这样的概念没有一个定义，因此有各种理解空间。正是因为这些概念模糊不清，所以直到今天，曾经涉及检查和被检查的人一直都不明白，为什么有些事情这次可以，下次又不可以了。这是由每次检查时的综合因素决定的：信件情况、相关工作人员对收件人思想危害度的判断，同时也有故意所为，比如特意让收件人收到巴赫罗（Bahro）或者索尔仁尼琴（Solschenizyn）的作品，因为相应的通报合作者早就在等着收件人作何反应。

在戈尔巴乔夫改革前的那种凝固的政治氛围下，所谓的“叛变分子”和“异党分子”抛出的“恶意言论”让我很有感触。每次查到信件里的文字内容我都一一阅读。国安部部长列的书单是最可信的……这些书单改变了我对领导人的看法。他们的顽固不化是和专制式的方法理念交织在一起的。这我以前并不知道。从小就和这个国家以及东德的体制一起成长，我相信社会主义民主会得到改善。直到 1984 年我的看法改变了。在一次党组织竞选大会上，违反规定的选举过程出乎我的意料，让我产生了一个这么简单而又震撼的看法：民主是不可分的，民主非有即无。

后记：一场梦魇

社会监察一直都在改变着人与人之间的关系。即便只是设想一下，如果什么时候被问到，为什么几个星期或几个月之前给某人打了电话，或者某封邮件的内容现在到底应该如何理解，谁都会迫不及待地进行自我辩解，这样也就助长了人与人之间的不信任。这至少动摇了民主的众多支柱之一：言论自由。首先进行的是自我审查，接着换为主动审查。大家想知道什么可以做，什么不可以做。如果打错了一个电话或者写错了一封邮件呢？只是数字打错了。就要进监狱？也就是说，必须具体情况具体分析，同时谈话内容也很重要。现在我们也把这种情况存储进来。几乎无限大的存储能力早就滋生了违法现象。我们就这样分类、分级、分析……一个东德还不够吗？

关于私自偷带图书的各种回忆

芭芭拉·阿梅隆（Barbara Amelung）

我在德累斯顿一直生活到1957年，1957年10月我和父母一起离开了东德，从那以后就定居在西德。最初是我一个人去东德探望亲戚，后来便和丈夫一起。大家最渴望的东西向来都是我们偷偷带往东德的图书。

我父亲1956年时还住在德累斯顿，当时通过新教教会的介绍去西德疗养了一段时间，然后在那边买了本沃尔夫冈·莱昂哈德（Wolfgang Leonhardt）的《革命舍弃了自己的孩子》（*Die Revolution ent lässt ihre Kinder*）。在火车上过边境前他想着怎么才能过关，然后当机立断关掉了厕所水箱的进水口，按下冲水让水流尽后，把书包裹在塑料膜里藏了进去。当时厕所水箱没有被检查，过了边境之后——估计他一直待在厕所附近等着——再把书取出来塞进夹克，然后回到他的车厢。父亲私下里把书借给可信赖的朋友亲戚阅读，这本书给我们所有人都留下了深刻的印象。

我哥哥的一位朋友曾公开宣称自己是体制反对者，1957年从柏林弄到了一篇赫鲁晓夫反斯大林的文稿，然后大方地借给朋友们看。我不知道他是如何通过边境检查的，反正那篇文稿被带到了德累斯顿，朋友们拿来互相传阅。当时我哥哥和他这位朋友刚刚高中毕业，但由于政治信任度不够不被允许读大学。还没等到举办毕业典礼，那位朋友就因持有赫鲁晓夫的文稿被逮捕进了有“黄色噩梦”之称的包岑监狱，被判十个月监禁，之后被驱逐到了西德。

1974 年我和丈夫为探望亲戚去了趟东柏林。我把给表姐用来做衬衣和裙子的纸样塞进了我的大包，还有必带的咖啡，下面放着施泰格米勒（Stegmüller）的《当代哲学主要流派》（*Hauptströmungen der Gegenwartsphilosophie*），表姐说了对这本书感兴趣。在柏林弗里德里希大街的火车站，我连同我的大包一起接受检查——当然是一位女士查的。她用手指尖从包里拿出了纸样，认为这纸样属于印刷物，不能带到东德。接着我跟她解释，这只是用来缝制衣服的样本，几乎没有字在上面。她叫来一位女同事一起商量着把纸样铺开在桌子上，两个人非常仔细地检查起来。然后那位女同事用悦耳的萨克森方言说道：“这个可以带！”他们没查施泰格米勒那本书，我把书带到东德给了表姐，她非常高兴。

1981年我和女儿经沃尔夫斯堡去德累斯顿。在沃尔夫斯堡一位妇人上了车，体态异常丰腴，气喘吁吁地在车厢角落里坐下。然后来了人开始检查，我们不被允许下车。我女儿的小箱子里藏着苏联作家安德烈·阿马尔里克（Amalrik）的《苏联会存在到1984年吗?》（*Kann die Sowjetunion das Jahr1984 erleben*?）和奥威尔（Orwell）的《动物庄园》。查到我们时，他们要求打开箱子把每一件东西拿出来看，但没发现什么可疑物品。那堆箱子里他们没有查女儿的小箱子。火车开过边境后，一叠报纸从那位胖妇人的衣服里“现身了”，她说：“想偷带过境只有这个办法，我每次都把当下所有最新的东西带去，我那些亲戚都特别高兴。没有什么能比这种感觉更美好。”把藏着的报纸拿出来后，她看起来苗条无比呀!

我们每次都带了书去东德，当然都是禁书。有一次我给姑姑带了一本里斯（Riess）的《古斯塔夫·格林德根斯》（*Gustaf Gründgens*），这本书政治上无害，之前我也把它作为圣诞礼物寄过，但被当做禁书从包裹中拿了出来。一位女邻居来串门，我们本以为她属于体制批判者的一员。我姑姑骄傲地说侄女把这本书带了过来，接着邻居说道：“她本没有必要这么做，没有人这么要求她，不是吗?但把书带到东德终究还是不允许的。”看来我们想错了，我们沉默不语。

外婆的卡尔·麦

——图书走私商雷纳·埃克特（Rainer Eckert）

科琳娜·布绍（Corinna Buschow），玛利亚·多布纳（Maria Dobner）

“如果有人将你阻挡在了某一个图书世界的大门之外，他是怎么做到的呢？”雷纳·埃克特1950年生于波茨坦，十一二岁的时候他就在想，为什么在他生活的国家不允许他读那些他喜欢的图书。像其他读书迷一样，埃克特也找到了自己的一片天地。1961年柏林墙的建立使他的家庭支离破碎，还有1968年华约组织侵占捷克，这些经历都对他产生了深刻的影响。60年代末上高中的时候，他经常去拜访一位同学的父亲，听他们谈论有关禁书的事情，这位同学的父亲是彼得·胡赫尔（Peter Huchel），一位抒情诗人。

雷纳·埃克特由于对国家体制持批判态度而引起了东德国家安全部的注意。1972年正在柏林洪堡大学读档案学和历史学的埃克特遭学校开除，要先在柏林一家建筑公司工作3年，然后再通过远程学习获得硕士学位。70年代末，埃克特开始在东德科学院历史学院信息档案部任研究员。他的博士论文本来是关于犹太人遭纳粹迫害在流亡文学中的反映，但出于政治原因于1982年被迫终止，后来换了另一个题目获得博士学位。2001年埃克特在著名政治研究机构Otto－Suhr学院获得大学执教资格，六年前至今雷纳·埃克特博士担任莱比锡当代史论坛主席。

1940年无产阶级革命家托洛茨基（Trotzki）突然去世，他的著作《不断革命论》（*Permanente Revolution*）也就淡出了人们的视线。多年后雷纳·埃克特又找出了这本书——他在东德作为秘密读者、异见人士和反对派的身份见证。埃克特的书架藏有120本禁书，由于害怕国安部发现，有一天他把这些书都藏到了屋顶上。如今他很自信地称道："我认为在东德，即使需要很长的时间，要克服各种困难条件，但最终每本书都是可以设法弄到的。"埃克特的这一观点肯定很有争议，为了试着认同其观点，我们想对他获取西德图书的各种途作以分析。

在埃克特把书藏在屋顶很久之前故事就开始了。埃克特在母亲社会民主思想的教育下长大，加之受教会教育的影响，很早就对东德见不到的图书甚至还有禁书产生了兴趣。并且埃克特的牧师也对此起到了一定作用："我的牧师在坚信礼课上总说，我们应该读一读隐藏于视线之外的图书。”[①] 禁书的魅力是巨大的，既无法拥有更无法了解的东西激发着强烈的好奇心。像德国历史学家斯蒂芬·沃勒（Stefan Wolle）描述的那样，一种典型人性化的处事方法大大激发了东德读者的读书兴趣：“就连在柏林普伦茨劳贝格破旧的大学生宿舍里，那些因为是自制所以歪歪斜斜的书架上也堆满了图书。见多识广的西德人来到东德，看到这里的人们开始如痴如醉地谈论陀思妥耶夫斯基（Dostojewski）的新作，或者以行家的姿态对奥地利作家格奥尔格·特拉克尔（Georg Trakl）的抒情诗谈论不休时，备感震撼而无言以对。现实社会主义中精神层面的分量在当时就已经不言而喻。书籍开拓出一片无际的自由国度，也可以说是将国家权力通过艺术和文学来塑造灵魂的要求内在化并辩证地实现逆转。如果转向文化知识界，那么便无须在柏林墙后弥补经历的贫乏，同时又在遵规守纪的前提下，用微妙的方式体现出反抗精神。读弗朗茨·卡夫卡（Franz Kafka）或者雷纳·玛利亚·里尔克（Rainer Maria Rilke）的作品不会受到惩处，然而却说明了读者欲与半官方的政治口号下顽固木讷的乐观主义保持距离。”[②] 雷纳·埃克特如果要用西格蒙德·弗洛伊德、弗里德里希·尼采或者赫伯特·马尔库塞（Herbert Marcuse）来添饰他的学生式图书馆，就要花费一些努力了。

---

① 2007年5月14日与雷纳·埃克特的会谈。（以下简称：摘自2007年5月14日的会谈）

② Wolle, Stefan: *Die heile Welt der Diktatur. Alltag Herrschaft in der DDR1971 - 1989*（以下简称：Diktatur）. Berlin 1998, S. 142.

在东德这个存在审查的地方，埃克特第一个获取图书的办法却非常简单。柏林墙建立以后，埃克特的外婆同他和他的母亲分开了，独自生活在西柏林，会时常给他寄一些图书到波茨坦。作为圣诞礼物和生日礼物，外婆总共寄来了26本卡尔·麦的书，没有一本被没收，其他图书也都顺利过关。只有两本历史学家尤阿西姆·费斯特（Joachim Fest）写的希特勒传记，埃克特收到包裹时发现不在里面。“我不知道那本书是否由于政治原因被择出，显然也可能是某位海关关员对历史感兴趣，拿出来留着自己看。”[①]

第二种方式来源于西德朋友的馈赠，他们大多是大学生，通过邮寄的方式或者来东德时顺便带过来，他们用的办法听上去都比较外行。埃克特从来都为他的书标注好购买日期或者送达日期，还有为了弄到这本书有哪些特殊的故事也记下来，他对这种走私图书的方式记得非常清楚：“我那些西德朋友大多把自己的名字写进了书里，遇到海关检查就要编故事了。”朋友们编造的借口“这是我旅途中看的书”让所有海关关员都相信了，那些书从来都没有被送回去过。

第三种方式是荒谬的出境规定带来的结果：“有些人通过以上类似的方法弄到了西德图书，后来离开东德时说：在西德什么书都能买到，我把这些西德的书留在这儿吧。朋友们离开，把书留下了。并且还有一个问题是所有人离境前必

---

① 摘自2007年9月27日“民主德国的秘密读者”大会上雷纳·埃克特参与的专题讨论会。（以下简称：摘自2007年7月29日的讨论会）

须列出财产清单，每本书都要列出来，西德图书不允许再带回西德。”[①] 这些书是可以带到西德还是必须留在东德，本来是由国安部决定的。“虽然如果这些违禁品又消失在了西德，他们本应感到高兴”[②]，而令人惊讶的是警察同志们恰恰不允许这些东德禁书一起跟着离境。这样埃克特的朋友离开东德后，一些图书就归他所有了。

但是雷纳·埃克特自己也想方设法偷带图书到东德，他的第四个图书来源是东欧的旧书店。埃克特读大学时尤其在布达佩斯总能找到很多书，在波兰也发现过很多宝贝。因为没有明确的分类书店，所以问题就是能否找到那些特定的图书，还有更大的问题是能用来换的钱很少。“这种情况带来的负面效应就是我总面临着两难选择：是饿着还是买书”，埃克特在讨论会上说道。“饿着就得喝水，吃辣椒，这样有时也会导致身体不适。”也许会让人变得更苗条，但埃克特还是满怀欣喜地带着一本安德烈·莫洛亚（André Maurois）1976年的《法国史》或者西格蒙德·弗洛伊德1971年的《日常生活的精神病理学》从东欧度假回来，每一本书都有单据证明是从哪里来的。斯蒂芬·沃勒也对波兰、匈牙利和捷克斯洛伐克的旧书店给予了高度评价：“匈牙利布达佩斯和波兰格但斯克之间的旧书店和旧货市场对于迫切需要精神食粮的东德人来说是一座宝库，里面沉积着由于这个世纪的变革而在整个东欧遗留下来的德语文学。这些

① 摘自2007年5月14日的会谈。
② 摘自2007年7月29日的讨论会。

旧书店的图书价格适中，书商们不大有兴趣按意识形态内容给图书分类。”[①] 埃克特没有谈到东德的旧书店，斯蒂芬·沃勒提到在东德的旧书店也能找到一些东西。在通常由国家监管的旧书市场上，只有种族主义或违反道德，或者挑起战争和人民公愤的书籍才是禁书，[②] 剩下的全凭书商个人感觉评判。有时候私下里也能弄到一些没有通过东德审查的图书，当然都是通过有门路的内部人士。

如果埃克特试着这样做了，那么偷运图书过境这个最大的问题也就迎刃而解了，因为最终还是要把在匈牙利或是什么地方淘到的那些低俗书刊通过海关带往东德。埃克特从老普鲁士人那儿学到一招，屡试不爽的绝招。他高中毕业后在波茨坦国家档案处整理普鲁士的海关资料时了解到，可以用一把钥匙或者简易螺丝刀把火车厕所的镶板墙揭掉。埃克特于是也学着把书藏在那儿，等过了边境再取出来，把书藏在火车厕所有一个很大的好处就是无法识别藏书者的身份。此外埃克特还用了一个办法，把书装在塑料袋里然后挂在火车厕所里的十字钩上，厕所底部是对着铁轨通道的，这样藏起来的书也没有被发现——或许海关缉查人员坐了几个小时的火车后，也就懒得再去探个究竟了。

然而有一次埃克特偷带图书差点儿坏了事儿，连他自己也心惊胆战了一下，讲起这件轶事时他说道：“我们坐在从布达佩斯开来的火车上，远远地坐在一边，又累又饿。我们

① Wolle：*Diktatur*，S. 151.

② Wolle：*Diktatur*，S. 150.

把那些来自西德的图书装在旅行背包里放到了地上，然后一位海关关员来了到处查看，还查了包里的东西，一直翻看到包底，发现了那些书，然后操着德国捷克边境的口音要求我们跟着走。那节车厢里还坐着一位老妇人，就像是一位好妈妈，灰白的头发，上了年纪，体型很丰满，突然也操着这种奇怪的口音冲这位关员喊道：‘放了那些年轻人。您肯定知道，带他们走会有什么后果，您会把他们的全部生活都毁了。’那位关员红着脸走了，我们继续坐车。然后这位妇人对我们说：‘嗯，成功了吧。我给你们看看我都带了什么东西。’她是一个宗教走私团体的成员，带了这么一个老奶奶式的小箱子，箱子里装满了俄文圣经，这些俄文圣经在慕尼黑印好后，从慕尼黑被带到维也纳，又从维也纳带到布拉格，接着由她带到东德，然后再从东德带往苏联，她肯定冒了相当大的风险。如果那位关员再狠毒一点儿就可能会说：‘请您马上也一起跟着来。’”[①]

第五条途径是通过无数的打字机和大量的复写纸实现的，而且主要是来自西德的打字机和复写纸。即使萨密兹达在东德没有像在俄罗斯、匈牙利、波兰和捷克那样得以专业策划并大范围推广，但它的作用不可低估，那就是激励人们顽强坚持争取被禁止的权利和自由。萨密兹达也成了反对派在东德最重要的用来表达己见的途径。[②] “比如我们把苏联物理学家、人权运动家萨哈罗夫（Sacharow）的作品和苏维

① 摘自2007年5月14日的会谈。

② 参阅 Kowalczuk，Ilko Sascha：*Freiheit und Öffentlichkeit. Die Bedeutung des politischen Samisdat in der DDR.* 网址 http：//www. havemanngesellschaft. de/info127. htm（6. 6. 2007）。

埃民主宣言抄了下来”，埃克特的一位女性朋友将捷克哲学家维捷斯拉夫·加德夫斯基（Vitezslav Gardavsky）的另外一篇文章抄给了他。[①] 此外埃克特还回忆起一篇捷克前总统瓦茨拉夫·哈维尔（Václav Havel）的文章，是新教青年会用打字机复写的。除政治迫害外，材料匮乏也是印制地下出版物面临的最大困难。埃克特还记得制作了多少册复本："7 本——用的是西德的蓝色复写纸。”如今回过头来看，埃克特认为持有和印制萨密兹达出版物是“相对危险”和“相对冒险”[②] 的。大多数萨密兹达是匿名印制，没有地址和寄件人，说明寄件人对其并不感兴趣。埃克特在波茨坦是青年会的成员，该组织以左倾社会主义为指导思想，同时致力于传播禁书，这样青年会就成了第六种途径。

图 1　雷纳·埃克特博士教授

① 摘自 2007 年 5 月 14 日的会谈。

② 摘自 2007 年 5 月 14 日的会谈。

第七种方法是通过埃克特工作的科学院订阅专业书刊。在科学院可以完全公开大方地借阅西德图书，“在历史学院几乎可以读到全部西德图书”[①]。但埃克特把这种途径称为“特殊供书系统”[②]，那么从本文最初的论题来看，这一途径的意义也就有了局限性。

现在回到埃克特提出的观点：每个人都能无所不有。因为外婆和一些熟人在西柏林，埃克特从一开始就比其他东德民众拥有更好的读书条件。科学院也为这类方法提供了另一渠道，并且埃克特在那担任的职位也享有优先权。还有特别是埃克特的社会关系也起到了作用，他可以到胡赫尔那里听知识分子的讨论，后来又住在普伦茨劳贝格的学生宿舍。在雷纳·埃克特作为图书走私商和秘密读者的职业生涯中，所有这些都为他提供了极为有利的先决条件。此外他年轻时具有相对较强的冒险精神也是不能忽略的。如今雷纳·埃克特为他的反对态度多少感到骄傲，他甚至认为受到追踪调查是一种“乐趣”：“是这样的，东德反对派一直都有这种自由感，自成一个生活世界。我们也轻视了大多数人民的能力，进而有一种深深的优越感。”[③] 这种狂妄——埃克特选用的这个词——最终也在他这一观点中体现出来：每个人都能够拥有每一本书，只需要花费一些努力；但是，埃克特又加以限制性地强调：需要更久的时间和更多的付出。

---

① 摘自2007年7月29日的讨论会。

② 摘自2007年7月29日的讨论会。

③ 摘自2007年5月14日的会谈。

冷战与垃圾书

检查站的煽动性刊物

——1954年柏林各检查站重要通报

检查站27——奥伯鲍姆桥

1954年4月2日早上6点10分左右，发现4只装有煽动性刊物的热气球在西占区放飞，一个装有煽动性刊物的包裹掉落在检查站附近，其中有200册“统一社会党第四届党代会特刊”《社会民主》。刊物被立即转交至警察局。

检查站21/22——市中心

1954年5月10日14点10分左右，柏林交通公司两名铁道工人在从市中心到总督府广场这一段的地铁通电导轨后面发现两个包裹，装有266封反对非人道战斗团[①]散发的信件，分别写给东德不同的居民。这些煽动性信件被转交至柏林第一警察局K部门。

检查站13/14——瓦尔特－乌布里希体育场

1954年5月15日10点左右，有人在米勒大街散发《电报—明镜周刊》小本特刊及煽动性文章，从大标题来看类似于自由德国青年团[②]的学校刊物。有四本被扣留然后转交至警察局。

由于自由德国青年团1954年6月5日至8日举办德国青年聚会，这段时间凡是占领区交界检查站发现大量散发传单和煽动性刊物都要记录在案。其中通过热气球的方式最多，同时从西柏林开来的地铁和城市快轨的座位上也发现大量煽动性报刊。广播车沿着东西德交界行驶，呼吁自由德国青年团不要因受共产党的宣传恐吓而去往西德。所有报刊和传单被立即收集起来转交至警察局。

检查站25/26——克佩尼克大街

1954年6月17日早5点左右，先令桥下的施普雷河段漂着各式各样的西德传单，水警和人民警察在先令桥检查站上了救生船，然后捞出的传单装了满满一艘汽艇和一艘小船。经察看是反对非人道战斗团散发的煽动性文章，每两三

① 一个反共产主义战斗性组织，在西柏林发起行动反对东德统一社会党的统治，主要由美国情报局提供资金支持。

② 统一社会党的官方青年组织。

份装在一份防水聚氯乙烯塑料套里。

检查站 7/8——贝姆桥

1954 年 6 月 25 日 15 点 30 分左右，两名男士在博恩霍尔姆大街发现了 21 份煽动性报刊然后上交给了检查站，其中有《年轻的世界》《时刻准备的冒险》和《自由德国青年团成员基本手册》。报刊被立即转交至警察局。

检查站 19/20——波茨坦广场

1954 年 6 月 26 日早 8 点 50 分左右，有人将一个重约 1000 克的包裹上交至检查站，里面装有小型传单，标题为“剔除布尔什维主义者才能保障和平！”包裹是在检查区旁边的厕所里被清洁工发现的，被转交至交通警察局。

检查站 31——苗圃路

1954 年 7 月 13 日 12 点左右，在一趟由柏林郊区开来的火车上发现了大约 15000 份俄语传单，藏在母婴车厢放置灭火器的柜子里，接着被转交至特雷普托警察局 K 部门。①

① 摘自海关和货物运输检查部有关煽动性刊物和间谍活动的重要通报。Alle BArch DL 203/127/00 - 17 - 00.

秘密读者

——《月份》杂志及其1949～1951年在东德的传播推广

哈罗德·霍尔维茨（Harold Hurwitz）

《秘密读者》是我1966年的博士论文，[1] 以1953年6月17日东柏林工人起义那段时间进行的读者调查为题材。然而本文内容涉及的主要是1949年11月至1951年10月这段时间，我和我的妻子格里塔（Greta）通过各个分发

① Hurwitz，Harold：*Der heimliche Leser – Beiträge zur Soziologie des geistigen Widerstands*（以下简称：Der heimliche Leser）. Köln 1966. 我把相关资料放置在了柏林州立档案馆收藏。Lieferung am 2. 9. 07（Acc. 5440）in Box Nr. 375 – 380.

站点的介绍，开始在东柏林和东德宣传推广《月份》杂志。[1]

1948 年 10 月，也就是苏联对柏林实行封锁的第四个月，时任美占区军事总督的卢修斯·克莱（Lucius Clay）为美国人梅尔文·拉斯基（Melvin Lasky）创办《月份》杂志开了绿灯。作为反斯大林左派的拉斯基是如何凭借一个人的力量，以不知名的身份，创办《月份》这样一本思想水平高又致力于政治领域的杂志的呢？克莱总督始终持以非常保守谨慎的态度，如果不是苏联驻德当局宣传部主任谢尔盖·秋尔潘诺夫（Sergej Tulpanow）在 1947 年 9 月 20 至 24 日统一社会党第二次党代会上的言论深深地攻击了克莱的忍耐限度，以至于这位军事总督下令“信息服务部”实行“Talk - Back”反击行动，创办《月份》杂志的设想也就可能成了泡影。在一次记者会上，克莱说明了实行这一行动旨在明确美方态度，反击来自苏占区的反美宣传。在秋尔潘诺夫发表攻击性言论后不久，拉斯基便在东柏林举办的第一届德国作家大会上发言，向所有追求文化自由的苏联作家宣称美方人员的齐心协力团结统一，如果没有这次简短但是成功的攻击性言论，拉斯基也就不会享受到 Talk - Back 行动为他创办杂

① 以下内容来自于我在 50 多年前为梅尔文·拉斯基撰写的报告，由柏林州立档案馆收藏，西蒙·巴尔克（Simone Barck）在 2007 年 7 月去世之前不久将这份报告提供给了我：《一本民主杂志在东德的作用与影响》（*The Impact of a Democratic Magazine in Soviet Germany*）（以下简称：Der Impact - Bericht）哈罗德·霍尔维茨撰写，梅尔文·J. 拉斯基补充。Berlin 1951/1952. 同上，Box 375. 见 Acc. Für Lieferung am 27. 9. 06 Kartons 0/6，D/25 und D/26. 报告见网址：www. polwiss. fuberlin. de/osz/hurwitz/berlin/heimliche leser der monat. pdf。

志带来的好运。

当时在西占区谁批判苏联谁就要遭到严厉斥责，克莱最初在实行 Talk - Back 行动时也规定不得批判苏联。但没过多久情况就发生了变化，自从 1945 年 12 月社会民主党（以下简称：社民党）为反对强制与德国共产党合并进行反抗斗争以来，自从统一社会党在 1946 年 10 月的柏林大选中失败以来，为应对形势，在四国势力占领的柏林实行 Talk - Back 行动也就成了迫切需要。社民党早就不止在柏林设有办公室向苏占区的读者提供报纸杂志，最高领导层还在汉诺威设东德办公室，通过其他渠道为这一目标服务。1949 年起，由英国批准发行的亲社民党的报纸，同时也是西柏林最大的报纸《电报机》额外增添了小型版本，在东柏林和苏占区出版发行。不久后美占区报纸《新报》在柏林也推出了一个新的版本，该版报纸有自己的独立编辑团队，从美国的立场出发以严肃认真的态度一同响应 Talk - Back 行动。然而美占区广播电台没有加入到支持行动的行列当中，当时电台还持着一种伪中立态度，导致了其他美国机构对其不信任，并要求替换掉电台里身为美方成员的亲苏工作人员。

然而拉斯基遵循的目标完全不同，其思想上远远超出克莱发起的 Talk - Back 行动。Talk - Back 行动在于鼓励德国人将自己视作西方国家的成员，而相反拉斯基认为，在“再教育计划”的压制下，英法美三国势力无法填补 1933 年以来德国陷入的精神思想空白，在围绕体制和意识形态的冷战中，迫切需要在美国、西德及欧洲自由思想与思考的最新背景下，全面推行宣传教育。

1949 年在柏林封锁结束以前，美方当局决定将最初为实行 Talk - Back 行动设立的“政治信息部”（简称 PIB）从柏林迁到黑森州的法兰克福和巴特瑙海姆，并且设定了新的目标。该部门的主要工作有编辑出版宣传美式生活的报纸《美国事务》，配合“马歇尔计划”进行公关活动，以及为成立联邦德国做准备。PIB 在巴特瑙海姆出版的报纸《东部问题》翻译全世界范围内的共产主义文章，由此可见 PIB 的真正目标并没有体现得非常明显。

没有受到 Talk - Back 行动的影响而继续在围绕意识形态和体制的斗争中单独奋战的只剩下《月份》杂志，还有以防御战为导向设置广播节目的美占区广播电台。我作为 PIB 最年轻的成员参与计划的一些项目比如翻译出版一些关于德国共产党史、共产国际史，以及关于苏联劳改营和经济体系的书籍并为此提供资金支持，这些计划项目也没能实现。此外还有一些独立刊物，像奥地利作家弗朗茨·伯克诺（Franz Borkenau）关于苏美势力对比的著作《别害怕!》（*Bange machen gilt nicht*!），还有库特·图霍文斯基（Kurt Tucholsky）和卡尔·冯·奥西茨基（Carl von Ossietzky）将自己关于德国共产党的著述合编成的讽刺文集《真正的世界舞台》（*Die wahre Weltbühne*），这本文集在战后又重新在东柏林出版，著名的封面上大字横印着一句引用自图霍文斯基的话——“如果斯大林信奉天主教!”

最初在西柏林可以用东德马克买到我们的出版物，如果有哪位秘密读者能免费拿到 PIB 的出版物，那只能是通过社民党的东德办公室。据我的回忆，其中有一位流亡到瑞典的社会民主党人关于议会民主史的一部著作。

我们免费向各位秘密读者提供《月份》杂志是有一个个人原因的，对此我曾经这样解释道："恰恰是我在柏林封锁期间参与 Talk－Back 行动的时期，被怀疑内心暗藏着对共产主义的同情与支持，还没来得及为自己辩护，我就被革了职并且受到了调查。上级始终在怀疑我，而了解我的同事们希望我能在外面接到一些工作任务［……］但是不管私下里同事们给我多少强有力的支持，大家再怎样团结一致，我还是为自己被怀疑不忠而感到羞耻。对我来说，自己作为美国人的身份得到认同很重要。"[①] 而同样重要的是格里塔和我能为众多秘密读者提供《月份》杂志，因为这是我们发自内心的愿望。

《月份》杂志的定位是面向联邦德国后期和西柏林德国民众的读物。拉斯基允许我们向读者秘密发放《月份》也是和他不断地努力保护杂志不受外界评论影响有关系的，他也因此从来不参加 PIB 每天的晨会。对于他来说重要的是，在柏林这个东西交接的大城市，在荒诞的地下活动中，防止"任何情报机构滥用自由发放的杂志作为招募间谍的诱饵"[②]，1951 年"反对非人道战斗团"就发生过这样的事情。

《月份》杂志的推广工作开展了两年以后，我在 1951

---

① Hurwitz，Harold：*Mein Leben in Berlin.* In：Leviathan 2/1999，S. 270.

② Hurwitz，Harold：*Mein Leben in Berlin.* In：Leviathan 2/1999，S. 270.

年11月至12月写了一份47页的内部报告，西蒙·巴尔克(Simone Barck)找出了这份报告并复印给我，接下来的内容主要以这份报告为基础。当时在我写完报告后，拉斯基又进行了补充，并让人在编辑部办公室里把报告抄写下来以供传阅，报告名为《一本民主杂志在东德的作用与影响》(以下简称《作用报告》)，日期1952年3月31日，并且“仅供内部使用”。我拿到的抄本还有手写的小标题和修改在上面，文体风格出自拉斯基，内容是我写的。并且拉斯基还把最后带有我批判性意见的三页删掉了。[①] 没有人专门分发这份报告。报告肯定寄给了美国驻德国高级专员公署（以下简称HICOG）的公共事务部主任谢帕德·斯通（Shepard Stone）还有位于巴黎的文化自由大会[②]（以下简称CCF）的米歇尔·乔塞尔森（Michael Josselson）[③]。

首先来看一下《作用报告》中的两组列表，这两组列表通过合在一个表格的形式，不仅反映了到1951年10月为止我们分发杂志的规模，也显示出这个过程中我们遇到的各种困难。A栏是指我们每个月从西柏林发放给秘密读者的《月份》杂志数量，这些杂志在西德不出售，而且至少是两个月以前出版的。B栏具体指出自1948年11月以来出版的35期杂志，每期都有多少册可供我们自由发放。

---

① Hurwitz；Lasky：*Der Impact – Bericht.*

② 该文化机构由美国中央情报局支持，以反对极权主义为宗旨，并为一些左派自由艺术家及期刊如《月份》提供资金支持。——译者注

③ 乔塞尔森负责中央情报局与文化自由大会之间的联络。——译者注

表 1　1948～1951 年《月份》杂志发放册数一览

	A 自 1949 年 11 月起 每月分发册数	B 自 1948 年 11 月起出版的每一期 分别可供自由发放的册数	
1948 年 11 月	无	1	1740
1948 年 12 月	无	2	无
1949 年 1 月	无	3	无
1949 年 2 月	无	4	1715
1949 年 3 月	无	5	115
1949 年 4 月	无	6	130
1949 年 5 月	无	7	125
1949 年 6 月	无	8/9	5600
1949 年 7 月	无	—	—
1949 年 8 月	无	10	970
1949 年 9 月	无	11	2315
1949 年 10 月	无	12	2042
1949 年 11 月	350	13	1695
1949 年 12 月	1550	14	1320
1950 年 1 月	1715	15	1560
1950 年 2 月	1800	16	1170
1950 年 3 月	3100	17	906
1950 年 4 月	2420	18	720
1950 年 5 月	4790	19	1580
1950 年 6 月	3585	20	860
1950 年 7 月	3740	21	2463
1950 年 8 月	1340	22/23	2245
1950 年 9 月	2040	—	—
1950 年 10 月	1605	24	2065
1950 年 11 月	2270	25	2065
1950 年 12 月	2065	26	2065

续表

	A 自 1949 年 11 月起 每月分发册数	B 自 1948 年 11 月起出版的每一期 分别可供自由发放的册数	
1951 年 1 月	1900	27	2065
1951 年 2 月	2440	28	1340
1951 年 3 月	1280	29	1340
1951 年 4 月	1280	30	1340
1951 年 5 月	1280	31	1340
1951 年 6 月	1260	32	2065
1951 年 7 月	2120	33	2560
1951 年 8 月	5700	34	2560
1951 年 9 月/10 月	5260	35	5560 *
共　计	54890	—	55636

* 其中 3000 册用于世界青年联欢节。

除了自由发放，直到 1949 年 3 月 20 日西德马克成为西柏林唯一的支付货币为止，《月份》杂志还以东德马克出售。

即使过了 1949 年 3 月以后一段时间，柏林自由大学的学生还可以在大学主楼的门卫用东德马克买到上个月出的《月份》，其中很多买杂志的学生都来自东柏林和东占区。此外，在各占区交界附近还有很多由《电报机》和《新报》的出版商建的报刊亭，经出示东德身份证明也可以买到杂志。这样，在报告里涉及的时间段内，东德读者通过商业渠道获得的《月份》杂志有 3150 份，此外由于有一些面向特定东柏林居民的特殊协定，还有通过东德马克购买到的 1885 份。

我们通常每个月两次面向秘密读者自由发放杂志。因为分发的是两个月以前出版的期刊，所以1949年11月我们开始这项工作时能发放的最早的也就是9月刊。除了未出售的新期刊，1949年3月20日还有库存20000册以前的期刊因货币改革而升值，相当于超低成本印制，从列表B可以看出这些期刊消失得有多么快。

货币改革也给我们和秘密读者们带来了沉重的后果。1949年3月刊至5月刊的《月份》刊登了乔治·奥威尔（George Orwell）的《动物庄园》，但是只有最受欢迎的2月期有1715册供发放，由于货币改革的影响，接下来几期的数量少之又少。怎么办呢？我们从所有这三期中抽出100份有针对性地发放，并且在苏占区将这几期用打字机制作复本，在我们1952年和1954年的问卷调查中这部作品的出现率非常高。还有这也促使拉斯基作出决定加印出版特刊。到1951年10月共出了21篇文章的特刊，大家估计这15万册加印的特刊到11月至少有一半，甚至有四分之三都发放给了秘密读者。由于版权原因，《动物庄园》没有在特刊之列，但至少这部作品在美占区广播电台以广播的形式播出，朗读者的音色听起来还特别具有像动物一样的逼真效果。

《月份》杂志的秘密读者最赞赏的是奥威尔的《1984》。在我们的杂志分发工作初期，这本小说分五期连载（1949年12月第14期至1950年4月第18期），我们每一期拿到的份额到最后降到了最初的一半。分不到杂志的秘密读者们虽然可以拿到由某个情报局地下印制的小型删节版本，但看过一部分原版翻译的读者读到盗版中低俗的色情内容特别多便感到上当受骗了，并且不甘心就这样受到欺骗。最后一家出版社购买了《1984》德语版的版权，在西柏林以特价出售；但3.5西德马克的价格和6:1的汇率对于东德人来说已经占到了每周工资的一大部分。然而不久后，奥威尔创造的词汇在东德被包括异议分子在内的很多人所使用：“没落人士”“双重思想”“思想警察”，还有“老大哥在监视你！”

最初推广《月份》杂志的情况不是很理想。很显然，对于拉斯基的商业性与非商业性杂志宣传目的来说，我们的杂志推广活动是次要的。无论如何，他都无法也不想在HICOG（High Commission of Germany）的收支预算中留出一部分资金，保证可以长期向我们的秘密读者们供应充足的杂志。最快到1951年秋，情况才有所好转，可能由于自由文化大会在美国高级专员公署具有很好的名声，CCF也和《月份》杂志实际上有着一定的关联。1950年6月，朝鲜战争爆发，差一点儿在西方又引发一场世界大战，恰巧是在这个时期，西柏林CCF成立，拉斯基是计划者之一，接下来CCF的工作目标就和HICOG以及德国民众的联系更加紧密了。一年以后，在柏林CCF成为《月份》的大型推广中心之前，加印《月份》中由CCF成员撰写的文章也已得到了CCF巴黎总部的资金支持。然而给我们每个月110册的杂志数量实在是太少了。

相反的是，内部报告中对CCF柏林办事处的工作描述得比较夸张，容易给人造成误导。办事处名义主任君特·比肯费尔德（Günther Birkenfeld）实际上将我们的杂志推广行动作为“柏林办事处工作”的一部分，我想我在55年前对此一无所知。因为我们的行动必须保密，因为我们和柏林办事处的“非官方主任”安娜莱娜·冯·卡普里维（Annelene von Caprivi）建立起了互信的合作关系，所以我们当时肯定没有任何反对意见。米歇尔·霍赫格施温德（Michael Hochgeschwender）曾在他的书中就 CCF 以及德国民众这样写道，CCF 柏林办事处 1951 年秋就是有“四个在区域上界限分明的分发小组再加上另外三个人”在工作。[①] 他还引用了办事处 1951 年 10 月的工作报告中的一段如实内容，即在由个人组成的《月份》杂志分发网络中，“由霍尔维茨的夫人一起参与在东德分发的 7000 册杂志是最好的工作战绩了”。[②] 霍赫格施温德为写这本书虽然付出了很多努力，但书中并非完全没有错误，用到的资料来源我早就不记得了。

尽管同 CCF 建立起了合作，但至少到 1951 年秋以前，我们从来都事先确定不了即将能分发多少两个月之前出版的杂志，而且经常连续几个月分发量极度下降，甚至经常没有库存，1951 年 3 月至 6 月我们的分发量降到了最低点，所以我必须一直努力争取拿到更多的分发份额。

接下来的事情让我们的工作暂时出现了起色：由于 1950 年 6 月 26 日至 30 日 CCF 柏林办事处的成立，《月份》大批量出版发行了第 22/23 期双月刊，所以又有一批杂志可供我们发放了。在为柏林办事处成立举办的活动期间，北朝鲜入侵南朝鲜使冷战变得更加激烈。3 月初到 4 月中旬，我

① Hochgeschwender, Michael: *Freiheit in der Offensive? Der Kongress für kulturelle Freiheit und die Deutschen.* München 1998, S. 310f.

② Hochgeschwender, Michael: *Freiheit in der Offensive? Der Kongress für kulturelle Freiheit und die Deutschen.* München 1998, S. 310f.

们在柏林经历了一段紧急戒备时期，这要起于自由德国青年团主席昂纳克（Honecker）为即将举行的德国青年聚会提出的口号，是这样说的，自由德国青年团要在西柏林实行“民主”，接着《青年世界》在3月7日宣称：“我们[……]会坚持不懈地要求自由解放柏林的各个街道和广场。”结果导致西方同盟国投入警力制定了一系列防卫措施，并且在我们的大学生分发站点的参与下，制定了民事保护措施。还有东德领导人乌布里希（Ulbricht）从莫斯科回来后下达指示放弃在西柏林进军，之前的口号“自由德国青年团攻占柏林!”也变成了“自由德国青年团问候柏林!”，很多人也都料到西柏林又必将出现各种骚乱。

就在事情出现转机之时，好奇的自由德国青年团成员也穿着蓝衬衫为西柏林各条大街增添了一道亮丽的色彩，我们及时地比以前多拿到了将近4800册《月份》杂志。转年的8月5日至18日东柏林要举办第三届世界青年联欢节，东德政府当局也无法阻挡来自各地的众多访客，《月份》编辑部为之提前额外准备了3000册杂志。在《月份》杂志的各个推广站点中，除了美占区广播电台和我们的大学生组织成立的站点，位于西柏林的隶属于德国大学生联盟的全德大学生事务部分发的杂志最多。

在向各个站点供应杂志时，我们尽量保证各站点只将杂志分发到真正感兴趣的读者手中。尽管在1949~1951年这段并不长的时间里，前后经常领取杂志的读者其社会出身却明显有很大不同，但东德早期的这些存在异议思想的读者无论来自于知识分子、宗教圈还是工人阶层，其立场都会因年龄的增长而改变。如今要想进一步了解这些冷战早期有关秘密阅读的现象，就要把当时已经显现出来的一种社会性的选择转变和立场转变作为背景原因来考虑。最初总能听到来自苏占区的异议人士称："用惊恐作为结束要胜过永不结束的惊恐！"但渐渐取而代之的是："西德不是一切都那么好，东德也不是一切都那么糟。"

我在写博士论文时就首先考虑到了这一转变，也因为我要推行的是思想防卫和被动反抗，并且像很多其他人一样，我也没有想到德国会分裂这么多年。了解我的论文《秘密读者》[①] 的都知道，我在文中对分别于 1953 年 6 月 17 日工人起义前后进行的两个调查进行了分析，调查有关"观点相投的异议分子"与体制反对者之间沟通交流的社会学规范，同时在此基础上讨论了汉娜·阿伦特（Hannah Arendt）[②] 的观点。

其中涉及的是在一个以一体化为目标的"极权主义"统治体系下，是否存在自发社会化及自发社会化的意义。向观点相投的读者发放《月份》杂志被视为一种信任关系的标志。汉娜·阿伦特当时认为这些现象并不重要，理由是能够满足某些需求的背离社会常规的结构化进程与社会化和社会角色定位发生在同一层面，按照阿伦特当时的观点，在这个层面上，极权统治者拥有将所有人一体化并将所有人毁灭的能力，因此在极权统治下完全不可能实现自发社会

---

① Hurwitz：*Der heimliche Leser.*

② 美国政治理论家，犹太人，原籍德国，以其关于极权主义的研究而著称于西方思想界。——译者注

化，也就不可能存在观点分歧。在1956年匈牙利革命发生前汉娜·阿伦特认为这些现象是不可能出现的。

《月份》的读者们对《1984》的狂热反应引发了我朝这个方向的思考。有位读者说道，即使只能读到这部小说的一部分，“对于我们来说也能引发手榴弹般的反响”。异议分子们也被这部作品吸引，还有积极投身政治的读者起初已经认为反抗没有了意义，却又重新找到了反抗的勇气。我们在想这是为什么，是《1984》中描绘的极权主义下的生活被完全一体化然后被毁灭得粉碎了吗？奥威尔笔下的反乌托邦主义难道没有对东德生活产生影响吗？一位读者给我的回答是：“不，是统治者违背我们的意愿要把我们带到那里占有我们！”而40年过后依然没能实现，对此有一个问题一直以来都在争论，就是人们从什么时候开始能够有权谈到

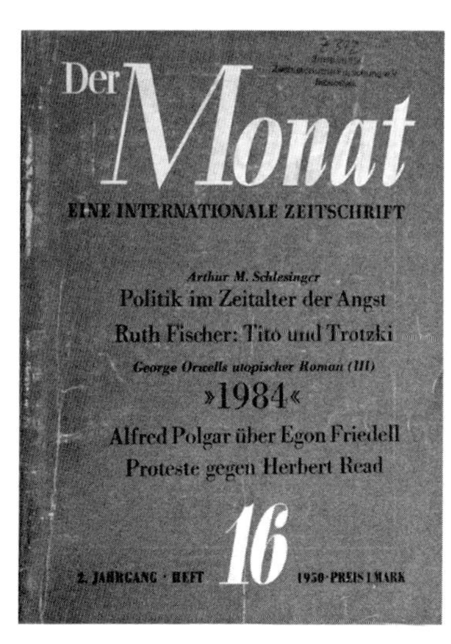

图1　东德阻止传播的《月份》杂志（1950年第16期以及同年第22/23期双月刊）

“反抗”。

《月份》杂志广泛地展现出在开放的西方国家有哪些自由的当代思想及文化著作，足以吸引着各位秘密读者，无论这些读者的兴趣与利益是政治性的还是非政治性的，也不依赖于他们各自不同的世界观。杂志除了作为与西方世界的精神桥梁作用之外，在中国、意大利、安卡拉、印度尼西亚、孟买、南斯拉夫、英国、法国、东非、鲁尔区以及斯特拉斯堡的各地记者到1951年10月为止刊登的文章显示出这种桥梁作用并非仅限于与西方世界的沟通。

在冷战早期这些年，拉斯基在各种分析研究中将重点放在了对极权统治的体验上。对于西德读者来说作为思想启蒙的东西，必须要深深触动东德的秘密读者。《作用报告》中提到的很多文章都指出，马列主义中理论与实践的矛盾从未得到解决，且被斯大林主义所掩盖，这些矛盾导致的后果早就印证了东德秘密读者的恐惧、困境以及何去何从息息相关。拉斯基在报告中肯定了这些文章，同时也显示出他的编辑才华：“一方面［……］这类文章分析了对极权主义的体验，或者将其纳入创造性阐释的框架。不仅有斯隆（Silone）、库斯勒（Koestler）、理查德·怀特（Richard Wright）和安德烈·纪德（Andre Gide）的皈依经历；有对东德集中营的描写，《苏联内务人民委员部》，在苏占区各大学教授的‘哲学’的没落。还有弗朗茨·伯克诺、鲁特·菲舍尔（Ruth Fischer）和贝特伦·D. 沃尔夫（Bertram D. Wolfe）著述的共产党史，以及关于二战时苏联和纳粹德国对外政策的论述；库斯勒和卡夫卡将对极权统治的体验转化进了文学的维度，汉娜·阿伦特对政治宣传的论述，还有A.维斯伯格－齐布尔斯基（A. Weissberg－Cybulski）对巧妙‘逼供’的体验。这些剖析‘极权主义体验’的文章和那些讲述德国过去的文章一样：讨论了这样一个问题，即‘德国又觉醒了吗?’各种图书审查，彼得·德·门德尔松（Peter de Mendelssohn）对战后致歉回忆录的评论；纳粹党反对宗教，关于种族观念、‘德国人与犹太人’的文章，像作家恩斯特·荣格尔（Ernst Jünger）的文学批判，像思想家斯宾格勒（Spengler）或者海德格尔（Heidegger）的哲学批判，围绕弗里德里希·梅尼克（Friedrich Meinecke）关于德国历史主流的观点展开的一场激烈的国际性讨论（《我们历史中的迷途?》）[……]”①

拉斯基选取的21篇加印的文章到1951年秋大约共印制了15万册，通过这21篇文章可以看出，编辑《月份》杂志遵循着一个特定的政治目标，这些文章中的一多半都是有针对性地在“东德”发放。通常这些特刊都由读者和信使在西柏林自取，然而有些站点利用邮寄的方式专门将特刊寄给某些思想防线薄弱的政党官员，还有受过高等教育的职业人士、各图书馆、个别政府部门以及各政党办公室。

1. 美国学者贝特伦·D. 沃尔夫（Bertram D. Wolfe）：《托洛茨基关于斯大林》（*Trotzki über Stalin*）

弗朗茨·伯克诺：《披着羊皮的斯大林》（*Stalin im*

---

① Hurwitz；Lasky：*Der Impact－Bericht*，S. 34.

Schafspelz)

2. 德国政治家鲁特·菲舍尔（Ruth Fischer）:《铁托反对斯大林》(*Tito contra Stalin*)

3. 贝特伦·D. 沃尔夫:《李森科事件》(*Der Fall Lyssenko*)

4. 鲁特·菲舍尔:《铁托与托洛茨基》(*Tito und Trotzki*)

5. 法国哲学家阿尔贝·加缪（Albert Camus）:《艺术家与自由》(*Der Künstler und die Freiheit*)

德国作家狄奥多·普利维尔（Theodor Plievier）:《人性与国家》(*Humanität und Staat*)

6. 君特·比肯费尔德:《苏联内务人民委员部》(*NKWD – Staat*)

7. 意大利作家伊格纳齐奥·斯隆（Ignazio Silone）:《离开莫斯科》(*Abkehr von Moskau*)

8. 英国作家阿瑟·库斯勒（Arthur Koestler）:《迷失的幻想》(*Verlorene Illusionen*)

9. 狄奥多·普利维尔:《从文化原点开始》(*Vom Nullpunkt der Kultur*)

10. 阿瑟·库斯勒:《为了一个欧洲自由军团》(*Für eine Europäische Freiheitslegion*)

11. 德国语言学家欧根·莱尔希（Eugen Lerch）:《种族妄想》(*Der Rassenwahn*)

12. 英国哲学家以赛亚·伯林（Isaiah Berlin）:《20 世纪的政治》(*Politische im zwanzigsten Jahrhundert*)

13. 德国作家诺伯特·米赫伦（Norbert Mühlen）：《美国工会》（*Amerikanische Gewerkschaften*）

14. 英国哲学家伯特兰·罗素（Bertrand Russell）：《关于无稽之谈的家族史》（*Zur Genealogie des Unsinns*）

15. 美国作家鲍里斯·舒布（Boris Shub）：《我们的朋友 Iwan》（*Unser Freund Iwan*）

16. 美国作家亚历山大·贝克曼（Alexander Berkman）：《喀琅施塔得起义》（*Der Aufstand von Kronstadt*）

17. 美国政治家艾略特·科恩（Elliot Cohen）：《德国人与犹太人》（*Deutsche und Juden*）

18. 德国作家斯蒂芬·安德斯/鲁道夫·哈格尔施坦格（Stefan Andres/Rudolf Hagelstange）：《约翰内斯·R. 贝歇尔事件》（*Der Fall Johannes R. Becher*）

19. 诺伯特·米赫伦：《华尔街的权利与神话》（*Macht und Mythos der Wallstreet*）

20. 美国外交家乔治·F. 凯南（George F. Kennan）：《美国与俄国的未来》（*Amerika und Russlands Zukunft*）

21. 梅尔文·拉斯基：《攻击性言论》（*Polemische Notizen*）

社民党位于汉诺威的东德总办公室肯定也大力参与了《月份》杂志的分发工作，但我不知道从慕尼黑给其提供的特刊是否包含在那 15 万册之内。

拉斯基无论如何都特别重视让我们的读者能够知道当共

产党人面对布尔什维主义理论与实践的极端矛盾时通常会感到幻想破灭而有所醒悟；知道异议分子尝试在内部解决这一矛盾时，至今总是要失败的。具有这些认知显得越来越重要，因为《月份》的秘密读者群体在发生变化。在冷战早期及东德早期，这些秘密读者不是努力维护社会自由空间的异议人士，就是为反抗辩护的律师。受传统世界观影响而产生的期待和希望首先表现为行为主义，在这段时期由于生存的需要而变得私有化。后来出现了更年轻的读者，其读书动机是在现存体制下产生的，却对体制的极权主义目标持反对态度。

读者身上体现出了这些显著的变化特征，因为为读者提供杂志的站点也经历过类似的变化，并且在某些方面存在着复杂的问题。我们可以通过表 2 来进一步了解，该表格列出了到 1951 年 10 月为止由我们提供杂志然后进行分发的各个站点，其中包括三要素：总量、最后一个月分发数量以及计划数量。

表 2　目前为止向各个站点分配杂志的数量以及计划数量，时间：1951 年 10 月

	截至 1951 年 10 月分配总量	当月分配量	1951 年 11 月起每月计划分配量
全德大学生事务部	9040	480	480
社民党东德办公室（总数）	15629	1020	1260
柏林东德办公室	7525	480	720
汉诺威东德办公室	5520	300	300
其他站点	2584	240	240
文化救助协会	8907	480	600

续表

	截至 1951 年 10 月分配总量	当月分配量	1951 年 11 月起每月计划分配量
美占区广播电台	7930	180	120
反对非人道战斗团	7290	240	180
基民盟东德办公室	4405	240	240
自民党东德办公室	1140	120	120
总　计	54341	2760	3000

我们首先来看自 1950 年 1 月或 3 月以来经基督教民主联盟（以下简称：基民盟）和自由民主党（以下简称：自民党）的东德办公室领取到杂志的读者，政治立场属于中间偏右。这两个政党办公室关注的都是各自在东柏林的忠实党内同志，在同这些党内同志开讨论会时，《月份》里的文章也是讨论内容之一。只要条件允许，他们就会在西占区举办讨论会，但更加积极活跃的基民盟除此之外还专门设有一个与东德党内同志联络的办公室，最初由雅各布·凯萨（Jakob Kaiser）设立。据估计，读《月份》的基民盟成员中有一半都退出或被开除出了苏占区努舍克（Nuschke）[①] 领导的基民盟，从职业来看，大多是东德国家机关工作人员以及教师，同时还有律师、州议会议员及国企领导。有报告称在萨克森州，《月份》中一篇伯克诺引用《铁托反对斯大林》的文章曾被用于干部培训；还有在梅前州，州级党领导干部中间以及某个自由德国青年团的学校里也在分发《月份》杂志。

① 东德副总理，苏占区基民盟主席。——译者注

然而后来1953年工人起义前后进行的读者调查结果显示出，这些持中间偏右政治立场的秘密读者在行动上存在着两个趋势值得关注。[1] 受访者中只有一位是女士，没有人低于25岁，四分之三以上大于45岁，因此他们更像是一个有组织的政治异议者团体。同时有一半受访者在工人起义前果断积极地展开了一场非常冒险的行动，至少向另外8个人以上分发了《月份》杂志，似乎在为争取自身解放而努力，而两年以后没再听到有任何动向。这类读者一直存在的一个问题是，很少鼓励支持其他也能读到《月份》杂志的社会群体并与之保持联系。因此我认为，与其他秘密读者相比，他们比较孤立，自成一体。从其职业地位可以看出，顺应服从是他们早就奉行的规矩，幸运的话可以在东德找到一己之路，在私人小圈子里保持自己的信念。

这里首先涉及的是通过基民盟领取到杂志的读者。通过表2中的对比可以看出，自民党的杂志分发量最后只占到基民盟的一半，总共只占四分之一。这些秘密读者都是自取杂志，相比来说很少与其他人保持联系，大多数从事的是学术性职业，在东德始终相对比较自由。通过自民党领取到杂志的各大学生有着类似的职业目标。

大学生可以通过各个不同站点领取杂志，但大多都是通过全德大学生事务部。1949年底，柏林自由大学的12名大学生在共同的目标指导下，开始与其他离开苏占区各所大学的“异议人士”建立联系，这12名大学生里有青年自由党

① Hurwitz：*Der heimliche Leser*，S. 307 –310.

人，也有基民盟拥护者，所有人都来自中产阶级家庭。像东柏林和东德越来越多的大学生一样，他们也是在柏林自由大学成立以后，在一些反叛的洪堡大学学生带头下，相继跟着转到自由大学。这些大学生不仅对《月份》杂志表现出很大的兴趣，而且相当积极地开展各种行动，首先编辑出版了两期小型杂志，叫做《自由大学生》，总结并评论了《月份》中的某些文章。

这些学生组成的理想主义团体激励了更多其他的大学生，最终推动成立了全德大学生事务部（以下简称事务部）。这是一个比较大的独立组织，公开转到了柏林自由大学的名下，任务是直接带领并支持东柏林及东德的“异议”大学生开展各种活动。

同时事务部也一直将《月份》作为主要媒介来起到思想精神上的促进作用。随着在西柏林领取杂志的信使人数快速增加，杂志需求量从 1949 年 11 月的 100 册后来上升到 150 册、200 册和 300 册，到 1951 年 10 月达到 480 册，我们也计划继续保持这个数量。所有大学城都有固定信使，据估计这段时间大约共有 40 名信使，为大约 50 个不同的团体供应杂志。和从东柏林和波茨坦有组织地来领取杂志的人不同，那些远道而来去往西柏林的信使就要冒更大的风险，以前领取 6 ~ 10 册杂志，现在变成了 2 ~ 4 册，1952 年平均每趟回程只带 4 册杂志。对此 1950 年 5 月底自由德国青年团举办的德国青年聚会成了转折点，在这之前开往柏林的火车只是偶尔在上下车时检查，从那以后行车期间也要检查。这又像是在提前警告斯大林的一体化政策和大清洗运动，在这种背景下，1950～1951 年这段时间如果有人秘密接触来自西方的“体制敌对”思想，那么处境就会变得更加危险。最终东德各大学成了实现苏联化过程最主要的社会机构，这样，事务部派出的政治立场中间偏右的信使以及经他们提供杂志的读者就变得尤其引人注意，人身安全受到威胁，变得惶恐不安，因此这些信使和分发杂志的大学生们接受建议先低调行事，加入一些忠实于当下体制的协会，以适当的方式假装显示出政治“可靠性”。

在西柏林举行的德国青年聚会同样还促使了事务部开始同一类新的大学生反对派增加联系，从这些学生的专业和从事的活动来看，他们中间有望走出新的共产主义优秀分子。1951 年秋，事务部的大多数信使以及大部分分发杂志的大学生都属于这类群体，当然还包括曾经受到安全威胁的“中间偏右”的读者，这些读者在此期间又重新活跃起来。同时总是有一些信使和大学生（比如读神学的大学生）拒绝加入自由德国青年团或者任何其他共产主义的协会，也有一些学生没有事务部的资金支持就无法继续完成学业。

这种情况是有可能的，因为事务部发展迅速，渐渐也就拥有了一种独特的社会地位。事务部内有各个不同的部门及很多工作人员，存在于柏林自由大学的名下，隶属于德国大学生联盟，不仅在德国 CCF 的理事会拥有席位，也受到 CCF 巴黎总部的关注。到了 1951 年秋，事务部拥有一栋别墅、一辆私有车及一部无法窃听的电话。事务部有能力为来自苏占区的大学生开始在西柏林学习生活提供经济支持，并免费提供来西德的机票，同时还接管了一个任务，就是为柏林和西德各大学的政治难民学生进行身份认证，且一如既往地把组织协调大学生在东德进行反抗活动作为主要工作任务。

然而恰恰是在这样的形势下，到了1951年底，不得不说事务部不断增加的杂志需求是不现实的，以后继续每月向东德发放480册杂志的计划可以说有些夸张。但在此期间西德还是出现了一些重要的趋势，有望促使事务部及其领导层转向新的思考方向，但也可能令其偏离了事务部的主要工作。每个月都有德语及英语版的关于东德高校情况的《新闻快报》出版；在德国大学生联盟及CCF的帮助下，事务部负责组织协调反抗行动的高层官员参加了一系列在西德的思想教育旅行，参加旅行的“义务”他们履行得如此投入，小心，明智，而且幸运的是无须冒风险，但即便这样他们还是遇到了相当大的挑战，必须在没有定理没有导师的条件下，从自身经历中学习专制体制下从事非法活动的各种秘密规则。这一点对于拥有两种极权体制学习经验的社民党东德办公室来说要容易一些。此外事务部的处境也很危险，一方面因为事务部所发挥的效力带有过强的鼓动性，另一方面在其影响范围内，即各大学及大学生群体中间给真正的匿名带来了很大困难。这里暗藏着很大的风险，作为信使出于安全原因不会一直都能应对得过来不断增加的杂志数量，但事务部继续至少拿出每个月一半的杂志量分发给定期或者至少偶尔来西柏林的大学生。因此1952年时，与同年龄的职业人士（39%）相比，事务部与其他读《月份》杂志的大学生的联系更加频繁（60%），[①] 结果导致事务部的安全保障出现了诸多漏洞。在1950年10月期间大学生读者们就已经经常向外部群体发放杂志，除了东德其他高校，还包括30～40个其他东德城市的非大学生群体，但这也无法缓和事务部的危险处境。

我的内部报告完成不久，事务部就面临着一股灾难般的逮捕潮。尽管部里为了让信使和读者之间互不受到影响而做出了各种努力，但在现实情况下还是有一些人非常了解如何制造联系。一次，事务部的两位中层人员，同时也是我的朋友，因为我有一辆车，所以他们找到我，周末一同去见一位事务部的高层官员，我们在柏林万湖区就遇到了这样一个人，他作为政治难民跟随女友来到了西柏林，而在此期间女友抛弃了他，他感到非常失望，不仅对感情也对西德感到失望，坚定地说他要回东德，听不进别人的意见。自愿回东德后除了被逮捕必然还有更多其他后果，因此他很富正义感地表示愿意暂时被“名誉逮捕”，这样可以事先提醒警告被危及的其他人。在接下来的两周名誉拘捕期间，当他还在柏林自由大学校长办公室的房屋管理员那里做客，还高兴地和房屋管理员的漂亮女儿在花园里散步时，事务部发出的危险警告还没结束，就已经掀起一股逃亡潮，引起了国安部的注意。于是我去找了情报局的一位熟人，但美国军事情报局反间谍部门（简称CIC）对这位“名誉犯”只能再关押一周的时间。然而最后还是有很多人被逮捕了。几年后听说我们

---

① Hurwitz：*Der heimliche Leser*，S. 130.

这位“名誉犯”被判两年监禁，出狱后成了国家人民军的军官，再后来做了上将。[1]

《月份》杂志曾被情报活动所利用，是我们到了1952年才获知的。在这件纷乱不安的事情背后，既不存在官僚异化现象，也不存在所谓的不通人情世故。其中涉及两个分发杂志的组织，反对非人道战斗团（以下称KgU）及“文化救助协会”，到了1951晚秋的时候，我们对待这两个组织采取的是截然不同的态度。[2] 成立KgU的雷纳·希尔德布兰特（Rainer Hildebrandt）是一个按德行要求行事的人，坚持和平主义，作为纳粹反抗者阿尔布雷希特·豪斯霍弗（Albrecht Haushofer）的追随者，希尔德布兰特在他这位导师的影响下认为自身有义务坚持投身于道德行动。KgU由于被卷入情报活动，也就远远偏离了其1948年春刚成立时的道德理念。除了KgU，1951年时“文化救助协会”各机构的读者也被牵扯了进来，先是有人将他们视为热心读者而很友好地与其攀谈，最后招募进来为中央情报局（以下称CIA）的间谍活动服务。KgU和“文化救助协会”两个组织都由恩斯特·蒂利希（Ernst Tillich）领导，蒂利希有些宗教背景，后来将希尔德布兰特排挤出了KgU。

文化救助协会的各机构曾经给我们留下了很好的印象，我们也希望协会能够发挥积极的作用，从表2也可以看出，我们当时还要继续为协会增加杂志数量。协会在柏林的波茨

---

① 参阅 zu diesen Erinnerungen Meichsner，*Dieter*：*Die Studenten in Berlin.* München 2007。

② 见表2。

坦广场附近开设了一些阅览室，还有一个图书出租处，很多平时接触不到的读者经常来到阅览室，其中包括很多中学生。还有一些老师也提供咨询服务，并且发放西德书刊。相反，我们还想继续减少 KgU 本来就不多的杂志数量，原因是 KgU 越来越不重视保证《月份》杂志发放到真正对文学艺术感兴趣的读者手中，很多杂志就和各种低级鼓动宣传性刊物一起被放在候车大厅这样的地方。而同样由恩斯特·蒂利希领导的文化救助协会却做得很出色，说明蒂利希注意到了把握平衡。关于他的情报活动计划当时我们还不知道。

然而我们都看到的是，蒂利希自 1950 年春开始一同与希尔德布兰特领导 KgU 以来，一步一步地从最初的“第二常任主席”到最后作为“政治及组织总领导”，将希尔德布兰特排挤出 KgU。我为此感到可惜又痛心，因为我 1948 年初夏认识了雷纳·希尔德布兰特，当时他在自己的住所里怀着理想主义的事业心和责任心开始了一项工作，就是将曾经被苏联解放后来又投入使用的布痕瓦尔德集中营和萨克森豪森集中营里的囚犯信息记录在案，后来这项工作在他“沉默就是自杀”以及“无所作为就是谋杀”的口号下促成了 KgU 的成立。

没过多久，我便开始向他提供一些帮助，给他下面那些志愿工作者补贴车费还有一些食品及衣物。为此我 1949 年 1 月在美国度假时，通过社民党以前的国会议员托尼·桑德尔（Toni Sender）准备了一些食品包裹还有烟卷和咖啡，当时桑德尔在纽约负责无党派基金会“自由之家”的国外事务。这是假期结束离开美国前，两个在 CIC 工作的美国人向我提出的请求，他们由于职务的关系不能做这些事情。后来大概有一年的时间，我都能通过 CIC 帮助支持希尔德布兰特，但只坚持了这么长时间，直到柏林 CIA 一位相当有影响力的代表认为蒂利希更适合完成他下达的任务，削弱东德的势力。我过了 10 年以后才获知。

恩斯特·蒂利希是我在《月份》出版后不久认识的，是一位有宗教信仰的社会学家并且表明自己是纳粹反抗者，在高校教授哲学，想借助社民党发展一番事业。在蒂利希接管文化救助协会的杂志分发工作之前，我们会偶尔给他家带去一些《月份》杂志，并且希望同他轻松愉快地聊一聊，他拿出了 12 本杂志分发给了一些大学生和牧师。

KgU 的章程规定不允许采取暴力。可以看出，希尔德布兰特想通过公开号召和公开行动，以甘地（Ghandi）提出的被动对抗和民事反抗的理念，制造出挑衅性的声势，那么也可以想象得出他希望就此出现一场大规模强有力的运动，无论以何种方式在何种地方带领通向自由的运动。

相反，蒂利希认为在东德是可以实行革命的。但 1952 年春，文化救助协会的一位阅览室图书管理员提醒我们说，蒂利希把《月份》杂志作为诱饵，将读者招来从事 CIA 的间谍活动，我们听了还是很吃惊。紧接着我就把给 KgU 的杂志份额从 180 册降到了 30～40 册，蒂利希还对此大发脾气。1952 年 11 月蒂利希被开除出柏林社民党。两天以后，雷纳·希尔德布兰特从 KgU 退出，原因是蒂利希的所作所为触犯了 KgU 的某些规定，要用“和平手段”与蒂利希这股反人道势力作斗争。

西德的批判家都避免具体谈及蒂利希，避免谈及他如何希望德国民众使用各种方法为苏占区解放作出努力，从投入外部人员渗透瓦解到间谍活动、破坏活动等。

为秘密读者们提供像《月份》这样一本高思想水平的杂志卷入了冷战的负面影响，并且面临着被情报活动滥用的危险，这是无可避免的。但在我的记忆中，关于 KgU 只有这么一次事件，之后 KgU 作为杂志分发站点没再受到我们的关注。

全德大学生事务部和 KgU 在组织上的变化令我们感到不满，这些变化引发的后果在 1951 年后成了一个越来越严重的问题。之前我们和这两个组织不定期地保持沟通联系，以了解读者情况并据此调整我们的杂志分发工作，而后来已无法再同两个组织继续沟通。《月份》编辑部要求定期拿出一批杂志给一个叫做“自由法学家”的新站点，他们在受监控的大门处领取杂志，不与我们进行沟通。但和 KgU 不同的是，自由法学家学会了如何长年推行一项严肃的公共工作，并将其视为情报性新创举。

和美占区广播电台以及社民党柏林东德办公室的合作是比较愉快的。如表 2 显示，分给美占区广播电台的杂志份额相对较少。到目前为止美占区广播电台分发了将近 8000 册杂志，这和其在 1950 年德国青年聚会和 1951 年世界青年联欢节上的积极参与是分不开的。除此之外，台里只有很少量的杂志供读者自行领取，只有一些忠实读者经过协商可以自行领取。但是出于对信使的安全考虑，从 1951 年 11 月起，分配给美占区广播电台的杂志数量从 180 册降到了 120 册。

在1949年特殊的个人及政治背景下开始的杂志分发行动到了1954年后完全进入了正常轨道，以至于我们现在已经回想不起来，从何时开始以及为什么我们放弃了这份职责——为秘密读者们提供《月份》杂志。我只还记得两次很小的瞬间，这两件小事都从侧面说明了事务部和KgU经历的变化，我们也为此感到痛心遗憾。其中一次是恩斯特·蒂利希被一群他要雇佣做保镖的彪形大汉包围，这个场面令人感到悲哀不幸。我们一个朋友由于面临着可能被绑架的危险，而随身带着一把手枪，这和他作为事务部工作人员的身份极为不符，特别是他想做牧师，但根据教会规定第一次做牧师必须在籍贯所在地，也就是说他只能先在东德得到一个牧师职位，这对他来说可是要冒着生命危险的。这个时候他接到一个任务，在由一位德国青年协会的支持者建立的反抗中心负责监察KgU热气球发送传单的行动。这场行动的指挥是一个不重视精神食粮的人，也对《月份》杂志没有很高的评价，雇佣了几个彪形大汉保护自己。所以我这位朋友在热气球行动过后不安地意识到，为了履行监察人的工作，他自己也需要一把手枪。

回过头来看，在冷战的第一个十年里，当理想主义者的精力殆尽，狂热的冒险活动走向违法犯罪时，如果有博识多通的专门人士出来阻止，让那些渴求暴力行动的反抗人士无法拥有如此多的权力，也就不会有那么多沉重的负担了。

库斯勒、奥威尔与《真相》

——看反对非人道战斗团以及1948～1959年苏占区和东德的秘密阅读现象

恩里克·海策尔（Enrico Heitzer）

如果想了解统一社会党领导初期东德民众的秘密读书现象，就不得不提到反对非人道战斗团（KgU）从事的活动。这个组织在此扮演着重要角色，给无数读者带来了精神食粮，同时也将西德政府机关、情报局和苏占区以及后来的东德愤愤不满的民众联系在一起。

KgU是冷战初期在德国引起关注最多的组织之一。[①] 当时在苏联对柏林实行封锁时期，建立一个为反对非人道而斗争的人道主义团体的提议引起了强烈反响，雷纳·希尔德布兰特（Rainer Hildebrandt）于1948年12月建立了KgU，致力于搜寻苏占区被逮捕和失踪的人员。1949年1月KgU寻人工作部开始正式开展各项活动，到1949年6月已收到12000件寻人申请。通过该部门发起的各种活动，经苏联特殊集中营关押后释放的人得以首次公开讲述被拘捕的经历，当时还没有哪个组织这样系统地见证并记录了苏联特殊集中营及苏占区其他各监狱关押者的命运。[②]

然而这只是故事的一半。从一开始就有情报机构关注到这一组织，并且派驻人员在里面工作。雷纳·希尔德布兰特[③]在二战时期因与阿尔布雷希特·豪斯霍弗（Albrecht Haushofer）教授[④]领导的反抗团体互通联系而被判几个月监禁，除了希尔德布兰特，KgU最初还受到了海因里希·冯楚伦（Heinrich von zur Mühlen）的影响。冯楚伦是一位历史学博士，是阿尔布雷希特·豪斯霍弗的助理，二战时期曾

---

① 参阅Finn, Gerhard: *Nichtstun ist Mord.* Bad Münstereifel 2000. Merz, Kai – Uwe: *Kalter Krieg als antikommunistischer Widerstand. Die Kampfgruppe gegen Unmenschlichkeit 1948 – 1959*. München 1987（Studien zur Zeitgeschichte; 34）（以下简称：Kalter Krieg）. Stöver, Bernd: *Die Befreiung vom Kommunismus. Amerikanische Liberation Policy im Kalten Krieg 1947 – 1991.* Köln u. a. 2002（Zeithistorische Studien; 22）（以下简称：Befreiung）。

② Merz: Kalter Krieg, S. 49.

③ Zu dessen Biografie s. Merz: Kalter Krieg, S. 16 – 18.

④ 参阅Haigner, Ernst: *Albrecht Haushofer im Widerstand gegen den Nationalsozialismus.* In: Haigner, Ernst; Ihering, Amelie; von Weizsäcker, Carl Friedrich (Hg.): *Albrecht Haushofer.* Ebenhausen bei München 2002, S. 7 – 99。

在纳粹国防军情报部工作,[①] 同时也是勃兰登堡部队[②]的成员，因此与1945年后又渐渐兴起的情报活动有着诸多联系。比如他认识勃兰登堡部队的前任情报军官弗里德里希·威廉·海因茨（Friedrich Wilhelm Heinz)，海因茨曾经组织建立了联邦军事情报局，也就是联邦军事谍报局（MAD）的前身。[③] 冯楚伦使用假名“霍夫曼博士”，除了KgU的寻人工作部以外还建立了一个自己的情报部门，从事KgU自称的“反对”活动，并且组织分发传单，大范围搜集各种信息。到1951年初为止，与KgU合作的不仅有MAD的前身联邦军事情报局,[④] 至少到1950年秋还有KgU的工作人员在“盖伦组织”也就是后来的联邦情报局工作。[⑤] KgU还同柏林宪法保护机构合作，常年担任该机构领导的海因茨·维希曼

---

① Zolling, Hermann; Höhne, Heinz: *Pullach intern. General Gehlen und die Geschichte des Bundesnachrichtendienstes.* Hamburg 1971, S. 254.

② 勃兰登堡部队是情报部的一个特种部队，在二战时期穿敌人的军装从事敌对破坏活动。参照 Günzel, Reinhard; Walther, Wilhelm; Wegener Ulrich K.: *Geheime Krieger. Drei deutsche Kommandoverbände im Bild.* KSK, Brandenburger, GSG 9. Kiel 2006 und Bentzien, Hans: *Division Brandenburg. Die Rangers von Admiral Canaris.* Berlin 2004。

③ 参阅 Meinl, Susanne; Krieger, Dieter: *Der persönliche Weg von Friedrich Wilhelm Heinz. Vom Freikorpskämpfer zum Leiter des Nachrichtendienstes im Bundeskanzleramt*（以下简称：Friedrich Wilhelm Heinz）. In: Vierteljahreshefte für Zeitgeschichte 1/1994, S. 39 – 69。

④ 参阅 Meinl, Susanne: *Im Mahlstrom des Kalten Krieges. Friedrich Wilhelm Heinz und die Anfänge der westdeutschen Nachrichtendienste* 1945 – 1955. In: Krieger, Wolfgang; Weber, Jürgen (Hg.): *Spionage für den Frieden? Nachrichtendienste in Deutschland während des Kalten Krieges*（以下简称：Spionage）。S. 55 – 56. 情报局军官 Heinz 由于柏林封锁而撤出西柏林之后，其常任女秘书继续在 KgU 工作，因此 KgU 和情报局得以保持良好的合作关系。Schreiben an KgU, 12. 5. 1952. BArch B 289 OA 508/344.

⑤ 对此我要感谢一位 KgU 前任工作人员提供的信息。

（Heinz Wiechmann）1949 年时曾在 KgU 工作过几个月之久。①

此外，除西德情报机构之外，美国情报机构也很早就关注到 KgU 的纯人道主义“反对活动”，这个 KgU 自称的所谓纯人道主义“反对活动”是一个非常宽泛的概念，是对该组织从事所有活动的统称。1948 年，在 KgU 正式开展活动之前，雷纳·希尔德布兰特就曾和泽韦林·瓦拉赫（Severin Wallach）会面，瓦拉赫是美国军事情报局反间谍部门（CIC）的柏林领导人，负责资金支持工作。② 1949 年夏，美国情报局军事情报处（MID）开始在 KgU 推行自己的内部组织结构。③

然而美国政府 1948 年成立的政策协调室（OPC）对 KgU 的进一步发展起到了至关重要的作用，该机构的名称听起来并无害处，但其实是美国中央情报局（CIA）下的外国情报处，在和平时期从事各种地下活动。④ OPC 是 1947 年成立的 CIA 下最重要、发展最快的部门，占用 CIA70% ~ 80% 的总预算，⑤ 从 1949 年底开始参与 KgU 的工作。⑥ 随着

---

① Schreiben Ernst Tillich，18. 8. 1951. BArch B 289 OA 501/586.

② Merz：*Kalter Krieg*，S. 53.

③ MfS - Sachstandsbericht，17. 3. 1959. BStU，MfS，HA XX，ZMA 1524，Bl. 101.

④ 参阅 Theoharis，Athan：*A Brief History of the CIA*（以下简称：Brief History）. In：Theoharis，Athan，Immermann，Richard（Hg.）：The Central Intelligence Agency. Security under Scrutiny. Westport 2006（Understanding our goverment）（以下简称：Central Intelligence Agency），S. 17 - 22。

⑤ 参阅 Theoharis，Athan：*A Brief History of the CIA*（以下简称：Brief History）. In：Theoharis，Athan，Immermann，Richard（Hg.）：The Central Intelligence Agency. Security under Scrutiny. Westport 2006（Understanding our goverment）（以下简称：Central Intelligence Agency），S. 21。

⑥ Murphy，David E.；Kondrashev，Sergej A.；*Bailey*，*George*：*Battleground Berlin. CIA vs. KGB in the Cold War.* New Haven 1997，S. 107f.

CIC 和 MID 渐渐撤出，从 1950 年起 KgU 一半的资金来源由 OPC 提供。在寻人工作部不断开展行动的同时，KgU 情报工作部却明显发生了变化。CIC 和 MID 主要推行军事行动和反间谍行动，而 OPC 明显具有更强的进攻性，其最初的工作是推行地下活动，在当时主要包括在西欧国家对选举施以影响、参与渗透各工会及流亡者组织，以及在苏占区势力范围内支持反抗运动或者实行破坏活动。[①] OPC 还有另一项重要工作是“打心理战”。1950 年夏朝鲜战争爆发后，OPC 在全世界范围内的地下活动变得非常频繁，从一开始就具有组织两面性的 KgU 在 OPC 参与进来后也开始按照 OPC 的战略理念加强自身行动。[②]

1951 ~ 1952 年，KgU 的行动变得问题重重，比起“少数极端主义分子甚至还有支持恐怖袭击的团体”[③] 有过之而无不及。两个例子可以说明这一点：1951 年在莱比锡的秋季书展期间，KgU 以“山谷”作为掩护名试图在莱比锡市区的三家 HO 商店[④]投放磷燃烧弹纵火，由于好几个意外事

---

① 参阅 Theoharis：*Brief History*，S. 21 sowie Karabell，Zachary：*Die frühen Jahre der CIA in Deutschland.* In：Krieger；Weber：Spionage，S. 75。

② Theoharis，Athan：*A New Agency. The Origins and Expansion of CIA Covert Operations.* In：Theoharis；Immermann：Central Intelligence Agency，S. 156f.

③ Stöver：*Befreiung*，S. 357. 50 年代时西柏林存在好几个组织，其目标为推翻东德以及其他东中欧国家的共产主义政体。像俄国团结人士联盟这样的流亡者组织，以及像 1952/53 年西德禁止的极右德国青年联盟这样的战斗解放组织，都得到了推行自由化政策的美国情报机构的支持。同上各处。

④ HO（全称为贸易组织）为东德国营零售贸易公司。直到 50 年代末，东德的食品、汽油和燃煤都要按定量分配，而 HO 店里的商品无须分配许可证便以高价出售，低收入人群难以支付得起。因此 HO 商店并不受民众欢迎。

件计划失败。[1] 一个月以前，7 名来自萨克森州的人士死于一起由所谓的轮胎扎钉[2]引起的交通事故。虽然没有确凿的证据显示这起事故是 KgU 所为，但 KgU 的嫌疑非常大。[3]

没过多久，以“双规战略”为指导的 KgU 就成了“苏占军和统一社会党最强硬的敌手”，KgU 的秘密工作人员成了东德各个国家安全机关的眼中钉，当局开始采取最严厉的手段打击 KgU，掀起了一股东德成立以来受害者最多的逮捕潮，这种局势一直持续到 50 年代中期。[4] 仅萨克森州 1951 年秋的这次事件中就有大约 200 人被捕，至少 40 名男性被执行枪决。[5] 与 KgU 合作的各个组织及相关人员至少有 1100 人被判决，其中 137 人被执行

---

① 参阅 KgU – V – Mann – Akte “Tal”, BArch B 289 OA 36/3329 und MfS – Untersuchungsvorgang, BStU, MfS, BV Leipzig, AU 39/53。

② 轮胎扎钉是一种破坏性工具，由金属制成，顶部为尖状。将扎钉到处投放在大街上，这样过往的汽车轮胎就被扎破。这种破坏性手段最初由美国人在朝鲜战争时使用，美国空军夜里将扎钉投放在朝鲜部队物资运输要道，第二天便可以在空中袭击由于被扎而无法行驶的车辆。参阅 Breuer, William B.: *Shadow Warriors. The Covert War in Korea.* New York u. a. 1996 (Bildteil)。

③ KgU 对此从不承认，但在 1951 年的世界青年联欢节期间将数以千计的扎钉分发给其下情报人员，以阻止自由德国青年团的车队前往参加这一共产主义群众节日。西德当局获知此事后也认为 KgU 有着不可推卸的责任。参阅 Schreiben des Zentralen Sicherungsstabes des Festivalkomitees für die III. Weltfestspiele der Jugend und Studenten an Sonderbüro beim Stlv. Ministerpräsidenten Ulbricht, 3. 8. 1951. BArch B 137/1016, unpag。

④ Engelmann, Roger: *Die Kampfgruppe gegen Unmenschlichkeit.* In: Henke, Klaus – Dieter; Steinbach, Peter; Tuchel, Johannes (Hg.): Widerstand und Opposition in der DDR. Köln u. a. 1999 (Schriften des Hannah – Arendt – Instituts für Totalitarismusforschung; 9), S. 183.

⑤ 目前我正在写一本书，将于 2008 年 8 月出版，书名暂定为《瓦尔特事件或被遗忘的逮捕潮——看东德成立以来受害者最多的逮捕行动》。

死刑。[1]

KgU 采用各种办法为众多东德秘密读者运送图书，有些甚至是常人难以想到的办法，但 KgU 都是有目的地选择反共产主义宣传和有关心理战的刊物，而非高质量高水平的刊物，当然二者有时也并不矛盾。KgU 内部最初称之为在东德实行的“瓦解（Zersetzung）行动”或者叫“Z－行动”。[2]

图 1 “反对非人道战斗团”将禁书从西柏林运送到东柏林的热气球行动

---

① 参阅 Heitzer, Enrico: *SMT – Verfahren im Zusammenhang mit der Kampfgruppe gegen Unmenschlichkeit*（*KgU*）（以下简称：SMT – Verfahren）。In: Bohse, Daniel; Miehe, Lutz（Hg.）: *Sowjetische Militärjustiz in der SBZ und frühen DDR. 1945 – 1955*. Tagungsband, Halle 2007, S. 50 – 73.

② 此外，一份 1951 年 3 月 17 日的 KgU 报告中称莱比锡 KgU 工作组“Alfred”在各大学和高校散发传单的工作为“瓦解行动”。BArch B 289 VA 63/220 – 171/1, Bl. 1.

长年任 KgU 总领导的恩斯特·蒂利希（Ernst Tillich）因希尔德布兰特不支持极端主义路线，1952 年将其排挤出 KgU。KgU 对于在西德打心理战发挥着什么样的作用，1953 年蒂利希在一次报告中阐明了他的观点："当今的政治领导家在冷战时期" 被称为 "灵魂领导家"，每一个受 "斯大林主义枷锁" 桎梏的人都应看作 "囚犯"，他需要 "支持"，需要得到 "外部世界的宣传信息"，心中要 "盼望获得解放"。还要强调的是，"对极权主义的反抗开始并结束于每一个人身上"。必须 "通过图书和优秀杂志" 来 "摧毁寂寞、实现集体的无声教育、借助精神作用来撒播欧洲文化的腐殖质土壤"。就像《教义问答手册》对于传播宗教来说一样，蒂利希要求 "无论如何也要有类似的刊物服务于欧洲历史和德国历史，服务于文化，尤其服务于道德行为"。"仅仅讨论各项传统及其价值是不够的"，必须还有 "实际存在的精神财富"。得到过 KgU "帮助" 的人会 "在自身积攒财富" "必须长期将这种财富与世隔绝"，这些人必须 "有意识地把自己变成欧洲文化的承载者［……］"。但这仅适用于 "少数人群"，适用于 "一个社会内部" 某个民族的特殊核心，"为将来辐射到全社会，重要的是以这类少数人群为核心并对他们起到引导作用"。同时我们知道，"未来无线电广播会不断遭到破坏，收音机越来越难以发挥功能，将各种小报带到苏占区也会变得更加困难"。"然而以上每一种信息的获取渠道都很有限，必须特别富有创造性地挖掘信息来源"。就像 "每一场战争" 一样，"如果有人发明了一种防御武器，那么最迟在半年内就必须有新的武器出现，因为这种防御手段已经被攻破”。[①]

KgU1955 年的年度报告更精辟地定义了自身的目标和任务，简明扼要地说就是：KgU 相关部门除了搜集信息外还要“邮寄传单和宣传册，向苏占区民众施加影响”。[②]

KgU 散发的传单、贴纸、手册和图书加起来有十余种，总数至少有上亿份。其中部分是高质量的 KgU 原创刊物，部分是明显具有纳粹传统的原始煽动性宣传刊物。

起初在 1949 年时，KgU 的宣传战还比较保守。每个人都可以去西柏林领取他们印制的传单，然后在自家附近或者到其他地方散发传单，或者自行散发或者与志同道合的人共同散发。最有名的行动之一是 1949 年 7 月 20 日开始的“F 行动”。二战期间法国人为反抗德军占领的抵抗运动，在战争结束前不久，通过大量涂写 V 字（代表着 Victory，胜利）向德军证明他们的存在。KgU 参照法国人的做法，富有象征意义地选择在希特勒遭暗杀失败五周年的一次活动上，呼吁大家在东德到处通过绘图、粘贴或者以其他方式醒目凸显字母 F。[③]

F 代表着自由（Freiheit）和与体制相敌对（Feindschaft）。这场行动明显取得了巨大成功，F 成为了 KgU 的显

---

① Tillich，Ernst：*Psychologische Kriegführung*（以下简称：Kriegführung）. In：Kampfgruppe gegen Unmenschlichkeit（Hg.）：*Der Weg der Kampfgruppe. Berlin*（*West*）.

② 1953，S. 54 – 56KgU – Jahresbericht 1955，12. 12. 1955. BArch B 289/1，Bl. 158.

③ KgU – Presseveröffentlichung：*Das Zeichen des* “*F*” *. O. D.*（ca. Oktober/November 1949）. BArch B 289/1，Bl. 323f.

图 2 被非法带入东德的“F 行动”宣传资料

著标志，后来经常作为 KgU 的标志出现在传单上。到了 1949 年夏秋之季，苏占区很多地方可见字母 F，据说个别地方出现得过于集中，以至于自由德国青年团（FDJ）重新动员起粉墙队，在字母 D 和 J 旁边补上一个 F。[①] 至 1949 年底，KgU 就发出了至少 90 万份印有 F 的传单。[②]

后来 KgU 又采用火箭发送传单。装在火箭里的传单像新年烟花一样被射入很远的高空，然后如雨下落。这些火箭通常先被运到柏林东西占领区交界，然后沾带着西柏林的泥土瓦砾被射向东占区。1950 年，萨克森—安哈特州施滕达尔的市中心广场上举办的一次活动就受到了火箭的干扰，瓦

① 参阅 Fricke，Karl Wilhelm；Engelmann，Roger：“Konzentrierte Schläge”. *Staatssicherheitsaktionen und Politische Prozesse in der DDR1953 - 1956.* Berlin 1998（Analysen und Dokumente；11），S. 83。

② 参阅有关 KgU 的档案记录，未标明日期：BArch ZSg. I - 64/26/1，Bl. 3。

尔特·乌布里希还在活动上发表了演讲。[1] KgU 安排几个年轻人点火,[2] 火箭越过了苏联兵营。其中装着俄语传单，呼吁苏联的秘密读者们“逃跑!”[3] 或者要求他们投降。

KgU 在成立初期和西柏林的一些书店和图书阅览室建立了合作，这些书店和阅览室的名字大多都额外包含一个“东”字。这段时期 KgU 还将外来刊物和自己出的刊物一视同仁，后来几乎只散发自己出的刊物。为了招募更多的人参与工作，KgU 一直在利用这些书店和阅览室，这里是关心政治和对政治现状不满意的读者常去的地方。很多读者在阅览室里只是阅读或者带走一些在东德被禁止的刊物，与之相比，像约翰·布里亚内克（Johann Burianek）这样的读者可不一般。1952 年初的时候，一次布里亚内克想要炸毁东柏林的铁路桥，炸药包事先已经被 KgU 装在了一个箱子里，结果布里亚内克被捕，在 1952 年 5 月的公开审判上被判处死刑，不久便被执行。布里亚内克是一位伞兵中士，一年以前在“电报机”阅览室接触到了 KgU，起初为 KgU 分发传单、越境偷运信件并搜集各种信息，后来又和 KgU 的其他成员往东柏林的马路上扔轮胎扎钉，又试图纵火但没有得

---

① Schreiben Bundesministerium für Gesamtdeutsche Fragen, 11. 6. 1951. BArch B 137/1016, unpag.

② 参阅例如记录有关反对团体“Rauch”和“Rogge”的 KgU – V – Mann 档案，这些反对团体比来自哈韦尔河畔韦尔德的青年更有名。一次大规模的逮捕潮之后，8 名人士被执行死刑。参照 BArch B 289 OA 297/67 sowie Spiegel, Anja: *Die Stasi kam im Morgengrauen. Jugendlicher Widerstand in Werder (Havel) 1950 bis 1953.* Werder 2002。

③ 参阅 KgU 传单“Won, Iwan aus!”“Won”在俄语中意为“逃跑!”。BArch Zsg. I – 64/26/1, Bl. 55。

逞。最后布里亚内克在往返于东柏林和莫斯科之间的官员们经常乘坐的“蓝色快车”上策划了一场暗杀。[①]

东德居民可以在这些书店里也可以通过 KgU 看到使用圣经纸印刷的西德特版杂志，以及东德政府痛恨的杂志《毒蜘蛛》。[②] 有一段时间 KgU 还和《月份》杂志建立起了合作，但杂志编辑听说 KgU 卷入了情报活动后便撤出合作。[③] 书店里有比如乔治·奥威尔的《1984》伪装本，封面装帧是一本卡尔·马克思的或者关于 1848 年革命的作品，同样还有阿瑟·库斯勒（Arthur Koestler）的《日食》，讲一位前共产党人在苏共“大清洗”背景下与斯大林斗争的故事。这些图书通过各种形式的伪装本得以呈现在读者眼前。KgU“地下室”组织的事件说明了偷运这类刊物是非常危险的。有两名情报人员负责 KgU 在萨克森、安哈特州蔡茨地区的活动，1951 年 3 月底在从柏林开来的火车上，“M 大衣兜里装了 8 本‘乔治·奥威尔’的《1984：一本反乌托邦小说》，还有大约 100 张贴纸，在搜身时被发现并没收”。[④] 后来还发现了 M 用于军事间谍活动[⑤]的坦克类型卡片，因此这两名情报人员还有很多其他人受到了苏联军事法庭的审

① 参阅国家安全部的大规模调查 BStU，MfS，AU 180/52。布里亚内克于 2005 年 9 月 2 日被柏林州法院恢复名誉。

② Schulz – Heidorf，Walther：*Preis unbezahlbar. Die Tarantel.* Berlin 1997.

③ 参照 Harold Hurwitz 的文章 Zur Bedeutung des *Monat*：Martin，Marko：*Orwell，Koestler und all die anderen. Melvin J. Lasky und Der Monat.* Asendorf 1999。

④ Volkspolizeiamt Erfurt：Übergabebeleg 31. 3. 1951. BStU，MfS，BV Erfurt，AU 125/261，Bl. 100.

⑤ 该组织小范围地搜集了一些军事信息。

判，二人由于从事间谍活动被判死刑，于莫斯科执行。①

KgU 最初把各种刊物直接交给情报人员分发，火车上的检查越来越严格，因此情报人员时时面临着被发现的危险，后来干脆发放打样机，也就避免了偷运的危险。这样制作出来的刊物不属于萨密兹达，因为 KgU 事先已经定好了文字内容。除了简单的模板工具，KgU 还发放所谓的辊子，还有刻好了简短标语或者字母 F 的辊筒，必须先上色然后在平面铺开。此外 KgU 还资助在各地购买打字机的费用。后来 KgU 给情报人员的宣传材料越来越少，最后于 1952 年 9 月通过修改“偷运宣传材料指南”停止了这项工作。②

根据 KgU1955 年年度报告的记录，“KgU 主要通过热气球从西德或西柏林向秘密读者们发放刊物宣传信息，包括向一些居民团体发送宣传信件（普通运送），或者向苏占区给个别人士如间谍等发送信件（如警告信，警告实施逮捕或有内奸），还有向苏占区政府监测机构发送干扰信”。③ KgU “在东西占区交界处有三个放飞热气球的流动站点”。④ 蒂利希在他的报告中谈到这种飞行物是一种“新型武器”，具体是这样说的：“目前我们还有非常好的办法，就是热气球行动。警察们试图在两区交界击落气球并收集传单，我们的宣传行动丝毫未受影响。”⑤

① Heitzer：SMT – Verfahren，S. 60f.

② BArch B 289 OA 0578/560，Bl. 3.

③ KgU – Jahresbericht 1955，12. 12. 1955. BArch B 289/1，Bl. 158.

④ KgU – Jahresbericht 1955，12. 12. 1955. BArch B 289/1，Bl. 158.

⑤ Tillich：Kriegsführung，S. 56.

KgU 连续多年一直有针对性地为各种不同人群编辑印制小报，到了 1958 年初每个月小报发行总量约为 20 万份。

表 1　KgU 小报一览

报纸名称	出版时间	目标人群
《真相》：东西德的事实报道和观点意见	1951 ~ 1959	不限
《战士》：国防类报纸	1956 ~ 1959	工人战斗团
《士兵》：国防类报纸	1958/1959	东德国家人民军
《党员》	1957 ~ 1959	统一社会党干部
《思想与生活》	1957 ~ 1959	高校毕业生
《家庭与学校》：教育类月刊，之后改称《年轻的声音》	1957/1958 1958/1959	父母 青年人
《国际消息》：非法翻印	1958	不限
《自由国家》：面向有自由意识的农民群体	1958/1959	农民

最早使用热气球发放传单的不是 KgU，社民党东德办公室很早以前就用过这种办法，后来到了 1950 年也被 KgU 所采用。热气球发放传单这门技术最开始并不成熟，然而渐渐发展得很快，到后来可以用来向东德读者超大量输送秘密读物，这门技术在 KgU 内部也成为了“科研”对象。操作人员对时间控制得越来越精准，保证气球在特定的时间释放传单。如果要将宣传刊物发放到某个特定的目标区域，就要考虑到天气状况、风力大小及风向，比如 KgU 就曾多次尝试通过热气球将传单发送到国家人民军或者苏联军队的演习场。1955 年 KgU 向东德发送了 5283 次热气球，A7 纸大小的传单共计 6599.7 万份，平均每个月就有

549.9万份传单落入东德。[1] 1957年发送了14473次，传单总计2719.2万份。[2]

KgU在传单上注明要求捡到传单的人向KgU通报拾捡地点，很多人积极响应配合，1957年KgU平均每个月收到150份来自苏占区的反馈。[3] 东德方面不断表示这些大量出现的飞行物引起了众多事故而带来巨大损失，一次引发了森林大火，还有一次甚至导致飞机坠毁。国家安全部因担心热气球确实可能成为祸患，有一次也采取了措施，令人民警察同Linde公司签署协议，禁止向西柏林各“间谍组织”提供热气球燃气，然而一些人通过其他途径还是搞到了燃气成功放飞气球。[4] 1958年夏天，一名由国安部秘密安排在KgU的工作人员给充热气球的混合燃气做了手脚，导致气球还在西柏林上空时就爆炸了，结果导致一位KgU内部称为气球分队的成员烧伤。[5] 东德媒体言语尖刻地报道

---

① KgU – Jahresbericht 1955, 12. 12. 1955. BArch B 289/1, Bl. 158.

② Bericht “Effektivität der KgU – Propaganda”, 18. 2. 1958. BArch B 136/4427, Bl. 83.

③ Bericht “Effektivität der KgU – Propaganda”, 18. 2. 1958. BArch B 136/4427, Bl. 85.

④ 参阅 Buschfort, Wolfgang: *Luftballons als Feindobjekte.* In: Deutschland – Archiv 3/1994, S. 276 – 279 und ders.: Die Ostbüros der Parteien in den 50er Jahren. In: Foitzik, Jan; Buschfort, Wolfgang (Hg.): *Der sowjetische Terrorapparat in Deutschland. Wirkung und Wirklichkeit/Die Ostbüros der Parteien in den fünfzigen Jahren.* Berlin 2000 (Schriftenreihe des Berliner Landesbeauftragten für die Unterlagen des Staatssicherheitsdienstes der ehemaligen DDR; 7), S. 44 – 47。

⑤ MfS – Aufarbeitung “Die Methoden des MfS bei der Zerschlagung der Agenten – und Untergrundorganisation Kampfgruppe gegen Unmenschlichkeit in Berlin – Nikolassee, Ernst – Ring – Str. 2 – 4”, 1. 6. 1959. BStU, MfS, ZMA XX 1524, Bl. 52.

了这次事件，并提醒住在附近的西柏林居民热气球行动有多么危险。之后国安部进一步采取手段，试图策划炸弹袭击KgU主要办公大楼，[1] 但KgU在此之前于1959年3月就已自行解散。[2]

最后举一个既非正题，也非题外话的事例，这个例子比较极端地揭示了东德的秘密读书现象。1954年秋至1956年5月，KgU实施了一场高度保密行动，外人很难猜测其目的何在，从现有资料也看不出这场行动能够实现的背景原因。这场先以“玫瑰”后以“栅栏”为假名的行动，其实就是指KgU尝试涉足监察无孔不入的地方，同东德各监狱的政治犯[3]建立联系，也就是与人沟通。什么样的人呢，后来法国哲学家米歇尔·福柯（Michel Foucault）用“异质空间”这一概念将这些人生活的地方描述为严密无缺的审查由设想变为现实的地方。[4] 这个听起来超级胆大的行动实行起来却非常简单，KgU首先在人员索引里搜索据他们了解和外部

---

① MfS - Treffbericht, 11. 4. 1958. BStU, MfS, AIM 2703/58 Teil I, Bd. 20, Bl. 78.

② 同样被归为“间谍组织”的由俄国流亡者组成的反共组织NTS（民族工作联盟）就没那么幸运了，国安部1958年制造了一起炸弹袭击，击毁了该组织位于慕尼黑的“自由俄国”广播电台大楼。参阅Labrenz - Weiβ, Hanna: *Anatomie der Staatssicherheit.* Die Hauptabteilung II: Spionageabwehr, 20012（MfS - Handbuch; III/7）, S. 37。

③ 其中有一位在哈雷服刑的女囚犯，曾经为一所美国情报机构工作（KgU - Vermerk, 17. 3. 1955. BArch B 289 SA 500/22 - 31/15, Bl. 49）。资料显示KgU与她成功取得联系之后似乎联络又中断了。还有一位因1953年6月17日那天携带武器朝警察开枪而被拘禁的囚犯并没有给KgU回信（同上，Bl. 21）。

④ 参照Foucault, Michel: *Andere Räume.* In: Hämer, Hardt - Waltherr; Kleihues, Josef Paul (Hg.): Idee - Prozeβ - Ergebnis. Berlin 1987, S. 337 - 340。

图 3　反对非人道战斗团在东德散发的传单

没有联系的囚犯，比如没有亲人朋友或者亲人朋友和他们断绝往来，在东德允许每个月给囚犯寄送食粮，还有出于经济原因家庭支付不起这笔花销的囚犯。寄送食粮需要有监狱开具的包裹许可证，囚犯允许每个月往外寄信，便附带许可证一同寄出，而这张许可证也可能被监狱收回。

有一个人自称现居于西柏林，年龄也比较大，曾经是某位囚犯的狱友，就是 KgU 想取得联系的一位囚犯，通过这位中间人 KgU 拿到了需要的包裹许可证。这个人接管了所有的包裹邮寄工作，似乎所有经济拮据的囚犯妻子们都乐于接受这份馈赠。现有资料显示，通过这位叫做“Dietrich Walisko”或是“Lutschak”的中间人，KgU 向卢考（勃兰登堡州）、哈雷[①]、比措（梅前州）[②]、托尔高（萨克森州）、瓦尔德海姆（萨克森州）和厄尔斯尼茨（萨克森州）的监狱寄出了至少 18 个[③]包裹，包岑和勃兰登堡大监狱在资料中没有显示。为了躲避监狱严格的检查，KgU 在包裹里的一些食物内藏了东西，一般藏在罐头里。1954 年 11 月的 KgU 档案有这样一段记录，KgU 成功和卢考监狱内一位生于波兰的囚犯取得了联系。

“内容如下：笔藏在下一次包裹的奶酪里，暂时先用细木条写字，用木条在信的背面回信，你可以写波兰语。拿一点盐溶解在水里，把盐水涂在包装油纸上，也可以用盐水写字。如果你能读出所有我写的内容，在下一封信里告诉我，就说你摔掉了一颗牙。”[④] 这位囚犯积极地写了回信。1955 年 1 月初 KgU 又给他寄了个包裹，把之前答应的笔装在了里面。档案中是这样记录的：“油脂里藏了大约 1 克黄血盐和一张用硫酸亚铁写的纸条”，写的内容是：“亲爱的约瑟

---

① KgU – Vermerk, 20. 5. 1955. BArch B 289 SA 500/22 – 31/15, Bl. 64.

② KgU – Vermerk, 20. 5. 1955. BArch B 289 SA 500/22 – 31/15, Bl. 64.

③ 1954 年 11 月至少寄了一个包裹，1955 年 1 月至少两个，二月三个，三月三个，四月五个，五月两个，六月两个。

④ KgU – Vermerk “Paket an Luckau I am 10. 11. 1954”, o. D. 同上，Bl. 26。

夫，我们焦急地等待你的回信。你们每个月可以往外寄信，就在信的背面回复，如果用液体写太麻烦，就干脆用碎木块，我们会有办法识别出来的。如果给我们回信对于你来说太危险，就给我们找一位你的狱友，并且是我们用同样的方式能联系到的。你可以在信中相应的字母下面用铅笔画一个小点来告诉我们他的名字。反对非人道战斗团祝所有政治犯新的一年重获自由。”还有档案中继续写道：“包裹底部放着1955年1月1号的《波茨坦报》。报纸上没有字的部分用硫酸亚铁写着：政治犯！祝你们新的一年获得自由！用没沾液体的细木条在信的背面回复。KgU［……］约瑟夫没有收到报纸，可能看守警官没看出这是份西德报纸，然后安排下面的人当做一般的包装纸扔了。这样，报纸就落入了任看守助手的囚犯手里，被拿来在整个监狱传看。如果报纸被烧（烧毁报纸也是犯人的工作），看不见的字就显现出来了。”①

这封信约瑟夫也回复了，他给了一位狱友的名字，请KgU和他联系，KgU马上照做。此外他还在信中说到谁正在被单独囚禁，提了几个守卫的名字，还有一位自称是间谍的囚犯名字。回信内容有的地方读不出来，但约瑟夫在最后清晰地写道：“祝好，等待你们的帮助。”② 没过多久，KgU或者说“Dietrich Walisko”在1955年2月初写了回信：“我建议你们写在信的背面，他们不会那么仔细检查背面。然后用指甲把笔划过的痕迹去掉！”此外还让他们两个人这样回

① Vermerk，7.1.1955. 同上，Bl. 29。

② Vermerk，21.1.1955. 同上，Bl. 32。

答信中的问题，问题编号后面加上一个 + 或者 o， + 代表是，o 代表否。前面几个问题涉及各个囚犯的履历，接着 KgU 想了解是否有哪位上级警官待人“非常恶劣”，是否“一间牢房里关押 3 个以上的囚犯”，是否有人“发现了西德报纸”，是否能“从信的边缘撕下 1 厘米”。“Walisko”很想在上面写一些话。另外 KgU 还表明想要那些“没有人给寄送包裹的囚犯名单”。[①] 档案中对此记录道：“包装纸上用硫酸亚铁写了字，[……]：

> 政治犯！你们不会被忘记。
> 自由的世界在记挂着你们。
> 莫让自己屈服于红色恐怖。
> 你们的 K g U 向你们问候，
> 永远忠诚可靠，团结相依！”[②]

囚犯于 1955 年 2 月底的回信 KgU 只能破译出一部分：先告诉“信件收到”，接着以电报文体讲到间谍的事情，说到一名守卫“待人恶劣”，“看守警官总是非常严厉[……]”接着说：“有 800 人。”KgU 无法破译的部分里讲到了“三个麦克风和扬声器”，完全令人费解，接着问：“我们什么时候出去？”最后又写道：“共产党人在这里发生了争吵。咸鲱鱼，西德报纸。苏占区安宁？软弱的读者[……] 请求 [……]”[③] KgU 在 1955 年 3 月中旬的回信中

① Vermerk, 4. 2. 1955. 同上，Bl. 33。
② Vermerk, 4. 2. 1955. 同上，Bl. 33。
③ Vermerk, 25. 2. 1955. 同上，Bl. 35。

这样说："部分内容读不懂。笔头总被浸湿！请写印刷字体！回答问题的时候用问题编号加上 +（表示是）或者 o（否）。不能用是或否回答的问题也要标明问题编号，然后作答。

1）你们的牢房里是否关押了3个人以上？

2）你们能从我的信纸下方撕下1厘米吗？"

接下来是三个关于履历的问题。

6）一名好人看守警官的地址。"[①]

约瑟夫3月底回了信。"亲爱的 Dietrich！我在缝纫车间工作。HO 衬衫领［……］请告诉我们要做什么。这儿一天变得比一天严格，吃得越来越差。现在这儿什么都成军事化模式了，就连大小便也要听从命令，听看守警官发号施令。［……］我们现在拿到了3根烟。［……］你们知道人民议院的彼得·海尔曼（Peter Heilmann）吗？他现在在这儿。外面苏占区的局势如何？这里俄国军队越来越多。你把信纸下方撕下来了吗，写在页边上！［……］祝好，我们等待着自由。约瑟夫 + 埃里希。"[②]

估计从这以后联络就中断了，"Walisko" 1955年4月[③]和5月[④]写的信没收到回复。KgU 问了一位刚从同一监狱出来的囚犯，也只是听说"审查变得更严了"。[⑤] 几个月之

① Vermerk，o. D. 记录这封信写于1955年3月15日。同上，Bl. 36。

② Vermerk，26. 3. 1955. 同上，Bl. 38。

③ Vermerk，5. 4. 1955. 同上，Bl. 39。

④ Abschrift，12. 5. 1955. 同上，Bl. 40。

⑤ Schreiben an KgU，27. 5. 1955. 同上，Bl. 42。

后两人其中一位也是让某个释放出来的狱友告诉 KgU “笔墨” 殆尽。[1] 很可惜从现有资料中无法查到事情后来进展如何。

可以确定的是，KgU 至少后来还是和囚犯成功地取得过两次联系，但两次都只是被简单地记录在案，至少和比措监狱的囚犯暂时取得过联系。[2] 有一次 KgU 几经周转终于和哈雷监狱的一位女囚犯取得联系后，1955 年 5 月她的第二封回信中附了一份监狱长下达的说明，告知由于发现部分包裹装的不是食物，所以从 1955 年 7 月起每个月不允许再给囚犯寄送包裹，但可以寄 25 东德马克，这样囚犯就能在监狱里买东西。[3] KgU 一名高层领导推断，“[……] 对方已经了解了我们到现在一直实行的办法，可以看出这是他们采取的第一步应对措施，应该只是针对我们这一行动。我想大家应该都能想到，这样一来给囚犯们寄的包裹会受到更为严格的检查，所以我希望从现在起全面停止类似的行动。即使行动已稍见成效，囚犯们的处境依然很危险”。[4] 尽管如此，这场行动显然又持续了一年之久，没有资料记录这一年的行动情况。KgU 的档案中有记录显示直到 1956 年 “‘栅栏’行动才由于某些原因终止，不允许再同囚犯建立联系或保持联系”。[5]

---

① Vermerk，8. 3. 1953. 同上，Bl. 20。

② 根据 1955 年 5 月 20 日的记录。同上，Bl. 64。

③ Vermerk，o. D. 同上，Bl. 63。

④ Vermerk，29. 4. 1955. 同上，Bl. 172。

⑤ Vermerk，24. 5. 1956. 同上，Bl. 1。

以上讲述的事例说明，1954～1956 年 KgU 还能够成功深入东德理论上全面屏蔽的领域。但即使释放人员带来了好的消息，囚犯们在狱中安然无恙，[①] 依然存在的一个问题是：特别是在最好的情况下，信息极度匮乏以及不成熟的宣传机制能够在少数几个囚犯身上体现出来，那么这场行动投入的人力物力是否合理，而尤其是囚犯面临的危险处境又是否存在意义呢。

① Vermerk，20. 5. 1955. 同上，Bl. 64。

一种“现象”被揭穿

——西德早期的反东德刊物

克劳斯·克尔纳（Klaus Körner）

1951年1月18日，来自东柏林的文学家阿尔弗雷德·坎通罗维茨（Alfred Kantorowicz）给建设出版社写了一封信，表示希望修改一下他新版的《西班牙日记》：“对这本书的再版请注意，22页提到的名字Campesino继续保留。”①El Campesino②是西班牙内战共和派的传奇将军瓦伦汀·贡

① Faber, Elmar; Wurm, Carsten (Hg.): “... *und leiser Jubel zöge ein*”. *Autoren - und Verlegerbriefe1950 - 1959*. Berlin 1992, S. 202 - 203.

② 西班牙语，意为农民。——译者注

萨雷斯（Valetin Gonzales）的战斗名，而后来贡萨雷斯对苏联感到失望，刚刚出版了他的回忆录《伟大的幻觉：从马德里到莫斯科》。一位在西班牙之外远远不知名的作者，作品能几乎同时以西班牙语、英语、法语和德语四种语言出版，就足以让人猜测到美国情报局作为文学经纪人参与了进来。[①] 科隆的基朋霍伊尔 & 维奇（Kiepenheuer & Witsch）出版社特别出版了德语译本，也随之在1950年底推出系列丛书《红色白皮书》。这本也要在东德推广的作品，坎通罗维茨是第一批读者之一。他以东德普遍认可的态度在信中表明了想法。异见人士被当做没落人士看待，他们的名字不允许再出现在历史著作中。不受欢迎而遭到排斥的事件成了历史地图册上无人过问的“空白点”，西德宣传可以毫不费力地穿入这些“软肋”之处。

东德是一块供应不足又封闭的言论市场，如果能够打破外部界限，就会对内部产生非常大的影响力。相反西德是一块供应过剩又开放的言论市场，东德刊物很容易在此得到传播，但很少受到关注。从1950年起，东德方面开始公开谴责各西方势力通过美帝国主义殖民统治下的占领法规、鲁尔协定和马歇尔计划对西德的控制和扶持，号召全民起来反抗，这是一种由国家推动的人民阵线宣传形式，由德国共产党的传奇人物宣传总指挥威利·明岑贝格（Willi Münzenberg）在魏玛共和国结束之时以及在他30年代的流亡生涯中推进而形

---

① *Soviet Foreign Relations and World Communism. A Selected, annotated Bibliography.* Princeton, N. J. 1965, S. 588.

成的。

相反，任何占领文件或占领法规对此都无济于事。现在西德人民应该富有战斗性地在冷战中采取立场。但是对手是什么人呢？东德声称自己是德国反法西斯的和平国家，是全德国的典范。与东德宣传的表象相反，在大多数西德民众眼中，就像苏联外交家彼得·阿布拉希莫夫（Pjotr Abrassimow）1990年后说的那样，东德首先就是苏联式的小矮人。苏联政府对东德的巨大影响以及东德缺少大多数民众的统一意见是有目共睹的。由于东德民主合法性的缺失，波恩政府决定不予承认这个第二德国，而称之为“苏联占领区”，简称“苏占区”。全德事务部制订了相应的称谓规定①，西德政府直到1969年一直要求独自代表整个德国。另一方面不能否认的是，这个国家在得到国际上承认之前就已经具有一定的“限制行为能力”，所以西德总理库特·格奥尔格·基辛格（Kurt Georg Kiesinger）1967年在国会上略带勉强地称东德为一种“现象”，并且和东德总理建立了通信往来。②

1950年时西德政府还在忙于迁往波恩并成立各个政府部门，无暇顾及向苏占区，或称“这种现象”或者还有第三种称谓“德国另一部分”施加影响以及抵御东德对西德的宣传。③ 因此美国驻德国高级专员公署、美国情报局以及

① Rüβ, Gisela: *Anatomie einer politischen Verwaltung*. München 1973, S. 158 - 160.

② *Verhandlungen des Deutschen Bundestages*. Sten. Berichte V, S. 6360.

③ Nolte, Ernst: *Deutschland und der kalte Krieg*. München 1976, S. 396 - 402.

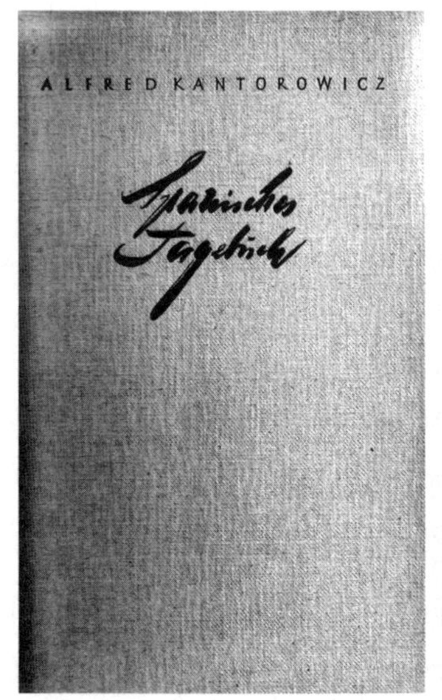

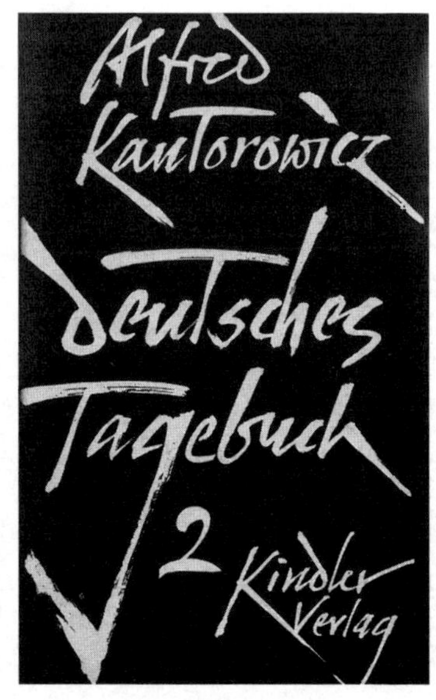

图 1　阿尔弗雷德·坎通罗维茨两部作品的首版：1948 年建设出版社与 1961 年金德勒（Kindler）出版社

负责马歇尔计划的经济合作总署首先投身于这些任务，并且试图塑造东德在西德民众眼中的形象。

1945 年后英美的“再教育”政策没有立刻收获成效，1949 年后被长期的“再导向”政策代替。如果对西德和苏占区的民众进行宣传教育并起到“立竿见影”的成效，最简单的方法是以他们共同的经历为出发点。大多数德国人感受到的 1945 年 5 月 8 日首先是崩溃垮台，过了很久才感受到了解放的日子，苏联红军入侵、被俘监禁、驱逐逃亡以及物资紧缺，种种鲜活的回忆奠定了这段时期的基调。经历了战争和纳粹宣传，大多数德国民众都持有一种反布尔什维主义的世界观。自 1917 年十月革命以来，在俄国、德国也在欧洲其他地方从民众中形成的布尔什维主义，为纳粹所用并插上了反犹太主义的旗帜，将重新激活反布尔什维主义作为政治宣传的基本理念。戈培尔领导的国民教育与宣传部一位前任部门领导埃伯哈德·陶伯特（Eberhard Taubert）[①] 1948年称反布尔什维主义首先造就了一种莫名的恐惧感，一种尤其源自于苏联的恐惧感，并赞扬反布尔什维主义在美国情报局行之有效并且树立了典范。苏联被一个配有集中营和警察特工的独裁体制统治着，其经济体制带来的是贫穷和灾难，教会受到迫害，基督教文化被玷污。反布尔什维主义不是一种理论构想，而是一种宣传理念，很容易应用于各种展览、广告、宣传册以及战争宣传的实践当中。

第二种向德国民众宣传教育的方法是针对共产主义的关于社会民主主义的论证。社民党从 1946 年起开始了一场积极的防卫战，反对在苏占区强制合并社民党和共产党。社民党在政府有其参与的地方始终带领着走一条实践道路，然而还持有一套民主社会主义的理论方案，认为民主社会主义应该通过信仰民主、议会制和人权从根本上与苏联式的社会主义相区分。此外，从社会民主的角度来看，德国共产党是魏玛共和国的掘墓人之一。1946 年诞生的统一社会党用社民党主席库特·舒马赫（Kurt Schumacher）的话来说只是德国共产党的延续，社民党应该作为德国共产党的献血者为其服务。为和统一社会党抗衡，社民党 1946 年特意成立了东德办公室。1948 ~ 1949 年苏联对柏林封锁时期，西方势力

① 1933 ~ 1945 年任国民教育与宣传部高级官员，1945 年后在西德情报局从事反对苏联宣传的活动。——译者注

同柏林市长恩斯特·罗伊特（Ernst Reuter）领导下的社会民主党人紧密合作，而西德总理康拉德·阿登纳（Konrad Adenauer）于1949年9月新组建的政府受到了保守党派大多数人的支持，因此在高级专员约翰·J. 麦克罗伊（John J. McCloy）领导下的美国驻德国高级专员公署表态，处理西德内部事务首先采取传统的反布尔什维主义（“波恩路线”），以社会民主式的反共产主义（“科隆—柏林路线”）对东德施加影响。新成立的全德事务部也了解到了这种双重策略，当时全德事务部实际上由国务秘书弗朗茨·特迪克（Franz Thedieck）领导，而非部长雅各布·凯萨（Jakob Kaiser）。从此以后，波恩在反共产主义事务上出现了一种大联盟。

埃伯哈德·陶伯特代表的是“波恩路线”。1945年后陶伯特在汉堡把以前的同事叫到一起，其中有防卫反击专家弗里茨·克莱姆（Fritz Cramer）、图书出版商本哈德·沃伊施尼克（Bernhard Woischnik）还有图像设计师鲁道夫·福斯特（Rudolf Fust），1950年几个人作为核心成员成立了和平与自由人民联盟。和名称相背，这是一个由美国提供资金支持的政治宣传代理机构。陶伯特的宣传理念就是把共产主义的宣传文化扭转过来为反共产主义服务。二战后，东德农田中出现大量有害的马铃薯瓢虫，东德政府借机鼓吹这些马铃薯瓢虫在美国繁殖，然后美国人特意通过飞机大量投放到东德，为此东德政府1950年夏出了一本宣传册叫做《停，老美瓢虫!》陶伯特在第一批防卫海报中是这样反击的：一个男人穿着高翻领大衣，望着火车站月台上“停”的信号，还附上一句话“阻止共产主义破坏者。火车站的安全就是你的生命安全!”1950年秋西柏林广播电视塔的会展大厅举办文化展览“东德的德国家园”，后来在西德各州举办。展览上分发了陶伯特设计的宣传册《红色洪水：苏占区布尔什维化的事实与数据》，该宣传册指出共产主义统治着地球上的六分之一人口，为此还刊登了一幅20年代的旧图片。

还有一个例子，幽默讽刺杂志《厄伦施皮格》的前身《清风》杂志1951年登了一幅画，东德与西德的边界被画成一堵防洪墙，将西德入侵者弹了回去。防洪闸门通过一道隔板被锁了起来，隔板上写着标题“五年计划条例”。接着陶伯特推出的一本反对两德之间非法交易的宣传册将当时还是绿色边界的东西德交界也画成了一堵防洪墙，通过防洪闸门钢铁制品被倒卖到东德，红色老鼠流窜到了西德。陶伯特用这幅图引用了一个他1941年在纳粹煽动电影《永远的犹太人》中用到的比喻。[①] 柏林市长费迪南德·弗里登斯伯格（Ferdinand Friedensburg）的前任助理罗尔夫·麦（Rolf May）对此回忆道：“苏联红军出现在柏林，不是因为自然界引发的洪水，而是因为一场德国人引发并且输掉的侵略战争，这让苏联检查官们非常愤怒。”[②]

左图这张反共产主义渗透的小海报边框为黑红黄三色，画了一只死老鼠，上面写着“老鼠大战是全民义务”。这张海报首先由鲁道夫·福斯特（Rudolf Fust）在汉堡绘制，又

① Körner, Klaus: *Erst in Goebbels' – dann in Adenauers Diensten: Dr. Eberhard Taubert.* In: Die Zeit, 26. 8. 1990.

② 1976年8月28日与罗尔夫·麦博士的访谈。

图 2　冷战时期的“老鼠大战”：西德和东德的海报

在西柏林由讽刺杂志《毒蜘蛛》的图像设计师格哈德·鲁皮克（Gerhard Ruppik）临摹，西柏林的反对非人道战斗团（KgU）要将这张海报贴到各个灯柱上。① 还有 1951 年的一本以反对所谓的伪装组织为宗旨的小册子，为警示读者刊登了一篇文章《睁开眼睛！共产主义藏在后面》，要求读者踩死被称为昆虫的共产主义间谍。

然而 1953 年后，欧洲的政治气氛开始发生变化。1955 年美苏日内瓦峰会至少使气氛得到了一定的缓和，这对波恩政府构成了新的威胁，因为波恩政府需要“红色危险”作为新一轮武装计划的理由。由美方资助的讽刺杂志《毒蜘蛛》的工作人员在波恩政府的委托下，假装以柏林策伦多夫行政区政治工作小组的身份，推出图文宣传册《步枪与

① 格哈德·鲁皮克先生于 1995 年 9 月 20 日讲述。

士兵》，严厉斥责东德人民警察的秘密武装，揭开东德作为警察国家的真面目，以间接的方式声称西德必须建立武装。和平与自由人民联盟，还有西德为国防宣传成立的组织民主团体共同工作组分发了这些宣传册。[①] 还有一本反东德刊物叫做《被揭穿的共产主义》，封面画是微笑着的斯大林继承人格奥尔基·马林科夫（Georgi Malenkow）戴的浅色面具掉了下来，后面是苏共中央第一书记赫鲁晓夫粗暴的红色面孔。在和共产主义、苏联、东德以及德国共产党的总清算背后隐藏的是一种为即将出台的德国共产党禁令进行的间接辩护，禁令于1956年8月17日颁布。1957年该刊物第二版题为《他们自己揭下了面具!》，标题透露出了1956年秋匈牙利起义被苏联武装镇压。

陶伯特推出的刊物中总能看到掉下来的面具揭穿了某些人物，红星被打碎，红军战士强暴德国妇女，国安部走狗囚禁德国男子。这种“论战”方式和图文并茂的手法为全德事务部后来推出的一系列刊物所采用，比如《在死亡的区域》《假象和真实：“东德”宪法及其背后隐藏的秘密》《柏林苏占区所谓的世界青年戏剧》《红光下的国家人民军》《德国经济的苏联之手》《苏占区农业苏联化》《去往苏联集体农庄的路上》《斯大林手下的德国儿童》，还有《学习，学习，学习——向莫斯科学习，为莫斯科学习》，甚至还有一本刊物这样为德国的森林冠名：《苏联化森林：乱砍滥伐

---

① Jahn, Hans - Edgar: *Für und gegen den Wehrbeitrag. Argumente und Dokumente.* Köln 1957, S. 180 - 181.

与无能为力》。

1951 年西德新闻局的一份报告《六年过后：从混乱无章到定国安邦》在谈到东柏林时这样写道：“从前是城堡后来是废墟的不毛之地必然成为了空虚的象征，这种空虚从波茨坦广场和勃兰登堡门开始，径直通向了《远方的东德》。”[①] 这里又引用了戈培尔“亚洲荒原”的比喻。斯大林通过驱逐东德人“将布尔什维主义的进攻线又远远向前推到了旧欧洲的心脏，因此下一次进攻基本胜券在握”。

事实上直到 1952 年苏联都重视不将东德的发展视为不可逆转的社会主义建设，并且至少理论上为统一留出一条后路的问题。被“苏联化”的东德持有的理念与波恩政府要求立刻举行的以“在和平与自由中统一”为目标的全德自由大选并不一致。为波恩政府服务的杂志《毒蜘蛛》在西柏林大量印制多达 30 万册，然后被送往东德。杂志的图像设计师格哈德·鲁皮克承认说：“文章全是发自内心的鼓吹和煽动。主编海因茨·文策尔（Heinz Wenzel）（笔名 Heinrich Bär）总是拒绝使用更明智的表达手法。”

曾任全德事务部国务秘书的特迪克 1983 年评价反共产主义刊物时说道：“现在我也不喜欢这些东西，但当时的时代不一样，到处充斥着冷战，和另一边肆无忌惮的作为相比，我们显得更加小心谨慎了。”[②] 后来这类战斗型刊物也

① Hervorh. D. Verfassers. Presse – u. Informationsamt der Bundesregierung mit einem Geleitwort von Bundeskanzler Dr. Adenauer（Hg.）: *Sechs Jahre danach. Vom Chaos zum Staat.* Wiesbaden 1951, S. 129.

② 1983 年 7 月 19 日与国务秘书弗朗茨·特迪克的访谈。

有了一个术语名称叫做“防卫宣传册”。

一位“罗特道恩（Rotdorn）女士”[1] 用邮政专用地址从法兰克福寄出了一份黑名单，这份标注了所谓西德斯大林主义者和间谍的名单是无法控告的。但如果有人因陶伯特编辑的刊物中被提及姓名而感到被侮辱，可以控告全德事务部。同时担任社民党国会议员和全德委员会主席的赫伯特·魏纳（Herbert Wehner）认为这种鼓吹宣传百害而无一利，并且在国会中表达了意见，主张通过社民党和工会组织的工人运动来与共产党人士展开实际较量。[2] 魏纳在最初的几年也推动了社民党东德办公室的工作。

社民党东德办公室由向东德遭迫害的社会民主党人提供帮助的慈善机构、在东德设立的情报机构以及西德的反东德宣传机构组成。[3] 工作包括编辑出版《SoPaDe 意见书》，收集了社民党流亡组织对东德的意见评价。为在东西德边境工作的西德人提供社会福利保障，拥有一批通常能立刻从西柏林去往东德的信使团队，然后各种调查结果经社民党驻东德新闻处发布。此外该办公室自 1946 年起还在东德大量分发传单和宣传手册，有针对社会主义学者的理论杂志《统一》，有针对工人的报纸《社会民主党人》，还有和德国工会联合会东德办公室合办的《讲坛》，与长期由君特·沙博

① Schaefer, Hermann（笔名 Hans - Georg Hermann）: *Verraten und verkauft.* 2. Aufl., Fulda 1959, S. 107。

② Verhandlungen des Deutschen Bundestages, Sten. Berichte I, S. 4976 - 4979.

③ Buschfort, Wolfgang: *Parteien im Kalten Krieg. Die Ostbüros von SPD, CDU und FDP.* Berlin 2000, S. 29 - 51.

夫斯基（Günter Schabowski）负责编辑出版的东德自由工会联合会的同名刊物对立。这些小型刊物始终宣传东德没有真正的社会主义建设，有的是对工人的压迫。最引起轰动的事件是反对东德国营企业集体合同的斗争。这种特殊的合同里写入了一些由技术性论据支撑的规定，实际上将计时工资过渡到了计件工资。对此社民党东德办公室的工作人员、德国工会联合会的官员以及美占区广播电台的记者们紧密合作，给出一些切实的建议，在不因被怀疑为西德间谍而遭到谴责的前提下，如何在企业大会上抗议签订这种工作合同。① 办公室除了散发大量传单，也宣传推广一些书籍，比如科隆的基朋霍伊尔 & 维奇出版社的《红色白皮书》。社民党既不希望东德办公室受制于美国情报局也不希望受制于全德事务部，因此渐渐成立了一些中间性机构，如位于科隆的德国统一出版中心（以下简称出版中心），其在柏林的分支机构为 KgU。

出版中心在柏林宣传推广了马蒂亚斯·瓦尔登（Matthias Walden）的《两种德国：为布尔什维化服务的语言》以及揭露东德出版界（内幕）的《为布尔什维化服务的出版界》，其封面标题为《和平斗争中的德国民主出版界》。在科隆编辑出版的杂志《出版中心档案》是后来《苏占区档案》或者也称《德国档案》的前身。《红色白皮书》的一些作者来自 KgU 的工作团队。② 1950 年时，曾以"自由德国

① 1979 年 11 月 20 日与雷纳·希尔德布兰特博士的访谈。

② Rohrwasser, Michael: *Der Stalinismus und die Renegaten.* Stuttgart 1991, S. 11 – 12. Roth, Karl Heinz: *Invasionsziel: DDR. Vom Kalten Krieg zur Neuen Ostpolitik.* Hamburg 1971, S. 85 – 114.

青年团攻占柏林”为口号为青年聚会做宣传的东德自由德国青年团是西柏林民众的对立势力，但又不敌西柏林民众。一位来自 KgU 的杂志作者格尔德·弗里德里希·格明德尔（Gerd Friedrich Gminder）是一名建筑师，用笔名格尔德·弗里德里希写了一本书《自由德国青年团：德国共产主义突击队》，该书的宣传标语就已经显示出这个青年组织“对于西德”的危害性所在。除了基朋霍伊尔 & 维奇出版社原版的亚麻布面装订本还有纸板装订版，为全德事务部出的特版，纳入《红色白皮书》系列的一版以及给自由德国青年团的特版。用于在东德推广的版本采用“灰色办法”伪装：副标题和宣传标语被略去或者换成一个中立性的标题。给自由德国青年团的是小型版本，封面是其代表色蓝色。格尔德-弗里德里希还写了一本反对东德文化联盟的战斗性刊物，还有同 KgU 的创建者海因里希·冯楚伦（Heinrich von zur Mühlen）合著的《潘科的苏维埃共和国与西德》，当时民众都认为东德文化联盟对于在西德开展工作具有十分重要的意义。还有由质量参差不齐的纪实作品和曾经的共产主义家回忆录组成的系列丛书，其中有一本反共产主义声明《什么都不是的上帝》。最成功的一本书是沃尔夫冈·莱昂哈德（Wolfgang Leonhardt）的自传《革命舍弃了自己的孩子》。全德事务部的有关人员首先认为，这本书内容包括讲述共产国际学校的校园时光、逃离苏占区以及对统一社会党专制政策的怀疑，没有什么新的引起轰动的内容，并且作者更多地在以列宁主义者的身份讲述，因此只有全德事务部才有可能批量购买这本书。但国务秘书决定，应由社民党东德办公室出一本特版然后加以推广。社民党东德办公室出版了该书的删节版，封面根据“灰色办法”被改了很多次：其中一个版本的封面标题为《瓦尔特·乌布里希：关于社会主义建设》，还有的叫《斯大林——生活简述》、《N. S. 赫鲁晓夫：第二十次党代会上的工作报告》和《卡尔·马克思：路易·波拿巴的雾月十八日》。

鉴于哈里希（Harich）和扬卡（Janka）在东德法庭上的争端，社民党东德办公室编辑出版了“哈里希平台”，后来又出版了本没有的一场辩护词，写得激昂热烈。轰动效应最大的出版物是赫鲁晓夫于1956年2月25日在苏共第20次党代会上的秘密讲话。讲话内容被一位波兰共产党官员透露给了美国情报局，6月由美国国务院出版，首先刊登在了《纽约时报》。统一社会党党员们虽然也在各种封闭会议上了解了这个讲话内容，但没有产生很大反响，大家希望能够从社民党东德办公室或者西柏林各家日报上看到讲话原文。①

由于传播反共产主义、反苏联或者反东德的文字违反东德刑法，社民党东德办公室想出了各种伪装办法。一字不差的“白色办法”给传播者和读者都带来了风险，经常使用的“灰色办法”是遮掩文字出处，这样读者就可以辩解称第一眼没有看出是危害国家的文字。很少使用的“黑色办法”给人造成一种感觉，文字是出自自家的阵营。比如

① Peter, Karl Heinrich (Hg.): *Reden, die die Welt bewegten.* Stuttgart 1959, S. 502 – 542.

1953年5月西柏林行动小组B就分发了所谓的1952年才进入苏共中央主席团的赫鲁晓夫在莫斯科的演讲内容，关于通向社会主义的特殊德国式道路，实际上是题目经略微修改过的德国共产党党员干部安东·阿克曼（Anton Ackermann）1946年初发表的著名文章《有通向社会主义的特殊德国式道路吗?》，阿克曼1948年又不得不撤回文章中的观点。但“黑色办法”更多地起到迷惑的作用，而非政治宣传教育，因此很少使用。1978年时，东德当局认为所谓的《东德反对派明镜宣言》为西德情报机构的黑色宣传刊物而试图销毁。

如果想以最简便的方式向东德传播大量文字制品，除了在占领区交界处实地发放还可以通过邮寄的方式，各种传单小册子必须缩小成明信片的规格，不能重于20克，并且要使用伪造的东德邮票和东德寄件人，贴好邮票后投到东柏林的邮筒或者从西德寄出。

需要到西柏林取的信件必须足够小到可以装进衣服口袋，以免过边境检查时一眼就引起注意。由于大批人员在东德遭到逮捕并判刑，社民党自1952年起越来越多地采用热气球发送传单小册子，并且使用的是配备了闹钟的气象气球，将大针换成一把小刀，气球到达目的地后可以切断一根线，各种传单便如雨下落。①

“联邦国防军心理战斗队”（PSK）从1962年起开始使用这种方法向东德发送图书报纸，有《东德工人报》《国家

① Bärwald, Helmut: *Das Ostbüro der SPD.* Krefeld 1991, S. 60f.

人民军》，还有缩小成袖珍日记本大小的纪实作品如卡罗拉·斯特恩（Carola Stern）的《乌布里希》、阿图尔·伦敦（Artur London）的《我承认》、亚历山大·索尔仁尼琴（Alexander Solschenizyn）的《伊凡·杰尼索维奇的一天》和叶夫格尼娅·金斯堡（Jewgenija S. Ginsburg）的《生活的行军路线》。因为也有航空公司以这种方式分发香烟，所以这些刊物先被封入西德香烟使用的包装再发送，这样，在外收集刊物的行为就披上了“合法化”的外衣。其中最实用的一本刊物应该是一本应用指南，教人们如何在边界开枪，又不击中难民。PSK 发放的刊物版权页上写的是假地址，读者们按照这个地址寄风景明信片过去，标注的寄件人信息也是假的，这样便可以了解刊物的发放接收情况。来自东德的各种反馈信息很好地证明了这些刊物确实得以传播推广，国会国防委员会甚至批准 PSK 拥有一家自己的四色版印刷所。[①]

虽然陶伯特已于 1955 年下台，之后 1959 ~ 1970 年都在国外，已经与此无任何瓜葛，却依然被指为 PSK 的精神顾问而受到来自东德方面的攻击。

“波恩新闻办公室”是国民教育与宣传部的一个下属机构，长年担任办公室主任的塞巴斯蒂安·廖什（Sebastian Losch）不希望国民教育与宣传部的所有刊物都笼罩在东德对陶伯特 50 年代宣传刊物的批判之下，他说道：“我也来自这个宣传部委，我不想看见这类文字，我们想进行客观的

① Karl Heukelum 高级军官于 1990 年 1 月 10 日讲述。

宣传教育，而非‘鼓吹煽动’。”[①] 因此1951年后，部委里的一部分出版任务由波恩新闻办公室接管，或者出版物贴上“德国联邦出版社”的标签。该出版社最有名的一本刊物为工具书《苏占区A－Z》，从1951年至1969年间共出版了9次，后来《东德手册》在这本书的基础上编写而成。《来自中德和东德的波恩新闻》收集了一些专家对东德局势的分析，内容并非完全中立。廖什作为《波恩新闻》系列的策划，将从萨勒河畔的哈雷转到了美茵河畔法兰克福的著名图章刻印师赫伯特·波斯特（Herbert Post）教授请来一同合作。

热气球的方式并不能保证刊物准确落入目的地，从而导致大量刊物流失，因此“波恩新闻办公室”改发折叠卡片和定购卡片，并附上简短的说明。由一名来自汉诺威名为哈拉尔德·克里克（Harald Krieg）（笔名Hans Schütze）的教育参议撰写的合集《来自苏联和苏占区的语录》，还有廖什写的一本应用指南《与共产主义者的对话?》为50年代经常出现的与自由德国青年团代表团的各种讨论起到了推动作用。

到了50年代下旬，为了对东德工人阶级起到宣传教育作用，“波恩新闻办公室”进行了全新的尝试，以流行小说的形式出版了所谓的来自东德的权威消息：《“我”系列》下面包含《我乘上“ROS127”》《我——全职母亲》《我在皮克面前持枪致敬》以及《我为和平开枪》。这一系列刊物经大量印刷，每天下班之际被放置在联邦铁路公司。

---

① 1989年5月18日与塞巴斯蒂安·廖什先生的访谈。

国民教育与宣传部也编辑出版了一些白皮书和文献资料，比如关于东德大选（《苏占区 10 月 15 日大选舞弊事件》）、波恩政府努力推动全德大选、财产没收、边境封锁措施、农业集体化或者不法行径实录等。本来计划出版一套东德政治压迫实录，而 1962 年只出版了由记者卡尔·威廉·弗里克（Karl Wilhelm Fricke）撰写的《国家安全部——德国苏占区的政治迫害工具》。此外，德国统一科研顾问组出版了大量经济学研究刊物。

除了推出自己的刊物，国民教育与宣传部还按照自身要求大批购买一些个体出版社的刊物，首先有基朋霍伊尔 & 维奇（Kiepenheuer & Witsch）出版社，后来还有贝伦德·冯·诺特贝克（Berend von Nottbeck）出版社，然后贴上“联邦全德事务部敬献”的标签。

联邦总理府的国务秘书奥拓·伦茨（Otto Lenz）1953 年时计划将各部委的新闻处合并，组建一个新的“宣传部”，遭到了特迪克的反对。特迪克在一本仅以胶版印刷发行的备忘录《全德事务部的出版工作》中强调指出，全德事务部的出版物具有很重要的意义。1983 年，特迪克回顾他的工作时表示反对全德事务部在宣传手册要务上的做法，说道：“什么，我们努力做的各种事情有 80% 或 90% 都和出版物没有任何关系。”

1958 年底，苏联单方面向英美法三国发出照会，要求三国 6 个月内撤出西柏林的驻军，于是引发了新一轮柏林危机。之前经常被预言的东德倒台显然已不符合大势所趋，两德统一构想失败，保证西柏林自由已经是当局的至高目标。

首先西柏林大约50个负责搜集东德消息并在东德传播攻击性刊物的机构无法继续工作，全德事务部基本不再出版攻击性刊物。社民党东德办公室1966年被迫终止各种与东德有关的活动，并于1971年解散。1961年柏林墙的建立令人们越来越认识到，欧洲中部不会再发生有决定性影响的战争，而柏林墙的建立更加巩固了分裂的现状。因此波恩政府不得不定下更细小的目标，比如改善去往西柏林的交通渠道，扩大同东德的贸易往来，从东德赎回罪犯，等等。全德事务部新任部长雷纳·巴泽尔（Rainer Barzel）1962年起将这些目标视作自己的工作任务。1966～1969年基民盟/基社盟与社民党联合执政时期，任全德事务部部长的赫伯特·魏纳努力重新调整政策，同东德的政治抗衡应尽可能做到从实际出发，保持客观，为此两德之间需要寻求具有可行性的合作领域。此外还要重新调整东德研究的策略和方向，今后应该将东德固有的社会制度下变革的可能性作为东德研究的出发点。1967年秋一次德国研究大会上，与会人员对这一新研究方向展开讨论并广泛表示接受。

差不多从1963年起东德文学得到了新的评价，东德文学家早先还被视作“共产党人中的特洛伊木马”，现在被视为东德新形势的真正代表。[①] 马塞尔·莱希－拉尼茨基（Marcel Reich－Ranicki）为他在《时代周报》上发表过的评论合集取名为《小步文学》。在西德特许出版的赫尔曼·康德（Hermann Kant）的小说《礼堂》几乎全被全德事务

---

① Richter，Karl：*Die trojanische Herde.* Köln 1959.

部买下，因为莱希－拉尼茨基对这本书的正面评价可以说为全新的、有启发性并且值得一读的东德文学带来了品质保证。[①]

如果评价一下 1967～1989 年所谓的在固有社会制度下东德研究以及东西两德对比研究的结果，那么可以提出这样一个问题，是否今天的后续研究趋向于早年的原教旨主义，是否政策上的变化以及政策的推动作用也深深影响着研究上的变化。

① 1998 年 8 月 17 日与赫尔曼·康德先生的访谈。

“低俗之作”令人身不由己
——我的奥威尔

巴德尔·哈泽（Baldur Haase）

在德国历史学家斯蒂芬·沃勒（Stefan Wolle）的著作《专制独裁的完好世界》（*Die heile Welt der Diktatur*）中，一篇题为“东德图书审查与‘残酷的焚书’”的文章里这样写道：“统一社会党领导人尤其将印刷物视为危险品。对‘黑色艺术’走火入魔般的崇拜明显具有返祖性特征。”[①]

“残酷的焚书”真的在东德历史上存在过吗？是的，存

① Wolle, Stefan: *Die heile Welt der Diktatur. Alltag und Herrschaft in der DDR 1971 - 1989*. Berlin 1998, S. 141.

在过。

位于萨勒河畔的哈雷检察院 1960 年 6 月 10 日出具了一份图书销毁报告书，37 本在西德出版然后被非法带入东德的出版物，也就是所谓的煽动性刊物，成了牺牲品，其中包括阿尔伯特·爱因斯坦的《我的世界观》(*Mein Weltbild*)和斯蒂芬·茨威格的《奇妙之夜》(*Phantastische Nacht*)。

哈雷大学哲学院学生海因里希·布罗贝纳（Heinrich Blobner）到西德看望他的哥哥回来后，将这些“煽动性刊物”带到了东德。东柏林德国当代史学院的讲师福尔希曼（Forchmann）先生受哈雷区级检察院的委托，为此写了一份鉴定：“基本上可以肯定，这些西德出版物的作者很可能是名家，绝对应当引起重视，原则上这些出版物不能为东德公民个人收藏。”[①]海因里希·布罗贝纳由于出卖国家 1958 年 9 月 15 日被哈雷区级法院判处 7 年监禁，其中携带禁书也是一项控告理由，量刑时被考虑在内。我要谢谢布罗贝纳先生允许我公开讲述并写下他的经历。我认为他的事情值得一提，因为我们在同样的时间里有着类似的经历。

我 1939 年生于现捷克境内的波西米亚巨人山脉一带，后来全家被驱逐出境，我在德国图林根州的萨尔费尔德市镇长大。我父母在他们有限的业余时间里都喜欢读书，很早就激发了我对书籍的热爱，所以 1955 年时我决定为日后从业学习胶版印刷技术。除了读书我也喜欢写作，1957 年夏天我给博登湖的康斯坦茨一家出版社写信，想尝试投递我的文

① BStU, BV Leipzig, AU 36/58 Sa, o. Dt.

学作品，我太大意了，想的不够周到，忘了用个西德的假地址，而在信封上写下了我平时的通信地址。“因为有打算移居到西德，所以我住在东德不会有影响。”我没收到答复，因为我的信从来就没送到过。1993 年我在我的国安部档案里发现了这封信，原封不动。[①] 很显然，信被没收了，也因为这封信从那时起我更加引起了国安部的注意。

1958 年春，我在图林根州的埃尔福特结识了一位西德青年，是我的笔友。他叫雷纳（Rainer），住在鲁尔区的杜伊斯堡。我们不仅通信，后来还互相交换一些图书和宣传册。1958 年 6 月初，邮递员给我送来一个从西德寄来的包裹，我很好奇地打开一看是雷纳寄来的。里面用牛皮纸包着一本书：乔治·奥威尔的《1984：一本反乌托邦小说》，1957 年出版。封面上是一块灰色地带，荒无人烟，看了让人心生厌恶，还有一张皱皱巴巴的纸条上面写着“I love you”，可能是一本有关爱情故事的书。我来自乡村，青春期来得迟了些，还没有完全从第一次痛苦的恋爱失败经历中走出来，所以我相信会在书中找到患难之交，后来甚至还真得到了印证。

我从未听说过乔治·奥威尔，也没读过他的作品。这本书的后记是一位叫做阿瑟·库斯勒（Arthur Koestler）的人写的，这个人我也没听说过，从短短的后记中除了一些简单介绍奥威尔生平的信息，我只了解到他生于 1903 年逝于

① 参阅 zur Rolle der Briefe des Verfassers：Haase，Baldur：*Briefe*，*die ins Zuchthaus führten. Orwells 1984 und die Stasi. DDR – Erinnerungen 1948 – 1961*. Berlin 2003。

1950 年。30 年以后统一社会党专政走向灭亡，我才有机会更进一步研究这位作者的传记和文学著作，然后我知道，他最著名的两部作品寓言式讽刺小说《动物庄园》和小说《1984》从 50 年代初开始就尤其在东德大学生和学术圈里成了秘籍，大家都在偷偷地互相传阅。[①] 因为我和这个圈子里的人没有接触，所以对于我来说乔治・奥威尔的面纱依然无法揭开。怎么才能了解到他的信息，去哪儿了解呢？官方渠道是根本行不通的！到了 1958 年我还是一无所获。我的 1951 年版单卷本东德词典里没有“奥威尔”这个词，后来查了 1961～1964 年在莱比锡出版的八卷本《新迈耶百科词典》也没有。同样是在莱比锡出版的 1965 年的《世界文学词典》才终于收录了有关奥威尔的信息，他本名叫埃里克・阿瑟・布莱尔（Eric Arthur Blair），奥威尔本是英格兰的一条河流，布莱尔就选用了这个名字作为笔名。1937 年奥威尔参加了西班牙内战，属于托洛茨基派系，并且极力反对社会主义反对苏联，在这部虚构的反乌托邦讽刺小说中以辛辣的笔触体现了反苏的思想。1978 年出版的十八卷本《新迈耶百科词典》将这段话一字不差地收录进来。终于莱比锡菲利普・雷克拉姆（Philipp Reclam）出版社 1986 年出版了由乔治・赛哈泽（George Seehase）编纂的《英国文学概述》一书，其中写到奥威尔看到个人自由无法保障，因此欲塑造一种对当代文明的小资产阶级式、无政府式的仇恨。“他的小

① Zur Wirkung der Bücher Orwells in der DDR 参阅 Haase，Baldur：*George Orwells Bücher und wie sie Leser in der DDR ins Zuchthaus führten*。由图林根州前东德国家安全部档案处编辑。Erfurt 2005.

说《1984》以乌托邦的形式描绘出一个极权主义社会下人民的衰败灭亡，至少可以作为一部反共宣传题材的作品对帝国主义国家产生巨大影响。”①

图 1　乔治·奥威尔的《1984》，1957 年版，巴德尔·哈泽遭逮捕时被没收

① Wicht, Wolfgang: *Ideologie und ästhetische Differenzierung der Literatur 1917 – 1939*. In: Seehase, Georg (Hg.): *Englische Literatur im Überblick.* Leipzig 1986, S. 351 – 407.

在读这本书时，主人公温斯顿·史密斯和裘利亚以悲剧收场的爱情也触动了我。奥威尔传记的作家美国人迈克尔·谢尔顿（Michael Shelden）也认为，人们往往忽略了《1984》也是一部爱情小说。在这个极权主义的监察国家大洋国，所有私人范畴，就连隐私、友情、爱情和性都始终受到老大哥思想警察的监视、管辖和禁止。1958 年春，我与初恋女孩伊利斯（Iris）的感情刚刚结束几个月，虽然没有像奥威尔的小说里讲述得那么悲剧，但对我来说也好似整个世界都天崩地裂了。读完这本书后，我把过错推给了东德，就像我在中学里必学的一课一样，东德也是一个专制国家。我在图林根州一所很大的印刷工艺学校里认识了伊利斯，我们对彼此有好感，而且我们的行为举止庄重大方，用今天的社会伦理道德来衡量，就是两性关系过分拘谨，即便这样我们还是受到老师和培训师的敌视和阻止，伊利斯被送到莱比锡另一所类似的工艺学校。这样，仅仅是将我们隔开了几百公里的距离，也预示着我们的关系走向结束。没过多久，伊利斯认识了别的男人。

温斯顿·史密斯成了我的文学朋友，就像之前卡尔·麦笔下的温内图一样。我进入了他的角色，并且竭力效仿他。奥威尔的书不仅激发了我个人的青春期激情，我还从中找到一大幸事，大洋国的社会现象可以同我身边发生的事情类比：像大规模行军、视当权者为偶像般的个人崇拜、对内外敌人的仇恨、为了不被视作异类而必须加入的党组织和国家青年团、存在于所有街角并留着山羊胡的老大哥形象，还有用手掩着嘴开政治玩笑。当时还有国家安全部，对我来说和大洋国思想警察的意义相同。我把这些感受和想法在信中告诉给了雷纳。

奥威尔《1984》中的一句话很恐怖地在我身上得到证实："家庭生活实际上成了思想警察的延续，成为一种手段，每个人时时刻刻都被亲密的家人暗中监视和告密。"[①]我从我的国安部档案中获知，我的姐夫1958年6月向他在国安部的上级军官报告，认为我"和一位西德青年保持着不透明联系"。我姐夫是国安部的通报合作者，使用假名"Otto Ölmann"。然而对于国安部来说，我交笔友并不是什么新的信息。国安部在图林根州格拉的分管办事处早在1958年5月10日，也就是在我和雷纳开始通信后，很快便指派了一名邮政检查通报合作者（国安部M部门）监察我的通信往来，没过多久就展开了名为"煽动者"的调查，档案号9/59。雷纳给我寄的书《1984》也没能逃过检查，国安部的人在书送达给我之前就把书扣下了。就像我的奥威尔写的那样："通常所有信件在投递之前都要被打开，这是公开的秘密。"国安部让人把书继续投递给我是设了一个圈套，由于我年轻粗心大意，一下就中了圈套。他们可能认为我要成立非法反抗团体，然而事实并非如此，我从来没有想要消灭东德这个国家，而只是想批判某些典型的专制现象。1958年，我的案例被国安部和司法机构如获珍宝地拿来证明，尤其年轻人是如何受"西德低俗之作"的影响而偏离

① 此处以及以下引用的《1984》中的内容，除最后一条外，全部摘自Diana出版社（康斯坦茨，斯图加特，苏黎世）1957年第6版。

了社会主义推崇和规定的道路。1959 年 1 月 13 日，我在莱比锡被逮捕，这是我完全没有想到的，所以之前把我政治犯罪最重要的证据之一放在了床头柜上：我的奥威尔，《1984》。这样他们也就轻而易举地逮捕了我。我当初应该把奥威尔的这句话铭记在心并用来警告自己："他们称之为思想犯罪。思想犯罪早晚会被揭发。"

国安部在逮捕我之前就请人写好了对奥威尔这本书的鉴定，又是之前提到的那位讲师福尔希曼，他在 1958 年 7 月 29 日的鉴定书中写道："这本书不仅对国家有危害性，而且在读者手里是一本与国家敌对的，尤其是反对苏联等一切社会主义国家的煽动性刊物，要采取一切手段禁止带入东德销售。"[①] "采取一切手段"——也就是说，即将等待我的监狱也是手段之一。虽然我只把我的奥威尔借给了两个熟人，但因传播具有国家危害性的煽动性刊物也构成了犯罪。此外还有我写给雷纳的信，我在信里——根据控告内容——从事了反东德、反党和反社会主义的煽动活动。1959 年 3 月 18 日至 20 日在格拉区级法院第一刑审团的审讯中，检察官和法官歇斯底里般地冲我呵斥，当我已经害怕得发抖放声大哭时他们依然呵斥不止，他们的样子就好像要冲我吼出奥威尔的话："我们要把您榨空，然后灌注我们的思想。"

我被判处三年零三个月监禁，就连在监狱里，在东德亟待改革的刑罚执行现状下，我了解到奥威尔同样也写过这段话："权力在于使人遭受痛苦和侮辱。权力意味着将

---

① BStU, BV Leipzig., AU 36/58 Sa, o. Dt.

一个人的思想撕成碎块，然后任凭个人意愿组成新的形式。”虐待者奥勃良一次对他的俘虏温斯顿·史密斯说道：“我们不仅将我们的敌人毁灭掉，而且还从中造出另一个人。”统一社会党领导的东德也将我造成了另一个人。然而对我的改造没有像我的朋友温斯顿一样深远，他到最后几乎已经不再属于人类，而且从此爱上了他之前想要消灭的老大哥。

图2　1990年1月，巴德尔·哈泽，身后是他31年以前关押在的国安部格拉分管办事处拘留所

奥威尔以他的小说对我的生活产生了深远的影响。直到1989年秋天，我都过着一名百依百顺的东德公民过的生活，永远地失去了站起反抗的欲望，坚定地认为什么都改变不了。奥威尔还曾劝告我："随波逐流是我的口号。这是保持不受伤害的唯一途径。"这句话对我的影响直到今天依然存在；我始终都在谈及并且写下我的各种经历。30多年以来，我在无孔不入的国家权力工具下被迫对过往经历保持沉默，柏林墙倒塌后，1989年秋天，我突然觉得解放了。从我喜欢收看的西德电视报道中获知，西德下萨克森州萨尔茨吉特州法院的中心接待处多年来都在整理记录并提供资料证明统一社会党的非法不公行径，1989年年底到来之前，当时国安部还未完全丧失权力，我给他们写了一封信。

今天我的奥威尔又"活生生"地回到了我身边，在我的书架中占据着首要位置，多年来我到各处发表演讲一直陪伴着我。和之前提到的37本西德煽动性刊物不一样，这本书，由于某些原因从来没有进过碎纸机。1991年5月格拉法院对我恢复名誉之时，我提出请求，当然是通过别的法官，把还在我的审判档案中放着的奥威尔作为合法财产收了回来，再次见到它是多么令人喜悦啊！

今天我的奥威尔呢？他成了我的伴侣、朋友和老师，从未过时。我们只需要时刻知道对方在那儿，无论走到哪里。福尔希曼同志、检察官同志还有法官同志很久以前就已领受了他们的社会主义终傅。而我的奥威尔还活着，他是不会离开的。谢天谢地！到现在德语版《1984》已经出版了30多次。

小说《1984》中有一处我必须要说：我没有笑，奥威尔先生！您的温斯顿·史密斯被思想警察像一只甲壳虫一样置于放大镜下审视长达七年之久？尽管我在东德不是什么大人物，也不是出于安全原因需要监视的机要人员，而我们的老大哥，他最终的名字叫埃里希·昂纳克（Erich Honeck-er），他的思想警察将我像甲壳虫一样置于放大镜下跟踪监视甚至长达32年之久。我最后一封被国安部拆开复印的信，是写给西德一个新笔友的，上面盖着邮戳："Rudolstadt 1989.07.07。"我在我的国安部档案中甚至还发现了一封信的复印件，是我1988年夏天从波兰写给我住在慕尼黑附近的堂姐，寄信人地址写的是我的东德地址，国安部的人先于我的堂姐就把信拆开看了，真让人完全没有想到。奥威尔先生您有什么想法？"在大洋国没有谁是精明能干的——除了思想警察。"

但是也有令人高兴的事情，过了许多年，两德还没统一，我又联系上了雷纳，他是奥斯纳布吕克大学的老师，我们互相走访，从笔友发展出了真正的男人之间和家庭之间的友谊。

结尾再引用一句奥威尔的话，一句过去会、现在会、希望将来也会令任何专制掌权者气愤不已的话："如果自由尚有含义，那就意味着有权利说给别人听他们不想听的东西。"①

---

① Orwell, George: *The Freedom of the Press.* Posthum veröffentlicht im Times Literary Supplement. London, 15.9.1972. Zit. nach: Shelden, Michael: *George Orwell. Eine Biographie.* Zürich 1993, S. 650.

“建议死刑”

——非法书刊与美占区广播电台（一段历史的碎片）

汉斯-格奥尔格·索尔达特（Hans-Georg Soldat）

本篇文章的主题原本叫做“西德报刊和广播的地位与作用”，这是一个在给定的条件下当然不可能完成的题目。对此需要进行大量的学术研究，需要可靠的实地调研，还需要有过亲身经历而有发言权的专业人士。我与此相反，除了其他众多事务外，我还要研究有哪些素材首先能够让西德媒介发挥地位和作用，而且始终发挥着重要的地位和作用，当然我的情况只涉及一种媒介。更具体地说，我做美占区广播电台（RIAS）的文学编辑27年，也是除了其他各种事务外，还负责搜集整理有关东德的书刊作为广播节目素材，争取更多的节目播送时间，而且尽量是深夜以外的时间，找到最了解某个题材的作家，有时也自己写些这样那样的文章。所有这些在东德初期发挥着什么样的作用？我们始终期待最好的结果，虽然知道“信息”是极其重要的，是生活必需的，然而广播节目具体产生了哪些影响，有时我们过了很多年才知道，而通常永远不得而知。

RIAS 的文学广播节目就是我们要讨论的主题。那么这对于喜欢谈论图书的人来说，不管是东德的热门还是冷门图书，意味着什么呢？他们评价图书的标准是什么？又是如何做出的评价？有时《新德国》上的某条评论令读者们惊讶不已，而这些评论只有听过 RIAS 的文学广播或者通过其他西德渠道读过相关内容才能看懂，《新德国》的记者们当然了解情况，无疑也默认东德读者同样已经从西德媒介了解到了相关背景信息。这种矛盾现象几十年以来已经变得理所当然，以至于人们完全感觉不到它的存在。这就决定了我们如何规划 RIAS 文学广播节目方案，我们尽可能拿掉四处受欢迎的短评节目，而坚持推出时长为半小时的节目，不仅包含书评，还有摘录的图书原文，一般比例为三分之一（评价）对三分之二（原文），这样听众就能对所讲的图书至少有一个大致的了解。

下面我们来更加系统地对 RIAS 的文学广播进行讨论。西德媒介，在此我首先明确限定为广播，尤其是 RIAS，必须从多种不同的角度看待。首先，它们成功的原因是什么？这个问题相对比较容易回答：自由开放的政治新闻、年轻人喜欢的音乐（RIAS 的《约会地》和后来 RIAS 2 台的节目可能是东德收听率最高的广播节目）、各种大事件背景报道、偶尔还有引人入胜的文学节目。

但是接着问题就来了，当我回想起过去五十年的经历，一下就会想到这个问题：历史。回顾过去的五六十年，这是一段非常不稳固的时期。而据我了解，从 1945 年到东德时代几近终结，这段时期广播不断变化的地位和作用还没有人研究过，我们特别关注的正是这个时间段。

第二是从纯文学的角度来看。不考虑极个别情况，西德媒介在东德就是阶级敌人的话筒。正是在东德初期，这就导致了大家在讨论东德内部文化政策时，开始用怀疑的眼光审视西德媒体称赞的作家。这就给 RIAS 的工作带来了难度。RIAS 简直就是阶级敌人的化身，此外还是间谍中心，一个思想破坏行动的深渊。一旦西德媒体积极地评价某位东德作家，那么东德就会苛刻地看待对这位作家。因此评价文学作品变得难上加难，然而后来纯文学这个角度越来越退居次要地位。但不变的问题是，RIAS 可以有多少自由空间来褒赞一本东德图书？

也许我应该在此强调一点，RIAS 有一个区别于其他德国广播电视机构的本质特点，这个特点并非它是一家合法的美国广播电台，而是除了很多年之后才出现的德国广播电台外，RIAS 是唯一一个明确为东柏林和东德听众打造节目的电台，对于我们来说当然也包括西柏林的听众。所以 RIAS 的节目在西德也遭到屏蔽，西德各州基本上很难接收。RIAS 也不属于德国广播电视机构，只是与之有一定联系。

其他常见的都是州广播电台，它们制作的东德节目主要为本地听众提供信息，当然也尽量保障东德其他地区能够正常接收。

需要在此强调的第三个方面是快速性。广播是这么多年来传达速度最快的大众媒介，即使如今网络的速度也只超出甚微。西德有针对性地利用广播提供信息的快速性来显示出相对于印刷媒体及其他电视台的优势地位，而东德却将广播纳入了执政党的基本信息政策。众所周知，等待官方对轰动世界的大事件表态得需要很久的时间，像斯大林去世、赫鲁晓夫在苏共第 20 次党代会上发表的反斯大林秘密讲话、1956 年的匈牙利起义、苏联入侵捷克斯洛伐克等，这只是少数几个例子。就连在国安部的眼里，RIAS 也是一股威胁势力。我在国家安全档案委员会找出了所谓的国家安全部波茨坦法学高校罗兰德·米泽乐（Roland Miseler）中尉 1988 年 6 月 7 日的“专业毕业论文”，题目为“以政治思想破坏活动为宗旨的敌对电子广播媒介的地位与作用及其从事颠覆性活动的手段及方法，以 RIAS 为例”①，文中对此阐释得非常清楚：

> RIAS 始终以政治思想破坏活动为宗旨，利用其地理位置及无线电广播相对于报刊和电视的优势，及时抓住每天发生的政治事件进行报道并加以评论。

---

① Miseler, Roland: *Die Rolle der gegnerischen elektronischen Funkmedien im System der politisch - ideologischen Diversion, ihre Mittel und Methoden der subversiven Tätigkeit, erläutert am Beispiel des Senders RIAS* (*Rundfunk der amerikanischen Sektor*). BStU (ZA), ZAIG MfS 8160, 7.6.1988.

> 目标是在东德其他媒体传播信息之前就对东德公众舆论形成起到导向作用。和冷战时期相反，RIAS 过去几年在广播节目中竭力避免公开发表引发颠覆性行为与活动的言论，如今 RIAS 在节目中以传播信息为主，试图借助这些信息以间接方式引发、煽动民众讨论，并引向敌对性破坏性的行为活动。[①]

这段话以 RIAS 为例，代表性地谈到了所有西德广播电台的文化政策。我曾经试着探究可能是什么样的“信息”，“借助这些信息以间接方式引发甚至煽动民众讨论”，但没有任何收获。从原文来看只可能是到目前为止“不为人知”的信息，东德不存在的信息。没错，为什么不存在？很显然，如果听众们能提出这个问题，就足够让人怀疑确实有颠覆性和破坏性行动的存在，因为回看这位中尉的话，也就指的是这个意思。

在此我想讲一件事情作为小插曲，这个事情在一定程度上典型地说明了东西德对峙的残酷时期广播扮演着什么样的角色。70 年代上旬，我们对人民与世界出版社的一本书做了评论，是一本来自苏联的书，当时已经出版多年，我真不记得那本书叫什么、是谁写的了。一个东柏林的朋友经常光顾当地的书店，几个星期后告诉我说他没找到这本书。书店老板一直将他视为忠实的顾客，私下里告诉他，虽然之前这本书放在书架上无人购买成了滞销品，但是经 RIAS 节目播

① 同上，Bl. 26（MfS – Zählung S. 26）.

出后，不久前成了畅销书。我们相当无语，可也没有理由怀疑书店老板所说的真实性。我们没有大力宣传这本书，一方面，大张旗鼓做宣传不太合适，因为俗话说自我吹嘘令人作呕，另一方面我们不知道该如何理解书店老板的这番话。这件事真是令人哭笑不得。

图 1　汉斯－格奥尔格·索尔达特（右）在莱比锡书展上采访埃里希·略斯特（Erich Loest）

这让我立刻开始回想过去这些年中广播历经的种种变化。我还是在开姆尼茨附近的弗兰肯贝格经历的 1945 年后二战刚刚结束这段时间。现如今几乎没有人知道最初在苏占区收音机也是要没收的。非法持有收音机要判死刑，至少当时流传着这样的说法。这是二战刚刚结束。然而没过多久又允许使用甚至还能购买收音机，实在没有办法还可以自己手工制作一台探测器当做收音机用，不需要什么高深的知识就能做成。那种对自由开放的信息向往的热切程度——自由开放，必须特别强调，完全与纳粹宣传相反！——是无法想象的。我那台探测器里的地方电台当然也就是莱比锡电台，每到一个节目结束后就响起大家都熟知的音乐 B－A－C－H（巴赫）。

后来东德成立以后，当时还早，还没有电视，随着能接收到的广播电台越来越多，听众们也渐渐有了喜欢收听的电台，其中必然包括西德的广播电台。BBC 驻德国电台听众很多，二战时期就有很多人收听，是当时播报消息最具客观性的电台之一；还有西北德广播电台，后来才分为西德广播电台和北德广播电台；还有 RIAS，如果有更好的收音机还能收到瑞士的广播电台，特别是贝罗明斯特广播电台常常推出和二战时期有关的节目。

下面我要讲的内容在我的记忆中已变得有些模糊，当时我还小，还是个青少年，即使对于关心政治的人来讲，在全世界范围内进行的意识形态斗争还是比较遥远的。过了很多年以后，几十年以后，我试着明确自己对当时那段时期的感受：这种斗争在当时比七八十年代进行得更加粗暴激烈，我自己也成了斗争中的一分子。我认为有两个方面在此交汇，一个是纳粹宣传的基调，它的攻击性，它那无论在东德还是西德无论内容如何都几乎一成不变的挑衅性缩略符号，并非随处可见，但却非常醒目。另一个方面可以说带上了国家民族的色彩：作为一个国家，一个具有宏伟历史的民族，虽然有过历史问题，但当时那种感觉还是生动而美好。接着是德国开始分裂带来的尖锐刺耳的愤恨声，这真的是国家的不幸、不公，令人无法接受。过错当然始终不在于我们。那是一种大多数德国民众确实都体验过的感受。

在这种混乱的局面下很难做到轻声行事。从斯大林登台到这位独裁者去世，这段时期东德丝毫无法律保障可言，有人可能在夜间被逮捕，有时接着就好像这个人从来没存在过一样。后来收听西方广播电台也像纳粹时期一样要受处罚，涉及 RIAS 就更严重了。在这我要提一下所谓的“鸭子”行动，只是为了说明当时广播的情况以及广播发挥着怎样的作用。这是东西德广播之战最残酷的一页，针对的是 RIAS 的听众，尤其是和 RIAS 有联系的人因被疑为间谍而遭到指控。这场行动从 1955 年的一份文件开始，政治评论家卡尔·弗里克（Karl Fricke）和历史学家罗杰·恩格尔曼（Roger Engelmann）1998 年将这份文件发表在二人合著的《集中打击——东德 1953～1956 年的国家安全行动及政治进程》[①]：

> 德意志民主共和国政府
>
> 内政部
>
> 国家安全国务秘书处[②]
>
> 副国务秘书
>
> 柏林，1955 年 2 月 10 日
>
> 战略计划
>
> 机密文件
>
> 内容：实行“鸭子”行动［……］

---

① Fricke, Karl Wilhelm; Engelmann, Roger: *Konzentrierte Schläge. Staatssicherheitsaktionen und politische Prozesse in der DDR1953 - 1956*（以下简称：Konzentrierte Schläge）. Berlin 1998.

② 即国家安全部。——译者注

“鸭子”行动的目标不仅在于破坏 RIAS 这个广播电台，令其受到应有的惩处，而且要通过这些正确的政治战略性措施打击 RIAS，在所有德国人民和世界公众面前揭露这个美国广播电台作为美国情报局间谍中心的真面目。①

接下来是对所涉人员的处理办法，后果是极其严重的：

所有文件中列出的并居住在［……］城区的特务或间谍，在行动开始后一并逮捕。各城区要组成一个行动指挥部，由区领导、第二部门领导、第八和第九部门领导组成［……］

逮捕间谍要做好充分准备，尽可能密谋策划，也就是说从日常生活中发现间谍，而不能因未发现某人行踪或者人在外地才立刻意识到此人是否有间谍嫌疑。［……］

区领导中间要成立逮捕小组并制定逮捕计划。②

尤其令人感到可怕的是，从准备工作看得出这场行动从头到尾极其官僚繁琐，我完全不想去比较，但真的感觉从根本上很像纳粹体制：

① Operativplan vom 10. 2. 1955 GVS 751/55. BStU，ZA，Dokument 102103，Bl. 1 f. （MfS – Zählung）. In：Fricke；Engelmann：*Konzentrierte Schläge*，S. 173 u. 318.

② 同上，Bl. 4 （MfS – Zählung）. In：Fricke；Engelmann：*Konzentrierte Schläge*，S. 173 u. 318f.

行动开始后，第九部门要按照上报表 A 和 B 每天报告两次（10 点和 17 点）以上措施的实行情况（逮捕、调查等）。报告须使用电传打字机，并使用上报表中的数字和字母（标注有关第十一部门的名称）[……]

国家安全国务秘书处第二部门的副级领导 Folk 和 König 两位中校（2247 房间，电话 371）负责实施“鸭子”行动。

我以“故障”为代号通告实施此次行动。

梅尔克（Mielke）[①]

少将[②]

几周以后梅尔克通告“鸭子”行动开始。[③] 卡尔·弗里克和罗杰·恩格尔曼写道：“两周之内就总共有 49 人被指控与 RIAS 有联系而逮捕。逮捕范围涉及整个东德地区，重点明显放在了波茨坦和柏林两个城市，有一半被逮捕的人都来自这两个地方。”一些人因“证据”不足被立即释放，对这些人的指控似乎是人为安排的。最后只剩下 5 个人接受 1955 年 6 月开始的公开审判。

审判本身就是一场司法做戏。“乌布里希（Ulbricht）[④]

① 自 1957 年起任国家安全部部长。——译者注

② Operativplan vom 10. 2. 1955 GVS 751/55. BStU，ZA，Dokument 102103，Bl. 4（MfS - Zählung）. In：Fricke；Engelmann：*Konzentrierte Schläge*，S. 173 u. 318f.

③ Fricke；Engelmann：*Konzentrierte Schläge*，S. 173 - 181.

④ 统一社会党总书记。

在开庭很久以前就拿到一份有关每名被告判决提议的文件，由统一社会党中央委员会部门领导克劳斯·佐尔格尼希特（Klaus Sorgenicht）于6月14号签发。乌布里希总书记将第一被告人威巴赫（Wiebach）预判的‘终身监禁’划掉，写下‘建议死刑’。”剩下的被告人判决提议他没有改动，在下面签上了“同意 乌布里希”。[①] 乌布里希以最高审判长的身份不仅违法判处被告人死刑，并且在提起诉讼之前就已经下达了判决书。1955年9月14日夜里两点，威巴赫死了，在德累斯顿第一拘留所以“军事间谍”罪被执行死刑，27岁。威巴赫父母提出的赦免申请遭到拒绝，11月14日他父亲才被口头告知威巴赫已行刑。

大家能看出，我首先跳过了“1953年6月17日事件[②]和RIAS”这个话题，这是有原因的：第一，对这个话题需要进行详细的探讨，而本文篇幅有限；第二，这偏离了占据本文首位的文学层面；第三，这个话题一旦脱去谣言和传说的外衣，便远没有表面上看起来那么夸张。其实很简单，在有据可依的历史研究中有一点毫无争议，就是当时RIAS不仅没有推波助澜，反而甚至起到了息事宁人的作用，电台节目记录和所有当事人的报告都可以证明这一点。当然，以直播的形式、没有预先灌制录音带而如水般流畅地播送节目，这种全新的、生动直接、对于当时的德国听众来说完全不习

① Fricke；Engelmann：*Konzentrierte Schläge*，S. 175. 也可参阅 Wendel，Eberhard：*Ulbricht als Richter und Henker – Stalinistische Justiz im Parteiauftrag*. Berlin 1996，S. 102 – 105。

② 1953年6月17日东柏林工人爆发起义，后被苏联军队镇压。——译者注

惯的报道方式，虽然在今天看来是危机时刻下必备的节目素质，但在当时却强烈地激发出人们的热情、感情和激情，就比如在波茨坦广场亲耳听到子弹从一名已无法呼吸的记者耳边嗖嗖飞过，那种感觉犹如身临其境，而不是事后才看到报道。我也有过这种亲身体验，那时我在弗兰肯贝格念高中，看到了自己的反应，还有同学朋友和亲人的各种反应——从满腔愤怒、攻击挑衅、渴求参与，到失望至极流下眼泪，东德没有什么能拿来与之反抗。这些报道中没有被美化修饰的内容，就是让人听到残酷的事实，包括所有各种荒谬、矛盾还有错误，那是无线电广播一段黑暗的非常时期。从这个角度看来，当时 RIAS 的总编辑埃贡·巴尔（Egon Bahr）在他回忆录中写下的话事实上是对的："没有 RIAS 就不会有这场起义。"也许是历史的讽刺，恰恰 1953 年 6 月 16 日，有名的美国参议员麦卡锡由于 RIAS 的共产党阴谋活动希望展开一场行动来打击时任 RIAS 台长的美国人戈登·尤因（Gordon Ewing）。[①] 东德在对外宣传中从未提到过这个事实。

接下来要讲的内容稍微贴近现代生活。电视的出现首先并没有怎么改变广播的地位，电视发展得比较缓慢，拥有电视的人群数量也增长缓慢，到了 70 年代电视才发展起来，又过了一段时间才渐渐也有了文学电视节目，但与其他电视节目相比并不受到重视，到今天亦然，当然某些个别情况除

---

① 参阅 Kundler，Herbert：*RIAS Berlin. Eine Radio - Station in einer geteilten Stadt.* Berlin 1994，S. 189 - 198。

外。文学电视节目通常都以作家访谈的形式出现。当然，德国电视一台对作家斯蒂芬·海姆（Stefan Heym）的一次访谈在80年代比任何RIAS关于他以及由他参与的节目影响要大得多，不过80年代广播的地位本身已经下降了。虽然我们针对这一现状也创办了文学时事述评节目，受到一些读者欢迎，但分析朗读文学作品的广播节目持续时间久，喜欢收听的人很少，大多数人都在搜寻快速的、肯定也是非常重要的信息，但却很少在文学领域搜寻信息。

大家都在搜寻什么样的信息呢？过去几十年中这些信息发生着巨大的变化。二战刚刚结束后我们主要致力于重新找到和国际现代化的连接点，克服纳粹审查的黑暗岁月以及刁蛮粗俗的民族文化留下的阴影。“那些不允许我们读的书”“外来文学”以及第三帝国受害者的报告、“秘密德国”，都是当年有代表性的节目名字。[①] 当然有一件事必须视为特例，德国剧作家格哈特·霍普特曼（Gerhart Hauptmann）的《阿伽门农之死》（*Agamemnons Tod*）1946年7月28日以广播剧的形式通过RIAS在全世界首次上演，而东柏林德国剧院的首演是在1947年。[②] 当时东西德之间的沟通交流还很频繁，而没过多久苏占区就开始限制流传某些西方现代作家的作品。随着东德也出现了形式主义讨论，并引发了一系列

---

① 参阅 Kundler, Herbert: *RIAS Berlin. Eine Radio – Station in einer geteilten Stadt.* Berlin 1994, S. 48f. 以及第一条注释。像 Robert Havemann, Greta Kuckhoff, Günther Weisenborn, Eva Lippold, Wolfgang Langhoff, Bruno Baum 和 Anne Saefkow 对此都有评论。

② 参阅 Kundler, Herbert: *RIAS Berlin. Eine Radio – Station in einer geteilten Stadt.* Berlin 1994, S. 50。

后果，比如当局压迫某些作家以及加大图书审查力度，西德方面几乎自动将重心转移到了这类书籍及其作者。对此东西德两边的态度都有些攻击性，像“你打击我的作家，我也打击你的作家”这样的争辩时时都能听到。所以布莱希特（Brecht）在西德并不受欢迎，而乔治·奥威尔（George Orwell）在东德也简直成了诅咒对象。

随后的几十年中这些争辩的声音在逐渐减弱，然而关于东德青年作家的新一轮辩论又开始了，有君特·库纳特（Günther Kunert）、莎拉·基尔施（Sarah Kirsch）、克里斯塔·沃尔夫（Christa Wolf），还有沃尔克·博朗（Volker Braun）。柏林墙倒塌之后抒情诗的浪潮一拥而上，其口号是“用抒情诗轰炸世界”，抒情诗的意义变得非常重要。然而还是不可否认，西德长期以一种傲慢自大的姿态认为东德的这场文学辩论没有什么意义。但现在不一样了，这些青年作家的才华的确有目共睹。60年代中期，西柏林的西格蒙德大学生宿舍举办了一系列著名的东德作家朗诵会，结束了东西德之间的文学冰冻时代。从那以后，在西德又可以自由地谈论东德文学了。

这样的局面一直持续到轰动一时的大事件发生：沃尔夫·比尔曼（Wolf Biermann）被开除东德国籍。西德人感到一直上上下下波动不定的东德文化政治氛围又再次进入更加紧张的冰冻期，我们也报以批判的态度谈及这种变化，但另一方面又有一些迹象表明至少整体气氛趋向正常化。越来越多的东德作家敢于接受RIAS的访谈，这当然引起了东德当局的不满，当局无奈地做出决定：70年代去西柏林的作家务必保证不接受 RIAS 访谈。获知此决定后，我还是给不来梅广播电台做了访谈节目，然后大声宣称：“在给不来梅广播电台的一档节目中［……］”后来才知道，这件事在东德既让人笑得幸灾乐祸，又让人气得咬牙切齿，接着，不许接受 RIAS 访谈的规定取消了。为什么经过这一番折腾后才取消呢？

沃尔夫·比尔曼被开除东德国籍后，东德文学界和文化政策都变得同样的支离破碎，没有了统一明确的指导方针。对东德渐渐形成的文学反对派给予支持、让他们拥有发言权并给予鼓励显得愈发重要，就像一场独一无二的走钢丝表演。东德始终宣称，所有反东德的作家或者其未被印刷的作品，到最后都在东德得以出版，然而事实并非如此，还是有一些作品因其某些“文学特征”而不适宜出版。另一方面，东德的文化政策总是十分严格而残酷的，有时仅仅一部遭到排挤的图书都能导致大规模骚动，接着引发所有媒体的关注，虽然这样多少会让人感到文学心灵受到了创伤。而最糟糕的是东德不吸取任何教训！半年以后又发生一次类似事件引起轰动，所有一切又重新来过。应对这种局面归根到底只有遵循一条准则，那就是呼吁大家给予异议人士更多的包容。不只是给 RIAS 的文学节目，如果给所有电台节目提一条标准，那么就是这一条。另外，与之相关还有一个提议：为了有效达成和解，必须抛弃基要主义非此即彼的这种狭隘无果的思想意识。这些办法是否收到很大成效，过去这些年我时常持怀疑态度。

我并不想把致力于实现上述目标或至少参与其中的作家

列出一份名单来，但还是有一篇针对RIAS写的博士论文稍微涉及了这个问题，曼海姆大学一名学生1991年在他有关文学政治题材的博士论文中出人意料地写道："过去二十年在RIAS通过朗诵会和访谈介绍过作品的作家，真的能列出一份长长的名单。从阿道夫·恩德勒（Adolf Endler）、克里斯托夫·海因（Christoph Hein）、莎拉·基尔施（Sarah Kirsch）、雷纳·基尔施（Rainer Kirsch）、尤阿西姆·瓦瑟（Joachim Walther）、君特·库纳特（Günter Kunert）、克劳斯·施莱辛格（Klaus Schlesinger）、卡尔-海因茨·雅各布斯（Karl-Heinz Jakobs）到瓦尔特·扬卡（Walter Janka）、古斯塔夫·贾斯特（Gustav Just）、乌尔里希·普朗茨多夫（Ulrich Plenzdorf）、弗朗茨·菲曼（Franz Fühmann）、沃尔夫冈·希尔毕西（Wolfgang Hilbig）、尤尔根·富克斯（Jürgen Fuchs）、莫妮卡·玛隆（Monika Maron）和埃尔克·埃尔贝（Elke Erb），有代表性的作家都在这里，他们构成了东德那段时期的文学力量。"①

下面我还想谈一下我们在RIAS工作的另一个问题，一个确实存在的问题，就是不断出现的新的疑问和顾虑。如果一位在东德生活的作者，通过西德媒体表达了一种非主流观点会怎么样？比如1976年RIAS文化部送来一盘录音带，录音是在莱比锡一间住所里完成的，由尤尔根·富克斯（Jürgen Fuchs）朗读作品，克里斯蒂安·库纳特（Christian

① Haupt, Johannes: *Der 17. Juni in der Prosaliteratur der DDR bis 1989 : Über den Zusammenhang von Politik und Literatur und die Frage nach einem "Leseland DDR"*. Inauguraldissertation. Mannheim 1991, S. 153.

Kunert）和格鲁夫·潘那赫（Gerulf Pannach）唱歌演奏。比较惨的是，我们收到录音带时，参与录制的人已经被逮捕了。新闻记者们从来都毫无顾忌，丝毫不关心自己做事情的后果，而只关注成为头号新闻的轰动事件，而我却犹豫了很久要不要播放这盘录音带。恰恰是在RIAS，在沃尔夫·比尔曼被开除东德国籍之后，被逮捕的作家和音乐演奏家发表反对体制的言论，而且以专业广播水准来看，录音质量很差，简直又真实又恐怖。这难道还能带来好处吗？这不是害人吗？故意让录音落到“阶级敌人”手里，这种阴险行径难道不应该谴责吗？经过长时间考虑，这盘录音带还是在1976年12月11日的广播中播出了，[①] 并且带来了一定积极影响，就像尤尔根·富克斯后来说的那样。当然我们采取了另外一个办法，找到了某个组织机构与沃尔夫·比尔曼共同在西柏林艺术学院组织一场国际新闻发布会，时间是12月10日，会上首先介绍了这盘录音带，这样就避免了把RIAS推到风口浪尖。到了80年代所有这些都不再重要，西德公众发挥了作用，也许恰恰就是RIAS覆盖到的西德公众。

本文对广播，尤其对RIAS的讲述以及分析也类似适用于印刷媒体。当然二者有本质区别：广播几乎到处可以收听；而西德报刊除公务需要外难以通过合法渠道获取。但是谁都有一个已经退休的叔叔或婶婶，可以去西德然后带些图书回来，总有一些熟人说不定什么时候有办法看到西德报纸

① 送给自己，我们仍对自己报以希望。东德被捕作家尤尔根·富克斯以及被捕歌手克里斯蒂安·库纳特和格鲁夫·潘那赫录制的歌曲与文章。RIAS II，11.12.1976，22.00－23.05 Uhr.

杂志，起码偶尔也能从中获取到一些信息。西德报刊从根本上来说，和很多其他西德广播电台一样有着不同的宗旨：都把西德读者和听众放在首位。

然而西德报刊的作用根本没有达到能对其进行评价的高度，他们对民众的影响小于对官员的影响。毕竟60年代时我在当时西柏林的《明镜日报》担任过几年小品文编辑，所以多少有一些发言权。在那儿大家也都知道，每篇文章在东柏林都要受到评判，甚至我自己都有过亲身体验，有一次一篇由我编辑的关于统一社会党中央委员会第11届全体大会的文章，后来被大家用“臭名昭著”来形容的一次大会，克劳斯·赫普克（Klaus Höpcke）在《新德国》上攻击了我这篇文章，他当时是《新德国》的文化总监。这对于当时一个实习生身份的我来说没有什么不利影响……

能从以上所有论述中做出一个总结吗？

两德刚刚统一后，我和很多人聊过，有来自东德的RIAS忠实听众、作家、前任文化官员、出版社工作人员、一般读者，还有的人来自“一无所知的山谷”，谈话的结果多种多样。如果只是谈到对RIAS文学节目的具体感受，反响并不强烈。而大家总是提到一些记忆深刻的大型朗诵会，像埃里希·略斯特1984年在我们这做的演讲《第四位审查官》，或者罗伯特·哈费曼（Robert Havemann）亲自讲述他被软禁时的住宿条件如何。每个人都应该试想一下：东德最有名望的异见人士之一在格吕瑙可以说被24小时监视，去探望的人也要事先经过搜身，这位异见人士十分淡定地录了一盘录音带，最后在RIAS播出。虽然我们经过各种努力依然无法肯定，但就我们所知，这件事引起了国安部的震怒。我必须承认，我到今天都为此感到十分高兴。总的来说，除了个别图书以外，很少有人第一反应就会想起 RIAS 的文学节目，毕竟引发人思考的东西太多了，改变想法也很正常。节目就是日常生活的一部分，两个星期以后谁还记得这些天的日常生活是怎么过的？好吧。

我总被问到曾经是如何撑过那段时期的。没有什么好否认的，用的是那严重受伤的神经、自我怀疑，有时还有些许骄傲。在我们电台发言的一些作家都成了我们的朋友，和他们的友谊经久不变。大家有时写信联系，有时打打电话，这其实已经超出了我们所能期待的一切。

毒草柜与守夜人

摘自一名图书管理员的生活传记*

君特·德·布律（Günter de Bruyn）

街头拐角处的一家酒吧要改建成图书馆，但因缺工少料而推迟交工，我见到的图书馆暂时只有一个书堆，是从柏林克佩尼克老城区消防站运来的，上面落满了灰尘。几个月以来（当然也有间歇，因为我还在区政府做了几天政治号召宣传员和小牲畜数量记录员），我一个人寂寞地坐在消防站里一个靠窗的小隔间，从那向外可以望到施普雷河的一段，列图书清单，写图书目录卡，在扉页的背面盖上图书馆印

---

* Günter de Bruyn: *Vierzig Jahre – Ein Lebensbericht*. Frankfurt am Main 1996, S. 111f.

章，用“无效”印章盖销旧印章，通常遇到不熟悉的书我总是看得入迷。这些旧书是从布拉格来的，我不知道这些书为什么以及通过哪些途径，是战争期间还是战争后，堆到了克佩尼克的消防站，然后现在成了一所公共图书馆的基本藏书，而只有其中一部分适合做基本馆藏；这些书不是太旧太珍贵，不好外借，就是太过时或者太专业。我满怀遗憾地把那些带有铜版画和钢板雕刻版画的自然科学类作品，还有德国史学家兰克（Ranke）、特赖奇克（Treitschke），哲学家康德（Kant）、费希特（Fichte）和海德格尔（Heidegger）的著作放到要送至学术图书馆的书堆上，主要把小说、传记和游记留下来给下层居民区的图书分馆。

这份工作不错，但可惜做的是无用功。我带着我那些书准备离开消防站，搬到威廉明妮霍夫大街街角那家酒馆的时候，我的头儿，一位心肠好、淡定、又看上去喜欢听天由命的同志，认为这些图书在大方向上缺少党的意识，尤其是我那些大多出自20年代的小说可能会令人不悦，因为包含太多反动、颓废派与和平主义的内容，虽然没有明文规定禁止这类作品，但是用于教育劳动人民是不合适的，我的头儿马上开始对这些书进行筛选，因为他对犯政治错误的恐惧大于他的文学知识，一些他不了解所以自认为很危险的图书，就被剔除了。酒馆吧台旁狭窄的小隔间，以前用作更衣室和咖啡台，不久后也就被填得满满的，有奥地利作家穆西尔（Musil）和德国作家德布林（Döblin）、雷马克（Remarque）和格勒泽尔（Glaeser）的首版作品，有苏联的小说，有编者已经过时的马克思和列宁的老版作品，有法国作家克洛岱尔（Claudel）、谷克多（Cocteau）、普鲁斯特（Proust）和纪德（Gide）的作品。后来知道这些废品不能进入学术图书馆，而是要送进造纸厂，穆西尔的小说《无个性的男人》（*Mann ohne Eigenschaften*），我当时还不懂得鉴赏它的价值，因为朋友H迫切想要，这本书才幸免于送进造纸厂，然后是英国作家沃尔夫·索隆特（Wolf Solent），我在消防站给图书编目时发现了这位作家的闪光点，于是把他的一部黑绳捆扎的三卷本著作也留了下来，收藏至今。

还有，一位叫玛拉（Mara）的实习生每天把判死刑的书装进大袋子拖回家，这种非法行为又使得一些文化财富幸免于难，玛拉也说看到造纸厂那犹如刽子手般的小车来了她就很伤心。因为后来我们又从警察局那收回了所有由她保管的图书，我便知道，她对那些书没有特别的偏爱［……］

在这毫无才智可言的不毛之地，本来文学知识少得可怜的我也似乎显得博学多才，这带来的后果是我被任命加入某个委员会，委员会的名称听起来并无大害，类似于藏书委员会之类的，其工作却是百害而无一利。它是一种裁定书籍的人民法院，一个委员会，旨在裁减留传下的图书，和那些虽然逃脱了纳粹或疑纳粹文学禁令，但因于二三十年代出版而被怀疑为影响民众思想的敌对作品。委员会里拥有指挥权的同志，是那些能原文引用列宁、斯大林、施丹诺夫和德国共产主义政治家乌布里希（Ulbricht）的教义的，将颓废派、形式主义、世界主义与和平主义革除教门的人，他们不相信知识而相信所谓的阶级直觉，不仅将我们这些专业人员当成读书奴滥用，而且，我后来才意识到，还把我们当做他们无罪辩护的证据。我们对他们销毁图书的巨大干劲既无法制止也无法改正，我们必须要看那些书然后做汇报，也可以表达自己的观点，但这些观点从未被重视，最后还要帮着撰写图书鉴定，这些鉴定也不是出自我们自己的观点。

由于希特勒年代也将有危害倾向的图书认定为思想败坏而处理掉，因此那些落入诅咒般审判魔爪的图书通常是纯属走运或由于大胆的拯救行动在纳粹时期存活下来的，像奥地利小说家贝尔塔·冯·苏特纳（Bertha von Suttner）和雷马克的作品。为了不被谴责为纳粹审判的执行者，图书筛选是在私下里进行的，然后大家用这样一种观点来消除自身顾虑：这是服务于民众教育的措施而非禁令。大家也不复印书单，而是口头传达指示，唯一的书面材料是一本都要遵照的名为“改进藏书”的指南和一份范例集，里面的文章不多，但明确指出如何辨认和平主义与非科学毒瘤，那是一份很寒酸的小册子，我之所以回忆起来是因为我吃惊地发现前言里的工作人员名单中竟然也有我的名字。这个小册子如果还在档案里存着，历史学家便能找到这段时期文化政策的实证：对外以马克思主义文学家汉斯·迈尔（Hans Mayer）、哲学家恩斯特·布洛赫（Ernst Bloch）和剧作家布莱希特（Brecht）自吹，对内实质上越来越狭隘地教条主义化，盲目遵从执政党的路线。对我来说这个小册子过去是并且现在也是一种耻辱，但我当时没有从中认识到参与意味着共罪，而是在相当长的时间持有这样一种观点，即为了防止更坏的事情发生，如果可以的话，坏岗位是也要设置的。[……]

对赫伯特（Herbert）来说，知道他自己收藏的那些卡夫卡三卷本、小说《尤利西斯》和《魔山》就足够了，和他不一样，汉斯 - 维尔纳（Hans - Werner）是个藏书迷。如果赫伯特为自己辩解而提到东柏林和西柏林的图书馆都可以借书的话，汉斯 - 维尔纳就一定要提醒他还有更为严格的图书审查，甚至还要提到封锁边境，还说我们所能接触到的图书馆书源都是来自东德，所以这些图书馆从世界文学的角度来看变得越来越单一越来越过时了。并且汉斯 - 维尔纳不仅对文学感兴趣，对政治也感兴趣，他和我一样，是东德尤为遭唾弃的杂志《月份》（*Der Monat*）的忠实读者，他收藏有很多英国作家赫胥黎（Huxley）和英籍匈牙利作家库斯勒（Koestler）的作品，后来又有沃尔夫冈·莱昂哈德（Wolfgang Leonhardt）的《革命舍弃了自己的孩子》；他所有的书也都借给我们看，虽然内心也许并不情愿。在我认识的运送禁书过东西德边境的人中，他是最大胆的［……］可后来审判中又添加了很多罪行，控告内容说汉斯 - 维尔纳有损社会主义、危及东德也就危害到了世界和平，法官认为，他应判一年零九个月监禁。［……］我在自己身上意识到这种权威的力量是如何体现的：在我轻而易举又清楚明了、令人发笑且为之愤慨地把它讲出来的同时，我感觉到，心里除了蔑视，还有一种恐惧变得强烈，这种恐惧劝告我今后要小心行事，我没有坐在汉斯 - 维尔纳现在要坐的地方纯属走运。我收藏的所有年度发行的《月份》杂志有幸躲过了在柏林黑森温克尔进行的住宅大搜查，之后都立刻扔进了别处的垃圾箱。我也已经被教导过，公务员不可以去西柏林，不可以同那里的官员讲话，甚至还不可以违背外汇管理法规。

人们本也有理由指责我，因为我使用西柏林的图书馆和监听美占区广播电台而成为了帝国主义意识形态侵略者的同谋。还有如果那些书当时明面摆在了书架上保存着，妻子随时可以看到，那么我传播禁书的违法行为也就有证可查了。那些控告人也可以说我还懂得法西斯主义的密令。

柏林国家图书馆的毒草柜

莱蒙德・瓦利戈拉（Raimund Waligora）

毒草柜主要见于各博物馆、档案馆和图书馆，用来收藏那些不能正常借阅的图书，因为这些图书以某种特定的方式来看都是有危险性的或是被禁止的——这里既指直义又指转义。最初毒草柜在柏林苏占区的“公共学术图书馆”中称作“禁书馆”，直接取用该图书馆曾经的名称。从1961年起和莱比锡德意志图书馆一样，毒草柜在柏林国家图书馆里拥有了一个委婉的名称“特殊科研文献部”，简称ASF。

毒草柜是二战之后设立的，因为所有四个占领国有一项共同的要求就是，清除公共图书馆中的法西斯主义、军国主义、与暴力和民族仇恨相关的刊物。这一目标在柏林各个占领区的落实程度各不相同。设立“毒草柜”的指导文件是1946年5月13日盟国对德管制委员会关于“没收国家社会主义与军国主义书籍”的第4号令，使用的是四个盟国的三种语言。号令中对此这样写道：“本号令公布两个月之内所有租书处、书店、书库和出版社须将以下藏书上交至各盟国当局的军事指挥员或其他代表处。”号令中详细说明了哪些藏书须上交，但后面并没有附上书单。然而号令第5条款含有一项明确指示：“所有此号令中提到的出版物和资料必须上交给占领区军事指挥员进行销毁。”[①] 这就意味着此后所有用于历史研究的相关原始资料有可能就此毁掉，因此各个占领区出现了反抗行动，主要由各图书馆馆长带领，并且行事小心谨慎。

尽管几个盟国一直到1947年都是一致采取行动，然而在占领区形成之后，包括柏林在内的苏占区就已经有了自己的苏联军管会号令，规定清扫公共图书馆并制订筛除书单，就连私人收藏纳粹书刊也不允许。针对原普鲁士国家图书馆的1946年7月6日苏联军管会第203号令这样写道：“此图书馆于1946年9月1日起作为‘公共学术图书馆’重新开放。”[②] 普鲁士不应再出现在图书馆名中，虽然根本还没有官方废除普鲁士王国。

---

① *Amtsblatt des Kontrollrats in Deutschland*, Berlin 1946, S. 151.

② Hamann, Olaf1945年7月12日讲道：“我允许普鲁士国家图书馆投入使用［……］” In: Jahrbuch Preußischer Kulturbesitz, Bd. XXXIII. Berlin 2006, S. 256。

1946 年 8 月 10 日盟国管制委员会第 4 号令又补充了第 6 条款："占领区军事指挥员可以出于科研目的，从根据第 1 段条款列出的禁书中，拿出一定数量的刊物样本免于销毁。此类刊物应保存在特殊地点，然而在盟国管制委员会当局的严格监管下，可由德国学者及其他获盟国相应许可的德国公民查阅。"①

这就是毒草柜的"诞生时刻"。

据我所知，西德占领区只有英国人开始设立了这一"特殊区域"。占领国英国也许是想变不利为有利，制定一份纳粹刊物目录集，然而这项工作在 50 年代初便停止了。② 在新成立的西德，盟国高级委员会于 1949 年 9 月 16 日就已宣布第 4 号令失效，而在东德，苏联联盟部长会议 1955 年 9 月 20 日决定在德国废除高级委员会之时，这条号令才随之废除。

幸运的是，从纳粹帝国的瓦解，或者也可以称为解放，直至新的权力结构的巩固，一些时代见证者真实可靠地记述了这段短得几乎被忽略掉的时期。从苏占区时期到东德成立初期这段时间的事件被记录在案，导致各图书馆馆长们几乎在一夜之间丢了工作。比如什未林梅前州州立图书馆馆长，海斯（Heeß）博士，他对新实施的审查手段坚决表示抗议："我们简直丢尽了脸，这无疑是世界级的奇耻大辱。以前如

---

① *Amtsblatt des Kontrollrats in Deutschland*, S. 151. Ergänzung vom 10. 8. 1946.

② Thies, Dirk: *Zum Erbe des Nationalsozialismus in Bibliotheken Nordrhein-Westfalens.* In: Mitteilungsblatt/Verband der Bibliotheken des Landes Nordrhein-Westfalen e. V. 3/1988, S. 190-204.

果有人实行审查，那就代表着污点和耻辱。”紧接着1949年6月22号那天，梅前州州长格林贝格（Grünberg）就签署了州政府对此事的回应：“基于当前事实，并考虑到您任梅前州州立图书馆馆长一职，我将即刻解除您的职务。”①

图1　筛除书单

① Konieczny, Brigitte; Borchardt, Jürgen: *Bibliotheken – Von der antifaschistischen Säuberung der Bestände zur stalinistischen Gleichschaltung*. In: Zwischen Hoffnung und Verzweiflung: *Protokolle von Zeitzeugen aus Schwerin 1945 ~ 1952*. 由梅前州首府什未林文化局及什未林注册协会未来工作室编辑，1995，S. 23。

在东德图书馆毒草柜的书单调查工作中，“莱比锡书单”扮演了重要角色：“调查工作从1945年开始，随着1953年第三次书单补充本出版而结束。”[①] 1946年的第一份“莱比锡书单”仅包含第4号令中规定的刊物，因此得到了所有占领区的盟国管制委员会认可，但书单第二次补充本还添加进了“人民公敌”和“社会主义反对派”，也就是斯大林体制反对者的刊物，因此仅在苏占区适用。只有莱比锡德意志图书馆和柏林公共学术图书馆即后来的柏林国家图书馆，经允许可以建立大规模收藏禁书的特殊储藏室，其他各公共图书馆所收藏的“莱比锡书单”上列出的图书被化为了纸浆。而苏占区各学术图书馆有例外规定：德国北部城市格赖夫斯瓦尔德、罗斯托克、什未林和柏林，这些地方的大学图书馆应将禁书转交至柏林公共学术图书馆，南部城市耶拿、德累斯顿和莱比锡大学图书馆相应转交至德意志图书馆。

从1946年第二版“莱比锡书单”的指导说明中就已经能够看出，有关当局开始向“非马克思主义、社会民主主义和托洛茨基主义书籍”宣战了，因为这类书有反苏联现行体制的倾向，并且根据盟国管制委员会号令所传达的内容也有“反盟国”的倾向。[②] 书单补充本罗列出了许多作者姓

---

① Steigers, Ute: *Die Mitwirkung der Deutschen Bücherei an der Erarbeitung der Liste der auszusondernden Literatur in den Jahren 1945 ~ 1951*. In: Zeitschrift für Bibliothekswesen und Bibliographie 3/1991, S. 242.

② Steigers, Ute: *Die Mitwirkung der Deutschen Bücherei an der Erarbeitung der Liste der auszusondernden Literatur in den Jahren 1945 ~ 1951*. In: Zeitschrift für Bibliothekswesen und Bibliographie 3/1991, S. 246.

名，虽然都是正派的反法西斯主义者，但也是意志坚决的斯大林反对者或斯大林受害者。这份名单读起来就像一份知识分子名录，其中斯大林恐怖统治的受害者有：托洛茨基（Trotzki）、布哈林（Bucharin）、加米涅夫（Kamenjew）、明岑贝格（Münzenberg），等等，等等，等等。此外书单还记录了“幸存者”的名字，像“异党分子”海因里希·布兰德勒（Heinrich Brandler），从那时起，他的书应该不是谁都能在图书馆里借阅得到的了。

这种审查措施带来的“罪恶”对东德学术图书馆的影响一直持续到 1989 年 11 月。德国剧作家海纳·米勒（Heiner Müller）在 1987 年 5 月的一次国际作家会议上准确地指出：“我们不能永远将社会不公归咎于希特勒。东德也承担了斯大林主义带来的严重后果。人们以繁文主义的方式对待艺术、文学和戏剧就是审查的后果之一［……］还有国界线上的海关关员询问各种出版物的事情，也是一种斯大林主义残余。”① 东德作家克里斯托夫·海因（Christoph Hein）在 1987 年 11 月第十次作家大会上再次主张撤销审查制度，认为审查制度已经陈旧过时、无济于事，并且荒谬、反人道、反人民，属于违法行为而应受到制裁。

德意志国家图书馆 1946～1955 年的“十年总结报告”毫不隐瞒地对禁书馆的藏书和相关规定进行了说明：“筛除的书籍被集中到柏林公共学术图书馆的一个禁书馆，除

① 1987 年 5 月在国际作家会议上的讲话《柏林，一个为了和平的地方》［Müller, Heiner: *Krieg ohne Schlacht. Köln* 1992, S. 420（Dokument 19）］。

了图书馆自己收藏的禁书，还有当时苏占区北德的图书馆的禁书都被送到这里［……］根据作者姓名字母顺序或者根据客观内容对图书分类编目。截至报告时间，藏书量上升至约 15 万本。这些藏书用于科研目的，如需查阅［……］无论如何要征得负责高等教育和专业教育的国务秘书处的许可。”[①] 第二年图书馆便不再沿用这一规定。1957 年第二期的《东德学术图书馆消息》中写道：“参照莱比锡书单及其补充说明实行的图书处理办法被大大简化。”[②] 只要出示“用于科研目的的证明”，馆长和副馆长即可开具图书使用许可，这样问题就由德意志国家图书馆和柏林国家图书馆“转移”到了馆长身上。“禁书馆”既无须废除，也不必理会其他各图书馆多次以书面形式提出的要求，还回“本属于它们”的藏书以方便使用，毒草柜也依旧保持着它委婉的名称“特殊科研文献部”。授权使用图书的权利完全被转交到了借阅部主任的手中，分配图书使用权限也还是由学术部负责，学术部在其专业管辖范围内有置备图书的权限，必要时也有推荐图书的权限。需要置备哪些图书从来没有相关规定，所有通过购买、交换，或者赠予置备进来的图书，都放在一个叫做“采购间”的地方，然后学术部负责人亲自来决定每一本书的命运，是正常上架——这个一般很好理解，还是可能要限制

---

① *Zehnjahresbericht der Deutschen Staatsbibliothek 1946 ~ 1955*. Berlin 1956, S. 37.

② *Nachrichten aus dem wissenschaftlichen Bibliothekswesen der Deutschen Demokratischen Republik 2/1957*, S. 10.

某本书的使用权限。设置使用权限有两种方法：分配到 ASF 或者用红圈标记。

限制图书使用权限最严格的措施是分配到 ASF，1946～1989 年间共涉及约 1 万本书（不包括其他图书馆委托在此存放的图书），其中有 5860 本专题著作，4135 份杂志。尽管这些书占总馆藏不到 0.2%，[1] 但数量还是令人难以想象，因为柏林国家图书馆超大量采购进来的自然科学技术类书籍和来自其他社会主义兄弟国家的书籍不进行评定，这类书籍只要确实属于专业文献而不是自然科学家的政治言论，就一律视为“无意识形态内容”或者服从意识形态。

第二种措施是将书名用所谓的“红圈”标记，后来又在书目号后面加了一个“学”字（代表供学术使用）。这些书没有分开存放，借阅也不需要递交特殊书面申请，甚至还可以远程借阅，只需相关的图书馆保证借阅者“仅用于学术目的”。这项限制图书使用权限的措施应用得更多，对于读者来说也更方便。

图书评定结果直接在采购之后或者在第二天拿给学术部主任或借阅部主任审阅，有时主任还会做一些修改，当然修改是比较客观的。

学术部负责人有相对较大的操作空间，能让一本书免于放进毒草柜的命运，比如将其改放到阅览室。必须送进毒草

① Schubarth－Engelschall, Karl: *Die Sperrbibliothek.* In: Das Stichwort 4/1991, S. 40－42.

柜的图书要经过“特殊流程”处理，每一本书的书名都被详细记录下来。学术部负责人完全可以仔细“读一读”那些必须要送进毒草柜的图书，也可以放在办公室一段时间，别人是否也能瞧一眼，要他们个人斟酌决定以及看他们是否愿意冒险。“特殊流程”进行完之后就开始了复杂的“审批手续”，然后书就“不见了”，因为一旦进入毒草室，就再也不能对外借阅了。

学者和艺术家使用毒草柜的限制并没有那么严格，规定是这样的：“以下机构和人员可以查阅图书，特殊情况下可以外借：统一社会党中央委员会及其相关机构（即学术机构）［……］各研究院和高校承担社会科学研究任务的教授和讲师，名流公众［……］学术机构、各党派和群众组织的中央机构、中央国家机关、公众舆论机构和企业重要部门的科研工作者，并且出具工作任务证明［……］能出示学术用途证明的大学生，并有学院领导签字，以及其他出具相关证明的个人，查阅图书的必要性的说明。”①

来自东德和西德的外国学生，只要能够证明出于学术学业目的，也可以得到一张“毒草柜通行证”。在牛津大学历史学教授蒂莫西·艾什（Timothy Garton Ash）的笔下可以找到为数不多的一段关于ASF工作气氛的描述，他对自己在东德的经历这样写道：“我最初的目的是想就关于第三帝国时期的柏林写一篇博士论文。事实上我在东柏林

① Schubarth - Engelschall, Karl: *Die Sperrbibliothek.* In: Das Stichwort 4/1991, S. 41.

待的时间还是继续花在了那些档案上，东德各个部门对我使用相关的档案资料设置了非常严格的限制。主要原因可能在于，对纳粹档案的深入研究揭示出了共产主义对纳粹政权的反抗事实上是多么的微弱，这种反抗或许已经被盖世太保渗透瓦解，其程度是如此之深。东德最终在这个广泛传播并由共产主义引导的‘反抗法西斯’的神话上得以建立。同时我还在柏林位于菩提树下大道上的原普鲁士国家图书馆里所谓的特殊科研文献部工作，这个部门拥有所有政府不愿让落入普通民众手中的图书和杂志，民间称这个部门为‘毒草柜’。当我读着那泛黄的纳粹党报《人民观察家报》时，一位‘费利克斯·捷尔任斯基’（Feliks Dzierzynski）警卫团①的高级官员坐在旁边的桌子旁，勤奋地研读着《亮点》周刊②和一本西方军事杂志《防御技术》。犹如我的目光从纳粹党报游移到了这位国安部官员，我的兴趣也越来越从希特勒下的德国转移到了东德最高领导人昂纳克（Honecker）下的德国。那时我便决定写一本有关时下德国专制的书。”③

在有毒草柜的这么多年里，关于限制什么、怎样限制没有明确的规定。1953 年制定的使用规定也仅是对此泛泛概述而已，“至于由内容原因或其他原因并非人人都可以借阅的图书，需要提供用于科研目的的证明”。1961 年修订版中的表述进一步解释道：“内容违反和平保护法和民主德国宪

① 隶属于民主德国国家安全部的精锐部队。——译者注

② 德国时事社会生活杂志。——译者注

③ Ash, Timothy G.: *Die Akte “Romeo”*. München 1997, S. 80.

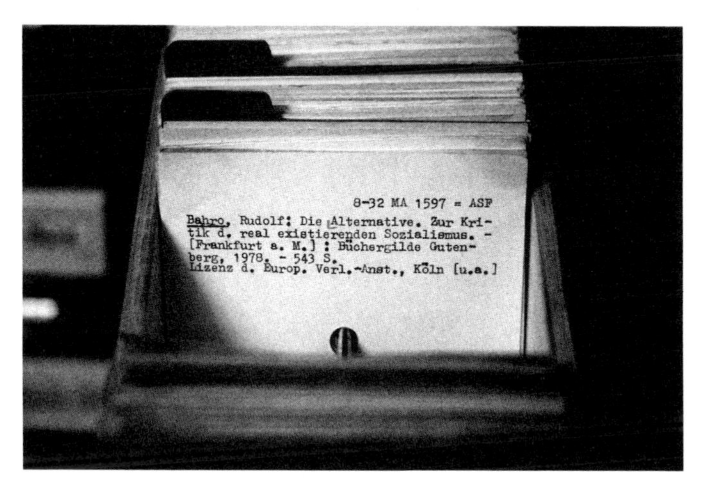

图 2　东柏林国家图书馆过去使用的书目索引，书目号末尾缩写 ASF 表示该书属于特殊科研文献部，不可外借，只允许在出示“毒草柜通行证”的前提下在特殊阅览室查阅

法第 6 章，或者观点违背社会主义道德的文献仅供学术目的使用。”[①] 柏林国家图书馆一方面是一所对所有 18 岁以上的公民开放的图书馆，因此也就是一所公共学术图书馆，另一方面它是东德最大的学术综合图书馆，藏书既要有广泛性又要有学术性，限制使用权限是行不通的，就像在很多专业图书馆，只有一部分读者可以借阅有使用权限限制的图书。而和东德其他大型图书馆不同，柏林国家图书馆公布藏书总书目时甚至还突出强调对图书使用权限的限制。和莱比锡德意志图书馆一样，东德的每一本出版物柏林国家图书馆都要收藏一份，因为所有书目在出版社主管部门和书商那里都已通

---

① Amedick, Sigrid: *Macht die wissenschaftlichen Bibliotheken zu sozialistischen Einrichtungen.* In: Bibliothek und Wissenschaft 31/1998, S. 119.

过了“预审查”，因此也就不加限制地公布于众。[①] 关于1960年迪茨（Dietz）出版社的一本叫做《中国的人民公社》的书，出了一件荒诞搞笑的事情。柏林国家图书馆书目部主任私下里同馆长说：“《中国的人民公社》一书［……］已添置，出版社给出规定，此书必须封存，不能编入图书馆书目。在北京出版的英语版（13 V793）［……］也从书库中下架，转交至禁书馆，不用说，这本德语版也要送进禁书馆了。”[②] 馆长对此的回答是，这本书可以编入字母顺序排列的目录，但不能编入分类编目目录：“先送到禁书馆，适当的时候再补走一遍封存流程。”[③] 但这本书后来并没有编入柏林国家图书馆按字母顺序编制的书目，因为中苏关系交恶时期柏林国家图书馆有一项特例：迪茨出版社作为直属于统一社会党的出版社，应该用各种方法隐藏亲中出版物。

1965年至1967年有规定，要对柏林国家图书馆和莱比锡德意志图书馆图书设限的实际操作情况进行比较，这项官僚化的规定让学术部的工作人员感到压力倍增。[④] 从1956

① 由于各种原因而遭排斥的作家，即使其作品在东德出版，各公共图书馆也不予以收藏。这些图书没有规定必须存档，如果下架，该书在图书馆的书目中也将被删除。

② Archiv SBB, Konvolut ASF, Mappe “Abstimmung Zugangslisten”, 21.10.1960.

③ Archiv SBB, Konvolut ASF, Mappe “Abstimmung Zugangslisten”, 21.10.1960. 在本页手写添加的说明。

④ 本文作者通过研究档案才了解到这一暂时性规定，可能该规定令相关工作人员非常为难。我在柏林国家图书馆任职期间，也就是1979年至两德统一这段时间该规定已撤销。

年起，两个图书馆有关“图书封存的基本标准”定期进行的书面联系和书单交流情况都被记录在案。当时莱比锡德意志图书馆副馆长库特·布吕克曼（Kurt Brückmann）在对柏林国家图书馆副馆长赫尔穆特·勒夫特（Helmut Luft）的回信中这样写道：“尊敬的勒夫特同志，您好！柏林国家图书馆希望两馆负责图书封存的工作人员共同合作，孔策（Kunze）教授已将这一愿望以书面和口头的形式转达给我。我给国家图书馆提过多次相应的建议，[比如1955年2月4日（!!）写给馆长的信]，但很遗憾国图并未考虑这些建议，我不清楚是什么原因。我现在还是认为应该和相关负责的同事讨论一下实行图书封存的基本标准，从而避免在评定某些作品时出现夸张激化以及草率的现象。我现在的建议是，国家图书馆和德意志图书馆重新检查一下所有模棱两可难以界定的图书，然后以这些图书为例，将基本标准解释清楚，这样也满足了您的要求。”① 此外，德意志图书馆对馆内没有的书目也显然提供了错误信息，勒夫特之前给布吕克曼写道：“我们在检查贵馆每个月寄来的禁书馆书目时发现了一些出入，比如在贵馆封存的362本书中，我们的禁书馆里有75本，而有68本仅仅标记了红圈（供学术使用）。”②

1965年的“校准书单”上（档案里现存为数不多的书单之一）发现有62处出入，一位学术部负责人被要求对此

① Archiv SBB Konvolut ASF Mappe Abstimmung Zugangslisten, 22. 10. 1956（原文中使用感叹号）。

② Archiv SBB Konvolut ASF Mappe Abstimmung Zugangslisten, 24. 9. 1956.

进行书面解释，为什么和莱比锡德意志图书馆不同，有些书只用红圈标记或者根本未设使用限制。为什么没有将《没有陪伴者：占领区交界另一边的287个对话》[1] 这本书改放进ASF，这位负责人提出的理由是："这本书认为东德的发展变化值得关注，在西德普遍流行的关于东德的各种看法中，这本书的观点显得与众不同。如果对这样一本批判西德统治界流行观点的书加以比红圈还要更为严格的限制，我会感到很可惜。"[2] 后来这本书没有收藏进ASF，也只有少量图书由"未设限"改用红圈标记，说明了这位女同事的坚决，此外很多其他事件也都仅仅涉及学术部的女性同事。

东德还有很多学术图书馆通过一定的外汇储备或者其他途径购置西德图书，这些书在图书馆里也一律封存，甚至包括由东德资助的左派出版社，比如帕尔—鲁根斯坦（Pahl - Rugenstein）出版社的图书。[3]

由于缺少明确的图书封存标准，就连柏林国家图书馆里也出现了各种荒谬的事情，比如当代德国著名哲学家、社会理论家哈贝马斯1971年版的《理论与实践》被驱逐进了ASF，而1963年的第一版可正常借阅。大致浏览一下柏林国家图书馆哲学类书籍的新编系统化书目和字母顺序编排书

---

① Apel Hans（Hg.）：*Ohne Begleiter. 287 Gespräche jenseits der Zonengrenze.* Köln 1965.

② Apel Hans（Hg.）：*Ohne Begleiter. 287 Gespräche jenseits der Zonengrenze.* O. Dt.（1965）.

③ 为什么莱比锡德意志图书馆始终没有考虑实行一种"更温和"的图书封存措施，为图书馆史研究提出了一个问题。如有任何想法意见，笔者将表示感谢。

目的微缩胶片就能看出，大部分进了 ASF 的图书只是那些所谓的公开“煽动性书刊”，或是被认为有这一倾向的书刊，归为这类书刊通常只需要一个有挑衅性的书名就够了。所谓的“大众哲学”，也就是非马克思主义哲学类书刊一般不封存，但如果直接涉及马克思主义，比如马克思主义哲学家恩斯特·布洛赫（Ernst Bloch），社会哲学家狄奥多·W. 阿多诺（Theodor W. Adorno）等，就要用红圈标记。公认的托洛茨基主义者厄内斯特·曼德尔（Ernest Mandel）的作品毫无疑问归入 ASF，而他的《马克思主义经济理论》一书只用红圈标记。相反，被认为是马克思主义者的东德批判家鲁道夫·巴赫罗（Rudolf Bahro），后来还有罗伯特·哈费曼（Robert Havemann），就不是红圈标记，而是受到归入 ASF 的待遇。

毒草柜废除之前并没有得到时任柏林国家图书馆总领导迪特·施密特迈耶（Dieter Schmidmaier）的明确指示，图书使用限制在 1989 年秋的转折点后直接被默认为不复存在，一场持续多年的呼声响起，要求图书馆出具准确的封存书单，毒草柜在这场呼声中被彻底废除。图书馆本有的藏书“正常”保存，代替保管的图书归还原主，感兴趣的专业图书馆可以通过在报纸上刊登广告获得剩下的样书。柏林国家图书馆从 1991 年到 1999 年间展开了非常费时费力的清理工作，因为禁书馆里收藏了各种完全不同的资料，要对这些资料进行整理、归类和“分配”相当费力。原先来自柏林市立图书馆和柏林、格赖夫斯瓦尔德、罗斯托克、什未林大学图书馆的藏书被送回，本有的藏书正常编排进总库存，这样，至 1999 年 4 月 29 日 ASF 被废除。[①] 图书馆内部经过简短讨论决定不再向旧书商供书，始终没有人愿意收藏的图书可以在监管下进行销毁。

随着东德时代结束，“莱比锡书单”也就此画上了句号吗？可惜没有。作为一份特殊的图书目录，“莱比锡书单”在每所学术图书馆的开架图书中都能见到，并且吸引着政治上右倾激进的读者。书单在 80 年代盗版盛行，90 年代以来大量且迅速地在网络上传播。现在来看，处理柏林国家图书馆封存图书的过程中，将 ASF 里既找不到原主又没有读者收留的图书在监管下进行销毁，可以说走出了高度负责又有预见性的一步。

---

① 如想了解具体数目，可参阅历史出版物部门 1996 ~ 1999 年的各年度报告。In：*Jahresberichte Staatsbibliothek Preußischer Kulturbesitz 1996 ~ 1999.*

莱比锡德意志图书馆

——德语总书库及其特殊背景

乌尔里克·格斯勒（Ulrike Geßler），詹妮弗·霍赫豪斯（Jenifer Hochhaus），克斯汀·施密特（Kerstin Schmidt）

在众多出版商和书商的倡议下，经萨克森州、莱比锡市以及位于莱比锡的德国书业联合会三方协议，莱比锡德意志图书馆于1912年10月3日建立。作为德语书刊总书库，“该图书馆不仅承担着书籍收藏任务，收集自1913年1月1日起在德国出版的德语和外语书刊以及在国外出版的德语书刊，而且负责编制书目并无偿提供查阅使用”[1]。鉴于德意

---

① http：//www. d－nb. de/wir/ueber_ dnb/geschichte. htm（Stand：15. 4. 2007）.

志图书馆编辑和出版的各类德语要目，如 1931 年编制的“德国国家书目”，它已发展为国内著名以及世界知名的图书馆，渐渐显示出在德国图书馆中的特殊地位。

1990 年 10 月 3 日两德统一后，莱比锡德意志图书馆与 1946 年创建于美茵河畔法兰克福的国家图书馆及柏林德国国家音乐档案馆共同组成了“德国图书馆”，2006 年更名为“德国国家图书馆”。“德意志图书馆现在官方名称为莱比锡德国国家图书馆，以 1350 万件馆藏量成为德国最大的图书馆，也是德国国家图书馆的最大馆所。”①

莱比锡德意志图书馆在东德图书馆体系中的地位和作用

过去东德图书馆体系的特点是划分为“综合学术与专业学术图书馆”及“国家普教图书馆”。② 莱比锡德意志图书馆与柏林国家图书馆都属于综合学术图书馆，由于书籍涉及学科广泛也被称为“全能型图书馆”，这两所重要的学术图书馆辐射区域广泛，覆盖了所有学科，尤其服务于科研与教育。因为收藏着众多包括 1913 ~ 1945 年出版的各种书籍的唯一样书，德意志图书馆还对东德的科学与实践具有着特殊意义。

柏林国家图书馆和莱比锡德意志图书馆在东德时期占据重要地位，二者以分工的形式实现了作为国家图书馆的功能

---

① http：//de. wikipedia. org/wiki/Deutsche_ B% C3% BCcherei（Stand：15. 4. 2007）.

② 参阅 Kunze，Horst：*Grundzüge der Bibliothekslehre*（以下简称：Bibliothekslehre）. 4.，neubearb. Aufl.，Leipzig 1976，S. 36。属于国家普教图书馆的有各城区图书馆、教区中心图书馆或者也包含乡村中心图书馆。

与作用，其中重点在于负责完整保藏国家文献、制定国家书目以及提供相关信息咨询。两个图书馆的分工与界定是这样的，与德意志图书馆相反，柏林国家图书馆收藏的出版物是完全因其学术价值而购进的，也就是不限国家、语言和图书类型。[①] 除此之外馆藏量也不同，至 1987 年 12 月 31 日柏林国家图书馆总馆藏量为 500 万件，而同一时间莱比锡德意志图书馆为 8336061 件。[②]

德意志图书馆隶属并直接由政府高等教育和专业教育部指导，1967 ~ 1970 年部长为恩斯特 – 尤阿西姆 · 吉斯曼（Ernst – Joachim Gießmann），1970 ~ 1989 年为汉斯 – 尤阿西姆 · 波墨（Hans – Joachim Böhme）。和所有其他图书馆一样，德意志图书馆也是东德国家直属机构，担负社会教育职能，作为学术型图书馆负责对原著书籍的保护、保养和研究，在促进社会主义科学、文化、经济及技术发展方面的作用尤为重要。同时实现文化教育的任务和保护进步的人文传统也是对德意志图书馆及其他东德图书馆的要求。在图书馆藏书结构、信息传播及开发文献方面意味着宣传社会主义和人文主义书籍，抵制按照统一社会党的观点与上述目标背道而驰的出版物。

作为德语总书库及一个学术型图书馆，德意志图书馆负责采购、收藏并供外借的书刊中会含有一些似乎对东德不利

---

① 参阅 Kunze, Horst; Rückl, Gotthard (Hg.): *Lexikon des Bibliothekswesens*. Leipzig 1969, S. 196。

② 参阅 Krieg, Werner: *Einführung in die Bibliothekskunde*. 2. Aufl., Darmstadt 1990, S. 34。

的意识形态内容，因此图书管理员特别负有“为党”把关的责任，不按照一般程序提供这类书籍的借阅，而是仅供学术研究使用，或者换句话说，就是“实行一种根据社会和学术需求而不尽相同的图书借阅政策”①。长年担任柏林国家图书馆馆长的霍斯特·孔策（Horst Kunze）在他所著的图书馆学教科书中对此进一步阐述道：“这种根据不同需求而定的图书借阅方式与过去的审查措施无关。在我们的图书馆里书籍的价值无疑是按照它们的社会效益来评定的，一方面我们尽可能多地购进并借阅民主主义、社会主义书刊，而另一方面我们也根据学术需要购进非民主主义书刊。东德的图书馆内不存在专制独裁意义上的禁书，借阅准则是认真负责、量体裁衣并考虑到各种实际需求的。”②

图 1　80 年代的莱比锡德意志图书馆

---

① Kunze, Bibliothekslehre, S. 30.

② Kunze, Bibliothekslehre, S. 30

图书筛除——东德时期德意志图书馆封存图书及其内容概要

德意志图书馆在承担德语书刊总书库职能的同时，是按照形式上的标准来购进图书，而非内容上的标准。这种藏书方式要归结于1912年时的建馆决定，规定无论于哪个国家出版，所有德语出版物都要收藏。

不对图书内容做评论而完整收藏所有图书，在德意志图书馆的历史上有时并非易事。为遵守1912年的建馆规定，德意志图书馆对图书进行分开保存，这样当时在东德受到禁限令的书刊也可以收藏进来。比如纳粹独裁时期，由国民教育与宣传部部长约瑟夫·戈培尔（Joseph Goebbels）划为德语书刊以外，也就是列为禁书的书刊也可以收藏，但不允许录入《德国国家书目》，所以要单独保存。

色情书刊早在苏占区和东德成立之前，就已经保存在德意志图书馆的特种书库中。到了东德时期，单独存放的图书主要不仅有色情书刊，还有记录在“筛除书单”里的、传播或支持纳粹主义和军国主义思想的图书。该书单由德意志图书馆根据苏联驻德军管会和盟国管制委员会的指令于1946年制定，并由德国国民教育中央管理局编辑出版，经1947年、1948年和1952年分别补充后，共包括35000个书目。[①] 这些书目在当时苏占区的图书馆和书店里

---

① 参阅 Mix，York－Gothart：*Das richtige Buch für den richigen Leser und die falschen Bücher von Leo Perutz*，*Armin T. Wegner und Karl Kautsky. Öffentliches Bibliothekswesen*，*Volksbildung und Zensur in Ostdeutschland*（转下页注）

统统下架，德意志图书馆先进行封存，然后送至“特殊科研文献部”。

在制定“筛除书单”的过程中，尤其伴随着一种未来社会主义国家产物的建立，另一部分筛除书目也已随之而来。1948 年 4 月 7 日，德国国民教育中央管理局主席在苏联驻德军管会的建议下，出具了一份新的需要剔除的作者名单，这些作者被视为斯大林路线的异党分子，背后被贴上反社会主义的标签。戈特弗里德·罗斯特（Gottfried Rost）对此补充说明道，图书封存的标准“模糊不清［……］并且依赖于各自的政治气候”，“没有正式的说明，无论怎样都找不到相关的说明。哪些书要封存，这一问题的责任落到了图书馆和所涉工作人员的‘阶级意识’上［……］”[①]。根据 1950 年颁布的《和平保护法》，接下来的时期图书馆加强了对图书的封存管理，根据这部法律，违背社会主义者以及宣传军国主义和支持“英美帝国主义”者将受到监禁的严惩。

东德时期德意志图书馆设置使用权限、被封存并列入“特殊科研文献”的书刊由以下三个部分组成：

第一部分是色情小说和有色情倾向的作品，以及出于外在形式而享受特殊保护的出版物。第二部分为纳粹主义和军

（接上页注①）*zwischen kulturpolitischer Entnazifizierung und Stalinisierung*（*1945 – 1953*）. In：Vodosek，Peter；Marwinski，Konrad（Hg.）：*Geschichte des Bibliothekswesens in der DDR*（以下简称：Geschichte）. Wiesbaden 1999（Wolfenbüttler Schriften zur Geschichte des Buchwesens；31），S. 118。

① Rost，Gottfried：*Tradition auf dem Prüfstand. Die Deutsche Bücherei in den Jahren der DDR.* In：Vodosek；Marwinski（Hg.）：Geschichte，S. 141.

国主义书刊，也就是出现在筛除书单上的。第三部分是“在当时看来反社会主义阵营及其和平理念”的政治类书刊。[①]

这些书刊在图书馆书目中均可查到。相反，需保密的博士论文就有严格的使用限制，既在书目中查不到，图书馆藏书目录册里也无证可循，一部分曾被从目录册中删除，并且从 1977 年起也不再按规定对博士论文编目。

就像如今还时常说的那样，德意志图书馆封存的图书并非一所“大型西方书刊保密柜”，[②] 西德、奥地利以及瑞士德语区的大部分书籍是可以通过正常程序借阅的。[③] 为了遵守 1912 年的建馆决定，德意志图书馆在采购西方资本主义国家的书刊时也投入了很多心血，比如同西方各出版社保持联系，出差，参加书展，将极大的一部分必须收藏的西方书刊免费采购进来。并且 1961 年海关不再查封寄给德意志图书馆的书刊，接下来的时期西方国家各出版物就可通过“特殊进口许可”畅通无阻地进驻德意志图书馆。

1989 年政治大转折之后，第三部分也就是所谓的政治

---

① Rost，Gottfried：*Die Deutsche Bücherei als* “*Loch in der Mauer*” . In：Lehmstedt，Mark；Lokatis，Siegfried（Hg.）：*Das Loch in der Mauer.* Wiesbaden 1997（Schriften und Zeugnisse zur Buchgeschichte；10），S. 135.

② Rost，Gottfried：*Die Deutsche Bücherei als* “*Loch in der Mauer*” . In：Lehmstedt，Mark；Lokatis，Siegfried（Hg.）：*Das Loch in der Mauer.* Wiesbaden 1997（Schriften und Zeugnisse zur Buchgeschichte；10），S. 135.

③ Rost，Gottfried：*Die Deutsche Bücherei als* “*Loch in der Mauer*” . In：Lehmstedt，Mark；Lokatis，Siegfried（Hg.）：*Das Loch in der Mauer.* Wiesbaden 1997（Schriften und Zeugnisse zur Buchgeschichte；10），S. 136.

类“封存图书”成为德意志图书馆自由开放馆藏的一部分，大约包含10万本书。[①] 法西斯主义和色情书刊依然保留使用权限。

德意志图书馆特殊科研文献的使用规定

特殊科研文献部的藏书并非完全不能借阅，在特殊条件下可以查阅，1962年出台了《高等教育和专业教育国务秘书处针对柏林国家图书馆和莱比锡德意志图书馆特殊科研文献的使用规定》。高等教育和专业教育国务秘书处，也就是1967年成立的高等教育和专业教育部的前身。哪些人可以查阅有特殊使用限制的图书，以及在个别情况下外借，国务秘书处对此是这样定义的：

- 统一社会党中央委员会及其相关机构，出示经批准的借书证
- 承担社会科学研究任务的教授和讲师
- 名流公众，能够出示身份证明及工作证明或者学术用途证明
- 学术机构、党派和群众组织的中央机构、中央国家机关、公众舆论机构（新闻、广播、电视、电影）和企业重要部门的科研工作者，并且出具工作任务证明

对于以下情况封存图书仅供查阅：

- 出示学术用途证明的大学生，并有学院领导签字

① Rost, Gottfried: *Die Deutsche Bücherei als "Loch in der Mauer"*. In: Lehmstedt, Mark; Lokatis, Siegfried (Hg.): *Das Loch in der Mauer.* Wiesbaden 1997 (Schriften und Zeugnisse zur Buchgeschichte; 10), S. 136.

• 其他出具相关证明的个人，说明查阅图书的必要性[①]

在出示特殊证明及读者证的前提下，读者只允许在特定阅览室查阅这些图书，[②] 并且“不允许在阅览室里私自交换书刊［……］”[③]。

学术用途证明必须使用委托方的信头纸，注明论文或科研题目、学术论文类型及证明开具日期，而作为支持使用特殊科研文献的书面证明应由国家级相关负责的部门领导签字，如果是高校学生和学者，应由学院院长或副院长签字，如果是专科学校，应由校长签字。是否能使用特殊科研文献就在于这一份书面证明。[④] 50 年代时，图书使用权限由政府高等教育和专业教育部决定，之后几十年由总馆长赫尔穆特·罗许（Helmut Rötzsch）博士或特殊科研文献部的领导决定。此外，违反基本规定的读者，经特殊科研文献部领导申请，总馆长有权禁止其一段时间内或者长期借阅此类图书。

这种支持使用特殊科研文献的书面证明有效期为一年，特殊情况下说明缘由，可由总馆长或特殊科研文献部领导规定一个新的有效期。[⑤]

还有借阅特殊科研文献的证明有效期也为一年，报刊和

① Deutsche Nationalbibliothek. Hausarchiv, Akte 721.

② Deutsche Nationalbibliothek. Hausarchiv, Akte 721.

③ Deutsche Nationalbibliothek. Hausarchiv, Akte 721.

④ Deutsche Nationalbibliothek. Hausarchiv, Akte 721.

⑤ Deutsche Nationalbibliothek. Hausarchiv, Akte 721.

非装订杂志不算在内。

只要有版权许可并经部门领导特别同意，也可复印图书、报纸和杂志中的内容。只有在特殊情况下允许个人复印。申请复印必须递交委托方盖章和签名。[1]

---

① Deutsche Nationalbibliothek. Hausarchiv, Akte 721.

我曾深爱德意志图书馆

——一段讲述

西格马尔·福斯特（Siegmar Faust）

也许难以想象，我曾深爱德意志图书馆。从没去过大学图书馆，因为在德意志图书馆里我感觉太好了。1968 年我被驱逐出莱比锡，之前两次被强制注销学籍，也从预备党员的名单上划掉了，一时没有任何机会，最多也就是在哪儿当个帮工。通过换房子我又回到了莱比锡，然后开始找工作，突然看到我喜欢的德意志图书馆打出的牌子上写着“招聘夜班门卫”，我马上就递了申请。

图书馆有一位相当讨人喜欢，长相又不错的女领导，这太少见了，我马上跟她说起我的情况，那时我还年轻，有三个儿子。她说：“这不可能。社会主义里没有人会活不下去。”又说道：“我们这曾经有位演员，因为在台上讲笑话进了监狱，然后到这来劳教，现在又重新回到舞台上了。我们也会让您的生活变得好起来的。”她是个很乐观的人。他们虽然决定录用我，但不是马上就雇用，因为要等到干部档案和机密卷宗寄来才行，而且是信使投递，不是通过邮政，这花了大约一周的时间。等我再去报道的时候，她既平静又郁闷地说：“福斯特先生，情况看起来比我想象的要糟糕，但我答应过您的，虽然要冒一些风险，我还是愿意雇用您。”这样我就成了德意志图书馆“权限受限”的夜班门卫。我不能进馆长办公室，不能进需要用特殊钥匙拧开检查钟才能打开的房间，我只能在外面四周和里面沿着走廊检查。我的门卫室里有所有房间的钥匙，但只能进亮着灯或者开着窗户的房间，而且这里也不像监狱那样，房间号都写在了钥匙上，或者写在窗户下从外面就能辨认出，这里我只能从外面认出是哪一楼层，所以必须一直带着一大串钥匙。当然，我这试试那试试，用这种办法一步一步最终还是进过了每个房间，因为总可以找借口说：那有一扇窗户开着。没有人能仔细地查我，所以还是有一些机会的。

接下来说说“毒草室”。这个经严格审查的阁楼间存放的书籍被归为法西斯主义、色情、非人道或者反马克思主义一类，也就是属于危害国家的书籍，所以这些书不能外借，只有出示证明才允许进去查阅。还是学生的时候，我从文学院的老师克劳斯·施泰因豪森（Klaus Steinhaußen）那得到过一张证明，所以进去过毒草室一次，我当然还想再进一次，但是比较困难，我虽然有钥匙，但钥匙是密封着的，只有在起火、发水或遭雷击的时候才可以用。

接着我发现其实根本就不需要进毒草室，每天都有几千本书进来，可以说是一车一车的，我可以安全地进入图书在分类之前存放的房间，因为那些房间应该有一扇窗户是开着的。这就是最纯粹的金矿啊！这有苏联作家索尔仁尼琴，那是德国作家、批判家恩岑斯贝格（Enzensberger），这又有德国诗人贝恩（Benn），所有我感兴趣的禁书都有，还有五花八门的报纸！

我一直都是青年马克思主义者，也就是左派，马克思主义者也应该始终都是左派的。我在图书馆里由着自己的兴趣读起左派报纸，读到毛泽东主义者和托洛茨基分子、德国社民党青年团和共产主义者这些人之间如何互相争斗，这些东西让我大大醒悟，他们之间的斗争比同阶级敌人的斗争还要激烈！这种多元论，西方的多元化，太不可思议了！当然我也开始迷惑起来，我的脑袋里始终占据着马克思主义真理，我坚定的认为由低级走向高级是历史发展规律，而现在一切都动摇了。还有各种宗教，也几乎同样地相互争斗着……种种这些争论先是让我感到害怕，然后实在让我感觉像受到创伤一样疼痛。

但过了一段时间，我就被带进了丰富多彩的精神世界。我读了很多书，但很难消化理解，我的人生里再没有过如此般读书成瘾，心醉神迷。我迫不及待地期盼夜幕降临，然后可以在各种各样的书堆里干我的小坏事。渐渐地我一个人应付不来，所以叫来我的朋友们一起探索发现所有可能和不可能的东西，当然也有不喜欢的书，比如什么联合国组织有关X射线防护屏的文件等。我完全能感觉到，上级已经说不出都有哪些东西已经深受其害。这是指西德！这里还从来没有指过东德。实属不易！但依然其乐无穷。

还有具象诗。知道吗，如果您读奥地利诗人恩斯特·杨德尔（Ernst Jandl）的诗，您会认为是儿戏！但如果听他的诗，然后……然后常常就会恍然大悟。还有唱片，有些唱片我们就在夜里放着听。比如说具象诗。听杨德尔阐释它的诗歌“战壕”，会感到宇宙般的神奇力量！整个战争都被融进了语言里，我这才意识到，不能肤浅地取笑那些背后隐藏着的东西。我有很多美妙的发现，那是我人生最如痴如醉的一段时光。我那时不喝酒，也不喝咖啡，读书是我唯一的兴奋剂。这对我来说就足够了，我愿意永远生活在这个图书馆！

好戏在后头！那些刚拆包等待归类的图书，其中也有禁书，我每次都从堆着这些图书的房间里非法借点东西出来周末看，因为不可能在那么短的夜里读完所有禁书。索尔仁尼琴的《癌症病房》第二部，是菲舍尔（Fischer）出版社出版的平装袖珍书，售价3.8西德马克，可以说成了我的灾难。星期一，不对，星期日晚上我刚想把这本未经允许借出来的书放回书堆，可突然发现房间被锁了。我的前任，一直白天执勤的，告诉我说很多值钱的书不见了，然后搜包检查，我当时一点都没觉得跟我有关，心想3.8马克，不是什么值钱的书，幸亏我把这本《癌症病房》藏在了我门卫室的护墙板后面。这还没完，房间锁了一个星期，一周以后门被打开，我又进去了，突然一个手电筒冲我照来——呃，是个圈套！没错，然后刑事警察科搜查住宅。他们当然没找到那本书，只能又把我放了。他们没有找到能定罪的证据，但是发现了我的日记本，里面夹着一封信，是我写给在西德埃斯林根的左翼出版社“布尔根（Burgen）书社”的，出版社想要出一本东德诗选。我去了馆长的房间，馆长大概叫罗许（Rötzsch）？他的写字台收拾得一干二净，只放了一张纸在上面，是布尔根书社的一封信。出版社之前就已经联系过作家协会和文化部，因为他们要为出版东德诗选请求翻印许可，但没得到答复，试了四次都没成，第五次他们联系了德意志图书馆，想找到我的朋友格尔特·诺伊曼（Gert Neumann），但不知道他住在哪之类的。格尔特已经和海德·黑特尔（Heide Härtl）结婚了，并随了她的姓，现在也就叫格尔特·黑特尔（Gert Härtl）。即使他愿意帮忙，但出版社根本就找不到他，所以很显然，我必须得插手这个事情，于是我给布尔根书社写了一封信，可刑事警察科在我的日记本里发现并且带走了这封信的复本，几个小时以后国安部的人来了。这就是我1971年第一次被拘留的原因。就这样。

对德意志图书馆的热爱至今仍然在延续，我周二那天还又去了一次，很美好，我非常享受那种氛围！虽然人已经上了岁数，但又找回了那种兴奋的状态。一个人怎么可以这么喜爱图书！而且我12年来都没有电视机，不然没有时间和精力来读书。说句实话，电视看得太多，人也就和生活脱节了。

[2007年9月27日雷纳·埃克特教授（Prof. Rainer Eckert）的专题讨论会后记录而成]

隐喻中穿行

——“毒草室”体验*

伊莲娜·德姆克（Elena Demke）

因为要借某些书刊，我便有了一张莱比锡德意志图书馆的“毒草柜通行证”，那是 1988 年，通行证还真管用了，连我自己都觉得惊讶。我作为一个学日耳曼语言文学的学生，经常见到借书单后来被盖了一个章，原文怎么写的我记不得了，但实际上就是“只有持有毒草柜通行证”……

和我在图书馆读了哪些书比起来，通往“毒草室”的

---

* 节选自 Elena Demke：*Verbotene Lektüre*：*Zdenek Mlynars* “*Nachtfrost*”。In：Horch und Guck 3/2006，S. 22 – 24.（hier S. 24）。

那条路在记忆中显得更为清晰。从主楼的侧厅上楼，我紧张地打开一道门，然后又是一个楼梯口，这道楼梯一直通往一个旋转楼梯，我一下又来到了一扇带舷窗又很难打开的金属大门前，就像过去防空洞的门一样，这扇门后面还有一道楼梯，然后就是前厅了吧？我一直以来都被这种感觉所牵制着，就像在隐喻中穿行……一个又阴暗又狭小的房间里，很少有读者来，图书管理员在柜台后面等着我过来，这才真正把预订的书给我。进那个小房间的时候我很激动，房间在一个玻璃圆顶里，明亮又舒适，我紧张地瞄着其他的书桌，都在那读什么呢？时尚杂志、军事杂志——没有任何迹象说明毒草室里有要谋反的读者啊！

“他们还是半信半疑”

——一个读者眼中的德意志图书馆毒草柜

托斯滕·泽拉（Torsten Seela）（博士、教授）（S）接受克斯汀·施密特（Kerstin Schmidt）（I1）、戴安娜·施密特（Diana Schmidt）（I2）和詹妮弗·霍赫豪斯（Jenifer Hochhaus）（I3）的访谈

I1：泽拉先生，请您给我们讲讲所谓的毒草柜，您对此又有哪些经历和体会。

S：我作为图书馆学教授，非常了解德意志图书馆，这是一方面，另一方面我的工作当然也略微涉及封存图书和国家图书禁令。

德意志图书馆有这样一个我们称之为封锁书库的收藏库，这是在我作为读者接触德意志图书馆以后才知道的。当

然这对我来说首先是一个非常奇特的地方，它的大门对我是关闭的，就像童话里谁都不允许进的密室，听说有这么个地方，但从来没见过也根本进不去。当我还是图书馆一名读者的时候，看到借书单上的印章写着“特殊科研文献部/须出示学术用途证明”，心里充满了羡慕和嫉妒，我当时无论如何都弄不到这种证明。

但有一次，在德意志图书馆做实习的时候，有机会直接接触到了封锁书库，当时是从书库中挑出那些又被划为合格类的图书，送到一般的收藏库。那时我正在地图收藏部实习，我们收到了一些用于纳粹职业教育宣传的板报，内容就是有关钳工和钻孔这样的手工活，但仅仅因为职业协会的标志里有一个“卐”字，这些板报栏也被封存了，而内容完全没有问题。

这就是我和封锁书库的第一次接触，之后就再没有过，直到我写博士论文，主题为集中营里的图书文献和读书情况，这样我就迫不得已要和那些封存起来的图书打交道了。这个封锁书库里的书有三大类：第一类是由于二战后清除行动而筛除的纳粹刊物，第二类是色情图书，第三类是反民主的图书，为写论文我要查阅的是第一类和第三类。但反民主是一个极为模糊的表达，可能包括所有东西又可能什么都不包括。找到了这类图书，您可能会问：怎么能看出有反民主的地方呢？这些就是共产党异议分子写的书，持有一种和东德主流观点不同的观点，所以被归入反民主一类，当然还有表现出新纳粹主义倾向的图书，还有正式的科研文献，出于各种原因被认定为不符合党的思想路线。

简明扼要的说：为了弄到这些图书资料，我必须让我的博士论文导师给我开具一张有盖章和签名的证明，证明我有合理要求查阅毒草室的文献，是为学术目的，而非自身娱乐。然后我带着紧张和期盼的心情上了二楼，那有一个通往楼上的旋转楼梯，升降电梯是不允许读者使用的，除非是残疾人，所以我走着旋转楼梯上去，第一次出现在那里，骄傲地出示了证明，然后找出了需要的书。

读者的座位是这样排列的，每张桌子前只能坐一个人，这样我就不能偷偷地和旁边的人一起看书，当然还是能看到一点儿别人在读什么，不过最终还是要出去的，然后会经过各个书桌旁，或者也可以伸长一下脖子，但总的来说别人看了什么书还是不知道。

我在那楼上拿到了相当多的书，每次来的时候，都会被别人用怀疑的目光打量一下，即使带着证明来的，也不敢真真正正地使用那些文献资料。我不是党员，在这个国家也没个一官半职，也就没有什么名望，所以他们还是对我半信半疑。

I1：您是怎么意识到的呢？

S：透过工作人员的行为举止。如果读者是他们熟悉的人，你会发现明显的差别。那楼上的工作人员也都是挑选出来的，都是证明了自己党员身份以及声明了政治立场的人，当然也有了解他们的政治工作和政党工作的或者在东德因为自身政治立场而有一定名望的人去过那里，工作人员对这些人很坦率。而且党员通常互相之间用“你”称呼，这样就制造了一种亲密的气氛，而不属于这个“内部圈子”的人，自然也就被认为是外来入侵者，是不能信任的。

还要说的是，东德的环境氛围至少在这个领域稍微有些病态特征，叫做被追踪妄想症，每个人事先都被认为在寻觅跟他无关的东西，在这里当然也能体现出这一点。当然了，别人对此也从来不能说我什么，因为我满足了所有这些条件：我带来的证明，上面写着博士论文题目，由东德科学院一位学者签字并盖章，因此完全没有问题。但我还是一直感觉到他们对我的一丝不信任，遇到个别书目他们都会再问一遍，我是否真的需用那些预订的图书。

图1　泽拉教授在座谈中

I1：比如说呢？

S：时间太长了，具体哪些书我叫不上名来，但那些书并不是明显有关集中营或者纳粹追捕，而是写现实问题，其中有些章节与我的论文题材有关。然后他们继续追问，我跟他们说为什么需要这些书，然后他们也表示同意了。但并非一开始就能保证拿到想要的书。

这个封锁书库当然是保管最严密的地方。平时在德意志图书馆里经常有的图书，如果拿不到的话，不是因为图书还在装订工人那，就是还没上架。这种情况在楼上的封锁书库几乎没有，所有想要的书都在那了，所以到头来在那看书工作还是很舒服的，但时间一长，就渐渐习惯了，那种异味风情也就消失了。尽管如此，还是觉得那种情形别扭不自在。不过没有像我去统一社会党中央委员会的图书馆时感觉那么奇怪别扭，那儿要麻烦多了，有人监视，进馆之前还要履行更多繁琐的手续，从这一点看来，德意志图书馆里还是相对宽松的。也许我说的不对，但我觉得，楼上的大部分图书根本没有封存的必要。像这种很少见的纪事图书也被封存了，比如一个奥地利共产党员在奥斯维辛集中营做囚犯的往事，他把自己的回忆出版成了一本书，奇怪的是这本书第一版被封存，而之后的版本没有，因为他后来把那些有伤风化的章节删了，但第一版是过了1945年就出版的，所以是最真实最原始的版本，后来的版本明显在党组织施加的影响下进行了编审。就像这样的事情也是有的。

I1：您是哪段时间经常去那楼上看书学习的？

S：80年代后期，1984年开始，到1989年。

I2：曾经有过借书被拒的时候吗？

S：没有，借书本身被拒是没有的。当然那的藏书也有漏洞，但从来没有不让我借哪本书。当然我必须说的是，我在那看到的书没有任何爆炸性的内容。是看了一些纳粹刊物或者不符合东德意识形态的图书，但实际上没有什么机密的东西。

当然封锁书库里也有真正机密的或者仅供公务使用的图书，但我用不到，估计也不会借给我的，这些书有特定的机密等级，只有等级地位高的人才能借阅。有这么一本机密刊物，叫做东德博士论文目录，里面有一些涉及保密等级的内容。看着题目就觉得奇怪，里面能有什么秘密的东西，但有些确实很机密，比如说研究东德民众的法西斯主义思想财富的，除了一些国家安全部工作人员和党员干部有资格外没有人能借到这种书。

I2：您刚才说觉得自己有点儿像是个局外人，您也感觉到被监视了吗？

S：是的，那时其实一直被监视，因为他们要注意不能让读者之间有交流接触，不能交换图书。即使不那么显而易见，但监视在一定程度上还是有的，他们操作得比较隐蔽，大家在监视下并不觉得窘迫。

I1：只是通过目光进行监视吗？

S：是的。但因为大家专注于自己的事情，看书，做摘录，也就感觉不到了。

I1：有没有什么教导，教人们应该怎样注意行为举止？

S：这个没有。每个人被分配一张桌子在那坐下来，就没了。

I3：那个特殊的阅览室里有多少张桌子？

S：可能有20张。

I2：从旋转楼梯上去后，那里的环境气氛如何？

S：穿过一扇钢板门，就进入一个房间，有些积尘，像藏书库一样，工作人员就在这里办公，这也不是一个令人感到多么舒适的办公室，就有一张非常普通的桌子，上面放着工作人员用的箱子，里面装着借书单和各种证明。

读者会在借书处拿到一张借书单，上面盖章写着“特殊科研文献库”，然后带着这张借书单上楼，把它交到工作人员手里，第一次借书的话要出示证明。

然后工作人员就认识你了，再来的时候就不用重复这些步骤。一开始的那个工作人员头发灰白，对人特别不信任，后来是个年轻人，管得稍微松一点儿，但接着大家都同样的一声不发：他们把书递出来，读者把书接到手中，就没了。

I2：您和那的工作人员说过话吗？比如在楼下的咖啡厅？

S：没有，根本没有过。但我和一位也来这个封锁书库找书的女士说过话，她研究的方向是纳粹主义。但到头来还是没什么说的，很无聊，找不到什么话题，就是聊聊都看了哪些书。

I1：您对特殊科研文献部还有哪些经历体会？比如说研究过这个部门吗？

S：没有，我没研究过那些特殊科研文献。我对 1946～1947 年的图书筛除行动是如何发生的进行过研究，还有筛除书单是如何制定出来的。我对图书目录问题的研究兴趣要大于对图书馆本身的兴趣，另外我还指导了一篇硕士论文就是有关图书目录学的。

I2：您还能回忆起图书封存的流程吗？

S：嗯，和对待纳粹分子的复杂流程差不多。首先某些特定作者的作品无论内容如何一律封存，所有希特勒的出版物，还有深受纳粹影响的出版社，他们出的所有刊物也都要封存。第一步工作做起来相对顺畅。

后续补充工作就要费点工夫，要收集第一步漏掉的东西，这里出于各种原因做得有些夸张了，其中一个原因就是急于服从上级命令。在纯文学作品的处理上就做得比较夸张，因为参照标准完全变了，还有一些明显属于德国文学的作品也遭到了封存，这些作品看起来似乎思想内容粗制滥造，其实并非如此。但当时因为苏占军施加了压力，这项工作必须要尽快完成，以便尽快制定出封存书单。就像俗话说的："哪儿要刨光，哪儿就会落刨屑"，实行某些必要措施时难免会产生负面影响，一些绝对没有问题的作品也难免遭遇厄运。

I2：您知道那些封存图书的工作人员都是学什么的吗，是专家吗？

S：不清楚，他们都是图书管理员，但也是受过基本培训有一定经验的图书管理员，不是这方面一点都不懂的新手。他们都在那工作了很多年，很熟悉图书馆的藏书情况。

I3：我想再回到读者的角度。您说您从书中做了摘录，那您也复印过资料吗，如果有那又是怎么操作的呢？

S：我没复印过东西。首先那个时候复印机还不是很普及，虽然文印室里有所谓的静电复印机，但是相当贵，而且特别耗时间，要等很久，所以我当时宁愿用最传统的方式做摘录。

I3：您之前还提到在读博士之前是没有机会查阅这些图书的。是不是一般情况下，只有处在更高的科研层次才能从教授那得到一份证明呢？

S：不是的，这和高科研层次没有关系，而是看你的研究工作属于哪类题材范围。不一定非是博士论文，也可以是硕士毕业论文或者研究课论文。需要查阅图书的大学生必须出示学术用途证明，由担保人签字，担保人以他的名义保证不会滥用图书。

I2：那也就是说在某些情况下，担保人的名声是可能被毁了的？

S：有可能，如果学生有意写一些比如跟新纳粹主义有关的文章，并且以这些图书资料为依据，然后麻烦可就大了。但我从来没听说过这种事，因为教授当然了解他们的学生，知道他们是否可信。

I2：您刚刚讲了 1946 ~ 1947 年图书封存工作的流程是怎样的，那之后的几年呢？

S：同样也是由图书管理员决定。图书在进馆时就已经由相关人员进行过鉴定，决定是否封存，或者必要情况下在正式购进之后决定，最晚也要在编目，也就是所有图书系统地编入图书馆书目时决定是否封存。

但一般情况下这项工作早早就已完成，所以负责图书编目的工作人员在编辑到这些书刊时，还要去封锁书库查阅。然而一个普遍存在的问题是，决定哪些图书要进封锁书库哪些不进，是一个主观的决定，情况不同，处理结果可能就完全不同。这就明显存在各种灰色地带。比如说什么是反民主？谁来做决定，就由谁的政治立场说了算，看他是共产主义强硬派还是自由派。这样带来的结果是一本书经一人之手进入封锁书库，另一个人将同样一本书放进了公共开放书库，还有对色情文学的处理情况也是类似的。至于哪些书要放进封锁书库，界限模糊不定，两种处理结果都很主观。什么书必须撤出公众视线，什么书可以公开借阅，没有明确的规则。

I1：就是说没有书面规定。

S：没有书面规定。有一些被用形容词来描述的评判标准，像反人道主义的、军国主义的、反犹太主义的，如果满足这些特征或者似乎满足这些特征，就要封存。但还是没有明确的标准，对图书的评判既有主观上的变化，也随着政治发展的不同阶段或不同的高低潮时期而变化。东德政治有辉煌的时候，也有稍显逊色的时候，所以人们由此作出的决定也不尽相同。

I1：那这些形容词对于图书馆的工作人员来说也很熟悉吗？

S：是的，这些词已经以书面的形式写入了图书馆的使用规定："符合这些特征的书籍不向公众开放，仅供科研使用"，这样就能事先提醒读者有一些书籍是借阅不到的。

I1：图书馆的使用规定有过变化吗，还是多年来只有一套规定？

S：当然有变化，因为政策方针在变，但基本倾向始终如一。

I2：那后来图书馆有没有对封锁书库里的图书重新审阅，看看有哪些书可以再挑出来？

S：是有这种可能，即使有也肯定是偶然的。问题是封锁书库的工作人员较少，但藏书数量较大。他们也有可能什么时候又把书重新放了回去。我估计如果有人在封锁书库看到一本书，然后说在公共开放书库中应该也见过，那基本上是巧合。

我确实在公共开放藏书中拿到过个别书刊，上面有封锁书库的标记，看样子曾经在那存放过。扉页的背面用一个三角形标记，还标注着封存编组，一个小的1、2或者3。

I2：但是没有进行过系统的审阅。

S：这是没有的。因为工作人员既没有时间，也没有足够的资历来做这件事情。他们在那工作，不是因为他们有足够的学术能力来审阅图书，而是因为他们在政治立场上信得过。那时候有人就说："他们什么都能胜任，他们是意志坚定的共产党员。"

I2：是否在图书馆之外，比如说一些政治部门也进行图书审查？

S：我觉得没有。图书馆内的审查是有安全保障的，一方面因为图书馆的工作人员始终和党组织联系在一起，而且他们组成了一个党组织小组互相监督；另一方面，这些工作人员属于德意志图书馆的编制，因此对自己的工作行为负责。外部审查是来自国家安全部的，并且始终将德意志图书馆作为整体看待，而不是涉及图书馆某个部门。

“图书筛除”
——莱比锡大学图书馆图书使用限制

克劳蒂娅－莱奥诺蕾·泰施纳（Claudia－Leonore Täschner）

所有专制都害怕自由言论，历史上此类例子不胜枚举，而具体涉及哪种专制并不重要。禁书单不是最新时代的发明，焚书也只是科学意识形态化的最终结果。所以30年代中期，纳粹分子也已编选出“非主流图书以及禁书书目单”，这些书目尤其涉及的是犹太科学家和作家，他们的作品要从各图书馆一般馆藏中下架并单独存放。1941年起，莱比锡大学图书馆所有犹太作家的作品不再单独封存，而仅用红杠标记，并在图书目录中做相应附注。

这些在 1945 年之后又重新演过。二战一结束，1946 年 4 月 1 日，苏占区就制定了一份 526 页的“筛除书单”，由德国国民教育中央管理局编辑出版，到 1952 年还经过了三次补充，最终长达 785 页。这样在苏占区的各图书馆和后来的东德又开始了大规模的筛书行动。这些书单除确实包括种族主义和法西斯主义书刊外，还包括殖民史、经济史、地理、前德国东部史以及自然科学等方面的书籍，因为这些书从广义上看似乎对制造武器弹药有些帮助，还有很多都是无论过去或者现在都对科研非常重要的书籍。最初的图书筛除行动到了 40 年代基本结束，只有莱比锡德意志图书馆设置单独储藏室保存被筛除的图书。

如莱比锡大学图书馆 1946 年的年终报告所记录，在一次特别行动中（额外请了 75 个人协助并且图书馆闭馆 3 周），工作人员把所有书通读一遍，然后上交给德意志图书馆的就有 11549 本。另外大约 4000 本不在“筛除书单”上，但也被负责检查的工作人员归为可疑图书，这些书在莱比锡大学图书馆里分开存放，后来又经审阅，其中 1350 本也被转交至德意志图书馆。由党组织委派的“莱比锡学术图书馆特别审查委员会”检查各图书馆的书面报告，并在每个图书馆进行抽样检查，之后才给出具相应证明。

接下来的几年里，所有图书馆通常都把政治上有争议的书刊分开存放，相应做好封存标记。各学院图书馆的筛书行动明显远不如大学总图书馆做得细致缜密。我读大学时和后来在大学总图书馆都发现，各学院图书馆还存有很多上面提到的书单中包含的书目。

所谓的封存图书使用规定在每个图书馆各不相同，但都遵照相同的上级规定，一般也都直接反映出了对当时政治局势的态度。高等教育和专业教育国务秘书处 1955 年 7 月 20 日的公文就要求莱比锡大学图书馆检查所有涉及苏联和南斯拉夫关系的图书，其中“［……］没有照顾到苏联和南斯拉夫两国友好理解的书刊要从阅览室藏书中下架”。简明扼要地说就是，所有批判苏联的图书都要封存。

下面这个例子就反映了当局对 1961 年建柏林墙的态度。1962 年 8 月 1 日出台了《高等教育和专业教育国务秘书处针对柏林国家图书馆和莱比锡德意志图书馆特殊科研文献的使用规定》，并送达各高校学术图书馆馆长以引起重视并执行相关规定。这类文献首先对以下人员和机构开放：统一社会党中央委员会及其相关机构、各研究院和高校承担社会科学研究任务的教授和讲师、党派和群众组织（包括东德自由工会联合会）以及公众舆论机构的科研工作者，同时出示工作任务证明，大学生须出示由学院领导签字的学术用途证明。纳粹时期有关当局曾使用的是几乎一字不差的表达，即“学术用途”。但实际中也认可只有教授签字的证明。如果是个人借阅特殊文献，必须能够证明查阅图书的必要性，但大多情况下都行不通，所以这些人也就被拒之门外，这里使用的措辞“查阅必要性”弱化了图书使用限制的严格程度。

随着 70 年代初期两德之间所谓的缓和政策实行以来，东德对封存图书的处理更为严格了。1971 年 12 月 6 日的《保护公务机密条例》于 1972 年 1 月 1 日发表在东德法令公报717号特刊，该条例中的第一条如下："在国际阶级斗争日益激烈的背景下，在民主德国构建发达社会主义社会，就要确保保护公务机密成为社会生活各领域领导工作的一部分[……]。"这一指示在实际中对图书馆资源的利用产生了极大的影响。

每一份作为赠阅本上交至大学图书馆的博士论文都要附上一张学院领导开具的可信度证明，如果将来用于国内或国际图书交流以及远程借阅，那么要附上这份证明。海关无一例外地打开所有包裹检查，并查看是否有证明。没有封存标记的博士论文和用于取得大学授课资格的论文也要拿出来，并把政府指示通知给大学领导。在这些规定出台之前上交的博士论文在远程借阅时也要补审可信度，这一下就涉及所有1945年以后的社科类博士论文和1968年以后的理工科博士论文，于是莱比锡大学的兽医学院可能为了方便起见或因急于服从命令，为了国际图书借阅和交流要封存本学院所有博士论文。莱比锡大学图书馆馆长沙夫（Schaaf）教授提出抗议并规定，如有需要，分别决定每篇博士论文是否需要封存。

1973年莱比锡大学图书馆的借阅规定补充了一项保护特殊科研文献的条款。这些图书外部用黄色正方形标签标记，里面注明"借阅限制"，并存放在特殊藏书室中，只有固定人员可以进入。无须出示证明就能借阅图书的只有以下人员：莱比锡大学以及莱比锡其他高校的校长和副校长、莱比锡大学各学院院长及统一社会党党支部领导、其他党派支部领导、各城区委员会主席以及莱比锡市长。这些人也有权限给其他读者开具证明，证明有效期为半年。把书带出图书馆外借属于绝对例外情况，需要借阅部领导决定。只要有单独的阅览室，就只能在阅览室查阅封存的书刊。

同时图书借阅手续也被细化。借书需要由领导或一位领导委托人签字，莱比锡书展上从非社会主义国家包括西德购进的图书同样要接受极为严格的检查。采购部领导和专业部门负责人一起决定哪些书划为“特殊科研文献”，并且只允许用手递书，录入书目时尤其要署名是哪位工作人员负责整理的。这让莱比锡大学图书馆不止一次出现了这样的事情，一位担任高级职务的工作人员，从统一社会党的角度来看政治思想过关，这名工作人员一旦发现相关部门负责人没有给图书附上封存标记或者标记做得不够明显，就会到副馆长那里通报。部门负责人首先要经受思想意识可靠性的考验，专业能力屈居次位。

这些条条框框阻碍了人们获取信息，使人的思想受到束缚。下面几个事例说明了图书馆在实际中操作这些规定非常独断专行。莱比锡托马斯教堂的一位牧师想读乔治·奥威尔（George Orwell）的《1984》，遭到莱比锡大学图书馆一位部门领导拒绝，牧师相当机智地辩解称这本书在1984年引起了广泛讨论，所以他想了解一下，对此他还引用了写进东德宪法的信仰自由和受教育的权利为依据。这个理由没有作为“查阅必要性”得到认可，接着这本书被这位部门领导从封锁书库中取出单独锁起来，可以说双层隔离，因为他觉得下面的工作人员可能会把这本书秘密取出，有时就发生过这样的事。当然谁也没法保证，你帮了一位读者的忙，他会不会不小心或者大大咧咧地说出去，一旦说出去，图书馆工作人员就有麻烦了，他会因玩忽职守要受到惩罚。

图 1　80 年代的莱比锡大学阿尔贝蒂娜图书馆

不仅政治类图书受到借阅限制，一般的作家像赫尔曼·黑塞（Hermann Hesse）也有待评定，被开除东德国籍的沃尔夫·比尔曼（Wolf Biermann）、同样不允许再在东德出版作品并最后也离开了东德的莱纳·孔策（Reiner Kunze），这些人的作品在公共图书馆里也见不到，或者说从此以后再见不到了。各学术图书馆藏有一些他们的作品，但只有经特别批准方可外借。在这些作品不知要消失于封锁书库中多久之前，工作人员要通读一遍，所以处理时间非常长，有时候超过两年。

此外我上大学的时候，还借到了右派平民主义历史学家大卫·欧文（David Irving）的作品。瓦尔特·巴尔特尔（Walter Barthel）教授曾经在布痕瓦尔德集中营当过囚犯，同时是德国共产党非法集中营委员会的成员，一个由他带领的大学生工作小组的成员如需要借书，他都给开具必要的证明。到这就是一些从读者的角度举的事例。

80 年代时，由各学院图书馆上交至莱比锡大学图书馆的图书在评定的过程中，一些在当时根据"筛除书单"应该下架的图书又回到了莱比锡大学图书馆。所有工作人员在评定新进来的图书时都必须以"筛除书单"作参照，但也会有漏了或者忘了的情况发生！如果我立马把一本书做上标记"libri. sep. F b. v."然后封存起来，那么这本书正常上架的可能性就更大了。对于我们图书馆工作人员来说把书收藏进来很重要，这样也许读者在 50 年或者更久之后又可以借阅了。还好没有等太久，到了 1990 年各种学术书刊很顺利地从封锁书库中取出，正常上架。

还有一点需要补充的是，封锁书库中还保存了一些有特殊价值的图书，像第一版、带签名的版本和有很高艺术价值的版次。此外还有经常被盗的书籍，像收藏家们钟爱的旧版旅行攻略，或者德国探险小说家卡尔·麦（Karl May）的作品，起初是禁书，80 年代中期以后以小发行量在东德重新出版。

这里所讲的在东德处理图书的方式不能和其他前东欧集团国家等同看待。在东德被列入禁书单的西方作家，他们的部分作品在波兰、捷克或者匈牙利的书店是可以买到的。

有关借阅图书成功或者被拒的例子还有很多，上面列举的事例说明图书使用限制涉及了各种各样的题材。除了政府下达的规定要统一遵守外，图书馆工作人员多少还有些回旋余地。每个图书馆都有百分之二百遵守规定的工作人员，因此读者并不是每次都能避开这些规定。

希望大家都能明确一点，设置图书使用权限是当时社会制度本身固有的产物，20 世纪德国在二战中的专制独裁不可忽视。但此外，图书馆工作人员的个人立场对于图书馆的利用以及信息获取可能有着重要影响。

经批准方可读书

——魏玛图书馆1970年至1990年图书使用限制

罗兰德·贝温克尔（Roland Bärwinkel）

审查，确切地说叫事后审查，是东德所有图书馆的一项工作。在某种世界观的名义下，通过镇压行动及政治运动进行的斗争也少不了审查。这里说的审查指的是对图书发行传播的审查，目标针对各种信息传播载体，也就是印刷商、出版商、销售商以及图书管理员。图书馆里的审查是指对图书接收的审查，以阻碍现有的思想财富继续传播，于是读者成为了关注对象。

1945年至1953年制定的筛除书单在什么样的背景下产

生以及发挥了怎样的影响到目前为止已经得到了充分研究，这份书单为东德后期苏占区各图书馆禁书的处理提供了具有约束力的准则，并且要求所有图书馆领导对藏书以及图书借阅要保持政治警惕性，因此对图书馆的实际工作具有重要的长远意义。到了1970年至1990年间，虽然这段时期图书发行传播早就没有了统一的政策方针可依，禁书单也失去了效力，但这项要求带来的影响仍在持续。

在对东德图书馆的研究中，到1990年之前始终没有以审查为题材的研究发表。两德统一后，东德图书馆史和图书馆政治学的研究也很少涉及审查题材。90年代中期以来才有一些相关论述出版，但数量不多，东德很多大型学术图书馆至今都未提及它们历史上的这一章节，在长达40年的社会主义图书馆史中明显缺少审查这一页，印证了审查的确存在并且发挥着作用，也证实了审查的效力及其广泛的影响。

为了避免审查作为一类成型的题材出现在公众视野，人们是如何尽力避免这一话题甚至将其列为禁忌，这些在相应的文献中都有证可循。80年代的图书馆学典范著作以及文艺学专业字典中都写道，审查在东德是不存在的。[①] 其中审查一词的下面有一条说明，说审查是一种特殊的资本主义文化政策。某种无可争辩的论断认为，社会主义既不存在政治上的也不存在道德上的审查问题，该论断的作者针对图书馆

① 参阅Kunze，Horst（Hg.）：*Lexikon des Bibliothekswesens*。2.，neubearb. Aufl.，Leipzig 1975. 2 Bde. Träger，Claus（Hg.）：*Wörterbuch der Literaturwissenschaft.* Leipzig 1986。

领域进一步说道："对特殊文献设置使用权限通常是出于藏书保护的目的，同样也和专制独裁没有关系，就是一种认真负责、'为党把关'、略显不同的图书采购和借阅政策，也就是说考虑到了个人和社会的需求。"① 设置图书使用权限就是执行事后审查，该作者对设置使用权限的解释是："鉴于纯文学作为原始文献所具有的价值，各学术图书馆只有在学术或职业用途的条件下才提供使用。此外，内容上违背社会主义道德价值观及道德规范的图书，仅仅在证明学术用途的条件下才能面交给读者。所以对所有宣传法西斯主义、军国主义、反共产主义或其他非民主思想的图书，都要设置严格的使用权限。"在不断鼓吹宣传的阶级斗争和持续进行的革命背景下，这种对东德图书管理员所肩负的重要责任的解读决定了图书馆的工作，损害了图书馆的意义和价值。民主德国宪法中有一条原文应该是这样的："德意志民主共和国推动科研及教育的发展，目标在于保障并充实社会和人民生活"，出自民主德国宪法第13章。

1969年，魏玛国立古典德国文学研究所和纪念馆的图书馆与重要的图林根州立图书馆强制合并为一个中央图书馆。新图书馆在很短的时间内就进行了重要的人事和管理变革，对图书馆工作提出严格的专业要求和政治要求。此外，新馆长在两德统一那年还制定了新图书馆使用条例，为从内部保障审查工作的实施，图书馆工作人员有义务执行审查工作。馆长曾在一封信件中这样写道："对图书借阅许可和图

① Kunze: *Lexikon des Bibliothekswesens*. Bd. 2, Sp. 1527. Hervorh. D. Verfassers.

书可用性产生疑问时，所有工作人员有义务向图书馆领导反映情况并进行审查。”①

根据信件内容，图书馆是服务于科研和教育的，为各类人员政治进修和专业进修提供信息，也服务于“所有切实的教育需求”，接着进一步写道：

“然而，内容违反和平保护法和民主德国宪法第6章，或者观点违背社会主义道德的图书，只有出示书面学术用途证明才可以使用。”东德的每一个学术图书馆都有这条规定。新图书馆使用条例的最后一条表示，其中由于内容原因设置使用权限的图书也包含在内。不管对于读者还是对于工作人员，条例中都没有具体的指示或者明确的指导说明。

这样，一套自主的审查体系就早早融入了图书馆的管理流程。分配完书目号之后，馆长会对有问题的图书进行预检查，虽然所有采购进来的图书之前都已给他过目，但两次检查之间没有关系。馆长最终决定图书的可用度，对图书设置使用权限，从书单和书库中剔除，将已经设限的图书又重新发配到“馆长室”，以便由他一人加强监控，所有这些都任由馆长考虑处理。

这些模棱两可的规定令图书管理员感到非常缺乏法律保障，也会使他们操之过急盲目地遵守规定，当年在魏玛图书馆有过亲身经历的图书管理员们对审查制度的评判也自然是矛盾的。一个事实就是，有些图书馆里根本没有这类违反规

① 馆长于1969年3月20日写的信件。Klassik Stiftung Weimar, Goethe - und Schiller - Archiv, Institutsarchiv, Nr. 2140, Aktennotiz vom 7. 3. 1972.

定的出版物，相比之下，一些图书管理员认为实行审查是两害相权取其轻。往往都是来自西德各出版社的图书出现问题然后被封存，这些图书尤其能对一些调研性工作提供有效的帮助，所以是一种珍贵的财富。此外，明显有些图书管理员回想起来依然认为他们的做法是正确的，除了出于藏书保护的原因，那些“坏书”和“恶书”、“遭道德谴责”的或者出于政治原因“无可容忍”的图书最好也不要向读者开放。另一方面也值得注意的是，有的读者和图书管理员有亲密的私人关系，所以他们借书经常享有特殊待遇，这时图书才体现出它真正的用途所在。同时，在排除图书馆内暗中调查和告密的情况下，也存在着一定的潜在风险，如果本应该封存的图书可供借阅，那么读者也会发挥“政治思想”性的效力。因此，图书馆的业务部和政治部的领导会很快开具一份“缺少政治警惕性”的证明。一些老图书管理员表示，魏玛图书馆确有其事。

各学术图书馆里实施审查的情况非常不同。各高校图书馆没有严格统一的审查程序，每个地方采用的内部标记符号也各不相同。设置使用权限的出版物通常应使用彩色圆圈或十字标记，魏玛图书馆将出示学术用途证明方可借阅的图书在书脊上打一个红点，位于北德的格赖夫斯瓦尔德大学采用类似的标记，但为了表明设限等级，再加上额外的标记来区分比如“大众科普图书”或“有敌对倾向的图书”。柏林国家图书馆和位于德累斯顿的萨克森州立图书馆应该有一份经审查后的图书目录册，所谓的“可疑”书目被删掉了，直到东德时期结束在各大学术图书馆作为公共开放目录册使用，也作为实行审查的指导工具，这在魏玛图书馆是没有的。还有像莱比锡德意志图书馆，专业的图书管理员可以决定藏书的使用权，对管理员也要评定可信度，[①] 而魏玛图书馆的馆长从未将此事正式提上议程。魏玛图书馆同样也没有在书目卡和图书包装上使用标记来对图书可用度划分等级，比如“被其他学术图书馆借阅”这样的标记也是没有的。如何使用封锁书库，也就是被确切地称为“毒草柜”的书库，还有如何确定读者类别，都写入了图书馆的管理规定中。

审查所涉及的与意识形态相关的专业题材如下：

- 19 世纪的工人运动：所有西德出版社发行的书刊
- 共产国际史：所有西德出版社发行的书刊
- 社会民主史：所有西德出版社发行的书刊
- 反法西斯主义：其中包含社会民主、社会革命、左倾激进和无政府主义书刊，内容涉及政治、经济或者马列主义以及革命发展问题的书刊
- 德国共产党史：所有西德出版社发行的书刊，就连涉及 1933～1945 年间抵抗行动的也包含在内
- 德国社民党发展史：所有西欧国家的出版物
- 哲学、思想史以及社会学：很多重要哲学家的作品在东德根本没有。像精神分析心理学家埃里希·弗洛姆（Erich Fromm）、社会学家莱奥·洛文塔尔（Leo Löwenthal）、哲学

① Ferret, Christine: *Die Zensur in den Bibliotheken der DDR*. In: *Zeitschrift für Bibliothekswesen und Bibliographie* 4/1997, S. 401.

家麦克斯·霍克海默(Max Horkheimer)、弗里德里希·尼采(Friedrich Nietzsche)、赫伯特·马尔库塞(Herbert Marcuse)和路德维希·维特根斯坦(Ludwig Wittgenstein)这些人的作品,还有《马克思主义报》发表的作品都没能通过审查,其中还有一部卡尔·马克思的传记。东德公认的反法西斯主义者阿道夫·莱希魏因(Adolf Reichwein)的唯一一本“西德出版物”也被封存了

同样被封存的还有以下作家的原作:海因里希·伯尔(Heinrich Böll),君特·格拉斯(Günter Grass),阿诺·施密特(Arno Schmidt),美国作家诺曼·梅勒(Norman Mailer)、索尔·贝娄(Saul Bellow),爱尔兰作家詹姆斯·乔伊斯(James Joyce),法国作家让-保罗·萨特(Jean-Paul Sartre),也有莱纳·孔策和君特·库纳特(Günter Kunert)1976年以后的作品。

也有关于德语作家的二次文献被封存,其中涉及了很多作者的作品,这些德语作家按姓氏首字母顺序排列分别如下:戈特弗里德·贝恩(Gottfried Benn),维尔纳·贝根格林(Werner Bergengruen),沃尔夫·比尔曼(Wolf Biermann),海因里希·伯尔,沃尔克·博朗(Volker Braun),贝尔托·布莱希特(Bertolt Brecht),罗尔夫·迪特·布林克曼(Rolf Dieter Brinkmann),保罗·策兰(Paul Celan),莱昂·孚希特万格(Lion Feuchtwanger),休伯特·菲希特(Hubert Fichte),玛丽路易斯·弗莱瑟(Marieluise Fleißer),狄奥多·冯塔纳(Theodor Fontane),埃里希·弗

里德（Erich Fried），麦克斯·弗里施（Max Frisch），约翰·沃尔夫冈·歌德（Johann Wolfgang Goethe）（很多关于《浮士德》以及歌德生平著作的出版物），君特·格拉斯，彼得·哈克斯（Peter Hacks），海因里希·海涅（Heinrich Heine），斯蒂芬·赫尔姆林（Stephan Hermlin），奥古斯特·海因里希·霍夫曼·冯·法勒斯莱本（August Heinrich Hoffmann von Fallersleben），乌韦·约翰逊（Uwe Johnson），弗朗茨·卡夫卡（Franz Kafka），赫尔曼·康德（Hermann Kant），海纳·米勒（Heiner Müller），卡尔·冯·奥西茨基（Carl von Ossietzky），乌尔里希·普朗茨多夫（Ulrich Plenzdorf），弗里德里希·席勒（Friedrich Schiller）（8部有关席勒接受史的作品），安娜·西格斯（Anna Seghers）（相关的所有西德出版物），埃尔温·施特里马特（Erwin Strittmatter），克里斯塔·沃尔夫（Christa Wolf）（所有1970～1990年间出版的作品）。

还有文集和诗选也遭到了审查，比如某本合集如果包含或引用了以下作者的文章：恩斯特·荣格尔（Ernst Jünger），狄奥多·阿多诺（Theodor Adorno），阿尔贝·加谬（Albert Camus），列夫·托洛茨基（Leo Trotzki）。叙事诗和歌曲集即使只印有一篇比尔曼的文章，那么也要设置使用权限。还有“Spectaculum”系列现代戏剧也全部被封存。

此外，人文社会科学和教育学的一系列重要期刊也设借阅限制：《日耳曼语言文学基础》（所有1966～1989年的期刊）、全部《文本与批评》、《文学期刊》、《指南》以及所有西方国家的教学资料。

还有关于文学史和文学理论的基本著作，比如德国文学家汉斯·迈耶、作家弗朗茨·伦纳茨（Franz Lennartz）、瓦尔特·因德尔（Walter Hinderer）和文学评论家马塞尔·莱希—拉尼茨基（Marcel Reich - Ranicki）的作品。

颓废派、荒诞戏剧、抽象艺术、表现主义、流亡文学和后现代主义，这些都是人文社会科学范畴的敏感词。一旦出现有关文学时代、文学类型、艺术团体和文学流派的专业术语，就表明在有计划性和目的性地探讨文化政治。

我想举一个例子来说明图书馆的藏书如何深受文化政治局势的影响。鉴于作家莱纳·孔策 1976 年被东德作协开除，第二年被迫移居西德，馆长要求孔策在东德出版的诗集《纪念册》和《带蓝色印章的信》也要出示“学术用途证明”才可借阅，并被送到特殊地点“馆长室”保存。

每本书的书名或标语、前言后记、索引目录以及作者或编者的名字就构成了这本书的敏感词场，也就成了图书馆的调查对象，这种状态一直持续到 1990 年两德统一。在图书分类时，政治、思想、道德方面的因素及各图书馆特有的标准起着决定作用，因此在标记使用受限的图书时不再进行具体区分。有些图书的再版不再设限，而有些一直正常对外开放的图书，借阅再版却又要出示一份学术用途证明。

这段时期的政治结盟局势、政治动向尤其是文化政治动向以及两大阵营间的冷战，都决定着肩负审查任务的领导小组采用哪些处事技巧和处理方式，也决定着图书馆各部门的人员配置和行政特点，决定着图书馆所承担的教育任务以及购书和藏书特色。在图书面前的无能、苛刻、不安、顺从、愚昧和自大充斥着东德各图书馆无处不在的审查。审查机制源于社会体制而建立起来，主观性强，透明度低。投机主义、政治责任意识、惧怕决策错误、因祸得福（统一社会党成员去往国外，与西方建立私人联系）还有惧怕被免职，这些构成了审查机制的大杂烩。

还需要强调的是，虽然审查的重点内容有待核实，但是审查的实施通常很独断专行，没有系统性，用学者沃尔克·达姆（Volker Dahm）提出的概念可以称之为“独裁式无政府主义”，这一概念也作为一套理论体系的核心，揭示了东德文化政策的实践特点。这种理论认为，从图书馆的角度来看，自60年代以来图书监管和审查体系没有了统一的指导方针可循，并且无行政能力。

实行审查带来了沉重的后果，特别是在东德这片读书的天地，图书馆是唯一可以让书迷们怀揣着希望去的地方。在实行图书审查的这段时期，我们完全可以将图书馆称作知识宝库——掩藏了知识的宝库。

图书展览与图书盗窃

大千世界馥郁芬芳

——莱比锡国际书展与秘密阅读

帕特里夏·F. 采卡特（Patricia F. Zeckert）

几十年以来，莱比锡书展一直陪伴着东德的书迷们，在书展上读书既有秘密非法式的，也有耐心公开式的。参观书展不仅为了接触到西方图书，也为了走出东德图书市场，扩大见闻。东德国家安全部文献管理员为我们研究莱比锡书展上的读书情况提供了相关档案资料，本文将对研究结果作以介绍。由于资料有限，研究重点仅限于70年代初至1989年和1990年的和平革命这段时期。

二战后，莱比锡又逐渐开始定期组织书展。当然最初参与的书商还有图书都很少，但图书展销会就像莱比锡博览会一样，发展势头越来越好，后来就借助博览会的平台，书展和其他各行业的展会一并举办。战后的几年，各出版社还没有固定的展会场地，到了 1963 年秋，城区的集市上新建了一座展览馆，这样一直到两德统一后的几年，各出版社总算找到了归宿。这座展览馆有五层展厅，只有四层给出版社使用，最顶层展出的是和图书类似的危险品，也就是武器。

书展开办的最初十年里，参展商和图书数量几乎在持续增长，[1] 令书展呈现出良好的发展势头，总共有 600 ~ 1000 家出版社参展。通常西德各出版社都以集体形式参展，只有少部分有独立的隔间，所有来自西德和西柏林的出版社中，在集体展台参展的约有 200 家，约 40 家有独立展位，这个数量基本保持不变。由于展览馆大小有限，书展的发展受到了限制，所以多年以来“经常参展的出版社团队”[2] 基本不变。到了 80 年代，在特殊情况下为了照顾来自“非社会主义经济区”的参展商，东德的出版社就要挤一挤腾出位置。

---

① Lokatis, Siegfried: *Phasen deutsch - deutscher Literaturpolitik der DDR unter Ulbricht - Devisenprobleme, Außenhandelsinstrumente und Kontrollinstanzen.* In: Lehmstedt, Mark; ders. (Hg.): *Das Loch in der Mauer. Der innerdeutsche Literaturaustausch* (以下简称: Das Loch). Wiesbaden 1997, S. 42. Saur, Klaus G.: *Leipzigs Buchmesse von 1946 bis 1989. Eine persönliche Retrospektive* (以下简称: Retrospektive). In: Zwahr, Hartmut; Topfstedt, Thomas; Bentele, Günter (Hg.): *Leipzigs Messen 1947 - 1997*, Bd. 2. Köln, Weimar, Wien 1997, S. 718 - 720.

② Saur, Retrospektive, S. 719.

图 1　由国家安全部摄于莱比锡展览馆

展览馆的四层楼就成了东德图书进出口交易的中心平台，书展也跟随着博览会每年春秋各一次如期举办，从 1973 年开始只有每年春季举办书展。来自大约 20 个国家和地区的贸易伙伴汇聚在此，商讨版权及印刷事宜等方面的合作。如果能把本地出版的图书出口到国外，那么这将给东德各出版社带来最大的经济效益，而书展就是图书出口的平台。与此形成对比的是，图书进口很有限。比如西德出版商们经常抱怨东德外汇短缺，由于东德方面购书太少，对于许多西德出版社来说，到莱比锡参加一次书展几乎没有什么帮助，总得想着另辟蹊径。

然而书展上呈现出的繁忙景象，不光是因为有了守在展台前的出版商和前来参加书展的专业人士，毕竟在集市上建的这座展览馆提供的空间有限，来书展看书的人占满了各个走廊，就显得更拥挤了，所以这些东德读者在书展上形成一股强大的人流，首先就营造出了一种特有的熙熙攘攘的热闹场面。[1] 有一点特别之处也让广大读者尝到了甜头：和其他书展不同的是，莱比锡书展在开放时间内各展厅始终对外开放，这样读者就有一周的时间，从早上9点到下午6点，搜寻国内外各出版社的图书。为什么书展除了作为贸易平台，也像一片磁场深深吸引着全国各地成群结队来的读者呢？

各种秘密读书的情况都一样，东德对图书的巨大需求是源于图书匮乏，图书需求和图书供给严重分裂，只有走大运或者走后门才能买到“好”书，这就决定了莱比锡书展的特殊角色。制定图书供给方案要忠实于党的路线方针，图书印刷出版受到人为控制，这些都对东德的读书生活造成很大影响。由于图书发行量不是按照读者的兴趣爱好，而是依据书的思想内容而定，因此大部分图书供不应求。由于东德的所有图书从未对任何人完全敞开大门，所以广大读者显示出十足的兴趣，终于可以在书展上将东德出版社那些“可看可买”的图书一览无余。在东德出版业的这种商业书展上，读者可以对一年中所有的上架图书有一个准确的把握，同时也有机会领略一下那些大众书店从来没有或者很难买到的稀有图书，但有时展出的图书也看不到里面的内容，很多是些无字书，只能凑合着看个书壳。

① 和以往承办书展的汉萨楼相比，新展览馆的展览面积虽然有两倍之多，但是8000平方米的面积还是与美茵河畔法兰克福的书展形成鲜明对比，同一时期法兰克福的书展面积达22000平方米。参阅 Füssel, Stephan (Hg.): *50 Jahre Frankfurter Buchmesse 1949 – 1999*. Frankfurt a. M. 1999, S. 191。

来到书展的读者对西德的出版业显示出了更大的兴趣。西德出版社的展台前最拥挤，因为展出的是内容多样的“非正常”图书，用出版商马克·莱姆施泰特（Mark Lehmstedt）的话说就是那些未受审查的图书。[①] 读者们很少有机会能直接在各个展台前看到这些图书，对西德各出版社的出版物有一个全面的了解。他们翻看图书宣传册，把书拿在手里翻着，当然也要仔细读书。每年 3 月举办的书展不仅让读者了解了西德最重要的出版社推出的刊物，同时也向读者打开了一扇“通往世界的橱窗”：汉泽尔（Hanser）、苏尔坎普（Suhrkamp）、罗沃尔特（Rowohlt）和贝塔斯曼（Bertelsmann）出版社，还有专业出版社像蒂姆（Thieme）医学出版社、施普林格（Springer）科技出版社和菲韦格（Vieweg）出版社都有参展。这些出版社共同展示了一个前所未有、遥不可及又琳琅满目的图书世界，在集市上的展览馆里，对东德那些被隔离的读者仅一年开放一次的图书世界。

但在此还要说明的是，所谓的琳琅满目也是有限的，因为在书展开幕前，来自资本主义参展商的图书就已经由官方鉴定委员会进行了多次审查，该委员会的成员来自政府文化部、海关管理处以及图书进出口贸易公司。比如 1974 年委员会总共查抄 266 本书，有 211 本来自西德的出版社，其中 52 本就是罗沃尔特出版社的，还有俄裔美籍作家纳博科夫（Nabokov）、反纳粹主义政治家哈费曼（Havemann）和作家

---

① Lehmstedt, Mark: *Im Dickicht hinter der Mauer – der Leser*. In: Ders.; Lokatis, Siegfried (Hg.): Das Loch, S. 349.

拉达茨（Raddatz）的作品，主要因为“明显属于反苏联煽动刊物”[1] 而不允许展出，据称其中的原因主要在于“该出版社集中出现叛变分子、修正主义者以及知名反共人士的作品”[2]。

但书展上蜂拥而来的人流依然说明了东德读者被数量繁多、种类丰富的图书深深吸引。在具有专制色彩、不能自由接受信息的背景下，书展作为一种独特的相对全面的信息源泉，作为一个特别现象，显示出了它的特殊地位。若想打破东德图书界的硬制度，比较难。除了在国内出游和邮寄的方式，书展是能够接触到西方图书的最重要渠道，为此读者们也想尽了各种方法，还有国家机关执行的图书审查都更加凸显了书展的意义。

当然可以理解的是，读者们试着尽量最大化利用这一大型信息源泉，采用的办法各式各样，有秘密式的，有公开式的，在展台前看书和偷书二者之间有各种不同程度的策略。

图书中的内容是可以轻松安全地据为己有的，对于胆小谨慎的读者来说，读上一篇文章就够了。根据资料记录，有的读者为了直接在书展上把一本书从头到尾读完，用了一整天的时间，有时还一直站着读。有的展台工作人员还遇到过如饥似渴的读书迷，时间不够没有读完的书第

① Bericht über die Exponatekontrolle，1974. BStU，MfS，HA XX Nr. 11866，Bl. 52.

② Bericht über die Exponatekontrolle，1974. BStU，MfS，HA XX Nr. 11866，Bl. 51.

二天来接着读。[1] 要是对记忆力没有把握，也可以把重要章节记录在纸上，甚至有人成立了书写小组，一个人读，另一个人写，甚至用起了速记法，这样读者就可以把重要内容带回家继续传播，不管（内容）是诗行还是化学公式。

西格马尔·福斯特（Siegmar Faust）在一次采访中讲到一个极端的事例，是关于一位叫做沃尔夫冈·希尔毕西（Wolfgang Hilbig）的“工人作家”，于2007年年中过世。福斯特讲道：“大家发现希尔毕西博学多才，所有我们在约翰内斯·R. 贝歇尔（Johannes R. Becher）文学院里刚刚发现的当代西方文学家的作品，像爱尔兰作家詹姆斯·乔伊斯（James Joyce）、美国诗人埃兹拉·庞德（Ezra Pound）、克瑞里（Creeley）、金斯堡（Ginsburg）、剧作家威廉斯（Williams）、秘鲁作家塞萨尔·巴列霍（César Vallejo），还有俄国诗人克勒伯尼科夫（Chlebnikow）和曼德尔施塔姆（Mandelstam），这些他都已经相当了解。于是我们迷惑不解，图书馆里的书出现在了学院里，希尔毕西是怎么弄到这些书的呢？这个谜底在来年的春季书展上揭开了，当时希尔毕西休假，然后整天在西德的出版社展台周围转悠，然后抄写抒情诗集。”[2] 听着这样的描述，让人感觉到那种对图书的迫切渴望，这在现如今的条件下几乎不可想象也不复存在。希尔毕西不仅自己

---

① 参阅 z. B. IM – Bericht, 1984. BStU, MfS, BV Leipzig, AIM 1735/87, Bd. I, Bl. 143。

② Grundmann, Uta; Michael, Klaus; Seufert, Susanna (Hg.): *Die Einübung der Außenspur. Die andere Kultur in Leipzig 1971 ~ 1990*. Leipzig 1996, S. 129.

亲手完成大量的抄书任务，甚至把假期的时间都用在了上面。

以上种种获取图书内容的办法在展览馆里还勉强行得通，然而求知好学的读者们纷至沓来，对于国家安全部进行书展监察一直是个大问题。70 年代初书展的监察情况比较特殊，国家安全部第 7 分管部门 HA XX/7 负责整体组织监察工作，并成立了一个“书展突击队”。从 HA XX/7 部门的工作计划可以看出，书展的各个方面都在国家安全部的监察范围内，不仅包括书展内部事务，比如参展商编号是如何分配的以及西德出版社的参展情况，写监察报告还要尽量描绘出书展上洋溢的贸易氛围，并具体到各出版商表现出的经济及社会政治态度。此外，国安部的工作人员还会组织筹划官方访问并全程跟踪，比如文化部部长来视察或者邀请西德人士来访。监察重点在于两德之间的联系，比如西德各出版社代表或驻外记者与受到国家安全部排斥的作家（“伪文学家”）或者东德出版界的“消极势力”之间的关系。莱比锡辖区的 XX/7 部门负责执行监察，由专职人员撰写各式报告，有每日报告、临时报告和总结报告，涉及了所有书展上“值得关注的政治动向”。国安部的主管人员通过这些报告也看出，来自西德的各出版社在书展上最吸引眼球。例如国安部 1980 年的一份每日报告典型地使用非常繁琐的措辞抱怨道，“书展上总是聚集了相当多的人，以至于无法分辨来自非社会主义经济区各个出版社展台前的读者”①。

① Tagesbericht der BV Leipzig 1980. BStU, MfS, HA XX Nr. 11868, Bd. 2, Bl. 460.

来自西德各出版社的代表和东德读者之间的信息交流十分活跃频繁，他们之间的任何联系都受到情报局的严格监察。[①] 比如在西德出版社的小展厅，读者可以拿到各种图书目录当作信息小册子，了解到各出版社有哪些系列丛书和具体书目，每天这些资料都会丢失好多，所以见到东德读者对此了如指掌，展台前的工作人员们感到非常惊讶。这也就促进了图书出口贸易的发展，尽管海关检查十分严格，还是为西德出版社带来了良好的经济效益。

此外，在国安部提供的众多档案里有一类叫做“敌对联系”档案，其中有一些报告写到，展台工作人员记下来访的东德读者地址，旁边写下预订图书的具体信息或者放在展台的什么位置，书展结束后回到西德便将这些书寄出，估计情报局的工作人员在写这些报告时也是一副咬牙切齿的样子。如果情报处的人暗中记下了名字和地址，就很有可能将这些信息转交到国安部 M 部门邮政审查处，让 M 部门对包裹中可能包含的图书进行检查。有关当局阻止出版社和读者之间的联系说明了各种秘密读书渠道是相互交织相互依存的。渐渐地，读者对图书内容上的占有流畅地过渡到了物质占有，用国安部的术语来讲就是所谓的“偷窃行为”[②]。有报告写到一些读者把笔记本放在书上，占到一半的位置，然后抄书，趁人不注意的时候，把笔记本全摊开在书上面，起身连同抄书用的文具和藏着的物证一起带走据为己有。就像

---

① 例如出版社代表也为参观书展的读者偷带私人信件，或者用私人轿车带书过境。

② 参阅 z. B. BStU, MfS, HA XX Nr. 11868, Teil 2, Bl. 458。

出版社的代表描述的那样，各种偷书行为极富想象力，就连现在都是这样。[①] 读者中的偷书狂并不是书展上典型的东德现象，而是伴随现代化书展出现的现象。然而，东德书展上的偷书行为还是要另当别论的：专制制度令许多人变成了秘密读者。偷窃图书的行为突出显示了读者在专制制度下处于一种怎样的情形，因此也是一种标志，反映出图书短缺、读者对图书的向往以及对精神食粮匮乏的不满。令人失望的读书环境越来越驱使着读者行窃，偷窃图书也就并非出于贫穷或贪婪，所以，如果与民主制度下偷书相比，在东德书展上偷书意味着实现了一项更基本的任务。来到书展的读者没法干脆地去下一个书店，购买刚刚在书展看到的图书。[②] 书展上试图偷书的现象非常之多，对此展览馆也提供了良好的偷书条件：楼里很挤，走廊和小展厅里全是人，而且大家通常都把衣物带在身上，也就是说大衣、衣服口袋和包发挥了有利作用。

书展上超大“密度”的读者能为偷书提供巨大的便利，执行书展监察任务的国安部工作人员是清楚的。[③] 他们认为偷书行为可能会引起诸多后果，比如“传播政治性及政治战略性的著作，有损东德名誉，引发新闻报道中出现歧视倾

---

① 作者于2007年9月5日与汉泽尔出版社的出版商Michael Krüger的座谈。

② 书店“国际图书”在书展结束后可以出售每个展台的图书，所以读者可以提前预订，但是仍然无法满足大部分读者需求。

③ BStU，MfS，BV Leipzig，Abt. XX Nr. 249/01，Bl. 19.

向"[1]，所以一定要通过预防性措施和有效监察阻止偷窃行为。为了将人群控制在视线范围内，一些出版社只让读者分批进入小展厅，每批的人数也要在可控制范围内。他们还用绳子把各个展台围起来，这样展台前就排起了长长的队伍。国安部的书展突击队和刑事警察科紧密合作，监察展览馆里的各种"偷窃行为"，这些执行任务的工作人员通常都是大学生，或者至少伪装成大学生。1983 年，一位监察员对此在《南德意志报》中写道："如果他们实际上并没有表面看起来那么积极投入，那么可以将他们视作亚文化群的成员。"[2] 此外，组织管理展览馆的上级机构莱比锡展会局还额外设置了"维持秩序人员"，同样要保持警惕严密监视书展上的一举一动。还有展台前的出版社工作人员也说道：国安部的人和警察们不知疲倦地定期督促自己认真监视展厅，防止偷窃发生，必要时报告警察局。

尽管如此还是有很多书在展台工作人员的默许下丢失了，也让展览馆里的监察员更有的忙了。一份总结报告中对此写道："一些出版社始终都有偷书的现象出现，很明显有些出版社［……］完全没有把阻止行窃放在心上，反而在一定程度上还帮着行窃。比如说苏尔坎普出版社的工作人员有时候站到展台外边；在菲舍尔出版社的展台，有读者就在

① Abschlussbericht Messe, 1984 BStU, MfS, BV Leipzig, Abt. XX Nr. 247/01, Bl. 18.

② Werth, Wolfgang: *Karge Ernte im Karl - Marx - Jahr.* Süddeutsche Zeitung vom 17. 3. 1983.

工作人员的眼皮底下把书带走了。”①

所有的防护措施在求书心切的读者面前显得微不足道，一位国安部的通报合作者，很年轻，叫乌特·克洛斯（Ute Kloß），在法兰克福证券协会会展有限公司的合办展位帮忙，② 也不得不向他的负责人报告情况。读者分批进入展厅，排队时间10~30分钟不等，尽管如此情况还是难以控制，很多书还是被偷了。此外，西德参展商的展位工作人员曾接到指示，要求他们干脆对偷书行为视而不见。③

读者如果事先迅速下手，或者暗自征得工作人员同意，那么接下来只需要自己足够机灵行事就行了。比如说一句“我只能转一下身……”这样的话，出版社代表就为读者偷书铺平了道路。还有一个办法就是声称“图书外借一天”，读者当然不会再把书送回来，从而变成了长期借阅。理论上没有其他可行的办法，因为有正式规定，展台工作人员是不允许赠送图书的，但还是有很多人违反规定，“私自把书交给”④ 朋友熟人，然后上报给海关称图书遭到偷窃。⑤

所以出版社也就甘心忍受着丢书的损失，甚至希望如此，当作给“东德兄弟姐妹们”的文学馈赠。但是这样的

---

① Abschlussbericht des Operativen Einsatzstabes, 1975. BStU, MfS, HA XX Nr. 6872, Bl. 42.

② 这个合办展位叫做“西德书刊”，1984年开始参展，标志着法兰克福证券协会和莱比锡的关系进一步改善。这里的两位东德工作人员都是国安部通报合作者。

③ IM-Berichte, 1984. BStU, MfS, BV Leipzig AIM 1735/87, Bde. I und II, hier insbes. Bd. II, Bl. 63.

④ BStU, MfS, HA XX Nr. 2269, Bl. 92.

⑤ Information der HA XX/7, 1971. BStU, MfS, HA XX Nr. 13018, Bl. 175.

话，书展结束后展出的图书也就所剩无几。“维尔纳”（Werner）是由国安部安排到图书出版总局做通报合作者的总负责人，他在报告中记录了1972年秋季书展仅仅开幕一天后，新教天主教零售书商联合会的展台就出现了这样的情况：

> 据私下了解，［……］这个联合会展台最开始有750本书展出，后来就剩70本。很难说丢的这些书是被展台工作人员赠送出去了，还是故意视而不见任由读者偷走了。然而有一件事，1972年9月4号中午和晚上共补来了200本书［……］由此说明，大家事先就估计到了会丢失大量图书。①

“维尔纳”和其他通报合作者还在报告中写道，一些出版社在书展举办的第一天就丢了四分之三的图书。有个学术出版社参加书展的这么多年来一直把丢失的图书记录在案，这样就有了一份最畅销书单，然后可以“根据需求”挑选带来哪些图书参展，其中有关于微电子和汽车技术的图书。②

西德的参展商有时候对偷书的容忍尺度放得过大，或者他们的做法更加“刺激了东德读者偷书”③，国安部对监察书展的宗旨又补充写道，“响应西德首都波恩的‘对外文化

---

① IM－Bericht，1972. BStU，MfS，AIM 8928/91，Bd. II/4，Bl. 208. Zu FIM “Werner” s. Walther，Joachim：*Sicherungsbereich Literatur*. Berlin 1996，S. 617－620.

② Information，1981. BStU，MfS，HA XX Nr. 11868，Teil 1，Bl. 79.

③ BStU，MfS，HA XX Nr. 12934，Bl. 29.

政策'，通过书展上的文学作品呈现出西德的思想体系和意识形态，对读者在政治思想上起到破坏性作用"[1]。如果出版社计划出版以及展出平装袖珍版的图书，那么就尤其有嫌疑，因为这种版本又为偷书提供了便利。[2] 从经济上的预期收益来看，西德的出版社几乎没有为书展作出任何贡献，国安部就此认为，本来为促进图书贸易举办的书展仅仅成了服务于敌对宣传活动的工具："我们个人认为［……］西德和西柏林的出版社在向读者介绍自身的同时也指明了社会主义意识形态的一种新选择，除此之外，它们参加书展更重要的是在于显示出东德人民对西方书刊的兴趣（各种偷书行为），体现了德语语言区在艺术和文学领域的'民族统一'。［……］这种对图书的兴趣比各种业务往来和私人往来都显得更重要［……］"[3]

然而不是所有的出版社经济上都能负担得起这种精神文化的支持工作，一些出版社非常认真地看管展出的图书，因为最后剩下的书越多，图书进出口贸易公司按一定比例收购的就越多。[4] 国安部莱比锡辖区的书展突击队在一份报告中记述道，一家医学出版社很恼火地在展台前立了一块牌子，上面写着："哪位偷了4张胶片，请把它还回来（或者他为

① Z. B. Messeabschlussbericht der HA XX/7 für 1974. BStU, MfS, HA XX Nr. 11866, Bl. 33.

② Abschlussbericht der HA XX, 1975. BStU, MfS, HA XX Nr. 11866, Bl. 110.

③ Messeabschlussbericht der HA XX/7, 1973. BStU, MfS, HA XX Nr. 11866, Bl. 13.

④ 图书进出口贸易公司对每平方米参展面积都保证一定的购书数量。

了集齐一套，可能还想继续偷剩下的胶片）。”[1]

现在再从出版社转移到读者的角度，事情就没那么简单了。以上描述的这些对策是为了单纯获取图书内容，没有带来严重的后果，但如果想连字带书都据为己有，那就不一样了，因为小偷一旦被逮到，国家安全部和刑事警察科就会联合采取行动。首先由警察进行审讯，写意见书，然后宣布处分，比如 1983 年罚款数额平均为 66 东德马克，如果之后被释放出来，那可值得庆幸了。“可能有预谋的”盗窃犯接着由国安部的工作人员做“进一步处理”。[2] 1982 年书展的第一天就有 44 个人被逮到，其中 15 人被继续送到国安部。送到国安部的比例历年上下波动较大，在 20% 到 50% 之间不等。专职办案人员在审讯时不光究查盗窃犯的“预谋动机”，也就是与“分内工作”相关的，比如盗窃犯是否和来自“其他非社会主义国家”的出版社保持着联系，此外国安部的工作人员还广撒网搜集信息，为了将这些盗窃犯继续送交其他部门处置，并且充分抓住违法偷盗这一把柄，以便给他们施加压力，并威胁他们，要向工作单位通报，大多数审讯结果都导致用人单位重新招募。[3]

国家安全部在书展期间进行了一项有关图书盗窃的数据

---

① Abschlussbericht der BV Leipzig. BStU, MfS, BV Leipzig, Abt. XX Nr. 249/01, Bl. 20.

② Tagesbericht der BV Leipzig 1981. BStU, MfS, HA XX Nr. 11868, Teil 1, Bl. 140.

③ Stuhler, Ed: *Die Stasi und die Leipziger Messeräuber*（以下简称：Messeräuber）. Deutschlandfunk, 30. 4. 2002. 网址：http://www.dradio.de/dlf/sendungen/pol-feature/pf-020430.rtf (28. 1. 2007).

统计。国安部莱比锡辖区出具的报告记录了被抓到的人数、来自什么地方、社会出身、损失金额以及如何处分，但并非所有信息都有记录，而且统计时间各不相同，所以这些数据不能保证统计的准确性可靠性，但是依然可以作为依据，使人更加清楚地了解盗书情况，不然仅仅通过奇闻轶事般的谣传，很难想象出是什么样子。从所有这些数据中可以看出，书展突击队的人一天下来大约能逮到 20 个小偷。以 1981 年为例，从书展期间的小偷分布情况明显可以看出，尤其在开幕当天被逮住的人数最多（见图 2），然而被抓到的并且国安部资料中记录在案的也只占所有小偷人数的一小部分。

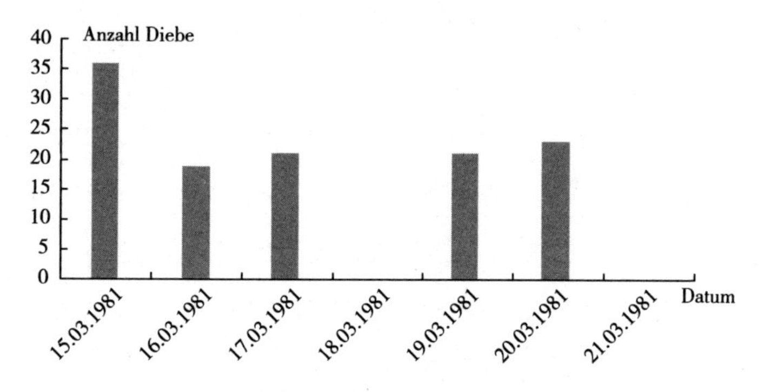

图 2　1981 年春季书展期间被发现的小偷人数（国安部提供的资料中缺少 1981 年 3 月 18 日和 21 日的数据）

那么被偷的都是哪些类型的图书呢？还有一个问题：有没有哪些人是典型的偷书贼？装配工人、家庭妇女甚至包括书商，这些人都抵挡不住图书的诱惑，而像中小学生、学徒工和大学生这样的年轻人胆子尤其大，偷书贼中占比重同样很高的是所谓的知识分子，像高校教师、医生和工程师。此外还经常有各种不同军衔的东德国家人民军，虽然他们已经享有图书供给的优先权。尤其出乎意料的是还有很多人担任着忠实于党组织并且发挥倡导作用的职位：有一位教授马列主义的老师，还有科学研究院的各类工作人员，甚至1979年国安部还抓到了一位自己人："经刑事警察科的同事商量决定对他罚款150东德马克。"① 可以明显看出，社会各个阶层的人在书籍面前都甘愿承担很大的风险。

有一份详细的统计数据记录了1975年三天的书展情况。② 这段时间里有20个人被抓，总共偷了26本书，其中一个特别大胆，出人意料地偷了五本书，其他人大多只偷了一本。图3标出了这些偷书贼分别来自哪些地区，并且具有代表性地说明80%都不是来自莱比锡。通过这种间接的方式可以看出，书展在整个东德具有多么大的吸引力。被偷的书有15本来自西德的出版社，4本来自非社会主义经济区，几乎一半都是苏尔坎普或者菲舍尔出版社的，说明这两个出版社尤其受读者喜爱。至于体裁，多半图书属于科学文献类，并且涉及各种不同的领域，其中包括精神病学、德语文学研究法、实证主义艺术社会学，还有科学理论和神学。并且涉及的题材并不是都和小偷的职业或所学专业相关，比如一个学工艺技术的大学生偷了一本苏尔坎普出版社的书，东德作家弗朗茨·菲曼（Franz Fühmann）的《22天或生活的一半》（*22 Tage oder Die Hälfte des Lebens*）。这个例子也说

① Tagesbericht der BV Leipzig, 1979. BStU, MfS, HA XX Nr. 11867, Bl. 304.

② Information, 1975. BStU, MfS, HA XX Nr. 13018, Bl. 20－26.

明，不只是西德的文学作品，东德作家的作品同样是稀有图书而受到读者欢迎，最后这本书也由辛施多夫（Hinstorff）出版社在东德出版发行。

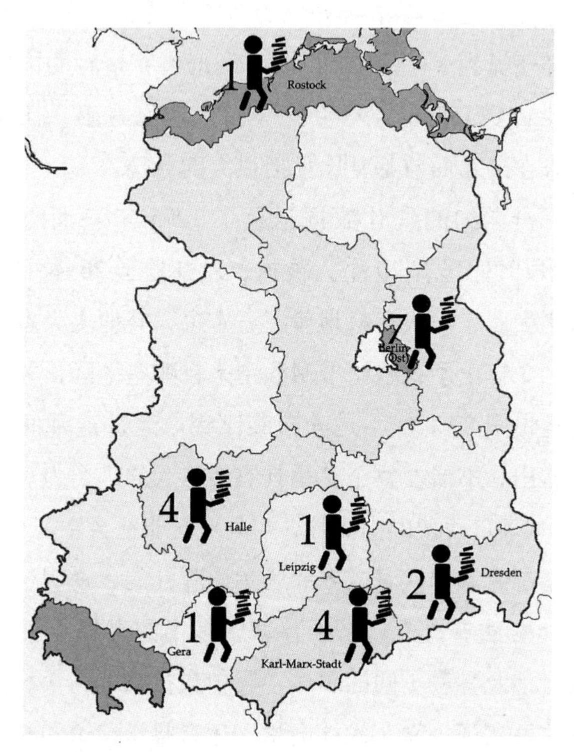

图 3　莱比锡 1975 年春季书展上的小偷分别来自哪些地区

国安部负责撰写记录报告的工作人员甚至还想弄清楚，在哪些时间段里偷书发生的频率最高。在展览馆全部开放时间内显然是平均分布的，但是相对集中在 10 点到 13 点以及关门前的 17 点到 18 点之间。① 此外还发现大量夜间行窃的

① Information，1975. BStU，MfS，HA XX Nr. 13018，Bl. 21.

线索令人迷惑不解，虽然展览馆夜间也受到监视，但1980年书展时罗沃尔特出版社夜里丢失了大概50本书。[①] 夜间丢失图书将会长期损害书展的声誉，80年代中期，一位通报合作者的总负责人在报告中写道："据莱比锡图书出口贸易公司的出口商表示，尽管书展上有极好的贸易氛围，但来自非社会主义经济区的参展商因为夜间丢失大量图书而非常恼火，每天早上都有人抱怨又发现书被偷了，主要都集中在西德的展位。"[②] 赫利俄斯（Helios）图书销售公司，还有乌尔施泰因（Ullstein）、罗沃尔特和休伯尔（Hueber）出版社都很恼火，所有装满各种杂志、全套的手工书、烹饪书还有很多长篇小说的纸箱都不见了。[③] 报告中还提到一家瑞士出版社也对这种野蛮的手段表示不满，要求警方介入调查："1984年3月15号到16号的那天晚上，展台柜子被撬，放在里面的酒和一大批书被偷了。[……] 书展负责人还有警察现在必须采取应对措施。"[④] 面对这样的意外事件，没过多久国安部明显有了怀疑对象："从第一次监察行动结果来看，作案时间应该在18点到19点之间，这段时间会展楼的清洁工在进行打扫工作。"[⑤] 此外还有人把过错指向了莱比

① Information, 1980. BStU, MfS, HA XX Nr. 11868, Teil 1, Bl. 231.

② Bericht von FIM "Egon", 1984. BStU, MfS, BV Leipzig, AIM 4/92, Bd. II/4, Bl. 179.

③ Bericht von FIM "Egon", 1984. BStU, MfS, BV Leipzig, und /92, Bd. II/5, Bl. 65, 166.

④ Bericht von FIM "Egon", 1984. BStU, MfS, BV Leipzig, und /92, Bd. II/5, Bl. 175.

⑤ Messetagesbericht der BV Leipzig, 1986. BStU, MfS, BV Leipzig, Abt. XX Nr. 249/01, Bl. 23.

锡展会局，因为展会局提供的书柜大多都不带锁："虽然以前的书展上就已经有偷书的现象发生，但莱比锡展会局始终没有采取足够的措施解决这一问题。根据以往的资料来看，这种现象可能会带来政治上的负面影响，因为其他的书展很少或者从未出现过这么严重的问题。"[①] 有一点在这份报告中没有提到，就是负责展览馆夜间巡逻的国安部工作人员这些年来想出的办法：他们从西德参展商的展厅里不仅偷走了大量的图书，还有科涅克白兰地酒、皮夹克、电子表和很多其他物品，偷来东西后，各栋楼的保安之间进行正当的以物换物交易，刑事警察们还被蒙在鼓里。[②] 而德国图书进出口贸易公司本身也对夜间图书失窃负有责任。一家西德出版社的销售职员抱怨丢了 20 本书之后，一位在贸易公司任职的通报合作者总负责人"路德维希"（Ludwig）在报告中写道："我认为这里所说的丢失的图书，是周六晚上图书总审查时被收走的，这一点有些出版社代表可能并不了解。"[③]

由于图书丢失的数量大，后果难以估计，大家提出各种建议来有效防止图书盗窃，一份总结报告中这样写道："基于图书大量丢失这一事实，要实现参展商多次提出的意愿，就应该采用集权式的手段，并考虑到国际通用惯例，对书展

① Abschlussbericht der BV Leipzig, 1986. BStU, MfS, BV Leipzig, Abt. XX Nr. 249/01, Bl. 15.

② 参阅 Stuhler, Messeraüber。

③ 另有相关证人解释为，西德出版社代表自己偷走图书赠与他人，然后上报图书丢失。

的相关规定进行修改［……］”[1]

此外还有人建议，每层楼设置更衣间，自行来参观书展的人不允许穿大衣或者带包进入展厅。还有像美茵河畔的法兰克福书展一样，限制对外开放时间，哪些天或者一天中哪些时间段可以参观书展。[2] 然而书展负责人从不将这些重要的新举措付诸实践，也不限制读者参观时间，从这一点来看，事实上可以说莱比锡书展为向大众传播信息做出了自我牺牲：这种“墙中洞”至少以这种片面的形式存在于两德之间的文学交流，直到两德统一。此外，限制读者参观书展引发的讨论可以说明，书展体现了资本主义商业工具在社会主义国家中间带来的冲突，在这种情况下，世界开放性在经济上吸引着西德重要贸易伙伴扩大出口，在世界的开放性面前，将随之被带入东德的图书文字臆断为危险品并将其隔离封闭的意图是行不通的。

不难看出，莱比锡书展是东德秘密读书活动的中心。读者为获取西方图书采用各种方法，填补了东德民众巨大的信息及娱乐需求。此外，“偷书贼”这一现象也显示出东德每年如期举办的书展带来的特殊精神文化作用：让读者感受到硕大遥远的（读书）世界的馥郁芬芳。

---

① Abschlussbericht der BV Leipzig, 26. 3. 1987. BStU, MfS, BV Leipzig, Abt. XX Nr. 250/01, Bl. 16.

② Abschlussbericht der BV Leipzig, 26. 3. 1987. BStU, MfS, HA XX Nr. 11868, Teil 1, Bl. 231.

带着图书和文稿穿越边境

——一位记者在两个德国的文字经历

海因茨·克隆克（Heinz Klunker）

“秘密读者”这个概念令我迷惑不解，因为我在读中学的时候看西德的报纸，从来没觉得做了哪些不允许做的事。我去东德萨克森州的里萨（Riesa）买报纸看，偶尔也有人从柏林给我带《新报》回来。从1947年到1950年、1951年这段时间，我就知道在我生活的这个国家，很多东西是不能出版的。东德成立之后，我上大学时，也通过邮寄的方式收到许多西德的书刊，大多是用小包寄的平装袖珍书，而不是大包裹。那时我就读了法国小说家加缪（Camus）的《鼠疫》(*Die Pest*)，萨特（Sartre）的《戏演完了》(*Das Spiel ist aus*)，都是罗沃尔特出版社出的平装袖珍书。当时知道这是西德的书，买不到，但也没觉得有什么不妥之处。

之所以出现这样的情况，也许和我们中学里的氛围是分不开的。我1952年高中毕业时的那个班级，有些资本主义风气，自然也少不了西方的东西。我们出班报，每周二早上把美占区广播电台每周一的栏目《一周要闻》的内容写下来，学校里允许公开收听西方的广播电台。或许1951～1952这一学年形势变了，而大家也为适应新环境而做出了调整？但我不好说这是洗脑还是镇压，我想大家还是为了让自己适应形势的需求。秘密阅读，对于我来说不存在。我在里萨附近的村子长大，里萨不是人民反抗集中的地方，在柏林或者莱比锡监察得更严，所以那里能掩藏的机会也就更多。

很关键的一点，当谈论到东德、书籍和读者时，不能一概而论。这里涉及完全不同的时间段，公众的思想行动也完全不同。当然大家早就认识到，公开这个词是不存在的，也没有对此思考过。我到了西德才了解到什么是公开，就是行动做事不一样，有朋友，和朋友打交道。我也回忆不起来读中学的时候曾经经历过的德国共青团联盟大会，那时还不存在什么体制，要求人必须怎么样。然后在莱比锡读大学的时候就截然不同了，我在哲学院的传播学系读新闻学，后来改成了新闻学院。那不是一般的大学生活，因为学院就是一所党校，对我来说三年的艰难时光，在汉斯·迈尔（Hans Mayer）、恩斯特·布洛赫（Ernst Bloch）和赫尔曼·奥古斯特·科尔夫（Hermann August Korff）的支撑下挺了过来，我们在蒂克大街的学生宿舍里也始终受着监视。这个学业的第一学年也带有浓烈的政治色彩：每周要上8个小时的政治经济学，12个小时的马列基础。我内心没有反抗，然后第一学年得了最高分1分。然后是1953年6月17日那天①，莫斯勒（Mosler），就是给了我1分的那位老师，因这个分数而遭到指责，因为这不光是个学术分，还应是个态度分。而6月17日那天我没表明自己的态度。

从6月17日那一天开始，我的信任感被深深的破坏，但我始终还是怀揣着信任。我在一个反法西斯的家庭长大，这和东德的理念是一致的，但我的家人并不是统一社会党党员。我父亲1922年加入社民党，在统一社会党里就遭遇了各种难以想象的困境，我从他那里知道了什么是党纪。1955年，在阿登纳“纳粹主义式复辟”的高潮时期，我以一名反对者的身份去了西德，并且可以接受现状在西德待下去。这是逃离东德，因为我在那待不下去了，但我并没有热切盼望着去西德。没有人关心我是怎么想的，在想些什么。那是我第一次感到如释重负，可以按照自己的意愿去想去说，不会马上招致什么个人后果。

如果我们在今天思考并谈论这些事情，那么肯定会倾向于用当时还没有达到的认知水平去论述，因为大家已经增长了相当多的知识和见识。在里萨的时候，那些最初离开教育岗位后来又回来的老师和原先的参议教师们，在德语课堂上

① 1953年6月17日东柏林工人爆发起义，被苏联军队镇压。——译者注

把我教育成了极端和平主义分子，这和东德的理念是不符的。他们为自己在第三帝国的所见所闻感到震撼，这种震撼不适合再回到党的专制统治中。

我们家没有一本书。我非常喜欢读书，早就为自己设想了一座图书馆，在有书之前图书目录就已经有了。我借了很多书，上中学的时候也在书店里偷了好多书，为把一本书看完在书店里待上几个小时。我还买了很多草稿本，然后在里萨找到装订工重新装订。我对书有一种特殊的感情，就是无法抑制，到今天也如此。

纯文学作品我只看不偷，除非需要工具书，比如需要一本植物学的书《施迈尔 - 菲辰》（Schmeil - Fitschen）来确定植物种类。我偷书当然是特殊情况，就是说不是那么见不得人的，但还是偷了，我和自己做了剧烈的斗争，去了三四回，看好一本书然后插到衣袋里。

在莱比锡的时候，我受到汉斯·迈尔的影响，那时我就开始成页成页地从书中摘抄，有了好多本半抄来的书，不过也可能是黑塞（Hesse）的作品。维兰德·赫尔兹费尔德（Wieland Herzfelde）是我在学院里的文学教授，他是马利克（Malik）出版社的创建者，所以他打分遵照的也是资产阶级式的标准。他是我在东德认识的人中胆子最小的之一，后来我才知道，他在这个充满教条主义的学院里受到监视，很恐怖。但是他的胆小是能让人感觉到的。魏玛古典主义基金会的海德维希·沃伊特（Hedwig Voigt）是教条主义式的对手。后来到了西德，我才像沉浸在了书的海洋。我读了超级多的书，漫无目的又不知所措。我主修日耳曼语言文学，听了超级多的课。一年之后，1956 年，才第一次又回到东德，虽然我曾经是非法离开的东德。那时还没有民主德国叛逃法，到了 1959 年才有。我拿到了东德居留许可后，一般到了节日就回家。

从一开始我就毫无顾忌地从西德带书到东德，而且首先是家人可能感兴趣的书，大多是艺术家手制书和旅行指南，从中精挑细选，确保不引起有关部门注意。最初没想过带回来苏联作家亚历山大·索尔仁尼琴的作品，但后来我在东德认识的人多了，根据他们的需要也就带了。

我和一些搞戏剧和文学的人有很好的关系，所以带回来的书越来越多，书目也更有针对性。我那些偷着带回来的主要是东德作家只在西德出版的作品，比如说乌韦·约翰逊（Uwe Johnson），还有格拉斯和伯尔。伯尔在东德当局的眼中并非不那么受欢迎，但是他最重要的作品不在这里出版。我姐姐在柏林科学院负责档案工作，通过她我认识了一些人，也都满足了他们的愿望。

在东德我经常去剧院，首先出示居留许可，然后是工作证明，虽然我还是学生。大学读了这么长时间，1967 年我才开始第一份工作。有了工作证明就能保证不受检查，然后我还带回了苏联作家帕斯捷尔纳克（Pasternak）的作品。还有一件事情我记得很清楚，就是德国作家瓦尔特·肯泊夫斯基（Walter Kempowski）的小说《狱中》，回忆他在包岑的牢狱生涯，我觉得这本小说非常重要，也特别喜欢。我从出版社那了解到："不卖。我们卖了 300 本，卖不下去了。"我反驳道："如果是这样的话，给我几本吧。"我拿到了 20

本，一本本艰难地带回东德给需要的朋友，如果我没记错，其中有作家克里斯托夫·海因（Christoph Hein）和沃尔克·博朗（Volker Braun）。

还有罗伯特·哈费曼（Robert Havemann）的《非教条式辩证法》（*Dialektik ohne Dogma*）对我的影响也特别大，是罗沃尔特出版社在西德出版的课程，我在西德和高中生们一起上政治教育课就用的这本书，我对这本书非常熟悉，觉得很重要。

鲁道夫·巴赫罗（Rudolf Bahro）在我的成长经历中也是一个重要的人物，我对他很了解，他第一次来西德时是我在火车上陪着他一起来的。巴赫罗在离开东德之前，最后去见他的是沃尔克·博朗。我知道，那段时间博朗如果要和人讨论某些特定的话题，就得离开他在罗莎—卢森堡大街上的住处。我以评论家的身份，得到了巴赫罗《抉择》的校样稿，然后藏在脚垫底下开车带到东德，虽然在海因里希—海涅大街上遇到检查，但还是过关了。后来埃里希·略斯特（Erich Loest）的《穿越地球之痕》也差不多用同样的方式带到了东德。

这就是东德违禁的政治类书刊。但我还记得，我总是试验哪些书可以带，哪些不可以，比如苏尔坎普出版社出版的俄国早期象征派和结构主义作家什克洛夫斯基（Sklovskij）等人的作品，我本想带给作家汉斯·博尔（Hans Bunge）的，结果在海涅大街上就没通过检查，不允许入境。不知道为什么，他们可是俄国的作家。有一次我把一本书敞开放在车里，他们把那本书没收了，我说我回来的时候还想带走，后来确实也拿了回来。还有在汉堡和柏林中间那一段，我在回来的路上也拿回了之前被扣的唱片。格拉斯霍夫（Graßhoff）的抒情诗，有色情的意味，也很幽默，海关关员看了这本书然后问“您要把色情文学引进东德吗”？我被关员的指责吓到了，然后把这本书也交给了他们处理。

图1　罗伯特·哈费曼的书严禁引进东德，同样包括《问题回答问题》一书。［原版1970年由皮珀（Piper）出版社出版，这是1972年罗沃尔特出的平装袖珍版］

负责边境检查的工作人员自然是公事公办，很不友好，他们也有奇怪的一面。我经常去东德，通常一年去好几次，莱比锡纪录片电影节是一定要去的，就算我没有工作证，也能自由出入，我也一直借此做了一大笔买卖。我妈妈总是给我用瓶子装一些自己家做的吃的带着，等我再回来的时候，行李箱里装满了空瓶子，为了不让瓶子震碎，我用报纸把它们包起来，所有我在科隆订的《新德国》日报都让边境关员们惊讶不已。

一次我要经过萨克森－安哈特州的马林博恩（Marienborn）去参加一个家庭节日，因为某项工作我必须带些素材过去，路上发生了一件很有趣的事。沃尔夫勒姆·施特（Wolfram Schütte）和彼得·W. 杨森（Peter W. Jansen）在汉泽尔出版社出版了一本书，讲德国电影股份公司（DEFA）制作的电影，其中一个章节是我写的，关于乌布里希时代之后的电影。明显可以看出这本书的立场是完全倾向于DEFA的，换句话说，这本书得到了DEFA相关负责人的特别支持。这样，我甚至可以在西柏林电影学院看到所有电影，此外，我还从DEFA那里得到了所有影评，整整一大箱子，我只带了一个小皮箱走。路上遇到检查然后他们打开箱子一看：全是剪报，关于DEFA的电影。检查官请来了他的军官，他看了看这些东西，我跟他解释这都是些什么，然后很意外地出现了很少出现的情况：我们关于DEFA的电影讨论了一个小时。那个人很感兴趣，他知道这些东西，也看过几部电影，我可以把所有东西都带走。就是说肯定也发生过各种轻松愉快的故事，不过这是个特例。

有些书在思想意识上对东德来说根本不存在什么危险，不会造成恐慌，我也遇到过这些书被收走的情况，但从没有起过冲突，就是对方抛出政治批判言论，这样的情况没遇到过。所有我知道不能带进东德或者估计不能带的书，我都把它们带来了，当然是开车，不是坐火车。工作证发挥了作用，有时候我也把它藏了起来。确实有过他们把箱子打开的时候，但没有非要把箱子倒空。两德统一后，我在兄弟姐妹们那儿的图书馆里看过才发现，我带回来了多大数量的书。

我每周二都给德国电台写有关当代史的专题文章，有关工人运动、马列主义的，幸运的话，还经常写些原创型广播节目，比如有关特瑞辛集中营里上演的卡巴莱小品剧，比如来自东德的指挥家去了西德。仅仅是听人们讲述，拿到一手资料，也算是对东德的调查研究。然后这些文稿在东德流传开来。有时候来自东德的信件顺利过关，奇怪的是，最快送达的是明信片。我在西德没寄过文稿，而每次都是带到东德后再寄出去，我这样做太冒险了，但我之所以这样做，是想在东德拥有听众，这里是我的大本营。我和其他专栏作家写的文章都是与西德的听众相比来说，对于东德人更重要。作为一位新闻记者，他有他的激情，他不是在为自己写东西。其中大多数文章的题材是特别为东德民众准备的，涉及的都是备受争议的话题。比如《论坛》中关于抒情诗的争论，抒情诗人的问题，可能还有《魏玛文集》，这本文学杂志在东德拥有的公众影响力非常大。另外还有关于康拉德·沃尔夫（Konrad Wolf）的故事片《独身桑妮》的争论，从《魏玛文集》到《萨克森州报》，读者来信中展开了大范围的讨论。西德各媒体对此是这样描述和阐释的：透过这些争论能看得出各种异化现象，直到今天这些现象始终发挥着影响。

我的东德出身始终伴随着我，对我的影响很大。这一点我没有受到西德的影响，但是西德让我成为了我自己，对此我至今都心怀感激，感激我曾经被迫离开东德，否则可能会引发严重的矛盾冲突。我那成员特别多的大家庭留在了东德，我和他们常年保持联系。我的女儿们从小就每次跟着我一起去东德，也受到了一些影响，两德统一后她们分别在东德靠近捷克边境的勒包和莱比锡附近的贝恩堡工作，因为始终拥有着两种视野长大，所以她们肯定比那些一直在东德长大的人更了解东德。我曾经把书放到婴儿车里偷着带过边境，毕竟没有人敢讯问一个孩子。至于都是哪些书呢？忘了。从出版社那儿我收到过很多根本没说要的书。现在我在送书之前，都要花上好几个小时的时间考虑哪本书适合哪个人，我愿意做这些事情，到我的书库里看一看就能找到点儿什么东西。

不难理解，为什么现在我又回到了东德。我知道要感谢西德的是什么，但是自从东德历史画上了句号，我的家就在这儿。东德时代虽已谢幕，却已长驻人心。

（由英格里德·宗塔格采访后记录而成）

向两个方向穿越边境

——70年代末莱比锡书展之所见所闻

卡尔·科里诺（Karl Corino）

1976年春季的莱比锡书展上，诗人莱纳·孔策（Reiner Kunze）很信任地给了我一本他的散文集《美好的岁月》的复本，我很幸运地将这本书带过了海关，一回到巴特·菲尔伯尔后，就在一个可以说是私人的电台节目里给我的妻子和岳母朗读这本散文集，现在依然能回忆得起当时的情景和感受。我很清楚，这本书是一个文学炸弹。孔策这本散文集在西德的菲舍尔（Fischer）出版社出版，当时出版社雇用的总编是一个美国人，非常没有经验，后来又被换掉了。在莱比锡书展上出版社和孔策进行了秘密谈话，如果我没记错的话，出版社答应他在一周内会做出关于文集印刷的决定。当然菲舍尔出版社也有顾虑，在那些诗文带来爆炸性效果的同时，孔策和东德的官方往来及各类事务是有可能给出版社带来麻烦的。就这样，出版社犹豫不决，事先答应的印刷期限过去了。我听说这件事后，马上要求同总编谈话，试着说服他务必要印刷《美好的岁月》。这本散文集诗意地描述了社会主义下的童年和少年时代的生活，抒情意味浓厚，再联系到被华约组织侵占后的捷克，这本书的意义非常重要，并且既然作者表明愿意承担风险，那么出版社还有什么好害怕的呢？孔策已经被菲舍尔出版社过分长期的沉默而折磨得痛苦不堪。我满怀诚意地迫切要求出版社尽快让孔策放下心中的石头，并给他一直期待的答复。然后没过多久，事就办成了。

在一次莱比锡春季书展上，不是1976年就是1977年，展览馆里有一家东德新教出版社的展台，他们的牧师翁内贝格尔（Wonneberger）后来在1989年的莱比锡政治转折时应该起到了重要作用。翁内贝格尔同我攀谈起来，说自己是“穿越边境”节目的听众，然后问我是否有兴趣去参加一个私人展会之夜。后来我去了，在活动上一位和我同龄的莱比锡演员和我聊起来，跟我说他在莱比锡各个大学生团体中组织文学之夜这样的活动，和莱纳·孔策有联系，并且手头有一些作品，作者是一位年轻的莱比锡作家，他问我有没有兴趣看看这些文章。我们在一个安静的角落里坐了下来，我读了读这些散文，发现有一股强大的、有时让人觉得近乎疯狂的吸引力，让人想起毕希纳的《棱茨》中精神病理学的描述。这位演员看出我非常有兴趣，就问我愿不愿意马上就去这位叫做格尔特·诺依曼（Gert Neumann）的作家那里，就在莱比锡城南，我觉得这对当晚活动主办者有些不礼貌，但还是上了卫星牌小汽车（Trabi），跟着一起到了城南。一幢已经空荡荡的房子里，诺依曼和他的作家妻子海德·黑特尔（Heide Härtl）还有个小孩子就住在一楼，有那么一两个房间。这条件实在是太差了，以至于诺依曼也把这等情况写到了一篇文章中，和其他的文章一并交给我，用作“穿越边境”栏目的素材。我带着这些素材没被检查就通过了海关，然后在电台播出了，后来我很高兴地听说，诺依曼一家在莱比锡的另一个城区，北边的乔治—施瓦茨大街有了一个更宽敞的新寓所。

莱比锡书展上的各种交谈有时候以一种非常特殊的方式充满着文学色彩。比如有一次，刚刚开始在莱比锡百货商场做钳工的格尔特·诺依曼讲到那里的“罗马尼亚玻璃周”是个什么样的情况。等着买东西的顾客一大早就已经挤着排起了长队，向上排了一层楼梯，排在最后面的人顶的压力大到让最前面的人被一道栅栏绊倒，然后把摆放着热销品的货架弄断了。没有哪个场景比这个更能生动地体现消费品的供不应求，于是我请格尔特·诺依曼把这个场景记述下来。然后他给自己规定，每个工作日上午 11 点都回到百货商场附近的“莱比锡信息处”，那很安静，然后写点儿东西。后来，《11 点》这本书就这样写成了，同样是由菲舍尔出版社出版。罗马尼亚玻璃周的故事在“穿越边境”栏目首次亮相是很荣幸的事。

在一次和西格马尔·福斯特的谈话中，那时他刚刚得到西德的入境许可，谈到一个问题，从文学方面来看，东德有哪些青年文学家尤其值得关注，于是我第一次接触到沃尔夫冈·希尔毕西（Wolfgang Hilbig）这个名字。我给他在莫伊瑟尔维茨（Meuselwitz）鲁道夫—布莱特舍特大街19b号的地址写了封信，想请他寄来一些样稿，几周以后收到一个棕色标准A5信封，里面有很多他的诗歌和散文。1978年5月在国际书艺展上，在莱比锡的库特—艾斯纳大街5号，我第一次和希尔毕西见了面，紧接着他做了第一场作品朗诵会，又第一次在黑森州广播电台接受电台采访。由于当时托马斯·贝克曼（Thomas Beckermann）刚刚在菲舍尔出版社启动“菲舍尔丛书”青年文学系列，希尔毕西的诗歌也在他的考虑范围内，不对，是大家让贝克曼把这件事挂在心上并且迫切建议尽快将这些诗歌收进他那套青年文学系列丛书。贝克曼也读了希尔毕西的作品并和他见了面，大家达成一致并签了合同，出版他的诗集《缺席》。

希尔毕西诗集的长条校样出来后，很显然有关当局立即采取了严厉措施。后来大家才知道，1979年5月1号的前一晚，希尔毕西在莫伊瑟尔维茨的一家旅店，一个熟人站在门前请他坐下，给他一支烟，希尔毕西脑后悬着一条校样稿，迎着工人斗争的节日劳动节飘荡着，这个人用给希尔毕西点烟的火，点着了校样稿。希尔毕西应该说了些类似“你疯了吗?”的话，他也应该试图把这块承载着大笔心血并让他遭受惩罚的布条扑灭。但这块布条不是被固定住了就是太易燃了，希尔毕西的努力毫无效果。后来，希尔毕西因涉嫌纵火被拘留待审，并转交至莱比锡国安部监狱。审讯中很快看出，国安部关心的不是他在莫伊瑟尔维茨出的东德版长条校样，他要在西德菲舍尔出版社出版的诗集校样才是燃眉之急。希尔毕西被详细询问了和科里诺还有和托马斯·贝克曼的关系，当局给他施加压力，要么撤回少数几篇诗歌，要么撤回整本书，并试图用两个月之久对希尔毕西施软计。多次审讯后，当局说他的事情现在可以告一段落了，他该收拾东西，然后把他锁在隔壁牢房。这是缜密的心理恐吓战术。大约8个星期后，希尔毕西看来似乎愿意作出一定让步，也准备好时不时再同国安部的官员们会面。但希尔毕西在西德消失后，立即引起了声势浩大的反抗行动，大家借此让国安部知道，他们的阴谋诡计以及他们封锁希尔毕西是不可能不为人知的。希尔毕西被释放后，一次国安部的官员和他约定好了在停车场见面，希尔毕西另想出一个办法，他让一个熟人去停车场当侦探，而停车场里两个官员正坐在车里徒劳地等着。但朋友的支援和希尔毕西拒绝在菲舍尔出版社撤回诗集付出了代价，这位朋友有一天遇袭，被痛打了一顿。一天晚上希尔毕西从酒吧里出来准备回家，也遭到袭击，被砸进一家店的玻璃橱窗，而第二天早上玻璃窗就被换好了，就连一家商号在东德动作也如此迅速！

再下一次我遇见希尔毕西的时候听说了这一系列事情，我感到非常不快，并希望自己把重要细节都记了下来。在西德看来价值无法计算的优秀文学作品，在东德却可以引来麻烦，对此只有唯一的办法，那就是公之于众。1979年秋，希尔毕西首次公开亮相所获得的成功，即使不能证明每一位受害作家的价值，也至少能肯定某些受害作家的价值。但有一点可以明确，不受欢迎的作家，尤其当他们还不出名的时候，即使通过1976年的比尔曼事件大放血后，三年过去了，当局对这些作家的打压依然在暗中隐匿，无所不在。有一点要说的是，希尔毕西因在菲舍尔出版社未经允许出版诗集《缺席》遭到2000东德马克的罚款，这笔金额对于他来说绝对不是个小数目，除了作家斯蒂芬·海姆（Stefan Heym）曾遭到9000东德马克的罚款外，这是我知道的唯一的罚款事件。后来希尔毕西得到2000东德马克的拘留补偿，这样至少从经济角度来看，他遭国安部拘留成了一场零额游戏。

通过莱比锡书展上和东德青年作家们的交谈可以看出，这些作家受日常生活的束缚，完全没有意识到他们口头讲述的题材也具有非同一般的意义，为了让他们明确地感受到他们那些“故事”的价值所在，外界需要给予指导和鼓励。举一个柏林联合队小流氓球迷的例子，是有一天作家克里斯塔·穆格（Christa Moog）在莱比锡咖啡桌讲的，东德还没有哪篇文章系统化地描述过东德这种令人不悦的体育文化现象，可想而知也就颇具特色。在东柏林除了联合队还有国安部的迪纳摩俱乐部（Dynamo），主席是梅尔克（Mielke），这个俱乐部将东德最优秀的球员战略性地集中到一起，紧急情况下可以让唯命是从的裁判吹黑哨取胜。谁支持联合队，谁就被认为持有强烈的体制批判态度，也就离所谓的东德式称呼“问题公民”不远了。此外克里斯塔·穆格还学了体育学，写了“联合队球迷”的故事，在“穿越边境”栏目播出，后来就成了这本同名书的封面故事，通过了审查部克里斯塔·舍德里希（Krista Schädlich）的审核，在柯拉森（Claassen）出版社出版。

不可否认，西德各广播电台给东德青年作家的稿酬为他们带来了切实的意义。1000 西德马克，是大约按 1 比 5 兑换出来的，在东德可以保证一整年的基本生活开销。

后记：演员 Ch. U 为国安部专职通报合作者，在莱比锡的大学生社团和青年作家医生团体工作，在国安部的委托下和格尔特·诺伊曼取得了联系，是国安部为了把这位间谍偷偷派遣到我身边，让他支持异议文学作品，还是这位间谍真心喜爱文学，为了让一位才华横溢的作家稍稍减轻生活负担，而做出超越他能力范围的事？国安部专职通报合作者的资料约有 10000 页，我到现在都调查不到相关信息，而且我也没法问他了，他在德国西北部的一家剧院当演员，最近突然去世了。

西德图书之于东德作家

埃里希·略斯特（Erich Loest）（L）接受英格里德·
宗塔格（Ingrid Sonntag）（S）访谈

S：您第一次做秘密读者是什么时候？

L：当时是1956年春，在莱比锡大学的文学院，我想研究西德战争文学，研究关于这段时期的回忆录，其中涉及二战中有名的指挥官陆军元帅冯·曼施坦因（v. Manstein）、陆军上将古德里安（Guderian）和特种部队指挥官斯科尔兹内（Skorzeny）。我可以去莱比锡德意志图书馆看书，因为我有文学院开具的证明，上面写着："略斯特做有关西德战争回忆录的研究。"借书后在楼下的阅览室取书，那时楼上还没有阅览室。我拿着书在桌子旁坐下来，可以把书顺势推给旁边的朋友，后来就不允许这样了。

S：莱比锡书展对于您来说有何意义呢？那些您特别想看的书是如何在书展上弄到的呢？

L：那时每次都特别紧张。每年两次的书展上我都一下子跑到苏尔坎普（Suhrkamp）出版社那，在后面和那些漂亮姑娘们说话。比如英格里德·克吕格尔（Ingrid Krüger）问我说："略斯特先生，您想要什么书?"书柜里装满了各种平装袖珍书，有格拉斯（Grass）的，伯尔（Böll）的，肯泊夫斯基（Kempowski）的，这些书都送给我了！她们还拿一张字条写上送给了略斯特先生哪些哪些书。我就算被检查到，也可以出示我的证明。

S：您是什么时候第一次去莱比锡书展的？

L：1948 年秋。但第一次回忆不起来了，只记得后来在汉萨楼里举办的书展。厄伦施皮格（Eulenspiegel）出版社的展台立着漫画，在各个展台中很显眼。我在米特韦达的朋友海因茨·赛德尔（Heinz Seidel）就在这个出版社干了好多年，他的任务就是负责把展台外观弄得更有趣。我曾经也是厄伦施皮格出版社的作家。

S：在您被判监禁后也是吗？

L：60 年代末的时候我为该出版社的杂志做签约作家。每个月写稿的固定工资 500 东德马克，超量完成，他们就把工资付给我，完不成，他们就把工资送给我，我一直都超额完成写作任务。但接着我有了别的想法，把自己的作品编辑成册。1976 年我在厄伦施皮格出版社还出了一本书《橡皮艇里的奶奶》，收集了所有这些年的文章，插图画家是乌利·福赫纳（Uli Forchner）。

S：您那时发现您的信件包裹也受到了检查吗？

L：没有。国安部的人拆邮件很巧妙，我也没发现有邮件晚到的情况。后来我才从档案里了解到，他们确实查了我的信件包裹，但是负责查我的那些检查官都很机灵。

S：您也没发现丢什么东西？没有寄书寄丢的时候吗？

L：我不记得丢过什么东西。作家格哈德·茨韦伦茨（Gerhard Zwerenz）在西德的时候，我还和他有通信往来，他给我的信和我给他的信我们分别都收到了，国安部是很精明的。我要给他的岳母写信，她叫霍夫曼（Hoffmann），第一天国安部就知道了，我在我的档案里发现了我给霍夫曼信件的复印件。他们知道我有什么图谋，因为茨韦伦茨也是他们检查的对象。茨韦伦茨也没寄过书，我从不让别人从西德给我寄书，因为我们都知道寄书反正过不了。收寄信件一直都没问题，包括和出版社的信件也是。

S：您肯定为了卡尔·麦（Karl May）和您关于他的传记体小说《燕子，我那勇敢的野马》借阅过毒草柜里的书吧？

L：是的。把这些书封存起来是有特殊原因的，不是因为政治审查，而是为了保护图书，估计那些书都被读得破旧不堪了。卡尔·麦的书既不卖也不外借，他的粉丝们两年就把他的书翻烂了。还有个有意思的事情，借阅处坐着一位女孩儿，也非常喜欢看卡尔·麦的书，她上晚班，晚班没什么事儿，我们就聊天，有时候我就借一本我根本不需要，但女孩儿特别想看的书。

S：您离开东德后，往东德寄过书吗？还是一般都让自己人带过去？

L：我没寄过书。我想送书给为数不多的几个朋友几个亲戚，就五六个人，每次都是让书展上的人带去的，比如海因茨·克隆克（Heinz Klunker）要去拜访我在莱比锡的朋友克利茨（Kählitz），就把书给他带去了。我们家里也有退休的亲戚可以去东德，然后偷带了一些书回来。

Erich Loest

Wolfgang Wülff, 26, Ingenieur, Ehemann, Vater, Schrankwand- und Trabantbesitzer wie tausend andere, erzählt seine Geschichte. Fernstudium, Schwimmkursus für ältere Säuglinge, diese Frau, jene Frau, ein VP-Hund, ein NVA-Offizier, Ehrgeiz und kein Ehrgeiz, Freude an und Ärger mit der Arbeit, Beleidigung, ein Prozeß, die Sorgen eines blinden Freundes, hundert Brocken und Bröckchen dazu – es ist, wie es an einer Stelle heißt, »eine Geschichte, wie sie an jeder Straßenecke vorkommt und einen Menschen kaputt machen kann.«

ES GEHT SEINEN GANG

图 1　1977 年哈雷东德出版社的第一版《按部就班》

S：曾经有一本手写版的《按部就班》,[①] 是不是有人把这本书抄了下来然后1989年后送给了您？

L：卡尔－马克思城[②]的一位女士用她的打字机打了几本，按照书的开本，没有错误。1990年后她送给我一本，字面清晰可读，差不多是她打的第三本，现在放在了埃里希—略斯特档案里，在莱比锡的“伊达寓所”。

S：您还有什么其他珍贵的收藏吗？

L：另外还有一本很有意思，《第十二次起义》，是用笔名沃尔多夫（Walldorf）写的,[③] 印了50000册然后化作了纸浆。那是多少纸张啊！新柏林出版社的人对这本侦探小说很感兴趣，但在《柏林报》预先刊登出来不久，国安部就介入了：啊哈，这个疯狂的略斯特又写了有关苏联内务人民委员部、苏联国家政治局或者情报局的东西，不能让他得逞。这一版次被全部销毁。多亏出版社一位编辑瓦尔特·皮舍尔（Walter Püschel）的拯救，有一本幸免于难，还有长条校样也在。这样实际上我有两本：一本装订的和一本未装订的。

S：我看到了这本书1969年的版本说明。

L：当权者看到这个略斯特这么快又东山再起，感到不快。我在两个出版社出版了一系列用笔名沃尔多夫写的侦探

---

① 该小说全名叫作《Es geht seinen Gang oder Mühen in unserer Ebene》。Zur Editionsgeschichtes. Loest，Erich：*Der vierte Zensor. Vom Entstehen und Sterben eines Romans in der DDR*. Köln 1984.

② 开姆尼茨1953至1990年间称为卡尔－马克思城。

③ 埃里希·略斯特也曾用过笔名Hans Walldorf。

小说，挣了很多钱。国安部从头到尾算了一遍：我一年足足挣了 20 万东德马克，他们对此很恼怒。

S：您想到过事情会因为政治原因而这样告吹吗？

L：克特・克里克（Käthe Krieg）是新柏林出版社和厄伦施皮格出版社的社长，干练，强悍，有出色的政治背景，她敢于行事，但是在这件事上……这本书已经印好准备发行了，接着电话里传来她沙哑的声音："埃里希，我明天要去找你一趟，发生了点事情。"然后她来了说道，这一版化成了纸浆。还有，因为为人诚实正派，她还做了本没有必要做的事情：为阻止事情发生，她和文化部长谈，又和这个人那个人谈，但没有用，是有关"当局"做的决定。然后我说："就这样？"她点了点头，接着我们就干了杯白酒。

S：《按部就班》的编辑出版史也就成了一种幻觉记忆。比尔曼（Biermann）被开除东德国籍，您被开除出作协，海姆（Heym）、希尔毕西（Hilbig）和哈费曼（Havemann）遭到违法罚款，您对 1979 年以后的经历是否有一种不真实的感觉？

L：是柏林作协在红房子市政厅里做出的开除决议。1979 年秋在柏林，他们严正提出：你们现在必须开除略斯特。毫无疑问他们肯定是这么做的，并且得到了大多数人的支持。我直面的谈判对手是作协成员麦克斯・瓦尔特・舒尔茨（Max Walter Schulz）和尤阿西姆・诺沃特尼（Joachim Nowotny），有一次汉斯・法伊弗（Hans Pfeiffer）也在场。我的短篇小说集《16 号手枪》在霍夫曼坎普（Hoffmann und Campe）出版社出版了，并遭到了违法罚款。我本应发誓再也不干这些事情了。我这样回答道："谁知道我会不会又写些什么东西呢。”这种借口当然行不通，我本应该表明不会再干了。而我是这样实话实说的：“这个我没法跟你们保证。你们要是什么都不给我印，我就再干。”——“啊，这样您还怎么能当作协成员呢。有规定……”谈了三四个回合我提出：“要是我退出怎么样？”没人说话，然后：“那您会退出吗？”他们非常高兴，不用说得罪人的话了，因为大家都知道，背后的骂名是一生都挥之不去的。从作协退出，然后我就在大门外了，在这个莱比锡以这种方式到了大门外。在这之前和之后只有作协成员维尔纳·海杜切客（Werner Heiduczek）和作家格蒂·特茨纳（Gerti Tetzner）是毫无保留支持我的。

马克思·瓦尔特·舒尔茨曾骗我说道：“你要是退出作协的话，就可以带着家人离境。”我和东德文化部副部长赫普克（Höpcke）还来回周旋了一年，他也想给我回头的机会，有一次给了我四个月的自由时间，于是我用整个夏天把西德转了个遍。等我已经可以在赫普克那里取护照时，他说道：“您到了那边，别马上就抨击我们。”他给了我护照然后想拥抱一下。我到了西德做的第一件事情，就是抨击赫普克。怎么做的呢？在《时代周报》上。然后所有各种论战随之而来，很美妙。

S：《16号手枪》和《穿越地球之痕》的手稿是怎么送到霍夫曼坎普出版社的呢？

L：通过弗里茨·普莱特根（Fritz Pleitgen，德国著名记者及某电台台长）。普莱特根很愿意提供这样那样的帮助，我时不时地称赞他，可他根本不在意。

宗教读者群体

“成袋成袋地上缴图书”
——在法律的灰色地带（教会界向东德运送图书）*

海德维希·里希特（Hedwig Richter）

1966年，一张邮政包裹附带说明引起了东德教会领导层的注意，内容直接针对的是“东德海关官员”，规定海关官员有义务将图书包裹送达收件人。这条规定并非源于某项法律条款，而是出自一次东德媒体对文化部国务秘书埃里希·文特（Erich Wendt）的采访，在采访中，就像这张包裹附带说明上写的一样，国务秘书向全世界公开表示，“我们从来没有

* 向 Siegfried Bräuer，Hans－Hermann Dirksen，Peter Maser，Jens Niederhut 还有 Konrad von Rabenau 对本文的评价、建议及所提供信息表示感谢。

禁止东德公民［……］接收西德寄来的图书礼物。我相信，东德拥有领导人身份的国务秘书讲的话会得到东德相关行政部门的高度重视”。这样海关关员才不会“对国家声明的可信度产生怀疑，做出不利于东德的事情”。[1] 这张说明不是复印件，而是打印件，因此可以继续印制出成百上千张复印件。借助这份说明，西德人成功地将各种图书越过边境寄往东德，而他们也不是唯一引用这段访谈作为司法辩护依据的。[2]

这件事说明了东德民众是如何理解法制的，也就显示出一种特殊的统治实践形式，此外也能看出人们面对国家苛刻的法律条规做何应对。基于这两方面我要对两个问题进行探讨，第一：对于统治者来说，禁止图书引进意味着什么？1968 年起宪法不再保障出行自由权——如果除特殊情况外禁止入境西德，而为什么对图书不实行同样的规定呢？干脆打开包裹，跳过检查直接没收不就可以了吗？第二个问题涉及被统治者：他们如何应对国家的干涉？对此德国历史学家阿尔夫·吕德克（Alf Lüdtke）的观点很重要，他以德国学者马克斯·韦伯（Max Weber）的理论为出发点写了《统治作为社会实践》一书，韦伯认为被统治者“多少具有一种服从意志”。[3] 在研究

---

① 施托尔佩（Stolpe）手写注明：“非常有趣。” EZA 102/417. Hervorh. Im Original.

② Geschäftsstelle，M. Stolpe，an Evang. Kirche der Union，25. 8. 1966. EZA 102/417.

③ Lüdtke，Alf：Einleitung. *Herrschaft als soziale Praxis*. In：Ders.（Hg.）：*Herrschaft als soziale Praxis. Historische und sozial – anthropologische Studien*. Göttingen 1991，S. 9 – 66.

这两个问题时，首先应了解有关的国家机关，然后是涉及图书走私的个人或团体。因为东德学界还没有开始研究教会图书走私，所以我们对此只能进行比较浅显的探讨。

在东德如何定义“走私”这个概念是一个问题，事实上，合法进口图书和走私图书之间是没有界限的，因为没有明确的相关法律规定。总的来说，包裹投递过程远比入境走私重要，所以前者在本文占的篇幅更多。走私图书中教会刊物的比重最大，占到三分之二，剩下的是纯文学和专业书籍。绝大部分没收的图书都是所谓的低俗垃圾书刊，也就是小人书、漫画或者色情书刊。西德教会有上亿的资金用于这些图书的运送，其中大部分来自西德政府全德事物部的财政支持。①

首先讲国家机关。国家机关对没收图书的解释已经显示出法律的模糊性，例如各个地区人民警察关于60年代中期教会生活的报告就能印证这一点，报告中也包含了海关提供的信息。因为同西德联系密切，并且从西德获得了大量物质上的帮助，各个教会基本上都被列为怀疑对象。② 然而有意思的是，无论是西德提供帮助还是同西德建立联系都不属于违法行为。也就是说在没收图书的解释上，法律并没有发挥

① Hauptverwaltung Zoll, Abt. Recht, Abteilungsleiter Zolloberkommissar Krebs, 14. 2. 1966. BArch DL 203, 05 - 02 - 05 (308); Konrad von Rabenau 于2007年9月19日讲述，据估计新教教会共有85亿东德马克的资金。参阅 Maser, Peter: *Die Kirchen in der DDR*. Bonn 2000, S. 100。

② VP - Bezirksbehörde Rostock an Ministerium des Innern, 20. 4. 965 und VP - Bezirksbehörde Schwerin an Ministerium des Innern, 17. 6. 1966. BArch DO 1, 183/2.

很大的效力。在同西德接触的方方面面当中，通常令人感到有违法倾向的就是涉及图书的交流，但没收图书始终没有得到法律上合理有据的解释，仅仅有一份60年代时人民警察给内政部的报告对此解释道：“不言而喻，这些西德书刊不利于我们的社会主义建设，不能培养我们公民的社会主义意识。”①

同时东德国家机关一再强调允许进口图书。② 为什么法律明文允许进口图书，而相关法律规定却游走在灰色地带，对这个问题最显而易见的回答是：允许图书进口是出于表面需要。国家机关仅仅要求相关部门遵照这样一些规定：寄件人和收件人必须是私人；始终只能邮寄一本书刊；此外不一定必须是东德允许流通的书刊。然而对工农社会国家禁书的定义却模糊不清：不允许有“低俗”“反民主主义”或“反对维护和平”的图书。③ 因为大部分神学类刊物明显不具备这些特征，于是辩证思维就在这里被发挥得淋漓尽致：这些不明显带有色情或军国主义色彩的图书因为能够很好地掩饰其邪恶本质，所以恰恰是危险的；教会图书的“宗教用语背后隐藏着的是教唆煽动”，“或

① VP – Bezirksbehörde Schwerin an Ministerium des Innern, 17. 6. 1966. BArch DO 1, 183/2.

② 参阅 die Beteuerungen staatlicher Stellen, sechziger Jahre. EZA 102/417。

③ Zusammenstellung der gesetzlichen Bestimmungen über Einfuhr von Literatur, 8. 11. 1954. BArch DL 203, 04 – 07 – 05 (294); Abt. Zollrecht an Staatliche Archivverwaltung, 3. 11. 1977 u. weitere Unterlagen in BArch DL 203. 04 – 07 – 05 (294a).

多或少有颓废派倾向”[①]。

这种诡辩式的规定给海关关员出了个难题，他们去哪儿知道哪些图书的宗教用语背后隐藏着复仇主义和反民主主义倾向？如果没收“错误”，比如冤枉了某位“忠实的”神学家，可能会令上级愤怒不已。[②] 因此1963年各地区海关管理处专门成立了图书委员会。[③] 然而这些委员会几乎无济于事，因为成员们也没有宗教神学方面的文化经验。[④] 一些海关管理处开始制定书单，分为禁书单和非禁书单，从中可以看出有关当局是多么胸无点墨：比如《圣经》、《新旧约全书》和《路德圣经》接连被列入非禁书单。[⑤] 1968年海关总局在报告中说：“［……］图书审查领域始终相当混乱。”[⑥]

---

① Zollsekretär Napiera, HA 2, Abt. Recht, Ref. Strafrecht, an Zollinspekteur Arndt, 10. 11. 1959. BArch DL 203, 04 – 07 – 05 (294); ganz ähnlich Leiter AZKW, Zollinspekteur Stauch, Vorlage für Dienstbesprechung des Ministers 16. 8. 1960. BArch DL 203, 04 – 07 – 05 (294). 参阅 专业毕业论文《对手有计划地向东德公民邮寄各种期刊以推行政治思想破坏行动及敌对政策，其目标与意图何在》也对该观点做了论证，15. 5. 72. BArch DL 203/Fach A/35/72。

② Zoll Sekretär Napiera, HA 2, Abt. Recht, Ref. Strafrecht, an Zollinspektor Arndt, 10. 11. 1959. BArch DL 203, 04 – 07 – 05 (294).

③ Leiter an Verteiler, vertrauliche Dienstsache, 23. 10. 1963. BArch DL 203, 05 – 02 – 05 (308). 参阅 zu den Literaturstellen auch Oberdirektor L., MPF Berlin, an Leiter der BDP Gera, 9. 2. 1971 u. weitere Akten im Thüringischen Staatsarchiv Rudolfstadt, Dt. Post, Bezirksdirektion Gera 1215。参阅 zur Rechtsunsicherheit Zollsekretär N., Abt. Recht, Ref. Strafrecht, an Zollinspekteur A., 10. 11. 1959. BArch DL 203, 04 – 07 – 05 (294)。

④ Einschätzung, Abt. Postverkehr, Berlin, 24. 7. 1967. BArch DL 203, 05 – 02 – 05 (308). Hauptverwaltung Zoll, Abt. Zollrecht, Zollhauptkommissar Weidensdorfer, 30. 1. 1978. BArch DL 203, 04 – 07 – 05 (204).

⑤ Information, Zollverwaltung der DDR, 7. 8. 80. BArch DL 203, 04 – 07 – 05 (294).

⑥ Hauptverwaltung Zoll, Abt. Postverkehr, 21. 6. 1968. BArch DL 203, 05 – 02 – 00 (305).

因此到了 80 年代，海关当局要求成立图书审查核心工作组。[①]

海关职员对模棱两可的情况处理得更好，为此他们接受过明确的指导和培训，海关专科学校毕业生撰写的专业论文都是关于火车车厢内空隙分布或者西德汽车构造等这样的题材。[②] 海关关员的情绪夹杂着喜悦和憎恶，总是在报告中写到“对手”隐藏图书的阴险狡诈。[③]

随着时间推移，图书审查经历了哪些变化发展呢？50 年代时将神学书刊带到东德是很困难的。[④] 甚至当时把东德的一本信息手册带到西德都要以“进口违法刊物”为由受到惩处，从东德寄来的包裹信件也可能受到检查。[⑤] 随着西德社会已经渐渐开始自由化进程，而东德当局 50 年代却开始所谓的“视察”教会图书馆、检查西德书刊，至少持续

---

① Information, Hauptverwaltung Zoll, Stellvertreter des Leiters, Inspekteur Arndt, vertraul. Dienstsache, 10. 12. 1984. BArch DL 203, 04 - 07 - 05 (294a).

② 参阅联邦档案专业论文 DL 203/Fach A/35。

③ Bericht von Hauptverwaltung Zoll, Stellvertreter des Leiters operativ, 2. 3. 1978. BArch DL 203, 05 - 04 - 00 (310). Information, Zollverwaltung der DDR, 7. 8. 80. BArch DL 203, 04 - 07 - 05 (294). Bericht “Die Entwicklung und Wirksamkeit der Zollkontrolle auf dem Gebiet des Postverkehrs”, wohl 1969. BArch DL 203, 05 - 02 - 00 (305); Hauptverwaltung Zoll, Abt. Postverkehr, 20. 5. 1976. BArch DL 203, 05 - 03 - 05, Bd. 1 (309).

④ Konrad von Rabenau 于 2007 年 9 月 19 日讲述。Hauptverwaltung Zoll, Abt. Recht, 7. 9. 1959. BArch DL 203, 04 - 07 - 05 (294). Hauptzollverwaltung, Zollsekretär N., Abt. Recht, an Zollinspekteur Arndt, 10. 11. 1959. BArch DL 203, 04 - 07 - 05 (294).

⑤ 当时甚至去东德旅行都被视为“违背宪法”或“出卖国家”而受到跟踪。参阅 Wolfrum, Edgar: *Die Bundesrepublik Deutschland, 1949 - 1990*. Stuttgart 2005 (Gebhardt. Handbuch der deutschen Geschichte; 23), S. 105。

到60年代。[①] 柏林墙的建立最终封锁的图书运送渠道不计其数，所以邮政渠道变得越来越重要，东德图书审查也变得越来越严格：60年代经没收的图书包裹每年达7万件，印刷物总计42万册，其中不仅仅包含基督教刊物。[②] 如果想到每年检查的所有邮政包裹达几百万件，那么这些大额数字也就不足为奇了，1960年经检查的邮政包裹大约为2100万件。海关管理处在建柏林墙当年的年度报告中写道："邮政检查涉及的检查工作及安保工作口号一律为'不能放过敌人'。"[③]

随着东西德之间的往来途径增多，通过进口或走私进来的图书数量又开始呈上升趋势。70年代国家放宽了对教会的政策，持公务签证的西德神职人员只检查其私人文件，各项规定开始强调慎重对待教会重要人士，图书审查时牧师比"入境工人"享有更好的待遇，海关工作人员当时还对此表

---

① VP - Bezirksbehörde Schwerin an Ministerium des Innern, 17. 6. 1966. BArch DO 1, 183/2. Konrad von Rabenau于2007年9月19日讲述，1959年当局对瑙姆堡高等神学院进行了一次大搜查。

② Hauptverwaltung Zoll, Abt. Recht, Abteilungsleiter Zolloberkommissar, 14. 2. 1966. BArch DL 203, 05 - 02 - 05 (308). Leiter AZKW, Zollinspekteur Stauch, 16. 8. 1960. BArch DL 203, 04 - 07 - 05 (294). Konzept zur Regelung der Einfuhr von Literatur, Abt. Grenz - und Binnenkontrolle, 10. 5. 1961. BArch DL 203, 04 - 07 - 05 (204). 60年代起，可自由引进图书的"特殊许可"也受到了限制：Vermerk, Geschäftsstelle, M. Stolpe, über Sondergenehmigungen zur Literatureinfuhr, 22. 11. 1966, u. Geschäftsstelle, M. Stolpe, an Evangelische Kirche der Union, 25. 8. 1966, u. Vermerk zur Bischofskonferenz über Gespräch mit Fitzner, Staassekretariat für Kirchenfragen, M. Stolpe, 1. 12. 1966. EZA 102/417。

③ Einschätzung, Hauptverwaltung Zoll, Abt. Grenz - und Binnenkontrolle, 1. 2. 1962. BArch DL 203, 05 - 04 - 00 (310).

示不满。① 1980年有关教会图书走私的规定是这样说的："处罚神职人员必须征得海关管理处领导或者副领导的同意。"② 教会与政府逐渐在更多的问题上取得一致，由于不希望引起不必要的事端惹恼教会或让教会人士遭遇名声败坏的海关男关员和更加名声败坏的海关女关员专断的行事作风，政府甚至向一种半合法的图书进口方式开了绿灯，这样新教教会就可以为各大学因财政失血过多而"休克"的神学院供应图书了。③ 以上这种典型特征概括起来就是：允许进口图书，但进口图书非合法行为。

针对教会的政策在逐渐开放的同时，图书检查变得越来越严格。④ 光是1977年年末海关就检查了将近1500万件包裹，占全部包裹的89%，比上一年增加12%，海关总局称邮寄图书的包裹数量越来越多。⑤ 80年代的情况没有相关数据，当时几乎四分之一的装有教会图书的包裹被没收。⑥ 令人

---

① Hauptverwaltung Zoll, Abt. Zollrecht, Zollhauptkommissar Weidensdorfer, 30. 1. 1978. BArch DL 203, 04 - 07 - 05 (294). P. Maser 于 2007 年 9 月 30 日讲述。

② Stellvertreter des Leiters, Hauptverwaltung Zoll, an MfS, Hauptabteilung VI, 14. 8. 1980. BArch Dl 203, 04 - 07 - 05 (294).

③ Konrad von Rabenau 于 2007 年 9 月 19 日讲述。

④ Einschätzung, Operativabt., 4. 1. 1963. BArch DL 203, 05 - 04 - 00 (310). Hauptverwaltung Zoll, Abt. Postverkehr, 27. 1. 1971. BArch Dl 203, 05 - 02 - 00 (305). 参阅 auch Hickel, Direktion, an Prediger u. a. 1. 2. 72. UA DEBU 53。

⑤ Bericht, Stellv des Leiters operativ, 2. 3. 78. BArch Dl 203, 05 - 04 - 00 (310). Hauptverwaltung Zoll, Abt. Zollrecht, Zollhauptkommissar Weidenshofer, 30. 1. 1978. BArch DL 203, 04 - 07 - 05 (294).

⑥ Information zur Feststellung von kirchlichen Druckerzeugnissen, Zollverwaltung der DDR, 7. 8. 1980. BArch DL 203, 04 - 07 - 05 (294).

图 1　瑙姆堡高等神学院图书馆所收藏的从西德走私进来的图书不计其数，是东德收藏社科类书籍最重要的图书馆之一。

非常生气又失望的是没收的图书很少退回给寄件人。① 图书检查力度加大也是和不断进步的技术手段分不开的，比如 70 年代 X 光机的引进；另一方面也受到东德政治局势的影响：

① 80 年代时，海关总局还有更苛刻的规定说明图书审查的严格程度：除了众多其他类别的书刊，还有每本“神学入门刊物以及所谓的修身刊物”都属于“不宜引进类图书”。Information zur Feststellung von kirchlichen Druckerzeugnissen, Zollverwaltung der DDR, 7. 8. 1980. BArch DL 203, 04 - 07 - 05 (294).

从柏林墙建立以前到建立之后，尤其到了70年代，审查覆盖得越来越细微，政府不再实行残酷的压制手段，取而代之的是更细致更有效的措施，常常也覆盖到了下层人士。

教会人士如何应对审查？之前已经提到，虽然东德承认自由进口图书的权利，而各州教会希望同政府保持良好关系，也就自然而然地接受图书检查还有海关及邮政审查。也有人表示不满提出申诉，但这种情况很少发生。1980年前后，每年国家机关大约收到200起基督教徒的申诉，占所有申诉案例的1.8%。[①] 教会领导自身最多也只是针对禁止图书进口这项规定表示抗议，而不是针对法律被严重扭曲的事实。[②] 甚至有教会管理处立即阻止下属教会进口图书，这是一个自我审查的典型例子。[③]

由于缺少严格的法律保障，教会人士想出了各种各样的办法。之前提到的国务秘书文特接受采访后，各教会机构为了弄清法律条文对此到底是如何规定的，开始试验邮寄各种包裹，然而没发现什么规律，每次寄包裹都有新的发现。[④]

---

① Information zur Feststellung von kirchlichen Druckerzeugnissen, Zollverwaltung der DDR, 7. 8. 1980. BArch DL 203, 04 – 07 – 05 (294). Briefwechsel Schapper mit Zollorganen und Ministerrat der DDR (1965), Schapper an Präsident D. Hildebrandt, 16. 12. 1965. EZA 102/417. K. Tiedek an Verlag "Neue Zeit", 6. 3. 1967. EZA 102/417.

② Vermerk von M. Stolpe zu Gespräch mit Fritzner, Staatssekretariat für Kirchenfragen. 22. 11. 1966. EZA 102/417.

③ Briefwechsel Geschäftsstelle M. Stolpe mit Vereinigter Evangelisch – Lutherischer Kirche, Oktober 1964 bis Januar 1965. EZA 102/417.

④ Auszug aus Niederschrift mit Bericht über Ergebnis von Besprechung beim Staatssekretär für Kirchenfragen, 22. 4. 1964 u. weitere Unterlagen, 1964 – 1965. EZA 102//417.

由于国务秘书在这个统一社会党统治的国家常常取代了法律的地位，因此为了得到明确的规定，另一条途径是在国务秘书接受访谈时提及教会问题，但结果并不令人满意。[①] 1966年东德新教教会领导曼弗雷德·施托尔佩（Manfred Stolpe）讲道："从所有这些访谈中可以看出，国家机构的政策趋势明显在以最大力度限制进口西德出版物［……］这是和法律规定相矛盾的，和文特曾经在那次有名的采访中所讲的话相矛盾。"[②] 没过多久负责教会事务的国务秘书表示，"大量进口图书"的时期结束了，取而代之的是用东德印制出版的图书满足教会的需求。[③] 这是当局政府的无耻还是无知？难道不知道东德各教会出版社和基民盟出版社的图书种类少之又少，无法和国外丰富的神学类书刊相匹敌吗？同时也绝对能够看出政府显然不重视法律的明确性。由于法律保障的缺失，教会被政府置于被动地位，随时都可能受到威胁，图书进口随时都可以被利用为一种管教民众的手段。此外，政府通过进口西德图书嘉奖所谓的"进步"神学家，通过没收图书惩罚所谓的"反动"神学家，图书进口也成了社会主义教会政策的一个有力工具。

---

① Auszug aus Niederschrift der erweiterten Referentenbesprechung mit Bericht über das Ergebnis der Besprechung beim Staatssekretär für Kirchenfragen, 22. 4. 1964. EZA 102/417.

② Geschäftsstelle, M. Stolpe, an Evang. Kirche der Union, 25. 8. 1966. EZA 102/417.

③ Vermerk, Geschäftsstelle, M. Stolpe, über Sondergenehmigungen zur Literatureinfuhr, 22. 11. 1966，亦可参阅 Vermerk zur Bischofskonferenz über Gespräch mit Fitzner, Staassekretariat für Kirchenfragen, M. Stolpe, 1. 12. 1966. EZA 102/417。

虽然在实际审查中每本神学刊物都受到怀疑而接受检查，但教会还是始终能够成功偷运图书。[①] 警察在“视察”一位天主教教父的图书馆时发现“超过50%的图书都来自西德”。[②] 这是个让海关崩溃的结果。瑙姆堡高等神学院图书馆是东德社科图书最重要的馆藏之一，不仅藏有丰富的神学类书刊，东德向来供应不足的如心理学这种并非神学院特有的人文学科专业刊物也有很多，能和神学院的人文藏书相比的图书馆也是屈指可数。[③] 作家罗尔夫·施耐德（Rolf Schneider）1981年在《法兰克福汇报》上表示，各个牧师公馆藏书丰富，也许会成为东德唯一真正的另类文化。[④] 东德政府对当下形势持相似的看法，担心“我们的年轻人会受到不利影响”。[⑤] 海关总局在报告中估计，每年大约有50万本图书非法流入东德，其中有很多基督教刊物，有关于环保的，还有和平主义和民主主义的图书，这样看来图书走私

---

① Vermerk，Geschäftsstelle，M. Stolpe，22. 11. 1966. EZA 102/417. 亦可参阅 Vermerk zur Bischofskonferenz über Gespräch mit Fitzner，Staassekretariat für Kirchenfragen，M. Stolpe，1. 12. 1966. EZA 102/417。

② VP－Bezirksbehörde Schwerin an Ministerium des Innern，17. 6. 1966. BArch DO 1，183/2.

③ Maser：Kirchen in der DDR，S. 77. Konrad von Rabenau 于 2007 年 9 月 19 日讲述。Siegfried Bräuer 于 2007 年 9 月 11 日讲述。

④ Schneider，Rolf：Karl Barth kennen sie wie Karl Marx. Einblicke in Pfarrhäuser der Deutschen Demokratischen Republik. In：Frankfurter Allgemeine Zeitung，28. 3. 1981. Arbeitsbericht von E. B. In：Hettasch－Haarmann，Erdmut：Hilfsaktionen der Brüder－Unität，Distrikt Bad Boll，für den Distrikt Herrnhut im Rahmen der Hilfsmaßnahmen des Diakonischen Werkes und des Hilfswerks der EKD（以下简称：Hilfsaktionen）. Bad Boll 2004，S. 31.

⑤ VP－Bezirksbehörde Schwerin an Ministerium des Innern，17. 6. 1966. BArch DO 1，183/2.

的影响还是十分巨大的。[1] 除了电视和广播之外，市民和知识分子们也能通过这一渠道了解西德的思想界和知识界，了解铁幕的另一边在讨论什么。

在海关实行的各种审查措施下，这些图书又是怎么进入东德的呢？一方面教会人士为应对更加严格的审查措施不断想出新的邮寄办法。50 年代末大家都已经知道，从公共机构寄出或寄给公共机构的书籍一般不能通过，因此西德各州教会发起行动，以私人寄件和收件地址寄了几千本图书，参与者包括所有阶层从事各种职业的人，另外还出版了一本宣传册，题为“图书包裹行动”，内有详细指南要求大家通通往东德寄送图书，在私人圈子里和工作中推广宣传这场行动。新教教会在这场行动的报告中针对图书走私的理由是这样说的，苏占区不断压制和孤立图书界，目前应对办法只有从西德寄出更多的信件和包裹。[2] 西德新教执事工作会每年都提供资金用于私人图书邮寄，资金通常来自全德事物部的财政拨款。[3] 其中走私的除了有用于学术目的的神学专业书籍，还有面向所有阶层人群的基督教刊物，比如祈祷书或者日历本。[4] 所

---

① 这个估计的数量偏低，因为60 年代时被没收的图书将近 50 万本，大部分包裹没有受到检查。参阅 Hauptverwaltung Zoll, Abt. Recht, Abteilungsleiter Zolloberkommissar, 14. 2. 1966. u. 26. 2. 1966. BArch DL 203, 05 - 02 - 05 (308). Leiter AZKW, Zollinspekteur Stauch, 16. 8. 1960. BArch DL 203, 04 - 07 - 05 (294). Konzept zur Regelung der Einfuhr von Literatur, Abt. Grenz - und Binnenkontrolle, 10. 5. 1961. BArch DL 203, 04 - 07 - 05 (204)。

② Flugblatt, Evang. Kirchen, “Aktion der Bücherpäckchen”, Bericht, Zollverwaltung, Abt. Recht, 7. 9. 1959. BArch DL 203, 04 - 07 - 05 (294).

③ Hettasch - Haarmann: Hilfsaktion, S. 30.

④ 参阅 Unterlagen EZA 104/722。

有阶层和职业群体都参与了图书运送。据统计，1980年所有邮政信件包裹收件人只有15%为神学家和教会人士，通过亲自出行走私图书的旅客有22%为以上人士。[①] 最有利于走私的时间是圣诞节前后，因为包裹量太大，所以很多包裹没有经过检查就过了境。[②] 政府机关采取的应对措施比如在“圣诞高峰期”设立“流动工作组”也没有完全发挥作用。[③] 此外已经提到过的政府的半合法规定也是一个因素。同样得到全德事务部财政支持的路德教会也帮助东德教会学术机构走私图书。[④]

相比之下，通过汽车或火车走私的图书占的比重比较小，因为都知道海关对此检查得要严格得多。1979～1980年一年半的时间里，经过柏林边境最主要的走私关卡的旅客只有975人驾车携带教会刊物入境，其中85%的刊物被没收。[⑤] 同一时期共有140600件装有教会刊物的包裹受到检查，其中25%被没收。[⑥]

遗憾的是几乎没有任何关于驾车走私图书的档案资料。

---

① Information, Zollverwaltung der DDR, 7. 8. 1980. BArch DL 203, 04－07－05 (294).

② Hettasch－Haarmann: Hilfsaktion, S. 31.

③ Maßnahmenplan von Hauptverwaltung Zoll, Abt. Binnenkontrolle, Zollkommissar Epp, 11. 10. 1957 u. weitere Unterlagen. BArch DL 203, 05－04－00 (310). VP－Bezirksbehörde Schwerin an Ministerium des Innern, 17. 6. 1966. BArch DO 1, 183/2. Hauptverwaltung Zoll, Abt. Postverkehr, 25. 11. 1965. BArch DL 203, 05 04 00 (310).

④ Konrad von Rabenau 于2007年9月19日讲述。

⑤ Information, Zollverwaltung der DDR, 7. 8. 1980. BArch DL 203, 04－07－05 (294).

⑥ Information, Zollverwaltung der DDR, 7. 8. 1980, S. 17. BArch DL 203, 04－07－05 (294).

对此，除了听一听时代见证人的讲述，还能从一些自传中读到相关的内容。比如《上帝的走私者》和《禁路上的圣经》对此讲到了上帝的安排，讲到了冒险精神，还有恐惧、操持家庭以及在东欧集团国家的朋友们。[①] 大型教派的图书走私者认为图书走私有助于维护国家及其教会的统一，[②] 而新教东欧布道团认为华约组织国家是他们的传教地，并且通常持有反共产主义的理念。像 1920 年成立的组织“东部之光”从一开始就为俄国十月革命后基督教徒面临的困境感到担忧。通常这些机构在组织上都是独立的，但完全可以同各教会机构如教会执事工作会保持紧密联系。[③] 东欧布道团主要走私圣经。由于东德和东欧集团国家的教会政策最为宽松，因此流通着足够多的圣经，这些工农社会国家也就经常作为中转中心，在铁幕背后将大批圣经冒险偷运到其他国家。既有在旅途中把书藏到行李箱这样的个人走私，也有团体走私，用一辆 20 吨的载重汽车一次性最多能走私 20 万册小本圣经。[④] 这

① Sherrill, John; Sherrill, Elisabeth: Der Schmuggler Gottes. Wuppertal 1981. Neerskov, Hans Kristian: Bibeln auf verbotenen Wegen. Erzhausen 1976. Damson, Erwin: Gezeichnet Mielke, Abt. Recht, 7. 9. 1959. BArch DL 203, 04 - 07 - 05 (294).

② Flugblatt, Evang. Kirchen, “Aktion der Bücherpäckchen”, Bericht, Zollverwaltung, Abt. Recht, 7. 9. 1959. BArch DL 203, 04 - 07 - 05 (294).

③ 据一位工作人员于 2000 年透露，“东部之光”组织到目前每年从巴符州的科尔恩塔尔总部运往独联体国家、波罗的海三国及其他东欧国家的救援物资和图书达 400 吨。Damson: Gezeichnet Mielke, S. 160.

④ Damson, Gezeichnet Mielke, S. 50f. 参阅 zu “Licht im Osten”, “Christliche Ostmission” und “Open Door (Holland)” Information, Zollverwaltung Berlin, 15. 7. 1980. BArch KL 203/294。

些新教团体特别引起了国安部和海关的注意。[①] 最有名的走私团体是耶和华见证人，在东德纳粹时期就受到迫害。耶和华见证人和新教东欧布道团走私的办法非常富有想象力，他们把宣传手册藏在烟草里，把要走私的图书换上“能够走私”的图书封皮，把神学书刊放在焊接封好的糖果盒子里，把小本刊物封在罐头里。[②] 还有莱比锡书展也为走私教会图书提供了一个很好的机会。[③]

虽然西德公民承担图书走私的风险要小得多，后果也就是扣押汽车、罚款或者可能短期拘留，但图书走私对于每一位参与者都是相当危险的。1980 年前后被抓获的 817 名教会刊物走私者中大约有 191 人来自东德，这 191 人即将面临着非常严厉的处罚。[④] 有一位走私者没有被抓获，是柏林喜剧歌剧院院长瓦尔特·费尔森施泰因（Walter Felsenstein）的儿子，他有西柏林通行证，利用行车之便把汽车挂车装满

---

① Ludwig Oberst, Hauptabteilung XX, 17. 12. 1974. BStU, MfS, HA XX/4, Nr. 1865. Stellvertreter des Leiters, Hauptverwaltung Zoll, an MfS, Hauptabteilung VI, 14. 8. 1980. BArch DL 203, 04 – 07 – 05 (294). Information, Zollverwaltung der DDR, 7. 8. 1980. BArch DL 203, 04 – 07 – 05 (294).

② Bericht von Hauptverwaltung Zoll, Stellvertreter des Leiters operativ, 2. 3. 1978. BArch DL 203, 05 – 04 – 00 (310). Information, Zollverwaltung der DDR, 7. 8. 80. BArch DL 203, 04 – 07 – 05 (294). Bericht “Die Entwicklung und Wirksamkeit der Zollkontrolle auf dem Gebiet des Postverkehrs”, wohl 1969. BArch DL 203, 05 – 02 – 00 (305); Hauptverwaltung Zoll, Abt. Postverkehr, 20. 5. 1976. BArch DL 203, 05 – 03 – 05, Bd. 1 (309).

③ Information von Zollverwaltung der DDR, 7. 8. 1990. BArch DO 1, 83/2. 亦参阅 Bericht Kontaktaufnahme und Aufrechterhaltung von Kontakten kirchlicher Kreise während der Messe in Leipzig, Arbeitsgebiet Schutzpolizei, 5. 11. 1969. BArch DO 1, 83/2。

④ Information, Zollverwaltung der DDR, 7. 8. 1980. BArch DL 203, 04 – 07 – 05 (294).

神学书刊带到了东德。[1]

结束语

以图书进口为例，我们可以看出一种具有典型东德特征的法制理解模式。出于形式上的需要，政府官方表示允许图书进口，这样，法律就时刻在被扭曲，几乎每一次进口图书都是在挑战法律灰色地带。试图维持法治国家形象只说明了为什么统一社会党不通过法律手段调节图书流通。缺乏法律保障会使教会更加依赖于国家机构，也使国家机构在一个新的领域内操纵控制教会。图书审查作为一种统治实践活动，不仅显示出政府公开的强制措施及民众的顺应服从，而且体现出一种以管教和征服为目的、细致入微的统治机制，这种管教机制的独特之处不在于实行压迫，而在于被统治者情愿接受的主观意志。

此外，图书审查也体现出了被统治者的矛盾处境，这也是本文的第二个重要结论。很多人为了从西德往东德运送图书，做好了打一场持久战的准备。总共数以百万计的图书非法流入东德，为秘密读者们敞开了新的世界，打开了新的话题，几百万的确是个不小的数目。然而，与耶和华见证人和新教东欧布道团不同的是，教会对不公待遇完全持接受态度，参与当权者昏庸专断的统治管理，同时又利用图书进口许可巧妙地避开审查，试图寻求新的法规支撑图书走私。马克斯·韦伯阐述的统治者与被统治者的相互作用特点在这里得到了明显体现。对国家体制持批判态度的神学家海诺·法尔

① Konrad von Rabenau 于 2007 年 9 月 19 日讲述。

克（Heino Falcke）在和平革命后提出这样一个问题："为什么我们当时没有向体制提出质疑?"[①] 对此图书审查和禁止图书进口不正是一个很好的机会吗？教会人士大多对审查和禁止图书进口保持沉默更加促成了一种假象，一种东德为自己造就的假象。捷克前总统瓦茨拉夫·哈维尔（Václav Havel）将共产主义体制下的人们形容为"纠缠复杂，备受奴役"，每个人都是这个假象世界的牺牲者同时也是支撑者：每个人"都使自己顺应社会局势"，"这样也就恰恰造就了社会局势"。[②]

最后讲述一个事实来说明有多少人参与了整个图书审查过程。不仅包括教会图书，所有被没收的图书究竟命运如何？像在因瓦里登大街的柏林海关，有的工作人员翻看甚至复印色情刊物，女海关关员们津津乐道地谈论着西德时尚杂志，[③] 如果没有这些特殊情况出现，部分图书被销毁，比如耶和华见证人的刊物。[④] 剩下的送到所谓的中心书库，到了那儿，统一社会党中央委员会和国家安全部的工作人员就可以免费享用图书了。[⑤] 剩下的图书如何处理，对此一位海关

---

① Falcke, Heino: *Der Bund der Evangelischen Kirchen in der DDR. Ziele und Strategien bei den Konsultationen mit dem Raad van Kerken in den Niederlanden.* In: Jahrbuch für Niederlande - Studien 13/2002, S. 93.

② Havel, Václav: *Versuch, in der Wahrheit zu leben.* 10. Aufl., Hamburg 2000, S. 24f.

③ Hauptverwaltung Zoll, Abt. Kader und Ausbildung, 3. 5. 66. BArch DL 203, 00 - 06 - 03 (29) 3v. 3.

④ Chefinspekteur Stauch an Leiter der Bezirksverwaltung Frankfurt (Oder), 15. 2. 1979. BArch DL 203, 04 - 07 - 05 (294).

⑤ Hauptverwaltung Zoll, Abteilung Recht, Abteilungsleiter Zolloberkommissar Krebs, 14. 2. 1966. BArch DL 203, 05 - 02 - 05 (308). Hauptverwaltung Zoll, Abt. Recht, Abteilungsleiter Zolloberkommissar, 26. 2. 1966. BArch DL 203, 05 - 02 - 05 (308).

高级警官1966年在报告中写道："85% ~90%的图书被成袋成袋地上缴至文化部。"[①] 虽然文化部一位女官员申明："大部分图书被销毁。"[②] 但如此多的图书受益者令人不免对这一说法产生怀疑：每年有20000 ~25000件图书包裹被莱比锡德意志图书馆和柏林国家图书馆收进囊中。[③] 其他的被送到"东德中央旧书局"，接着作协成员就可以阅览这些书籍，并且将图书据为己有的不在少数。[④] 最后中央旧书局把书卖给旧书店，像柏林的卡尔-马克思书店。那儿的书商说有的顾客始终没有等到从西德寄来的图书，于是请他们如果发现这本书就先保存起来。[⑤]

所有以上提到的参与者无论以何种方式都曾做过秘密读者，并且从图书走私中获益。最后以一个略微尖锐的结论结束本文：审查和图书检查，不是统治集团唱的独角戏，而是一个全社会的工程，连同图书走私一起就像一场众人参与的礼拜仪式。

---

① Hauptverwaltung Zoll, Abteilung Recht, Abteilungsleiter Zolloberkommissar Krebs, 14. 2. 1966. BArch DL 203, 05 -02 -05 (308).

② Bericht von Hauptverwaltung Zoll, Zollhauptkommissar Klosig, 20. 7. 1965, am 29. 7. 1965 von Stauch weitergeschickt an das MfS. BArch DL 203, 05 -02 -05 (308).

③ Vermerk, Hauptverwaltung Zoll, Abt. Postverkehr, 2. 2. 1973. BArch DL 203, 05 -02 -05 (308).

④ Bericht von Hauptverwaltung Zoll, Zollhauptkommissar Klosig, 20. 7. 1965. BArch DL 203, 05 -02 -05 (308).

⑤ Bericht von Hauptverwaltung Zoll, Zollhauptkommissar Klosig, 20. 7. 1965. BArch DL 203, 05 -02 -05 (308). 亦可参阅 ZK der SED, Abt. Sicherheitsfragen, an Leiter der Zollverwaltung der DDR, Chefinspekteur Stauch, 19. 9. 1978. BArch DO 1, 183/2。

“仅供教会内部公务使用”

——回顾公务性和私人性秘密阅读

彼得·席克坦茨（Peter Schicketanz）

1945年5月，我首先把纳粹书刊烧了。[①] 1953年2月，我当时在哈雷读大学，住在神学院翻新过的大学生宿舍。大学生牧师约翰内斯·哈默尔（Johannes Hamel）被逮捕后有关部门要进行一次住宅搜查，作家赫尔穆特·戈尔维策（Helmut Gollwitzer）讲述他在苏联战俘经历的《……带领到

① 比如有Johanna Haarer的《妈妈，讲讲阿道夫·希特勒吧!》，慕尼黑，柏林，1939；Heinrich Hoffmann的《围绕希特勒的青年时代》，慕尼黑，1943；还有每个月花10芬尼买的《战争小册子》。

你不想去的地方》被我烧了，因为书中有批判马克思主义的内容。

1961年8月13日之前如何获取西德图书

教会人士每年可以在柏林约翰内斯基金会书店自行挑选30西德马克的图书，由书店赠送，因为从东柏林到东德的火车上有时会遇到运输警察检查，所以最好是挑选安全放心的图书。

我在做助理牧师期间，从西柏林给哈雷的神学院宿舍图书馆带了大量神学书刊。去往柏林和从柏林开出的火车上总会意外遇到检查，一次在去哈雷的旅途中，我带着亨胡特兄弟会教派的圣经名言小册子就遇到了麻烦，书名《圣经名言》（*Lösungen*）[①] 在运输警察看来是军事用语。像《明镜周刊》这样的杂志我还是在西柏林读完后就留在那。有时在衬衫下面藏一本。检查官只有认为的确可疑时才会搜身。

柏林墙建造后如何获取西德图书

专业书刊安全放心，适合邮寄，文艺类书刊也是邮寄比捎带更保险，因为海关官员的决定受很多因素的影响，也很独断专行。1974年至1989年秋这段时期，我作为伤残退休人员可以去西德或西柏林短期逗留，所以除了很多其他礼物还总是试着带些图书回来。我总共去了103次，其中102次是开着我的瓦尔特堡轿车去的，经过206次检查，遇到过好

① 德语中这个词也表示军事口令的意思。——译者注

些麻烦。和火车上的检查相反，开车过边境检查有时要等上好几个小时，有时还要和海关交涉。

最基本要做的是在海关报关单上（单子不大，A6 大小）标明所有礼物。如果看到一张单子上写有图书，负责检查的海关官员就经常拿起下一张，很显然每个班都有一位官员专门负责检查图书。如果官员起了疑心，就要把书收走做进一步审查，并且给的答复是，如果图书没有问题就给寄回去，为此要先向东德中央银行支付 3 东德马克作为邮资。为了避开这一潜在危险，我把“Taschenbücher”（平装袖珍书）在报关单上尽可能写得让海关官员读成“Taschentücher”（面巾纸），这一招相当管用，如果检查起来我就说我绝对应该在报关单上注明了图书。

有时候我也采用更过分的办法，把书藏在车里不上报，坚信我没带这些书，还有把我一定要保留的报纸文章剪下来藏在夹克口袋里。有一次我要带奥斯维辛集中营的指挥官鲁道夫·胡斯（Rudolf Höß）的传记入境，就遇到了麻烦。[①] 检查官认为这是纳粹党卫队的刊物，我说这本书 1946 年在波兰首次出版，他们并不认可，把这本书没收了，没再给我寄回来。还有一些平装小册子也经常被当做报纸或杂志没收，我为此有时还和检查官争吵起来。

有一次，一批待出版的文稿就遇到了很大的麻烦。[②] 我把

---

① Broszat, Martin (Hg.): *Kommandant in Auschwitz. Autobiographische Aufzeichnungen des Rudolf Höß*. München 1963.

② Philipp Jacob Speners – von Carl Hildebrand von Canstein 的传记，文稿在哈雷。

文稿给一位来自西德的教授看了看，然后想带回家。但过了两个小时之后才在柏林的因瓦里登大街拿回手稿。令人惊讶的是，在我的国安部档案中对这次边境检查只有一次记录。

在东德，柏林、莱比锡、哈雷、耶拿、格赖夫斯瓦尔德和罗斯托克的大学都有神学院，此外还有 6 所神学教育机构，包括瑙姆堡高等神学院、柏林语言神学院、莱比锡神学院、柏林和埃尔福特的传道学校以及波茨坦新教牧区教育学院。这些学院从 70 年代初开始，每年可以公开进口一定数量的神学学术书刊。

新教高等教区委员康拉德·冯·拉伯瑙（Konrad von Rabenau）博士必须将书单给格哈德·巴萨哈克（Gerhard Bassarak）博士（教授）过目。德国新教教会每年提供约 12.5 万西德马克作为资金支持。自然不用说，刊物内容都未涉及东欧集团国家和东德教会的情况。对于传统历史神学研究来说，这将带来一份价值连城的财富，而对于神学实践研究的意义有限，因为实践研究涉及的社会学、政治学和心理学题材的书籍显然根据规定不允许进口。此外，教会图书馆通过私人关系、邮寄、莱比锡书展或者走亲访友的方式也会获得这样那样一本重要的图书。

教会机构如何复制刊物

从 1965 年起，我做过主教个人助理，后来又任马格德堡新教教会监理会教育处负责人，积累了一些传播教会内部刊物的经验，这些经验在我从 1979 年起任波茨坦牧区教育学院院长期间提供了帮助。我们的读者只有教会人士。在东德，基本上复制图书都要经过批准，图书复制规定颁布以后，教会在所有内部刊物上都要注明“仅供教会内部公务使用”，这样就避开了规定中要求的批准许可。另一方面教会的这种行为得到国家机关默许，但没有明文规定这种行为是合法的，也就是存在这么一个灰色地带，可能随时被国家禁止。教会大量誊写的印刷刊物当然几乎不包含在国家看来备受争议的爆炸性题材，但如果是教会代表会议上和教会领导层对社会问题发表的观点、做出的决议，就总是存在风险，国家可能没收复制设备或者禁止复制行为，但我不记得这样的情况真的发生过。

对于时下的爆炸性事件，我们采取另一种国家允许的方法——使用打字机制作复本，比如教长在其主教管辖区就采用这种方式复制重要刊物给教区牧师，教区牧师可以再做复本给下面的牧师。1968 年 8 月底苏联以华约组织名义入侵捷克后，马格德堡的教会领导就通过这种方式公开声援捷克教会。

波茨坦的牧区教育学院 1980 年正式配备了一台新式复印机，是第一批配备复印机的教会机构之一。学生和教师复印的上课材料和私人文件当然经常含有国家眼中的“危险性文字”，比如沃尔夫·比尔曼（Wolf Biermann）的歌曲、莱纳·孔策（Reiner Kunze）的作品①、西德教会书刊等不允许在东德印刷的刊物。虽然学院被视为“思想不良”大学生的聚集地，我们还是很幸运的，没有人指控我们，没有

① Aus Kunze，Reiner：*Die wunderbaren Jahre.* Frankfurt a. M. 1976.

哪位讲师和学生是国安部的通报合作者。虽然国安部每年都尝试雇用学生做通报合作人，但 1990 年后我们得知，国安部没有得逞。

Probeexemplar des Arbeitskreis Gerechtigkeit

NUR ZUM INNERKIRCHLICHEN GEBRAUCH 17.Februar 1988

(vormals "aktuell")

wende

Kommunikaze II:

Deines Bruders Zensor...

von Paul Saulus

Berlin (wez) + "Kirche in der DDR heute ist der Versuch, die Zahnpaste wieder in die Tube zu bekommen." (gezeichnet Dr. Blend A. Med.)
Sich um Benachteiligte zu kümmern, wie es das NT vorsieht, mag je von Fall zu Fall ganz gut sein. Aber es muß im Rahmen bzw. in Berlin bleiben. Also lieber spärliche und entstellende Pressemitteilungen als das ganze Dilemma in der Provinz. Von diesem Grundsatz ließ sich wohl auch der thüringische Landesbischof Dr. Leich leiten, als er dem Weimarer Superintendenten Flankenschutz gewährte, denn dieser verbot das Auftreten von Gemeindemitgliedern (!) im Rahmen von Gottesdiensten, um über die Vorgänge bei der Umweltbibliothek, von denen sie sich bei einem Berlinbesuch ein Bild gemacht hatten, zu berichten.

Im Adventsrundbrief Nr. 17 wurde dies dann zu einem Maulkorberlaß erweitert: "... ist die Abgabe von Erklärungen ausschließlich ... Angelegenheit der ... gewählten und ... bevollmächtigten Organe. Das sind die Gemeindekirchenräte, die Synode unserer Landeskirche und der Landeskirchenrat." Also lieber Nachrichten aus 5. Hand und Wochen später, aber keinesfalls "Erlebnisberichte" (Leich)! (Wie sowas geht wurde in Sachsen vorgeführt: Dem dortigen "Sonntag" gelang es, über die "Mitteilung der Kirchenleitung von Berlin-Brandenburg" vom 27. November 1987 bereits am 27. Dezember zu berichten. In wahrer journalistischer Selbstverleugnung wurde auch kein Mitarbeiter nach Berlin entsandt.)

Und die weitere Zukunft in Thüringen ist abzusehen. Neben der üblichen Postkontrolle ist jetzt auch der KiA (Kirchlicher Abschirmdienst, von dem sprachen wir schon in der vorigen Ausgabe) an den kirchlichen Briefkästen beschäftigt. Daß da nicht etwa jemand die "Kirche" bezieht und schon vor den offiziellen thüringischen Kirchenstellen informiert ist. Auch müssen Besuche aus nicht thüringischen

Thema: Горбачев-'plazierte' Mangelware in ГДР

图 1 “仅供教会内部公务使用”：1988 年 2 月 17 日的《转折时代》杂志

其他个人经历

因为从 1964 年起，由于工作的关系我接触到了一些拒服兵役的人，所以我非常清楚地知道国家人民军部队里允许读哪些刊物。部队明令规定内务检查时如发现西德刊物一律没收。但在东德，特别是联合出版社有少量特许出版的西德刊物，内容涉及和平问题：卡尔·弗里德里希·冯·魏茨泽克（Carl Friedrich von Weizsäcker）的《和平条件》，戈尔维策（Gollwitzer）、沃格尔（Vogel）和海得勒（Heidler）的《基督教信仰与核武器》，莱纳斯·鲍林（Linus Pauling）的《新道德与国际法》和《核时代的生或死》，赫尔穆特·戈尔维策（Helmut Gollwitzer）的《基督教徒与核武器》，君特·安德斯（Günther Anders）的《桥上的男人》，沃尔夫冈·博尔歇特（Wolfgang Borchert）的《门外》，海因里希·伯尔（Heinrich Böll）的《早年的面包》，马丁·路德·金（Martin Luther King）的《为什么我们不能等待》及其1965年诺贝尔奖致辞，还有弗里茨·巴德（Fritz Baade）的《冲向2000年的赛跑》。胶版印刷的印有“仅供教会内部公务使用”字样的教会刊物和独立授权的教会报纸有时会被没收。1986年时，有位“建筑兵”想以“铁锹”为名为建筑兵们出一份手写报，结果第一版出版后就被判三个月监禁，关押在勃兰登堡州施韦特的军事拘留所。这种幼稚的做法无异于搬起石头砸自己的脚。[①]

作为东德公民，我需经批准才能在西德出版作品。为出

① Koch, Uwe: *Das Ministerium für Staatssicherheit, die Wehrdienstverweigerer der DDR und die Bausoldaten der Nationalen Volksarmee.* Magdeburg u. Schwerin 1997 (Sachbeiträge 6 des Landesbeauftragten für die Unterlagen des SSD in Sachsen - Anhalt und Mecklenburg - Vorpommern), S. 73 und Faksimileabdruck S. 78 - 81.

版第一份关于波茨坦新教牧区教育学院的报告，我1980～1981年时向政府有关部门递交了申请，但几个月都没有音信。后来我被请去了在柏林的教会事务国务秘书处，汉斯·威尔克（Hans Wilke）博士说想先看一下文稿。我现在可以告诉他，书已经出版了。接着这件事情就没有了下文，而我也没拿到稿酬。

作为《新教布道书》和杂志《时代的标志》的作者之一，教会出版社的各个编辑总是要求我对我的文章稍作改动，而所有的文章一般没有任何问题。负责批准两本刊物的是两个不同的部门，《时代的标志》还拥有较多的自由空间。但我记得60年代末我在柏林出版的《教会》周报写了一篇社论，其中“德国”这个词被编辑部删了。

还有一点要说的是，一些东德出版物也进了图书馆的毒草柜，比如说周报《教会》。我儿子在萨勒河畔的哈雷马丁—路德大学读社会学，1987年时为研究与和平有关的表达用语，需要在大学图书馆查阅1950年全年的《教会》，图书馆要求一位信仰马列主义的讲师开具许可证。五六十年代出版的无神论书刊后来也一下进了毒草柜，不再外借。[①]

一个特别荒谬的例子：东德领导人昂纳克（Honeck-

---

① 参阅 Heyden，Günter；Mollnau，Karl A.：Ullrich，Horst：*Vom Jenseits zum Diesseits.* Wegweiser zum Atheismus，Bde. 1－3，Leipzig 1959/1960/1962 oder Klohr，Olof（Hg.）：*Moderne Naturwissenschaft und Atheismus.* Berlin 1964。

er）1970 年 8 月 17 日给西德的妇女运动与和平运动重要积极分子克拉拉·法斯宾德教授（Prof. Klara Fassbinder）写了信，昂纳克在信中对建筑兵[①]的问题给予了非常积极肯定的评价，认为建筑兵也可接受高等教育，这封信 1970 年 9 月发表于德国和平协会的杂志《勇气》。当时建筑兵尤其受到歧视，并且没有受高等教育的机会。东德只流传着这封信的摹本，我们想将这封信公开刊登出来。到了 1981 年 1 月 25 日，《教会》周报才在一篇关于在萨克森州克尼格斯瓦尔德举行的和平讨论会[②]的报道中非常隐晦地刊登了这封信的重要内容，很可能审查官将这段引文看漏掉了。

鲁道夫·巴赫罗（Rudolf Bahro）、罗伯特·哈费曼（Robert Havemann）的作品还有比尔曼（Biermann）的歌曲都在私下里传阅得相当顺利，但大家能看的时间太短了，因为别人也要等着看。80 年代中期以来，出现了非法复制的各种反对派发表的公报，反对派的行动持续得越久，国家机关就越加限制这类刊物的传播复制。1989 年 10 月和 11 月，

---

① 所谓的建筑兵是东德自 1964 年起对拒服兵役者实行的一种妥协办法，体检时表示拒服兵役的青年男性可召至施工单位，不必接受武装培训，而是首先在军队内部然后到经济建设单位从事建筑工作。参阅 Uwe Koch：*Die Baueinheiten der Nationalen Volksarmee der DDR – Einrichtung, Entwicklung und Bedeutung*. In：Deutscher Bundestag（Hg.）：*Materialien der Enquete – Kommission "Aufarbeitung von Geschichte und Folgen der SED – Diktatur in Deutschland"*，Bd. II/3，Machtstrukturen und Entscheidungsmechanismen im SED – Staat und die Frage der Verantwortung. Baden – Baden 1995，S. 1835 – 1899。

② 该会每年举办两次，讨论社会正义、和平及环境问题。——译者注

我们波茨坦的教师和学生可以用这些非法复制的文字制品彻彻底底地给几面柏林墙装饰一番。[①]

① Kirche von Unten: Bericht zu den Übergriffen der Staatssicherheit in Weimar 29. 10. 88. Berliner Oppositionsgruppen: Der Einmarsch gegen die Gültigkeit der Kommunalwahlen 1989 in Berlin vom 12. 5. 1989. Gutzeit, Martin; Noack, Arndt; Meckel, Markus; Böhme, Ibrahim: Vorlage zur Bildung einer Initiativgruppe mit dem Ziel, eine sozialdemokratische Partei in der DDR ins Leben zu rufen. Niederndodeleben, 24. 7. 1989. Böhlener Plattform, Anfang September 1989. Künstler: Resolution vom 18. 9. 1989. Aufbruch 89 Neues Forum: Verschiedene Texte des Neuen Forums vom 1. 10. u. 7. 10. 1989. Stadtjugendpfarramt Berlin: Gedächtnisprotokolle über Tage und Nächte nach dem 7. Oktober 1989 in Berlin (80 Seiten). Informationsgruppe der Ev. Ausbildungsstätte für Gemeindepädagogik, Potsdam: Gedächtnisprotokolle über 7. Oktober und danach (12 S.). Demokratie - jetzt. Zeitung der Bürgerbewegung, 30. 9. 89. Vereinigte Linke, Erklärung vom 12. 10. 1989. Demokratischer Aufbruch sozial ökologisch, Berlin, 29. 10. 1989 und Programmatische Erklärung, 2. 10. 1989. SDP, Rede Meckels zur Gründung, 7. 10. 1989 und Aufruf vom 14. 10. 1989. Unabhängige Studentenbewegung Berlin, 21. 10. 1989. Initiative Frieden und Menschenrechte: Erklärung vom 28. 10. 1989.

国家安全部为何秘密阅读《守望台》?
——东德对耶和华见证人的迫害

汉斯 - 赫尔曼·德克森（Hans - Hermann Dirksen）

1950 年 8 月 31 日，耶和华见证人在东德遭到禁止，他们被指披着宗教活动的外衣挑衅现行的“民主秩序”和法规，并且不断引进和传播非法宣传资料。东德当局认为这些资料不仅触犯了宪法，也违背了“追求和平发展”的原则。[①] 这一禁令发布之后，国家安全部立刻在全国境内发起

① Dirksen，Hans - Hermann：“*Keine Gnade den Frieden unserer Republik*”. *Die Verfolgung der Zeugen Jehovas in der SBZ/DDR 1945 - 1990*（以下简称：Keine Gnade）。2. Aufl.，Berlin 2003，S. 287.

了搜捕行动并成功逮捕了好几百名耶和华见证人。到底是什么原因使得耶和华见证人成为遭到东德最严重迫害的宗教团体，就连其核心期刊《守望台》也受到国安部的监视？国安部为什么对这一刊物密切关注长达四十年？耶和华见证人们又是如何在这种环境中设法获得这本杂志的呢？要理解偷运这一刊物的具体意义，就得先了解一些背景信息。

耶和华见证人（或称圣经研究者）的历史

耶和华见证人（之前也被称作圣经研究者）于 19 世纪 70 年代起源于美国。[①] 商人 C. T. 罗素（C. T. Russell）出于对主流教派的失望在 1879 年创办了《锡安的守望台》杂志，并在其中对圣经的教义进行了重新阐释。[②] 1884 年，“宾夕法尼亚守望台传单协会”成立，志愿者们从这里将圣经和《守望台》寄给全球各地的订阅者，并且在其他国家开始了传教活动。[③] 1897 年，耶和华见证人传播到了当时的德意志帝国。在教徒们传播教义、教人们如何理解圣经看待世界时事的过程中，《守望台》及其副刊《警醒!》[④] 都扮

---

① Reller, Horst; Krech, Hans; Kleiminger, Matthias (Hg.): *Handbuch religiöse Gemeinschaft und Weltanschauungen.* 5. Aufl., Gütersloh 2000, S. 371f. Auffarth, Christopf; Bernard, Jutta; Mohr; Hubert (Hg.): *Metzler Lexikon der Religion. Gegenwart – Alltag – Medien.* Stuttgart 2000, S. 708ff.

② Grünberg, Wolfgang; Slabaugh, Dennis L.; Meister – Karanikas, Ralf: *Lexikon der Hamburger Religionsgemeinschaften.* 2. Aufl., Hamburg 1995, S. 121.

③ Wachtturm Bibel und Traktat – Gesellschaft (Hg.): *Jehovas Zeugen – Verkündiger des Königreiches Gottes.* Selters 1993, S. 42.

④ 该杂志最初名为《黄金时代》，后来改称《安慰》，1946 年起名为《警醒!》。

演了非常重要的角色。直至今日，这两本期刊仍然是教徒们的论坛，负责公布教义以及团结全球各地的教徒。虽然这些刊物也涉及政治迫害和镇压等敏感话题，但教徒们都遵纪守法，并没有打算与国家为敌。魏玛共和国时期，耶和华见证人这一教派得到了非常显著的扩张，但就在希特勒夺权之后的 1933 年，耶和华见证人会却由于其政治中立的态度在德国被全面禁止，许多见证人们被起诉或者以“保护性拘留”为名被盖世太保送至集中营。[①] 集中营内的见证人们有着自己的标志：紫色三角形。在第三帝国时期，《守望台》也被当权者视作绊脚石。[②] 刊物必须从国外偷运入境，之后再被秘密地复制加印，甚至有人一度成功将圣经和《守望台》偷运入集中营。整个纳粹统治期间共有约 10000 名见证人死于监狱，约 2000 名见证人丧生于集中营。[③] 其中大约有 300 名见证人由于拒服兵役而被处决。

连连遭受东德当局迫害

纳粹统治结束后，耶和华见证人们从监狱和集中营被释放出来并再次得到了法律的认可。教会被重新组织起来，之前丧生的见证人们则被当局归类为纳粹制度的牺牲

---

① 他们不愿参加纳粹组织，不参加选举。此外他们普遍不接受高呼“希特勒万岁”的敬礼方式，因为在他们看来这种致敬是在进行“一种礼拜”。

② 当时很早就有关于建立集中营的报道，让人们对犹太人开始遭到迫害这一事实引起关注。

③ 参阅 Harder，Jürgen；Hesse，Hans：*Zeittafel zur Entwicklung und Verfolgung der Zeugen Jehovas.* In：Hesse，Hans（Hg.）：“Am mutigsten waren immer wieder die Zeugen Jehovas”. 2. Aufl.，Bremen 2001，S. 432ff。

品。在属于苏占区的东德，耶和华见证人与其他教会及教派一样，一开始就遇到了如何印制宣传刊物的问题。“《守望台》书社”名下有一座位于马格德堡市的旧印刷大楼（即所谓的圣经大楼），教徒们曾试图使其重新投入运行，不过苏联军管会的哈雷分部及其柏林总部都拒绝为他们颁发印刷执照，[①] 最后他们仅仅拿到了几个传单和海报的印刷许可。因此，《守望台》不得不先在西德印刷然后再运到东德，这便导致了后来所谓《守望台》非法引进的问题。

当时德国有关杂志引进及销售的基本规定源于同盟军在1947年6月25日颁布的盟国对德管制委员会第55号令：“东西德印刷品和影片的流通。”[②] 当局声称这一号令旨在促进民主报章杂志的发展，但各占领区的指挥官有权针对违反这一号令的出版物及个人“必要情况下采取一定的措施”。苏联军管会因此于1948年6月29日在苏占区发布了第105号令，名为“改善苏占区杂志销售情况”，实则用于监督不受东德政府欢迎的各类杂志。苏占区当局还设立了“邮政报刊局”，负责管理东德境内所有报纸杂志的传播，所有期刊报纸必须在出版前接受该机构的审查，如没有通过审查，

① Drucklizenzantrag. Wachtturm – Gesellschaft, Geschichtsarchiv, O – Dok. 20/5/46.

② “盟国管制委员会允许在各个占领区以及柏林发行的报纸、杂志、影片和书籍自由流通，希望以此为整个德国的信息及民主思想交流创造条件。各占领区的指挥官只有在军事安全需要或占领军需求无法保障的情况下，才可以限制这种交流，例如确保德国对同盟国履行其义务以及防止纳粹和军国主义死灰复燃。”

邮政报刊局则不予登记，也就意味着这本杂志被禁止引进和销售。

很快苏占区当局就认为耶和华见证人既无益于社会主义建设，也不利于政府传播无神论。耶和华见证人的教徒们挨家挨户进行传教活动，借助圣经和《守望者》向人们传播一种思想，即“只有上帝和他的王国才能真正解决人类的难题”，这更是引起了当权者东德统一社会党的反感。国家安全部认为《守望者》传播的并非无神论，这就已是一种危险，而这本杂志对再次开始的审查监管活动进行额外报道，则直接使其成为了当局眼中的煽动性刊物。第一篇报道苏占区人民生活情况的文章发表于 1947 年 12 月 22 日的《警醒!》杂志，标题为《苏联统治下的德国》，文章中这样写道：“虽然集中营和盖世太保已经不复存在，但是东德的广大人民群众普遍觉得现在的生活与纳粹时期相比并没自由多少。大规模的监督审查渗透了所有领域，而当局所采用的方法也多与纳粹的非常相似。［……］官方所谓的言论自由的确是存在的，而且毫无疑问比纳粹统治时期更自由，不过人们并不能完全自由地说出自己的想法，即使是完全民主的想法。”① 耶和华见证人大幅报道政治和社会弊端其实并非创新之举，他们只是尝试着以此来进一步论证他们的观点，即除了上帝之外，没有任何政权可以对世上的人和事进行判决。当时约有 20000 名耶和华

① 摘自 1947 年 12 月 22 日的《警醒!》。接下来的几年，杂志里又刊登了一些讲述德国现状的文章，此外还有关于英国和加拿大的，以及世界其他国家地区比如印度和中国。

见证人在东德以小组形式进行传教活动，这让东德统一社会党的高层们隐隐感觉到了威胁的存在。

如何遭到东德当局禁止

1949 年 9 月 13 日，东德中央政治局决定限制耶和华见证人的传教活动。瓦尔特·乌布里希（Walter Ulbricht）向议会提交了第九号决议草案，该草案包括十项条款，全面确定了针对耶和华见证人的具体措施。根据该草案，耶和华见证人在苏占区的种种迹象越来越表明，该组织“通过精心策划在为美国垄断资本主义进行宣传”，甚至通过某些个案可以发现该组织“在从事间谍活动”。另外草案作者还颇为担忧地指出，“该组织的成员数量在过去的几个月里迅速增长，吸引了东德各大民主团体（德国民主妇女联盟和自由德国青年团），甚至引起了东德社会统一党的注意”。“为了防止这些团体继续发展，打击其恶性宣传，必须采取以下措施：1. 各报刊广播必须立即揭发‘耶和华见证人’对美帝国主义进行的所有宣传［……］2. ‘耶和华见证人’的印刷品须持有出版证明才允许在苏占区销售，并且出版证明上必须盖有国家安全部许可章，所有没有获得许可的印刷品必须即刻予以没收。”

于是，越来越多的礼拜活动被取消，越来越多的传教士被拘捕，还有越来越多的杂志被没收——因为邮政报刊局没有把它们登记在案。马格德堡的圣经大楼在 1949 年 9 月至 1950 年 8 月间一共被搜查 287 次，仅仅《守望台》就被没收了 14000 本，没收刊物情况最严重的是梅前州、勃兰登堡州以及萨克斯州。[①] 从 1950 年初开始，遭到查处的印刷局还额外收到了 50～150 马克的罚单，理由是“传播无印刷许可的刊物”。这是第一次在全国范围内针对耶和华见证人进行的“依法”打击行动，其法律根据同样是苏联军管会之前发布的第 105 号令。[②]

可是，耶和华见证人们并未因此而退缩，反而通过一封长长的请愿书成功地使公众都开始关注他们的困境。鉴于这种情况，东德内务部长施泰因霍夫（Steinhoff）于 1950 年 8 月 31 日颁布了一项禁令：“从即日起，‘耶和华见证人’及其组织在东德境内和柏林苏占区被全面禁止。上述者的任何行为以及他人按照上述者意愿进行的任何行为都将被禁止，违者将予惩处。”[③] 而就在颁布禁令的当天，国安部已派人把马格德堡的圣经大楼封锁。自此，之前由警察负责的针对耶和华见证人的管制活动正式由国安部接手。另外，国安部在同一天于全东德范围内进行了一次搜捕行动，逮捕了至少 400 名耶和华见证人，一些搜捕人员手段粗暴，致使两名见证人死亡。[④]

---

① BStU，ZA，MfS AU 477/59，Bd. 11，Bl. 51 – 72.

② Gerichtsakte OLG Potsdam，Az.：3 Ss. 126/50，Bl. 7. Straflisten – Nr.：R 93/50.

③ Dirksen：*Keine Gnade*，S. 287.

④ 参阅 Hacke，Gerald：*Zwei Diktaturen – Ein Feind. Die Verfolgung der Zeugen Jehovas im nationalsozialistischen Deutschland und in der DDR*. In：Heydemann，Günter；Oberreuter，Heinrich（Hg.）：*Diktaturen in Deutschland – Vergleichsaspekte. Strukturen，Institutionen und Verhaltensweisen*. Bonn 2003，S. 283 – 308（Schriftenreihe Bundeszentrale für politische Bildung；398），S. 293。

东德最高法院公开审判

为使上述禁令有法可依，统一社会党决定在柏林最高法院举行一场大型公开审判，作为之后对耶和华见证人进行刑事诉讼的依据，当时的审判长是希尔德·本杰明（Hilde Benjamin）。1950年10月4日，柏林最高法院根据东德宪法第六条第二项对九名耶和华见证人作出判决：他们分别因参与间谍活动、煽动战争、教唆民众抵制政府被判处八年以上有期徒刑或终身监禁。[①] 判决书宣称，耶和华见证人的教会总部位于纽约布鲁克林区，因此那些被发送到美国的报告很有可能是供间谍机构使用的。判决一出，各大宗教刊物却纷纷指出，该判决反而会促进宣传好战言论以及扩大帝国主义的影响。[②] 事实上，这项判决不仅使上述禁令得到了法律上的认可，还为之后针对耶和华见证人的迫害活动奠定了基础。因为接下来的几年内，东德各级地方法院共审理了几百起涉及耶和华见证人的刑事诉讼案件，而最高法院做出的这一基本判决则为这些案件的审理提供了法律依据。

尽管耶和华见证人的高层已在1950年秋被捕，但东德地区的传教活动并未中断。传教活动负责人在西柏林买下了一间办公室，这样教会才得以继续存在，传教活动才得以继续进行，另外这里还负责为一些非法存在的下级教会提供宗

---

① Entscheidungen des Obersten Gerichts der DDR in Strafsachen. 1. Band, Berlin 1951, S. 35.

② Urteil des Obersten Gerichts der DDR vom 4. 10. 1950, Az.: 1 Zst. (I) 3/50. Abgedruckt u. a. in: Neue Justiz, 1950, S. 452 ff.

教刊物。为此，东德内政部在于1951年1月15日向统一社会党中央委员会提交的报告中写道："自针对'耶和华见证人'的禁令出台以来，该派教徒在不同地区仍然活动频繁，因此必须对这些教徒进行监视。另外，《守望台》在这些地区的非法销售也非常猖獗。"①

《守望台》是如何进入东德境内的？

自禁令颁布以来，来自各个下级教会的耶和华见证人们定期从东德乘火车到西柏林，充当运输《守望台》杂志的信使。他们将杂志藏在包里或者贴身的口袋里，以避过粗心的搜查人员，还有一些人则试着把杂志藏在裤腿里或者自行车轮胎里，不过这样偷运刊物往往伴随着很高的风险。针对日益猖獗的刊物走私活动，当时的内务部国务秘书赫伯特·沃恩克（Herbert Warnke）在1950年10月9日向东德人民警察总局下达了命令："出于这一原因，请务必加强这些地区的检查力度，尤其要注意边境区域的贸易往来和集会，防止未经许可印刷的刊物进入东德境内。"② 另外，运输警察也要定期进行抽查。一旦见证人被抓，后果将非常严重。19岁的霍斯特·亨舍尔（Horst Henschel）被捕时曾试图把350本《守望台》从西德带入东德，1951年6月16日，亨舍尔被指控"倒卖性质最恶劣的物品"，尽管他年纪轻轻，却仍

① BArch DY 30 IV 2/14/247, Bl. 15ff.

② BArch MdI, Hauptverwaltung Deutsche Volkspolizei (Bestand 11) 861, Bl. 75.

然被科特布斯第一刑事法庭判处了十二年监禁。[①] 此外，耶和华见证人甚至能够找到方法和途径把刊物偷偷送入东德监狱，比如他们会把圣经和《守望台》剪成纸条，塞进无核的烤李子或者去了仁的核桃里面，然后把这些李子、核桃放在包裹里寄给狱中的教徒。

22 岁的见证人鲁特·梅尔内特（Ruth Mehrnet）在从柏林前往德累斯顿的路上也遭到了盘查。她于 1953 年 2 月 22 日从西柏林进入东德境内，身上藏了 12 本《守望台》，另外还带了一个大蛋糕，警察在对她进行盘查的时候在蛋糕里发现了约 40 本杂志和一些宣传资料。[②] 鲁特·梅尔内特在德累斯顿被移交给了国安部，在那里每天晚上都被迫接受审讯，遭受了极大的心理折磨。[③] 国安部指控她犯了教唆民众抵制政府罪，因为“她抓住一切机会宣传教会的歪理邪说，并且多次前往西柏林，将被禁的‘耶和华见证人’宣传刊物偷运到东德”。[④] 德累斯顿地区法院最终于 1953 年 4 月 16 日秘密地判处了鲁特·梅尔内特八年监禁。[⑤] 柏林地区法院则在 1954 年 5 月 21 日依据盟国对德管制委员会第三十八号令第二段第三条判处另一名见证人夏洛特（Charlotte）三年零六个月的有期徒刑，理由是：“她每周都定期参加在西柏

① 摘自 Horst Henschel 个人收藏的资料（由作者持有）。

② 审讯记录中还写道：“梅尔内特是个狂热的教徒，宁可坐牢也不愿意放弃她的信仰。” UaP Ruth Becker1953 年 2 月 22 日的记录。资料由作者持有。

③ UaP Ruth Becker, MfS U. – Vorgang Nr. 15/53, Az.: M 14/53. 资料由作者持有。

④ UaP Ruth Becker1953 年 3 月 6 日的总结报告。资料由作者持有。

⑤ UaP Ruth Becker. Bezirksgericht Dresden, Az.: 1aKa 134/53. 资料由作者持有。

\- 2 -

Diese Beobachtung veranlaßte den Kontrolleur, die dem äußeren Erscheinungsbild nach original verpackte Rolle gründlich abzudrücken. Dabei wurde festgestellt, daß sich in der Mitte keine Kekse befinden.

Die Inhaltskontrolle ergab die Feststellung von Flugblättern der "Zeugen Jehovas" (Bild 1 und 2).
Daraufhin wurde die Person ausgesetzt und eine tiefgründige Kontrolle mit anschließender KD durchgeführt.

Bei der Röntgenkontrolle einzelner als Schmuggelverstecke geeigneter Gegenstände konnten in einer Rolle Alufolie weitere Flugblätter festgestellt werden (Bild 3).

Die KD führte zur Feststellung der übrigen Druckerzeugnisse am Körper der Reisenden.

<u>Verteiler:</u>

wie Information 14/80

图 1　1981 年 9 月 28 日海关总局关于一起走私案的报告，耶和华见证人将传单藏在饼干筒和烤李子里面

林为东德教徒举办的集会，另外还用尽各种方法购买该教派的各种广告宣传资料，其中大多是类似《警醒!》这样的杂志。”她还在东德大量销售推广这些杂志。[1] 由此可见，非常多女教徒也曾参与到了偷运刊物入境的大军中，她们对于国安部来说大都比较陌生，所以能避免被人盘查或者被捕。可事实上也正因如此，被捕的女教徒比例大大增加了。

对于国安部来说，要找出走私非法宣传刊物的具体路线是最严峻的挑战之一。耶和华见证人组织严密，教派内仅有少数人知道宣传刊物是如何进入东德境内的，这样便有效防止了混入教派内的“卧底”们得知机密，而不知情的教徒们即便被国安部抓去问话，也无法被问出有价值的信息。另外，国安部也非常重视东德耶和华见证人与该教派西柏林办事处之间的秘密联系。1955 年 9 月，国安部派出两名少尉暗中监视三名乘火车前往西柏林的女教徒，当这几名教徒拿到刊物踏上归途时，恰巧遇到乘警对旅客们进行盘查，由于这很可能导致两名少尉的任务失败，所以他们命令乘警不要检查这一节车厢，乘警们服从命令转而前往另一节车厢检查，最终逮捕并遣返了好几名耶和华见证人。[2] 而这几名女教徒虽然顺利地回到了家中，其走私线路却也由此暴露。

① Stadtgericht Berlin, Az. : Ib (V) 4/54 (37. 54).

② BStU, ZA, MfS, BV Gera, OP. 59/59, GV Nr. 14/52 “Kuriere”, Bd. II, Bl. 168ff.

柏林墙建立带来的转变

耶和华见证人驻西柏林办事处早在1959年和1960年便已经对东德教会的结构进行了调整，这样即使西柏林办事处与东德各教会的直接联系受阻，仍能保证传教活动继续进行。1961年教会已成功完成改组，柏林墙被建起时，西柏林办事处立刻停止了运作。从此以后，威斯巴登的分办事处成为该教派在西德的总部，继续负责为东德地区的传教活动提供支持，那里的教徒们想出了新的办法，继续将宣传刊物偷运入东德。边境被封锁之后，《守望台》便成为了东德教徒与西德教徒间保持联系的唯一途径。

耶和华见证人当时的领头人之一是莱比锡的埃贡·朗格（Egon Lange）。1950年禁令颁布之后，他和很多其他教徒一样充当起了往来于东德与西柏林办事处之间的信使，并因此于1954年被判处了六年有期徒刑。出狱后他在东德的埃尔福特、格拉、苏尔三座城市组建了大大小小共29个教会，吸收了约1300名教徒。他的行为同时也引起了国安部的注意，自此他和他所在教会的教徒都受到了国安部的密切监视，情报机构试图借此查清楚教徒们复印刊物的方法以及他们一般会将刊物藏在哪些地方。最终朗格在1965年的一次大型搜捕行动中再次被捕，国安部的人员在他的住所内共找到了146本《守望台》和35本《警醒!》以及13本书籍和宣传手册。为期数周的审讯结束后，朗格和他所处教会的教徒们在国安部的总结报告中被认定总共走私及复印了22000本《守望台》："他们在很大程度上利用了东、西德之间的铁路和公路交通，例如在客用火车上安置传递情报的‘死信箱’或是借助退休者前往西德探亲访友的机会。另外，他们的西德总部使用掩护性地址与东德联系点互通邮件，以缩微胶卷或密码的形式传递信息和命令。”位于威斯巴登的耶和华见证人西德总部那时已转而采用将《守望台》印在缩微胶卷上的方法将其寄往东德，东德的教徒们再以兴趣摄影研究室为掩护，在那里将胶卷放大并复制。在搜查朗格的住所时，国安部没收了各种各样的私人摄影配件。另一名教徒家中则藏有一台用来排版印刷模板的机器：“在搜查这些教徒的住所时［……］我们找到了9900张打字纸，2300张、满满七袋照相纸，1000个可反复使用的普通印刷模板和胶版彩色印刷模板，六个文件夹的复写纸。这些都是用来复印违禁刊物的，为了安全起见，被分给了不同的人保管。”国安部将没收的两台打字机视作搜查行动的重大成果，并且努力试图证明这两台机器曾被用于非法用途：“根据国家安全部技术调查科附上的鉴定报告，这两台被没收的打字机中型号为［……］‘Urania’48364的那一台曾被该教派用于打印文章，而另一台型号为［……］‘Naumann－Erika’6504485的打字机则曾被用来制作印刷模板。”① 朗格最后于1966年10月10日被埃尔福特市地区法院判处六年监禁，② 判决理由之一是，他传播的杂志刊物有引导读者反对社会主义国家制度和社会制度的倾向。

1966年，位于柏林的德国当代历史研究所对耶和华见

① BStU，ZA，HA XX，1813/66，Bl. 294－316.

② Bezirksgericht Erfurt，Az.：1 BS 28/66.

证人的宣传刊物做出了一份鉴定报告。鉴定专家们打着科学的旗号，披着宗教的外衣对政治进行抨击，意在通过系统的、有计划性的逐步渗透来宣传反共思想，传教内容危害国家安全，而读者并不能很快识别出这种隐藏着的别有用心，这些刊物无疑是非常危险的。[①]

另外一位名叫海因茨·库托沃斯基（Heinz Kutowsky）的耶和华见证人也曾遭到调查。和其他诉讼程序中一样，国安部以及法院都将关注的重点放在了《守望台》的相关事宜上："［……］被告人复制的刊物不仅大肆贬低社会主义国家对于和平所做出的努力（见 1964 年 9 月 15 日出版的《守望台》），甚至宣告我们国家已经瓦解，诋毁苏联和苏联政府（见 1965 年 2 月 15 日出版的《守望台》），还唆使读者反抗工人阶级的统治，反抗社会主义和共产主义（1965 年 3 月 1 日和 1965 年 5 月 1 日出版的《守望台》）。1961～1965 年，仅由被告人负责印制的该类煽动性宣传刊物就已达 50000～55000 册，并且被告人将这些刊物分发给了 3000 多个人［……］。"[②] 1966 年 12 月 22 日，东德哈雷市地方法院对库托沃斯基作出判决，由于从事危害国家的煽动性宣传活动以及参加反国家组织而被判十年监禁。

国安部的调查行动表明，即便政府筑起了柏林墙并且限制了民众前往柏林的自由，仍然无法阻止《守望台》进入东德。随之改变的只是人们偷运刊物入境的方法。柏林墙建

① UaP Fritz Kreher. 资料由作者持有。

② Urteil des Bezirksgericht Halle vom 22.12.1966, Az.: I BS 11/66 – I A 13/66.

起后，教徒们首先将原版刊物带入东德，然后利用各种各样的技术手段来自己复印刊物。直到80年代中期，威斯巴登总部发现了将刊物印制在薄印刷纸上的方法，人们才再次开始大批量地把刊物偷运到东德。

罗斯托克《守望台》展览及其他战略手段

1974年秋，国安部在罗斯托克地区进行了一次大规模搜查行动，并在这次行动中“没收了非法教派‘耶和华见证人’的大量走私印刷品和其他材料”,[①] 同时还没收了两台复印机、两台旅行打字机和一套完整的胶片冲洗装置。[②] 不过国安部也意识到这次行动的胜利只是暂时的，所以他们的结论是：“国安部在将来必须和其他安全机构合作，展开更有效的打击行动，系统地瓦解该教派以及孤立他们的教徒。”[③] 因此，参与行动的国安部工作人员有必要先了解耶和华见证人的传教方法和途径，熟悉该教派的书籍、杂志、宣传册、幻灯片等，这样才能避免查抄时有所遗漏。另外，国安部试图通过“对一些教徒主动施加全方位的影响将其从信仰的歧

---

① Einschätzung vom 5. 12. 1974. BStU, ZA, MfS, HA XX/4, 1029, Bl. 5. Einschätzung vom 5. 12. 1974.

② “Zersetzungsmaßnahme - ZJ - KD Grimmen. Bericht über die Zersetzungsmaßnahme der in der DDR verbotenen Organisation” Zeugen Jehovas “ im Kreisgebiet Grimmen. ” KD Grimmen vom 6. 12. 1974. BStU, ZA, MfS, HA XX/4, 1029, Bl. 46 - 72.

③ “Zersetzungsmaßnahme - ZJ - KD Grimmen. Bericht über die Zersetzungsmaßnahme der in der DDR verbotenen Organisation” Zeugen Jehovas “ im Kreisgebiet Grimmen. ” KD Grimmen vom 6. 12. 1974. BStU, ZA, MfS, HA XX/4, 1029, Bl. 8.

途上拉回来，目标对象是所有在罗斯托克地区居住和工作的年轻耶和华见证人或者这类由于年龄小、入教时间短，故而信仰不太坚定的教徒”。[①] 为此国安部选择了一种特殊的策略，策划了一次“记录国安部1974年在罗斯托克地区打击《守望台》书社之成果”的展览，于1975年1月在罗斯托克州政府举行，展览口号是“遏制《守望台》书社——所有党派组织、国家机构和安全机构的任务”，并且展出了很多图片和物品。[②] 国安部为了此次展览制作了许多展览板，展出了被没收的宣传刊物、胶片冲洗装置和排版器械，甚至还有复制刊物必需的颜料桶和小工具。至于这次展览是否成功，造成了多大的影响，到目前为止并无任何相关报道可考。

当时许多教徒还自发用私家车来走私《守望台》，比如西德教徒利用前往东德的莱比锡参加书展的机会，抑或是东德的退休教徒利用去西德探亲访友的契机。国安部于是继续致力于通过政治战略性手段解决走私问题，这点明确体现在国安部于70年代发布的一项命令中：“我们必须主动采取抵制措施以清理走私系统，包括依据相关的海关法规确认走私物品内容、详细询问物品来源、查清走私人员与耶和华见证人教派之间的联系。[……] 已确认的走私物品务必被记录下来（如拍照），遭到遣返的走私人员以后也不允许进入

① Einschätzung der KD Bad Doberan vom 5. 12. 1974. BStU, ZA, MfS, HA XX/4, 1029, Bl. 1 - 11. Einschätzung der KD Bad Doberan vom 5. 12. 1974.

② “Dokumentation über die Ergebnisse der Bekämpfung der WTG im Bezirk Rostock 1974”. Einschätzung der KD Bad Doberan vom 5. 12. 1974. BStU, ZA, MfS, HA XX/4, 1029, Bl. 18 - 40.

东德境内，如走私人员是东德公民，则禁止将来离开东德。为了提高反走私系统战略手段的效果，务必在打击走私过程中对被没收的材料进行彻底的审查。”① 耶和华见证人在东德私自偷印宣传刊物在国安部看来是一种严重的违法行为，因为这种行为已经触犯了刑法第106条，同时违反了印制和复制印刷品的相关规定。② 尽管已经采取了一系列打击走私活动的具体措施，国安部还是得出了如下结论：“到目前为止，在打击耶和华见证人的政治战略性行动中，我们收获的成果和经验表明，一切有关负责部门和个人应当更加系统地、目标更加明确地对该教派进行打击。”③

小结

当时在东德偷偷阅读《守望台》的大多数人都是耶和华见证人的本派教徒，大规模地传播该教派的宣传刊物是他们传教的重要特点。不过在那时的东德，即便教徒们持有大量宣传资料，也几乎不可能进行传教活动，更何况这也是非常危险的。这些杂志刊物是教徒们用来研习教义的基础读物，同时也是从事传教活动的基本指导。传教过程中教徒都

① “Dokumentation über die Ergebnisse der Bekämpfung der WTG im Bezirk Rostock 1974”. Einschätzung der KD Bad Doberan vom 5. 12. 1974. BStU, ZA, MfS, HA XX/4, 1029, Bl. 26.

② “Dokumentation über die Ergebnisse der Bekämpfung der WTG im Bezirk Rostock 1974”. Einschätzung der KD Bad Doberan vom 5. 12. 1974. BStU, ZA, MfS, HA XX/4, 1029, Bl. 30.

③ “Dokumentation über die Ergebnisse der Bekämpfung der WTG im Bezirk Rostock 1974.” Einschätzung der KD Bad Doberan vom 5. 12. 1974. BStU, ZA, MfS, HA XX/4, 1029, Bl. 44f.

特别小心谨慎，圣经是传教时的必备物品。一些传记报道表明，即便在实行禁令的环境下，仍有新的教徒加入该教派成为见证人，国安部一旦注意到有人在秘密阅读《守望台》，就会彻底搜查这名读者的住所，经常有人因此而被捕，最后判处刑罚的理由往往并非“阅读”本身这一行为，而是参与了被定性为“危害国家”的宗教活动。直到80年代中期，耶和华见证人都一直被视为破坏和分裂政治思想的组织之一，对于国安部来说，这类教派就是国家的敌人，国安部负责相应事宜的第四部门（宗教部）应熟知该教派的各类刊物。1990年柏林墙倒塌之后，耶和华见证人再次获得了合法存在的权益，1949年时东德的耶和华见证人数约为两万人，而到了1990年，这个数目仍然保持在两万左右。这一事实不但表明国安部在这些年投入了大量人力物力，也反映了国家在打压该教派时坚决和无情的态度，这些年共有约6000名耶和华见证人在东德被捕，其中一部分被判处长年监禁。在研究了联邦数据资料库的各类文献后，我们可以得出的结论是：国安部在打击耶和华见证人的行动中的确取得了成功，然而完全肃清该教派教徒的目标并未实现。

“教会重视独立”

齐格弗里德·布罗伊尔（Siegfried Bräuer）博士教授（B）、沃尔夫冈·欣茨（Wolfgang Hintz）（H）、康拉德·冯·拉伯瑙（Konrad von Rabenau）博士（vR）与海德维希·里希特（Hedwig Richter）（R）的座谈

R：冯·拉伯瑙博士，您作为神学家是东德最有名的教会书刊走私者之一，同时您在瑙姆堡高等神学院担任讲师，这所学院出色的图书馆和您的投入付出是分不开的。你们进行图书走私要做的是什么呢？侧重点在哪儿？

vR：教会重视把新书引进东德，并且与东德宗教界保持独立，此外我们还要覆盖到不直接涉及神学题材，但对于将神学纳入更广泛的精神学科范畴具有重要作用的书籍，就是心理学和社会学类的书籍。我们在瑙姆堡也教授很多东方

教会史和俄罗斯文学的课程，也有艺术史，尤其还有哲学，东德的出版物无法满足我们对图书作为精神传承的宽度和广度的要求。

图书走私最需要的是西德新教教会和西德相关国家机构愿意提供帮助支持，尤其为图书运输提供资金基础，这样也就为东德带来了基督教人文主义的教育财富，而提供支持的重要前提条件是东西两德之间保持畅通往来。

R：您是怎么把图书带到东德的?

vR：西柏林一家书店定期发给我们最新的书单，我们从中选取一些然后在这家书店订购。我们经常用旅行箱装书，有很长一段时间检查并不是很严格，此外我们走私的一般没有政治热书，而是专业图书。1961 年建柏林墙以前，我们还能比较顺利地在西柏林买书，渐渐变得越来越难，1961 年以后我们开始寻求私人帮助，然后有各种不同的人参与进来。我回想起一位意大利旧约研究学者来拜访我们，听我们讲述了买书的困难立刻兴奋起来，这让他回想起自己曾为反纳粹而采取的各种行动，很快他就开始往返于西柏林和东柏林之间，来回很多次，为我们偷带图书。还有相当一部分书是我母亲带的，她很瘦，然后把自己装扮得体态丰满，但不是每次都那么顺利，有一次她被逮捕然后被审问了很久，然后他们也开始准备查我，一位同事给我通风报信提醒我小心，要我把自己的藏书从头到尾检查一遍，看有没有哪些书会带来麻烦。

R：有传言说柏林喜剧歌剧院院长瓦尔特·费尔森施泰因（Walter Felsenstein）的儿子给您从西柏林往东德带了几

吨重的书。

vR：“几吨重”有点儿夸张了。柏林一所教会高校的工作人员通过瓦尔特·费尔森施泰因的儿子直接和西德方面建立了联系。这位小费尔森施泰因利用自己可以在东西德之间来往的权力，最大限度地提供帮助，可能也收取一些报酬。我把其中一些书转给了瑙姆堡的同事。

R：沃尔夫冈·欣茨先生，您作为一位外行人士，也用了各种各样的途径为天主教教会走私图书，最重要的途径最终是取道波兰。能解释一下，为什么通过波兰往东德带书吗？

H：我在明斯特从事了15年所谓的天主教伙伴协助工作，同样由西德公共资金支持，首先为满足教会的日常需要。对我来说问题只是如何寄书。东德有两个群体最迫切需要图书：一类是天主教牧师，另一类是医学工作者。往东德寄医学专业文献没有问题，但神学书刊就不一样了。牧师主要需要布道书，然而这种书刊无法引进东德，然后任务落到了我的身上。一次我在东柏林的神父聚会上认识了一个人，住在科特布斯，也就是靠近波兰边境。他介绍给我认识了一位朋友，是一位波兰牧师，并建议我把宗教类书刊寄给这位波兰人，然后他去取书。这是个行之有效的办法，他一收到我的问候，比如说保罗叔叔来自艾弗尔山的生日祝福，就知道要去波兰取书了，而且一直都很顺利。我在书里用铅笔写上比如F. H. 或者S. T.，这样他就知道这些书要送给哪个地区的教会。

R：下一个问题提给齐格弗里德·布罗伊尔教授，首先从个人角度将您作为一位退休者，而非审查专家。您在担任教会神职人员时期，或多或少通过合法方式接触过哪些西德刊物呢？

B：大多都是在莱比锡做牧师这段很长的时间里接触到的。莱比锡书展真像一道闸门，一个组织有序的大型图书集散地，展出的图书仅仅用于参加书展。政府有关部门也猜到一二，略知一二，但根本不了解这其中到底是怎么一回事。比如说我通过书展是第一个拿到罗尔夫·霍赫胡特（Rolf Hochhuth）的《代理人》之一。然后大家接连涌入我们家，了解最新图书，参加文学之夜。有关图书市场上最新出版物我掌握的消息是最快最多的，这让莱比锡的读者受益了，而尤其造福于我们教区的读者。我知道还有其他一些教区也像我们一样积极活跃，大家通过口头流传了解到我们和我们的图书。我们当然也知道这并不是十分安全，没有把握的事总是要冒风险的，有时确实充满了恐惧，但新书的吸引力和对新书的爱慕更胜一筹。

R：您后来任柏林新教出版社社长，看到所有图书只有通过走私的方式才能获得，还有看到那些您无能为力的事情，是否有些伤感？您是怎么渡过这些难关的？

B：我没怎么为这些事花费心思和精力。我在不担任牧师后的十年间负责萨克森州的牧师再教育，这就步入了另一个层次，需要的是社会学以及社会心理学的书籍。那时我就学会了怎么看《哲学杂志》这本国家合法刊物：看什么时候注释中第一次出现相关人士的名字，只要出现了名字，我们就有机会得到这位学者的著作。后来我调到了柏林，任新教出版社社长，这是东德最大的出版社之一，每年出版物数量最多达230本。在去之前我就给自己列了一个秘密书单，有哪些书我们要出版，这可真不容易，两德统一前后这个书单才差不多完成。对于不能出版的图书，我们没有投入，因为根本没有时间，时间都用在能做的图书上面。我们的审校部由22位男士组成，我和编审们说："每年出三本我们去年不敢出的书。"我们获得了不少国际荣誉，无论是天主教方面的还是新教方面的。我们出版了东德没有的东西，教会里从未读过的书籍。日耳曼文学家们非常想做这些事情。出版这些书是我们的社会责任。

R：国家有关部门是如何向您为他们实施审查辩解的？他们有没有成套的辩词，还是什么样的情况？

B：首先，国家干涉是东德众多事实之一，对此根本没有任何解释，然而他们还是很小心，避免下达任何书面说明。但我们都知道，每本出版物都有一份鉴定，由外部人员为文化部撰写，但是看不到，都是口头传达。而且我们还要为鉴定人付账！这就是唯一始终让我感到愤怒的事情，一到圣诞节前我就收到一份长长的书单，有200本书目，每本都有鉴定语和具体的鉴定费，然后我必须签字通知付账，而我从来都不知道，是谁拿到了这笔钱！一次在德累斯顿的教会代表会议上，有人问我的出版社有多少工作人员，我说："我们有95名雇员。但我们到底真正有多少位，我不知道，因为我们同时还要一直为鉴定人付账。"两德统一后我了解到，文化部请人写的这些鉴定就存放在柏林利希滕贝格城区诺曼街的国安部隐蔽处所，我马上过去然后见到3000多份装订整齐的鉴定书。可以说，我震惊了。我们没有想到很多鉴定人会做这样的事，也没有猜到这么多神学家也参与其中，尤其有来自洪堡大学的，也有莱比锡大学的。这些秘密鉴定对我来说最无可容忍，鉴定人任由他们的恶劣品质为非作歹，他们的嘲弄讽刺，他们的权力天性，他们的尖酸刻薄，有时甚至都超乎政府官员们的想象。比如他们在反对出版的抗议书边上写道："这个不行，那个完全不切实际。"我们认为最恶劣的审查官不是国家机关，而是这些所谓的鉴定人。和国家机关有商量的余地，他们也要在党中央面前汇报工作——他们也害怕，比我们还要害怕。更令人气愤的是我们无法认识的那群人，为国家机关提供审查辩词的那群人，就是因为他们那些鉴定书，有时让我们的工作进行得非常艰难。

R：运送图书、竭力争取图书出版不也多少是一种辩护行动吗？您没能摆脱东德专制这个最大的问题吗？新教教会最终不得不高度赞扬推崇自由言论，不得不大声反抗，将这个根本问题摆在更加突出的位置，并向国家体制提出质疑，不是吗？

vR：公众批判可以通过共同声明的方式实现效力，比如说通过教会主教的声明。这是确实发生过的，比如1968苏联进军捷克斯洛伐克，还有联合国将犹太复国主义等同于种族主义，当时新教教会都以适度的方式共同提出抗议，还有关于教育等类似问题也表示过抗议。根本问题是：因为马克思主义的最终目标是实现绝对公正——那么为实现这一目标而采取的不公正措施是否合理呢？官方没有触及这一基本问题。但毕竟教会保持着独立，没有作为社会主义教会的身份降低自身地位。还有冷战时期两大阵营对立，矛盾长期存在，甚至出现了公开对峙和战争。因此我们很多教会人士道德意识被激发，认为必须以适当的方式要求自由和公正，否则就会引发波及德国和世界的大灾难。这就是教会内部的态度，可以解释您的疑问。

B：我想我们都曾经面临这个问题，但我们把自己归为了现实主义者，并且我作为神学家清楚地知道，我们是为人而存在，不是为了没完没了的对峙，对峙是无济于事的。但有一次是真触犯到了我的神经，是之前提到过的对布道书的审查。没有一本书是不经过至少20处大改动而能够出版的，真是令人愤怒至极。我当时也没有想到尤其有一位洪堡大学的神学家，一位基督教主义教授，名叫格哈德·巴萨哈克（Gerhard Bassarak），在审查鉴定书中葬送了他对书的热切渴望，完全让我意想不到，这是1989年的事情。我们一直保持每年一两次请我们的国家审查官（不是那些鉴定人）参与一顿丰盛宴席，他们很乐于赴宴，这是个大好的机会。当时是1989年，我在饭桌上说道："另外，我们每次想到对布道书的审查就犯呕。马丁·路德曾于1523年说过，上帝的话根本不能被一个国家拿来评判。在此我提出申请：不能对布道书进行评价鉴定。"当时在场的国家相关总局代表目瞪口呆，还有我在场的同事也惊讶不已。谁也没有说话。然后那是我们第一次也是最后一次拿回没有做任何改动的布道书。也就是说这种方式也是可行的，但要考虑到背景时间——1989年春。

R：谢谢各位不同的回答。现在我把时间交给听众继续提问。

托马斯·克莱因（Thomas Klein）博士：如果谈到教会出版社的实际情况或者教会内部活动举办权的特点，涉及的问题是，这些国家限制出版的书刊是如何产生的。刚刚已经问到教会能在多大程度上发挥作用，您以出于教会内在现实主义本能回答的这一问题，然而您没有提到教会内部半合法报纸的印制出版。这个问题在80年代经常被提及：就是说，如果教区从事发行报纸，国家教会给予支持还是施加阻力？您知道，各个州教会区别很大。1988年出现了一次审查之战，我没有想到的是这件事一直未被提及。教会出的《优先权》是唯一一份接受印刷后审查的报纸，所有其他报纸基本上都接受印刷前审查，也是预审查。但1987年底1988年初国家禁止出版教会报纸以来，读者们变得更加积极活跃，比审查直接针对的报纸编者的反抗更加激烈。人民警察在奥古斯特大街上把抗议者拉进载重车内，而教会方面却试着保持平心静气。可以明显看出，国家教会处于一个什么样的情况。

B：我想就客观事实稍微说明一下。审查有两种形式，所有图书接受预审查，所有教会杂志则不然，教会杂志是印刷好之后先不发行，在印刷所里进行内容检查。因为审查结果不予通知任何人，我们出版社还要订阅自己出的五本杂志，以便知道是否通过。如果杂志到了出版社，就说明通过审查，可以寄送其他杂志了。此外我觉得不仅教会报纸杂志受到审查，其他的同样如此。

vR：我们确实从图书进口跨越到了教会出版界的独立工作这个问题，或者也包括比如主教通过口头的方式流传文字内容。克莱因博士，您说得非常对，两德统一前后所有一切都变了，因为社会上一些积极分子想要改变现状，这是一个持续的过程，在此我想撇开国家教会这个概念，新教教会从类别来看不属于国家教会，教皇、主教等人的权限自上而下划分，并且直接掌握权限。在新教教会里，各教区及教会领导层各同等级别的人分别联合起来同审查抗争，两德统一前确实出现了大规模的抗争，很多人大胆走在前面起到了保护作用等。对此波茨坦教区的席克坦茨先生就是一个很好的例子，其他的都比较保守。

埃尔克·布鲁门塔尔（Elke Blumenthal）：我对于这个问题是这样看的，图书走私并不是教会为发动有力抗议的一种辩护。对此有两个原因，第一，如果我们在这讲述历史或者回忆过去，感觉就好像走私行动最终就是一场体育赛事，有些刺激神经。而图书走私是十分严肃认真而又铤而走险的事情，即使我们现在喜欢听图书走私的趣闻轶事，但这一点是不能忘的。第二，您刚刚提到的这一点并不是教会人士的主要工作。对体制的抗争，是在牧师对教徒的谈话里，在布道会上，在教会代表会议上——教会人士出现在这些场合然后旗帜鲜明地表明自己的观点。

彼得·席克坦茨（Peter Schicketanz）博士：对于布鲁门塔尔女士的观点我想说的是，要注意整个事情涉及 40 年的时间段，不能把 50 年代的情况一下移植到最高领导人昂纳克（Honecker）执政的 70 年代。如果是十年以后，我也就不会烧戈尔维策（Gollwitzer）的作品了，但是50年代时的恐惧要更强烈。

vR：1959年时国家有一项条例，检查各旧书店、图书馆和教区等地方收藏的图书，在哈雷地区试行。大部分旧书店都关门了，瑙姆堡成了大型检查目标。他们来到我们学院的图书馆，第一天有三个人来，没有想到有这么多书，第二天来了30个人，一本一本地查，没收的主要是批量购进还未上架的图书，也就是国家民族类的，包括纳粹残余刊物。他们还逮捕了一位旧书商，在旁边某个政府机关里上诉被查处的相关领导，在瑙姆堡的市中心建起展览橱窗，展出被查处的书刊。此外还在市政厅策划了一场群众集会，宣称这些人多么卑鄙无耻，在城区里都干了些什么事情。他们检查了教区的图书馆，既包括新教的也包括天主教的，认为教区违反国家规定把所有图书都赠送和借阅出去了。查处结果还在审理中，我到德意志图书馆、哈雷大学图书馆和莱比锡大学图书馆把被查处的图书借来看了看，每一本都可以自由借阅，虽然审理结果还是要对被告人进行一定处罚，但还是比较宽宏大量的。但是您要知道，这种体制下的国家实行的是恐怖统治，实行一次打击，然后会带来后续效应。

米歇尔·韦斯特迪肯贝格（Michael Westdickenberg）博士：在我看来，耶和华见证人是一个过分封闭又紧密联系在一起的社会团体，那么对于国安部来说是不是很难找到通报合作者？然后监察图书运输肯定也更困难。

汉斯-赫尔曼·德克森（Hans-Hermann Dirksen）博士：我认为耶和华见证人也是普通人，所以通报合作者的渗入也像其他组织一样。然而事实上是这样的，就像国安部那重达几吨的档案里也一直写道：“我们的通报合作者太少了，我们无法真正渗入各个组织当中，我们有很多困难。”通报合作者太少始终是个大问题。奇怪又好笑的是，经国安部秘密委派的通报合作者——在为社会主义的斗争中——不能抽烟了，不能看烂书了，也不能骂人了，取而代之，必须定期研读圣经，颇有意思的是还必须特别频繁地和上级军官会面，因为上级非常害怕他们将来也变成真正的耶和华见证人。

政治读者群体

未能赶上的追赶？

——70年代末知识分子内部探讨话题（以柏林潘科区“阿多诺圈”为例）

汉斯－J. 米塞维茨（Hans－J. Misselwitz）

笔者要介绍的这个圈子从1977年秋天的一个周三晚上开始定期聚会，直到1981年的秋天，其间极少间断过。由于那个年代不适宜保存太多书面的东西，所以我对这个圈子的回忆主要基于90年代获得的源自东德国家安全部的两份文件，里面记录了人名、日期、地点及讨论的主题，算是很不错的资料。为了重新整理圈内组织过的活动，我还联系了多年未见的圈内成员并询问了他们我们在何时讨论过什么主题，以及手头是否还有相关资料可以提供。一些老成员从现今的视角分享了他们对圈子的印象和评价，因为站在今天的立场再回头去评价当时研究过的以及伴随激发我们政治理念的观点和问题会得出很不一样的结果。

据国家安全部 1978 年 7 月 10 日一份详尽的《调查报告》记载，圈子在 1977 年 11 月 30 日组织了第一次活动。国家安全部第一次知晓这个圈子的存在是由一名通报合作者通知的，他是一名圈内成员的朋友，两人于求学期间在莫斯科抑或乌克兰的哈尔科夫相识。关于再早的聚会就没有资料可循了，这之后一直到 1981 年末的活动记录则记载于一位圈内成员的日记中。

圈子每个月会在一个周三晚上聚一次，所以私下我们称此为“周三例会”，不过很快大家还是敲定了“阿多诺圈”这个名字。第一次聚会我们研究了马克斯·霍克海默（Max Horkheimer）和狄奥多·W. 阿多诺（Theodor W. Adorno）合著的《启蒙辩证法》，很快两个月后又讨论了一次，上述那份《调查报告》后来无意也支持了这一命名。这个名字引发国家安全部启动了名为“探测”的“操作程序”，可以推断国家安全部将圈子的活动在目的性上与“启蒙运动”联系在了一起。

据国家安全部的记载，至（包括）1978 年 7 月圈子共组织了九次活动。第一次是在我家即柏林潘科区哈兰德街 5 号举行的，此后轮流于各家，除此我们还一起离开柏林去别的地方过周末，一起过节和聚会。1981 年秋天情况有所改变，因为从那时起圈内多数成员开始忙于“潘科和平圈”的活动，这意味着活跃至 1989 年的柏林反对派团体“潘科和平圈”相当一部分成员以前都是“阿多诺圈”的成员。

“阿多诺圈”最初有12个成员，9男3女，年龄分布在25岁至30岁之间，即生于1947年至1952年之间。圈内成员基本都已高校毕业，但来自截然不同的专业领域，如生物学、文学、数据处理、神学、物理学、数学和经济学等。

阿多诺圈最初不是从一个朋友圈发展而来的。1977年秋天我和妻子鲁特（Ruth）结婚三年，育有两个女儿，一个两岁一个刚出生。妻子鲁特曾在柏林的洪堡大学攻读神学，所以有着她的“神学家人脉”，而我是科学研究所的一名生物学家，亦是生物化学方面的博士，所以也有着我的“生物学家人脉”。我们将双方的人脉介绍到了一起，由此神学圈和生物学圈的人际关系得以重组，这两个圈子之前在耶拿以及柏林的大学生新教教区就已有过交集。由于阿多诺圈组建时每个人都又带了一个人，所以当时圈内鲜有认识超过三个其他成员的人。

由于年龄相仿，我们这个年龄层最初的政治思想状况里有着同样的时代和生活经历的印记。与1968年相关的事件和经历或多或少对我们产生了深刻的影响，不过这种影响更多是文化上的而非政治上的。所有人心中都滋生了对东德状况的怀疑和距离感，抑或是对反叛的渴望和对其他出路的寻求。1976年发生的一系列事件距离现在并不遥远，如作家诗人兼歌手沃尔夫·比尔曼（Wolf Biermann）被东德开除国籍事件，由此引发的抗议活动和之后对政府的失望，这些都成为了一个个的导火索。作报告介绍的“阿多诺”圈内成员安德烈亚斯·维尔（Andreas Weihe）是我的生物化学博士同学，我在研究所里认识他时他正在比尔曼请愿书上签字声援反对政府开除国籍事件。维尔在哈尔科夫求学期间去过莫斯科，在那结识了一位西德的同学并从他那获得了《启蒙辩证法》这本书，由此与阿多诺结下不解之缘。

圈子活动涉猎的主题非常广泛，乍一看选题非常随意。如前面所提第一次我们选择了《启蒙辩证法》，着重讨论了阿多诺的“文化工业”批判理论。之后直到 1978 年年中我们讨论过的主题五花八门，国家安全部的观察员对此也没太分析出个头绪。其实讨论内容主要是基于圈内成员所拥有的能力或者兴趣，我们没有约定任何规则，而只是让大家相互介绍自己觉得重要的、有引导性的或者值得了解的东西。这段时间内我们阅读了胶印版的《关于〈抉择〉一书的六篇报告》，并在此基础上讨论了鲁道夫·巴赫罗（Rudolf Bahro）的《抉择》，负责这一主题的是物理学家同时也是基督徒的格尔德·施达德尔曼（Gerd Stadermann），他当时也是一名充满热情的社会主义者。还有成员介绍了一篇关于诗人约翰内斯·波勃罗夫斯基（Johannes Bobrowski）的博士论文，在国家铁路从事数据处理工作的工程师迪特·麦斯（Dieter Maess）介绍了弗里德里希·荷尔德林（Friedrich Hölderlin）的诗歌，马丁·霍夫曼（Martin Hoffmann）是位数学家兼画家，曾作为绘画艺术家协会成员参观了在西柏林举办的名为“20 年代的趋势”的一个展览，便就此作了一个报告。另外 1977 年 6 月国家安全部记录了一次报告，题为“就苏联 20 年代工业化阶段的探讨”，报告人为当时在经济学中央研究所工作的艾尔哈德·魏因郝茨（Erhard

Weinholz)，那次我们讨论了苏联经济理论和实践以及斯大林、托洛茨基（Trotzki）和布哈林（Bucharin）之间的会谈。1977年夏天大家还相约去参加了在柏林格吕瑙一个教堂举行的尤雷克·贝克尔（Jurek Becker）的朗诵会，朗诵内容节选自作者当时未能在东德出版的作品《那些不眠日》。

图1　古典社会哲学家的《启蒙辩证法》，1971年平装袖珍版，该书未能在东德出版

之后我们的选题范围完全延续了最初这几个月的风格。1978 年 11 月的一个周末在奥德河边的小镇芬肯黑尔德科学院的文学家米歇尔·德威（Michael Dewey）带领我们一起研读了“先锋派理论”。另外德威还向大家介绍了俄罗斯文学家米哈伊尔·米哈伊尔洛维奇·巴赫金（Michail Michailowitsch Bachtin）（1895～1975）以及他的笑文化和狂欢文化理论，例如其代表作《拉伯雷和他的世界——民间文化作为反文化》（1987）。经济学家艾尔哈德·魏因郝兹作报告介绍了他的研究“社会主义经济体的目标问题”，并在另一天晚上通过报刊分析向大家讲述了我们的新闻业背离现实的规律性。成员马尔库斯·梅克尔（Markus Meckel）当时还是名神学系的学生，他作了一篇关于弗里德里希·尼采（Friedrich Nietzsche）的报告。有一个晚上我们讨论了主题“共产主义——一个真正的乌托邦”，素材来源于从国家图书馆借出的期刊《指南》，另外我们还共同阅读了汉斯·亨尼·雅恩（Hans Henny Jahn）的《新吕贝克死亡之舞》。我自己也曾发起过几个主题，如 1973 年学术团体罗马俱乐部发布的研究报告“增长的极限”，我们讨论了这个主流的、来自西方的同时也是马克思主义的进步理念可能带来的后果；再如社会学家伊凡·伊里奇（Ivan Illich）的研究《非学校化社会》，他也是一位支持解放神学的天主教神父，这部作品揭示了在第三世界教育系统如何演变成一个压迫支柱；此外我还介绍过尤尔根·哈贝马斯（Jürgen Habermas）在《公共领域的结构转型》一书中的深入分析，并尝试与大家探讨了“公共领域”这一主题。最后一个要提及的关于当代哲学政治作品接受度的例子是路易·阿尔图塞（Louis Althusser）的《意识形态与意识形态国家机器》，毕业于柏林表演艺术学院导演专业的弗雷雅·克里尔（Freya Klier）就此作了报告。

从档案中可以发现国家安全部调查圈内成员的理由是“教唆反国家”（§106）和“组建反国家团体”（§107）。[①] 然而一个80年代但未标明日期的内部消息称，由于活动信息在党内被公开以及圈内成员受到意识形态方面的调查，阿多诺圈于1978年中止了活动。事实当然不是如此，有一件事可以对此给出很好的解释。据档案记载名为沃尔夫·施耐德（Wolf Schneider）的通报合作者在1978年底退离了圈子，圈内成员德威给他在科学院的这位同事带来了“压力”，因为他在院里提起他们俩加入了阿多诺圈，并讲述了弗里德里希·荷尔德林那晚活动的内容以及结论，即认为现今还有很多类似浪漫主义者曾面临的状况存在。一位研究让-保罗（Jean-Paul）的年轻同事以此为契机要求科学院

---

① §106 教唆反国家（1979年6月28日版德意志民主共和国刑法典）“（1）如违背宪法基本规定，破坏德意志民主共和国的社会主义国家规定或社会规定，或违反上述规定从事煽动活动，如1. 通过从事国家或社会活动而歧视德意志民主共和国的社会局势、代表人物或者其他公民；2. 印制、引进、传播和利用歧视德意志民主共和国的社会局势、代表人物或其他公民的文字、物品或符号，［……］判处两年到十年有期徒刑。（2）任何与以反对德意志民主共和国为目的的组织、机构、团体或者他人共同策划犯罪行为或者成功实施犯罪行为的［……］判处两到十年有期徒刑。（3）预谋犯罪及犯罪未遂者也可受到处罚。” §107 组建反国家团体（1）任何加入以反国家为目的的团体或组织的行为处两年到八年的有期徒刑。（2）任何组建反国家团体或组织以及策划相关活动的行为处三年到十二年有期徒刑。（3）犯罪未遂者也可受到处罚。

的党领导好好重视这个主题："你们完全不为年轻人考虑，以致德威和L投身到了一个秘密组织！"德威说这件事对他没有造成后果，但可能对那位通报合作者L造成了影响，他当时是统一社会党党员，后来党内通过决议要求他离开阿多诺圈，不再参与我们的活动。

接受访问的老成员就当初参加阿多诺圈的意义给出了不同的答案。后来积极投身于柏林"潘科和平圈"的格尔德·施达德尔曼讲述道："文学圈的特别之处在于它的组成，来此相聚的人均来自截然不同的生活领域。这算得上是一种迷你公共领域。我终于觉得不再孤单一人。借用汉娜·阿伦特（Hannah Arendt）的话就是终于战胜了孤立，终于进一步击退了渗透于我所接触到的社会各个角落的专制。加入这个圈子是进入到公共领域的第一步，之后这一公共领域首先还会受到教会的保护。"

米歇尔·德威没有跟施达德尔曼一样加入到潘科和平圈，但私下里与几位老成员一直保持着紧密的联系："在阿多诺圈的活动比较随意，没那么严肃，当然也不用担心负面后果。可能我现在把它有些太理想化了，确实当时我们偶尔也会埋怨：'又要去参加阿多诺的活动！又要开会！'现在我很喜欢回味在阿多诺圈的时光。今天看来好像当时我们在一个小小的圈子里享受着乌托邦式的生活，大家不仅吸收各种理论，汲取艺术、诗歌和哲学知识，还在一起欢聚，相亲相爱，偶尔还会有些复杂的情感纠葛。没错，我认为那是追随德国浪漫主义派传统的乌托邦式生活，即便我们当初并没有意识到。所以在我看来我们就是一个浪漫主义圈。"

马丽娜·格拉斯（Marina Grasse）来自一个几代人都是共产党员的家庭，曾是一名行为生物学家，后来积极参加了反对派和平圈的活动，现在致力于成人政治教育。她讲道："阿多诺圈是我第一次遇到的可以自由谈论的组织［……］。关键还在于［……］这里年轻学者可以自主选择研究的主题［……］以［……］寻求其他的可能性。［……］其实通过这个圈子我第一次与有基督信仰的年轻人有所接触，这一点也很有意义。［……］对我来说在这里不是'追赶'，这个听上去有点让人觉得是'一瘸一拐地跟在后面'。对我而言这个圈子出现得正是时候，我想要的不是去追赶，而只是去学习了解我尚未了解的东西。"

艾尔哈德·魏因郝兹（Erhard Weinholz）在东德政权交替期间曾积极活跃于当时新成立的"左翼统一联盟"的活动中，其间还做过自由作家，这位经济学家回顾道："还好我不需要写这篇文章，但如果要写的话，我不会选择'未能赶上的追赶'这个题目。对我而言无论是追赶还是赶上都没有意义，因为我没有极其渴求新知识。我在乎的是，阿多诺圈给大家提供了机会讲出自己内心深处一直想探讨的问题。"

该如何总结以上现象、观点、意见和调查的结果呢？就我看来之前为这一课题选定的题目"未能赶上的追赶？"里只有个问号是恰当的，因为按照所有调查参与者的评价来讲当时我们没有想去追赶任何东西。不过还有什么是值得关注一下的呢？

阿多诺圈的组建比较偶然，成员也来自各种各样的环境和职业，所以这不是一个特定类别的组织，而是社会的某一小部分，不代表整个社会，但代表当时东德的某一代知识分子，也正是由此阿多诺圈才有着它的意义。回头看看有人不免会心生疑问：为什么当时的圈内成员会对这样那样的问题感兴趣？因为正如计划的一样我们的活动几乎不带任何目的，所以可以感觉出圈子内反映和讨论的很多主题都直接或间接地与那个年代相关。我是想说，重新整理这些精神上的（寻求）活动有助于更好地理解那个时代。我们要研究的不是赤字，这个倒是肯定会涉及“追赶”这一主题，当然在当时的东德也还没有这个概念。我们要关注的是当时的那些争辩，从中可以发现在精神层面上对那个时代独立思考的开端。此外回想起来会发现我们似乎总可以弄到我们想读的作品，当然不是从书店，而是越过边境通过复制、抄写以及互相传阅（的方式），当然往往少不了大型图书馆中善良图书管理员的帮助。

整理一下圈内讨论过的主题，会发现“启蒙”这一主题最为广泛而突出，与此相连的是怀疑、批判和寻求其他事实的疑问，如对关于我们那个年代和现代的文学和艺术真实性的讨论：先是阿多诺和霍克海默的《启蒙辩证法》，再是阿尔图塞、尼采或伊里奇的《非学校化社会》。

我们讨论过的主题有实现与时代的衔接吗？答案亦是亦非。那些是对时代的一份表达，比如浪漫主义。当时克里斯塔·沃尔夫（Christa Wolf）的《无处容身》成为了一篇关键文章，它击中了我们当时快到而立之年的那一代人所共有的一种时代感。1968 年的起义发生以及中止后，我们感觉自己处在东西之间的某个地方，因为年龄关系我们没有像长辈们那么感触深刻而心灰意冷。大学毕业以及到 70 年代中期看到一些希望后我们不想再把希望仅仅寄托于西德：那里关心的是越战和智利政变。反而是赫尔辛基进程、欧洲安全合作会议《最后文件》中对人权和欧洲合作的协议点燃了希望之光。此外要提出的疑问是，我们对所谓的德国秋天红军旅事件的观察是否是为了寻找在体系上优于暴力革命幻想的其他可能性，即反抗“枪杆子出政权”的方法？那不又一直是那些用剥夺权利的上层建筑和意识形态统治来达到文化渗透的方法吗？当时就已经无意想到使用非暴力，即政治文化操纵来掌握政权了吗？不管怎样，我们研究的问题就是在这一领域，不肤浅，不带任何目的，但是持之以恒。

从阿多诺圈讨论的主题显然可以发现人们“时代潮流”中的疑问和直觉反应，以及那些看来无意形成的思想进程，这些进程实际为了解那个时代开启了大门，我们指的是核心在于为参与者赢得意外收获的进程。当然我们这个圈子只是一个小小的例子，为一种有时能在历史中成功的进程起到推力。

最后借用格尔德·施达德尔曼的一段话：“我们到底有多重要？这一问题无人能答。可以肯定的是，那段时间至少对我们这个小团体的成员很重要。混沌理论中称此为耗散结构。在热力学非平衡状态下，能量会在一定时间内达到稳定状态，进而推动不可逆转的变化：著名的蝴蝶效应——蝴蝶扇动翅膀改变了气候。”

鲁道夫·巴赫罗的作品与接受

君多尔夫·赫尔茨贝格（Guntolf Herzberg）

谁曾秘密地或者光明正大地读过巴赫罗（Rudolf Bahro）的作品？讨论这个问题之前不妨先了解下巴赫罗本人和他撰写过的作品。

简介：曾于柏林攻读哲学专业，哲学硕士毕业，在奥德布鲁赫和格赖夫斯瓦尔德担任过党报编辑，工会干部，大学生期刊《论坛》副主编，后因刊登沃尔克·博朗（Volker Braun）的戏剧《保罗·鲍赫》而被解聘，之后在一家大型企业做研究员，完成了博士论文，但国家安全部禁止论文答辩，1968 苏联军队入侵镇压“布拉格之春”后巴赫罗以在他看来最秘密的方式撰写了一篇批判现存社会主义的评论，意从根本上对东德进行改革——这就是他后来的代表作《抉择》。

1974年夏该作品第一份手稿版问世，只是内容上还不算完整，当时阅读这批匿名手稿的读者主要是作家和学术工作者。其中包括沃尔克·博朗、斯蒂芬·海姆（Stefan Heym）、海纳·米勒（Heiner Müller）、克里斯塔·沃尔夫（Christa Wolf）、在洪堡大学执教的哲学家沃尔夫冈·海瑟（Wolfgang Heise）、经济学家弗里德里希·贝伦斯（Friedrich Behrens），及担任过《周报》编辑的记者鲁迪·维策尔（Rudi Wetzel）。

后来，位于波茨坦戈尔姆区并伪装成法学高校的国家安全部学院的军官们从侦查总局局长马尔库斯·沃尔夫（Markus Wolf）军官那获悉了巴赫罗这个名字，因为沃尔夫与巴赫罗的前妻贡杜拉（Gundula）有过一次谈话，很快军官们拿到了作品的手稿便开始阅读，以尽快将有关作者及这部作品的信息传送到国家安全部。之后与巴赫罗志趣相投的鲁迪·杜奇克（Rudi Dutschke）阅读了这一作品，他是从他东柏林的朋友那拿到手稿的，他们委托杜奇克帮忙出版这部作品，但没有告知作者，这可能是国家安全部设的一个陷阱。

作品后来传到了作家海涅尔·基普哈特（Heinar Kipphardt）、乌尔里希·普朗茨多夫（Ulrich Plenzdorf）和克劳斯·施莱辛格（Klaus Schlesinger）手上。巴赫罗还把手稿给了瑞士音乐家哈里·戈德施密特（Harry Goldschmidt）和数学家乔斯·海因茨（Joos Heintz），海因茨立刻将手稿带回了他的国家。另外《论坛》编辑部的人员也阅读了这一作品。由于担心留下指纹他们竟带着手套互相传阅！这份手稿后来辗转到了洪堡大学的党组织领导手中，便很快被送到了该去的地方，另一份手稿由巴赫罗交给厄伦施皮格（Eulenspiegel）出版社的一位编辑，名为编辑实为国家安全部特工警察，这份手稿也经历了相同的命运。这部作品在那儿被归入“敌对和反革命的拙劣作品”[①]，有关人士起草了罪证鉴定，以准备给作者扣上教唆反国家和谋反的罪名。

尽管如此，巴赫罗却并不担忧。鉴于沃尔夫冈·海瑟的批评意见他对手稿的第三部分进行了彻底的修改。正是这段时间即1976年底笔者结识了作者，见到了修改中的文稿。我们一起对整个手稿进行了润色，定稿后于1977年9月在西德正式出版。在此之前巴赫罗想过匿名将胶版印刷的样本寄给国内那些可能投身于改革派的人士。一开始计划的是1000本，实际寄出70本。其中大部分样本被收件人立即交给了统一社会党或国家安全部的办公机关，这是1977年8月22日德国《明镜周刊》连载该作品之前的情况。接下来，德国电视一台和德国电视二台相继播出了在他家中录制的采访，柏林美占区的广播电台播出了一段他撰写的自我采访和一份由他自己录音的含有6篇演讲报告的磁带以介绍该书。1977年8月23日巴赫罗被捕，继而引发了公众对他个

---

① 参阅 Herzberg, Guntolf; Seifert, Kurt: *Rodolf Bahro. Glaube an das Veränderbare.* Berlin 2002, S. 239 - 243。

人以及作品的极大兴趣。各大报刊都是关于他的新闻和评论，一时 80000 册图书迅速售罄，长时间占据畅销书榜单，作品第一次产生的反响远远超出了西德范围。

再来看看东德的情况。因为在国家安全部的授命之下要起草罪证鉴定，起带头作用的马克思主义社会学者如法律哲学家赫尔曼·克莱纳尔（Hermann Klenner）（秘密警察代号“Klee”）[①]、国民经济学家哈里·麦耶（Harry Maier）和迪特·克莱因（Dieter Klein）、哲学家沃尔夫冈·艾希霍恩（Wolfgang Eichhorn）和那些唯命是从的经济学院教员以及国际政治经济研究院的研究人员一样，快速翻阅了这部作品。国家安全部总部第九部门调查科的工作人员也详细阅读了这本书，特别是尤阿希姆·格罗特（Joachim Groth）少尉，他是巴赫罗的审讯者，非常狡黠，不久之后他就在国家安全部平步青云。[②]

另外，作为巴赫罗第一阶段某一次政治审讯刑事辩护律师的格雷戈尔·吉西（Gregor Gysi）也仔细读了他的书。后来，踩着阅读许可的边界线，东德最受关注的人物之一赫尔曼·冯·贝尔克在他的领导干部进修班里介绍了这本书，由此进修班里经济界的领军人物也阅读了这一作品。冯·贝尔克从《明镜周刊》的编辑乌尔里希·施瓦尔茨（Ulrich Schwarz）那拿到了三打《抉择》的样书。就这样，在国家计划委员会、各部委、统一社会党中央委员会

---

① 参阅 die sieben Bände seiner IM – Akte BStU，ZA，AIM 17340/89。

② 参阅 das Nachwort zur Taschenbuchausgabe von Herzberg，Guntolf；Seifert Kurt：*Rudolf Bahro – Glaube an das Veränderbare.* Berlin 2005，S. 618f。

的社科院、马列主义研究所以及科学院，这本书被不同程度地秘密传阅。

巴赫罗没有被看成是作家，而被视作了间谍，所以这部作品从未在东德正式出版过，也从未被允许通过媒体宣传，不过以上的传阅量对这样一部作品特别是最初阶段来说已经很可观了。不管怎样这部作品其他秘密读者的存在对东德命运的影响要重要并且持久得多。

图 1　鲁道夫·巴赫罗《抉择》第一版的封面，科隆欧洲出版公司 1977 年版

这本书进入东德的方式充满了创造性和颠覆性。例如，70年代末开始神学学生乌尔里希·米康（Ulrich Mickan）定期从不莱梅往东德运送书籍。由于对救护车的边检没那么严格，所以当时大约240本《抉择》藏在救护车里被成功运到东德，再由布尔克哈德·克莱纳特（Burkhardt Kleinert）和君特·贝格瑙（Gunther Begenau）分发给了柏林、莱比锡、德累斯顿以及其他地方的交流圈子。① 国家安全部的档案中于1981年记载了很多次这类交流圈子的活动，并称他们“往往以反社会主义的文学为基础进行敌对反动的讨论活动，而有关巴赫罗的观点一直都是这些讨论的热点。”②《抉择》在很多地方都是研讨会和书友会交流的内容，我猜测这是因为事实上民权运动者和异见人士对这部作品都有一定的了解。有人将其视为摆脱国家推广的意识形态影响的有力一击，以求得自我解放，是下属阶层摆脱卑躬屈膝的姿态的出路，也是自我启蒙的一步。在我看来，这种地下传播为改变无主见和无方向感的政治意识作出了贡献。不过巴赫罗认为，由他提出的基于共产主义的另一重要抉择没有得到太多认可，对当时的人们来说，一种不受经济诱惑和国家规则影响的全新的生活方式甚是遥远。就这样《抉择》半被理解半遭质疑，它解放了东德读者并使东德读者变得更加勇敢。

巴赫罗曾希望他的这部作品能在社会上层找到读者，这

---

① 参阅 Herzberg, Guntolf; Seifert, Kurt: *Rudolf Bahro – Glaube an das Veränderbare*（以下简称：Bahro）. Berlin 2002, S. 237。

② Walther, Joachim: *Sicherungsbereich Literatur. Schriftsteller und Staatssicherheit in der Deutschen Demokratischen Republik.* Berlin 1996, S. 109f.

一愿望由于赫尔曼·冯·贝尔克的参与而在形式上得以实现。不过难以估摸的是，那些读者是出于兴趣而读，即寻求启蒙、希望打破政党和党内哲学家为社会主义披上的意识形态外表；还是纯粹出于好奇想了解某些不正当的信息。这本书是否实现了巴赫罗著名的言论“东德在思考”，我们只能说希望如此。

接受是一方面，不被接受的原因则是另外一方面。从今天的视角看应该甚是荒谬：一位来自东德的哲学家、统一社会党党员、马克思主义者、共产主义者撰写了一部分析苏联社会主义创世纪历程的作品，书中为十月革命和斯大林主义进行了辩护，讨论了东德经济发展受到抑制的因素，并指出了用纯马克思主义指导工具克服停滞不前的道路，目的不在于损害东德，而是想让东德变得更好，第三部分讨论了基于马克思主义的另一个抉择的设想。这部在西德经传阅讨论的作品在东德却从未在媒体和科学界被公开提起过。当时的审查就是如此缜密如此滴水不漏，比它的孪生兄弟“柏林墙”的防守还要严密。

死一般的沉寂是有着深刻的原因的。首先作品的整个第一部分对党内哲学家来说就是无法接受的：现存社会主义不是马克思和恩格斯科学阐释过的社会主义，而是处在列宁去世前不久预测的一个发展轨道上。法国，这个欧洲文化里一枝独秀的“伟大国度”首先孕育了社会主义的理念和价值观，而第一个进行社会主义革命的国家只可惜是一个“带着半蛮夷文化的半亚洲国家”——出自列宁语录[①]，一个各

---

① 参阅 Bahro，Rudolf：*Die Alternative. Zur Kritik des real existierenden Sozialismus.* Berlin 1990，S. 64。

方面都落后的国家。

俄罗斯的道路是一个贫瘠的战时共产主义，是一个国家资本主义，其经济在内战外战中遭到破坏，并且大部分人口都是没有受过教育的农民。它的社会主义是临时在沙皇帝国——“专制”，在一个官僚无能、缺乏教育、缺乏自由主义的警察国家及一个国家教会上建立起来的。

苏俄一步步的发展阶段可以概括为：专制独裁（斯大林）、警察国家（契卡、苏联国家政治保安部、克格勃），包罗各种符号的国教（列宁主义）。这些被鲁迪·杜奇克[①]和巴赫罗公布于世，也都是德国统一社会党和其理论家们讨论的禁区。

作品的第二部分不仅分析了经济依旧缺乏活力的原因——尽管培养了优秀的专业人员；而且还说出了每个工人都清楚的事实：留给他们的是没有吸引力的那些基本性和协助性的工作，而更有意思的工作都给了受过更好教育和收入更高的人。这样一来如何允诺工人阶级在国家和社会的领导角色？

第三部分的名字就充满挑战性——“基于共产主义的另一个抉择”，这里作者突破马克思描述的自由个体组成的自由社会中经济发展的瓶颈，提出了集体生活的设想以期让资源有限的世界重建生态平衡。

巴赫罗的这部作品本着其原创性理应引起每一位东德

① Dutschke, Rudi: *Versuch, Lenin auf die Füße zu stellen. Über den halbasiatischen und den westeuropäischen Weg zum Sozialismus.* Berlin 1974.

社会学家的兴趣。人们也理应公开或者在内部对此进行讨论和批判，并以此复苏其间已变得毫无生气的社会主义，特别是巴赫罗不是出自任何策略上的原因，而是持有这样一种信念，认为共产党人的集体智慧应该发挥着引导作用。

为什么这样的结果没有出现，其原因有着悠久的传统。在当时的东德，真理和谬误不是科学界决定的，而是社会主义统一党垄断了真理的衡量权，并通过一个中央部门即中央委员会科学部将科学制度化，逼迫那些在1945年后被社会主义化并被培养的科学家去接受这样反科学结构。在东德也就从未有过公平的科学讨论。最糟糕的一个事例源于1956年后对政治解冻的压制，期刊《统一》发表了尤尔根·库钦斯基（Jürgen Kuczynski）一篇稍带批评意味的文章，编辑部就收到了三十多篇声讨文章，相反没有一篇文章为作者辩护。①

这部作品在《明镜周刊》上连载后，巴赫罗就被斯塔西监禁，从而难以证明自身是无辜的，也难以得到真正有法律效力的判决，也就自然而然成为了反对者、敌人和叛徒，当局也由此禁止对此作品进行研究。这就是专制。

1990年6月还属于东德的最高法院宣布巴赫罗无罪并恢复其权利和声誉时，巴赫罗还为自身受到的压制做了辩护并讲道：“昂纳克（我指的不仅是他这个人）是对的。现存

---

① 参阅 Kuczynski，Jürgen：*Meinungsstreit*，*Dogmatismus und* “*liberale Kritik*”。In：Einheit 5/1957，S. 602 -611。

的社会主义，还有我如此为之付出努力的规则秩序，所有这一切都因为我这样的批判而不复存在。通过《抉择》我参与组织了反革命活动。”①

除了在西方国家，这部作品的影响仅限于一部分读者，这些读者知道自己生活在专制中并且愿意去了解这个体系是怎样产生、为什么行不通以及要实现马克思式的“自由王国”需要哪些深入的改革——即使这种解决办法对于作品的接受只起到微乎其微的作用。

1989 年的秋天，这本书似乎变得有些多余而被画上了句号。12 年前阅读这本书并从中受启发的人们如今走上了街头。一切都和巴赫罗所想的不同：发生的不是拥护共产主义的运动而是反对共产主义的运动，站到顶峰的不是共产主义者，而是他们的对手。

尽管如此巴赫罗还是很快迁居东柏林，参加了统一社会党—民主社会党 12 月的特别代表大会，想要继续努力拯救东德的政治体系，当然这里他指的不是政治局或者统一社会党党员培训，而是马克思主义中政治相对于经济的优先权。他看见了全世界经济由于不受控制自由发展所带来的社会和经济问题，希望至少让东德民众能幸免于此。

巴赫罗没能拯救东德。如果《抉择》只是像当时它呈现给读者和阐释者的那样，那么它仅仅是一本政治书籍，只能在政治官僚体系没落时唤醒历史的记忆或者提出一个令人迷惑的问题：我们是否曾在社会主义生活过？然而身在资本

① 参阅 Herzbergö Seifert：*Bahro*，S. 470。

主义市场经济中似乎值得推荐重新去阅读《抉择》，因为当整个世界看上去还秩序井然的时候，这本书就开始质疑世界的进步恰当与否，并探寻了克服经济危机和建立新生活方式的道路。这一问题他在各类讲座、文章、报告和采访中常有提起，直到1997年他生命的最后一刻。[①]

① 最后值得提一下Guntolf最近于2007年编辑出版的作品《Rodulf Bahro. Denker – Reformator – Homo politicus》，分析了巴赫罗后来作为洪堡大学社会经济学家的影响，Guntolf希望该作品除了秘密读者外，还能受到更多其他读者的青睐。

“另辟蹊径的写作之路”

——看罗伯特·哈费曼为在东德传播作品而采取的不同策略

贝尔恩德·弗洛哈特（Bernd Florath）

学界有关鲁道夫·巴赫罗（Rudolf Bahro）的作品在东德的接受还没有进行很深的研究，有关罗伯特·哈费曼（Robert Havemann）的作品同样如此。巴赫罗的作品确实是存在一条接受链，各反对派团体都曾以研究课的形式将此作为讨论主题。哈费曼的作品就没有出现这样的现象，毕竟像时代见证者们说的那样，哈费曼的作品已经得到了相对比较广泛的传播，拥有了一定的读者。但哈费曼还是有两篇早在

60年代的文章后来又再次发表（因为是再次发表，所以不属于萨密兹达），其中一篇是《柏林呼吁》[①]，在和平运动时期1982年初发表后很快得到传播。而几年后（1988年），一些反对派人士首先对和平运动史进行研究，并编辑出版了名为《痕迹》[②] 的小册子，其中又再次发表了这篇文章，并添加进了一段对雷纳·埃佩尔曼（Rainer Eppelmann）的访谈，谈论了撰写这篇文章的初衷。1989年初，由尤尔根·富克斯（Jürgen Fuchs）和罗兰德·雅恩（Roland Jahn）在西柏林编制并偷运至东柏林的塔密兹达[③]杂志《对话》中发表了罗伯特·哈费曼的一些作品。[④] 接下来我要探讨的问题是，罗伯特·哈费曼用什么样的方式将他的作品带到了东德。同时，为了这项有难度又冒风险的工作，哈费曼这些年来采取的各种办法也是一种学习过程的成果展示，我将这个过程称为“另辟蹊径的写作之路”。

1973年，安德烈亚斯·W. 米策（Andreas W. Mytze）早在他的第一期《欧洲思想》杂志中就对哈费曼提出如下

---

① 《柏林呼吁》由雷纳·埃佩尔曼（Rainer Eppelmann）和罗伯特·哈费曼写于1981年底1982年初，要求两德解除武装。文章于1982年初发表，被西德各报纸多次刊登。参阅 Theuer, Werner; Florath, Bernd: *Robert Havemann. Bibliographie*（以下简称：RH – Bibl.）. *Mit unveröffentlichen Texten aus dem Nachlass, herausgegeben von der Robert – Havemann – Gesellschaft.* Berlin 2007, Nr. 920。

② 由 Stephan Bickhardt, Monika Haeger（alias IM Karin Lenz）, Gerd Poppe, Edelbert Richter 和 Hans – Jochen Tschiche 作为 radix – blätter 的期刊在柏林编辑出版。（RH – Bibl., Nr. 932a）。

③ Tamisdat，指来自东欧集团社会主义国家的秘密刊物，在本国撰写后偷运至西方国家印制。

④ 参阅 RH – Bibl., Nr. 933 – 942。

问题："1. 您在东德的工作受到阻碍，一行字都出版不了，为什么还要待在那儿呢？2. 从您的作品中可以看出您是共产主义者，那为什么您还要在西德及其他西方国家的出版集团和出版社出版作品呢？他们是为资本主义利益服务的。"哈费曼并没有提到他的作品在东德绝对禁止出版，也许这一点在当时已经不是什么新鲜事了，他对两个问题的回答是这样的："如果我不是待在这儿在东德的话，就在西德出版不了我想出版的东西了。我在西德无论支持还是批判东德，都会落得一个与我本身不符的名声，但我作为一个在东德生活的东德公民无论支持或批判东德都可以，而且还会产生不小的影响。其中原因也在于，我的大部分作品根本不是为西德出版，而是首先为东德以及社会主义国家出版。在西德也有一些关心政治的人看我在那儿出版的作品，这对我来说虽然很重要，但我更加关心的是有尽可能更多的出版物投放到东德，因为我面向的是这里的读者。这就是德国分裂的优势（除此之外也没有其他任何优势了），在这一边印刷作品，生活在另一边的人们可以阅读作品。这种情况只有在分裂为东西方两个部分的国家才有，比如我在捷克斯洛伐克的朋友就无法享有这种优势。"①

这样哈费曼就触及了东德萨密兹达历来的一个关键问题。东德萨密兹达的情况完全不同于比如波兰和匈牙利的萨

① Havemann, Robert: *Schreiben für die DDR*. In: europäische Ideen 1/1973, S. 24. 参阅 RH – Bibl., Nr. 609, zit. nach Havemann: Berliner Schriften. Herausgegeben von Andreas W. Mytze, München 1977, S. 31 (RH – Bibl., Nr. 748)。

密兹达，除了其他秩序政策的基本影响，决定这两个国家地下刊物特点的还有其他因素。80 年代没有哪个地方还像东德一样，每个印刷所、每台复印设备都要受到缜密的监察。同东德相比，波兰和匈牙利具有地下出版业生存的条件，东德和这两个国家最重要的区别在于各自拥有完全不同的市场条件。在东德没有必要去抄写复制一本不能出版的图书，设法从西德弄到会更方便。在波兰、匈牙利和其他东欧集团国家，萨密兹达必须也要照顾到读者对封锁的国外文化和信息的需求，萨密兹达在这些国家也是为此而存在的，因此能够满足这些需求。为此，翻译国外文化信息是最基本的前提。东德的读者们可以每晚 8 点坐在电视机前来满足日常信息需求，这样至少以获取基本信息的方式重新建立和外界的联系。

1956 年，当时哈费曼还没有成为东德异议人士的首领，而在西德就已经完全被视作统一社会党内部反对派的一部分，这时起东德就开始排挤哈费曼的政治类出版物。到此之前，哈费曼会定期发表一些有关时下政治的文章，对一般性政治问题表明立场，传播自身以及所在统一社会党的观点意见，当时这二者之间至少还不存在明显的分歧。此外，哈费曼这些文章都发表在了绝对有名望的报刊上，比如《每日评论》1954 年新年第一期头条评论文章。① 1950 年至 1955 年期间，哈费曼每年在东德（主要为《新德国》和《每日评论》）以及其他社会主义国家的各种日报上发表 14 篇（1955 年）至 29

---

① Havemann, Robert: *Mit ganzer Kraft, mit heißem Herzen ins neue Jahr*!（RH – Bibl., Nr. 225）. 该篇文章 1953 年已发表在苏联文学报纸《Literaturnaja gazeta》的 12 月 31 日一期（RH – Bibl., Nr. 214）。

(1953年) 篇文章不等，而自1956年起这个数量急剧下降。

1956年发生了什么变化？哈费曼于6月份发表了一篇比较有名的关于学术争论的文章，在当时引起了集中讨论。[1] 同时这篇文章也为他统一社会党政治发言人的角色画上了句号。接下来哈费曼又写了一些文章参与当时的讨论，但1957年的文章就已经显示了哈费曼在政治上的让步态度，为抵抗那些文章在西德产生反响后带来的攻击而进行自我防卫。[2]

但哈费曼批判乌布里希，当然也批判斯大林的观点在西德受到了欢迎并得到传播。由美国新闻署[3]编辑出版的《东部问题》1957年初以《哈费曼，走在前!》为题总结了一些他的论辩。[4] 海因茨·布兰特（Heinz Brandt）[5] 是哈费曼已经逃往西德的朋友，现在哈费曼这位朋友竟开始公然反对他，布兰特在由社民党东德办公室为东德出版的宣传册中匿名发表了一些言论，分析了哈费曼的观点，这些宣传册作为特刊以《统一》为名做掩饰被偷运到东德。[6] 从苏占区的档

① Havemann, Robert: *Meinungsstreit fördert die Wissenschaften* (RH - Bibl., Nr. 278).

② 参阅 Florath, Bernd: *Das lange Jahr 1956. Die Wandlungen des Robert Havemann.* In: Engelmann, Roger; Großbölting, Thomas; Wentker, Hermann (Hg.): *Kommunismus in der Krise. Die Entstalinisierung 1956 und die Folgen.* Göttingen 2007 (Analysen und Dokumente; 32), S. 391 - 406.

③ 属于美国政府机构："通过各种国外媒体宣传美国对外政策，推广美国形象。"——网址：http://dosfan.lib.uic.edu/usia/usiahome/factshe.htm (02.2008)。

④ 参阅 RH - Bibl., Nr. 304。

⑤ 共产主义者，反纳粹，曾任统一社会党干部，后沦为政治犯。——译者注

⑥ Über den dialektischen Materialismus (RH - Bibl., Nr. 1138), Die stalinistische Philosophie der Sowjetzone in der Defensive. Revisionistische Strömungen in der Philosophie (RH - Bibl., Nr. 1139).

案资料中还了解到，作家马克斯 G. 朗格（Max G. Lange）也在1957年1月对哈费曼的文章进行分析阐释，被自家阵营攻击的哈费曼表示不认同朗格的看法，虽然没有撤回自己的观点，但驳回了朗格的错误分析。①

虽然做出了让步，驳回了来自西德方面的批判性声音，但哈费曼必须接受的事实是，自己在统一社会党面前已经失去了信任，很难在东德发表政治作品。但为了避免给外界造成一种印象，就是在沃尔夫冈·哈里希（Wolfgang Harich）被捕之后哈费曼也要遭到处分，洪堡大学党支部领导同党中央学术部达成一致意见，仍然允许哈费曼继续发表作品及演讲。②

1958年哈费曼又发表了一些有关停止核试验问题的文章，同时把该问题与他作为统一社会党首席候选人参选的西柏林国会选举和东德人民议院选举联系到一起。在东德看来政治性并不强的西柏林统一社会党党报《真相》1959年刊登了两篇哈费曼关于自己英格兰之行的报告。③ 1960年、

---

① Lange, Max G.: *Streit um den DIAMAT. Eine ideologische Diskussion über die Stalin - Version des dialektischen Materialismus* (RH - Bibl., Nr. 1142). Havemann, Robert: *Unsere Philosophie und das leben* (RH - Bibl., Nr. 306). 朗格接着对哈费曼的让步做了评论：Die Philosophie des "Revisionismus". Die SED im Kampf mit den marxistischen Philosophen (RH - Bibl., Nr. 1144)。

② 大学党支部领导于1956年12月22日做出的决定。Robert - Havemann - Gesellschaft, Archiv（以下简称：RHG），RH 308。

③ 参阅 Niederstadt, Jenny: "*Erbitten Anweisung!*". *Die West - Berliner SEW und ihre Tageszeitung "Die Wahrheit" auf SED - Kurs.* Berlin 1999 (Schriftenreihe des Landesbeauftragten für die Unterlagen des Staatssicherheitsdienstes der ehemaligen DDR; 9)。

1962 年和 1963 年哈费曼仅发表了几篇并不十分重要的文章，有关签署停止核试验协议的争论，还有一篇文章关于卡尔-马克思大街禁止停车以及大街上的花坛问题。哈费曼最后一篇在东德允许发表的政治性文章是刊登在洪堡大学党支部报纸上的对鲁迪·文茨拉夫（Rudi Wenzlaff）某篇文章的回应，文茨拉夫的这篇文章就已经在探讨哈费曼有名的“哲学问题中的自然科学”系列讲座，这个讲座也是最终导致哈费曼被开除出党的系列讲座。

哈费曼已经不再具有百分之百的政治可靠性，统一社会党当局让他转到自然科学以及由此引出的一般世界观问题的研究领域，哈费曼渐渐又从这些领域转移到了政治领域的重大现实问题。除了一系列有关重要科研结果的专业著作外，哈费曼主要还写了一些科普类文章（比如关于发射人造地球卫星、核辐射的影响以及光合作用）以及讨论自然科学与哲学关系的哲学类文章，将量子力学的哲学视角同他之前已经提出的各种研究问题结合到了一起。这些文章冲击了马列主义教条中关于偶然和必然关系的基本概念，只要这些文章将这种差异本身视为一个研究课题来处理，那么也就引发了一系列政治性争论。①

1962 年在一次由格哈德·哈里希（Gerhard Harig）② 召开的大会上，哈费曼做了一场报告，讲的是普遍奉行的马列

① 参阅 Sachse, Christian: *Die politische Sprengkraft der Physik. Robert Havemann zwischen Naturwissenschaft, Philosophie und Sozialismus 1956 ~ 1962*. Münster 2006（Diktatur und Widerstand; 11）。

② 物理学家、哲学家，曾任东德高校事务部国务秘书。——译者注

主义与自然科学研究之间的关系。在报告总结中，哈费曼首先表明第一个观点，简单地说就是，马列主义思想阻碍了科学研究。第二个观点是，这种标准化的马列主义模式与马克思、恩格斯以及列宁的著述无关。由于哈费曼抛出的这两个攻击性观点，格哈德·哈里希拒绝将他的演讲收入大会录音。面对哈里希对待科研工作这种无疑非常荒谬的态度，哈费曼决定将他的报告复印出来然后寄给了很多人，并对自己这种游击战式的做法这样解释道，关于他在莱比锡的演讲已经存在着众多流言飞语，其中很多传言称他属于东德反对者，哈费曼已经多次表明这一点完全与事实不符，因此只能通过让大家看到演讲原稿来纠正这些错误认识。

很难明确定义哈费曼寄出的文稿是否属于萨密兹达，我不想在此对这个归类性的问题深究，而是继续讲述接下来事态如何发展。哈费曼寄出去的文稿大约有 50 份，此外每个主动向他提出的人也都一一得到了文稿。当然，哈费曼因为这一行为也受到了严厉处分，相关部门经过一场更久的讨论决定将哈费曼开除出洪堡大学党委领导班子。①

除了这种激进式的办法，哈费曼也在试着寻找其他途径将原本禁止出版的著述发表在合法刊物上。哈费曼同样也给诺贝尔奖得主苏联物理学家伊戈尔·塔姆（Igor Tamm）寄过一份演讲文稿，当时由哈费曼参与编辑的科普杂志《科

---

① 参阅 Florath, Bernd: *Vom Zweifel zum Dissens.* In: Müller, Silvia; Florath, Bernd (Hg.): *Die Entlassung. Robert Havemann und die Akademie der Wissenschaften 1965/1966*（以下简称：Die Entlassung）. *Eine Dokumentation.* Berlin 1996 (Schriftenreihe des Robert – Havemann – Archivs; 1)。

学与进步》刊登了一篇塔姆的文章，其中错误地引用了哈费曼的言论，于是他要求杂志附上一份更正说明。[1] 国安部恼火地表示："哈费曼的'办法'得到了蒂洛（Thilo）教授的赞同，就是通过更正印刷错误［……］来让公众关注到他反抗马克思主义哲学的斗争。"[2]

最初由哈费曼的"哲学问题中的自然科学"系列讲座引发的争论也出现了类似的情况。虽然当时东德各种印刷媒体实际上已经不予出版罗伯特·哈费曼的作品，但即使有时也会遇到语言攻击，哈费曼还是能像以前一样全部利用起学术界各种形式下的公众群体。哈费曼几年以前就已经开办的系列讲座到了1963/1964年冬季学期才在全东德范围内引起轰动，不仅是他在莱比锡演讲引起的争论，还有他越来越直言不讳地表达政治见解也对此起到了推动作用。柏林数以百计的大学生涌来听讲座，也有来自东柏林各城区的学生，还有为此特意来到东德的西德听众。讲座内容先被录音然后经人抄写，下一次开课时复印好的讲稿被分发给各个注册的听

---

① 伊戈尔·塔姆在这篇后经翻译发表的文章中间接引用了哈费曼莱比锡演讲中的话（文章名为《Niels Bohr und die moderne Physik. Zum Andenken an den großen Gelehrten》，出自：《科学与进步》，11/1963，pp. 498 - 502），然而这段引用在翻译中出现了一个错误，意思被扭曲："当哲学家们如果看到一些和他们最基本的概念和观念相符（entsprechen）的新发现，也视之为一种莫大的幸运，这个时候我们尽管可以拥护支持著名的德国物理化学家R. 哈费曼（东德）。"哈费曼要求更正印刷错误，在已经印制好的杂志后附上正确的句子，其中"相符"更正为"相悖"（widersprechen）。

② Bericht über das Auftreten von Prof. Havemann und über einige damit zusammenhängende Vorgänge an der Humboldt - Universität, 19. 2. 1964. RHG, RH 298（BStU, MfS, ZAIG 848）, Bl. 9.

众。上百份的讲稿在全国流传，并且在流传的过程中又经抄写复印。在罗伯特·哈费曼协会的档案中可以找到各种形式的复制版本，有一字不差的复印版，还有重抄版，讲座内容通过这些方式得到了广泛的传播。同时 1964 年 2 月起，部分讲座内容就已经由一些西德广播电台播出，最先播出的是北德广播电台，接着从 3 月起，1964 年 3 月 11 日哈费曼被开除出统一社会党几天后，美占区广播电台也播出了讲座内容。[①] 该电台的意义非同一般，因为和其他西德广播电台不同，美占区广播电台在其覆盖范围内主要面向的是东德听众。

图 1　罗伯特·哈费曼 1964 年 1 月 10 日在柏林洪堡大学的最后一场讲座；沃尔夫·比尔曼（Wolf Biermann）是听众之一（右）

① 参阅 RH - Bibl.，Nr. 465，466，469 - 479。

唯一导致哈费曼被开除党籍并无限期免去教授职务的是一篇在西德发表的文章，而哈费曼的确并非有意为之。有位西德记者是讲座的热心听众，1964 年 2 月统一社会党中央委员会全体大会召开后有传言称哈费曼的讲座遭到禁止，哈费曼向这位记者解释道这一传言没有事实依据，称讲座完全正常地进行到最后，并且他还打算下学期继续开办，为此他第二天还要去找高等教育和专业教育副国务秘书赫尔曼·切尔西希（Hermann Tschersich）谈这个问题。第二天，《汉堡回声报》未经当事人许可以访谈的形式刊登了这次谈话内容，标题为“我们德国人事无巨细”。文章内容毫无疑问是和谐的，并且符合哈费曼的文风，表达了他的想法。只是这篇文章不是出自媒体访谈，而是一次私人谈话。然而仅仅是这篇文章的发表就足以导致有关当局不顾劳动法的所有规定，也不顾统一社会党党章，转天就做出决定无限期免去哈费曼的教授职务并开除党籍。

罗伯特·哈费曼犯了一个严重的禁忌。在一战之前，社会主义民主制度下就有一条毫无争辩的党员规定，不能在民间媒体上批判政党。哈费曼的做法违反了规定因而受到了严惩。

哈费曼对突如其来的情况变化感到吃惊，显然他在受到严重攻击的几个星期之后，对这些严惩措施没有心理准备。哈费曼试着挽回损失，但还是保留自己的观点。如果要让统一社会党当局改变决定，调整改变观点是最起码的前提条件。也许政治局委员库特·哈格（Kurt Hager）或者总书记乌布里希（Ulbricht）决定将这么久以来一直为统一社会党起到知识分子掩护作用的哈费曼过一段时间之后再重新召回党组织。然而哈费曼当时完全可以选择服从党组织的安排，并且可以不再采用公开的方式而是选择内部处理。但具体事宜他不关心不过问，所有争端都拿到公开层面解决。

之后哈费曼有意识地选择另一条途径，就是通过西德来与东德沟通，打进东德公众这片将他隔离在外、受到当局审查又封闭的领域。他首先给在柏林的直属于统一社会党的迪茨（Dietz）出版社提供了讲座文稿，[①] 就像他曾经写到的那样，用一篇经他批准的文章来与出版社各种未经审查的出版物对抗。不出所料，哈费曼遭到了迪茨出版社的拒绝，[②] 于是他让罗沃尔特（Rowohlt）出版社来印刷出版，在此之前哈费曼已经将修改过的文稿交给了罗沃尔特出版社。[③] 讲座文稿被纳入一套平装袖珍书系列“rororo aktuell”并以《非教条式辩证法?》为名出版了。[④] 哈费曼也希望出一本小书，

① 到了1980年时，哈费曼在让西德出版社出版讲座文稿之前，还将这些文稿寄给了东德一些出版社和编辑部，希望能够予以出版。《新德国》编辑部1980年8月17日就收到了罗伯特·哈费曼寄来的反对新一轮军备竞赛的文章《Vom kurzen Krieg und vom Ende des dreißigjährigen Friedens》；9月20号《法兰克福评论报》才刊登了这篇文章。参阅BStU，MfS，AOP 26321/91，Bd. 3，Bl. 114。

② 参阅 Robert Havemann an Kurt Hager，4. 6. 1964. Ders an die ZPKK，20. 5. 1864；an das Büro für Urheberrechte，23. Und 26. 6. 1964，RHG，RH 19，Bd. 60. Korrespondenz Havemanns mit dem Dietz Verlag und dem Rowohlt Verlag，RHG，RH 9，Bd. 30 A. Aktenvermerk der MfS – Hauptabteilung XX/AG 1，4. 5. 1964，RHG，RH 65（BStU，AOP 5469/89，Bd. 5），Bl. 4f。

③ 哈费曼青年时结交的朋友Ernst Piper为此感到非常遗憾，Piper本来很愿意出版这些文稿，而且根据他们40年代时签的一份协议，哈费曼还应再交给他一份书稿。

④ RH – Bibl.，Nr. 456.

价位合理并且同样方便携带，也就是便于偷带，并且还根据合同得到了足够多的样书，之后将这些样书再带回东德。

1965年哈费曼又将一篇重要文章首先提供给了一家东德出版社：赫尔曼（阿克森斯）·克纳普［Hermann（Axens）Knappe］，就是哈拉尔德·韦塞尔（Harald Wessel），在《论坛》周报上将哈费曼50年代的斯大林主义旧文章汇编到一起，拿这份毫无创造性可言的汇编与哈费曼的讲座文稿对峙，并且添加了各种尖酸刻薄的评论，于是哈费曼试着批判性地讲述自己的过往经历，以此作为一份反击声明发表在同样的地方。被乌布里希任命为党中央政治局青年委员会主席的《论坛》总编库特·托尔巴（Kurt Turba）甚至想将这份反击声明视作"国际修正主义链的最薄弱环节"收录进来，[①] 乌布里希不同意。是托尔巴由于对该篇文章《是的，我不对》的政治效力不成熟地做出错误估计而提出这一建议，还是这是他的一条诡计被乌布里希看穿，答案无从得知。

文章最后发表在了汉堡的《时代周报》上，接下来的几年又被多次刊登。[②] 哈费曼是一个为数不多的例子，由曾经的斯大林体制先驱者变为批判家，将个人过往经历作为批判的对象。在1956年以后的共产主义修正主义者当中，无论是科拉科夫斯基（Kołakowski）[③] 还是卢卡奇

① Kurt Turba an Walter Ulbricht, 3. 2. 1965. BArch, SAPMO, SED, DY 30, IV 2/11/v. 4920, Bl. 80.

② Havemann, Robert: "Ja, ich hatte Unrecht!" (RH - Bibl., Nr. 492).

③ 波兰哲学家。——译者注

(Lukács)[1] 都没有过这种自我批判模式。数年之后，哈费曼的朋友阿诺斯特·科尔曼（Arnošt Kolman）才也同样严肃认真地反思自己的生活历程。[2]

从那以后，在西德发表作品不再仅仅是哈费曼与东德沟通的主要途径，而且成了唯一途径。东德媒体中还在进行着有关哈费曼的争论。这毕竟是一种反应形式，这种反应无论以多么虚假多么扭曲的形式存在，始终都能让读者感知到哈费曼的存在。

1966 年 2 月，统一社会党中央委员会秘书处在第 11 次全体大会后做出决定，不仅不允许哈费曼［还有沃尔夫·比尔曼（Wolf Biermann）、斯蒂芬·海姆（Stefan Heym）和曼弗雷德·比勒（Manfred Bieler）］今后再出版作品，同时关于哈费曼的争论还要继续进行下去，并且遵照指示“同时尽可能不提及哈费曼的名字”。[3] 比勒流亡到了捷克（1968 年又从捷克逃到西德）。海姆试着做出让步，断绝和哈费曼的联系，到了 70 年代初又开始在东德发表他的新作品。[4]

---

① 匈牙利哲学家。——译者注

② Kolman，Arnošt：*Die verirrte Generation. So hätten wir nicht leben sollen. Eine Autobiographie.* Überarb. U. erw. Aufl.，Frankfurt a. M. 1982.

③ Protokoll Nr. 18/66 der Sitzung des Sekretariats des ZK，23. 2. 1966. In：Müller；Florath（Hg.）：*Die Entlassung*，S. 254.

④ 其中最重要的几篇为“Lassalle”、“Der König David Bericht”和“Die Schmähschrift oder Königin gegen Defoe”，当然也是比较旧的文章，从共产主义视角探讨历史和异议分子的问题。参阅 Hutchinson，Peter；Zachau，Reinhard K.（Hg.）：*Stefan Heym. Socialist*，*Dissidenter*，*Jew – Sozialist*，*Dissident*，*Jude.* Oxford u. a. 2003（Britische und irische Studien zur deutschen Sprache und Literatur；32）。

哈费曼直接并有意为在西德发表而写的第一篇文章导致了他第二次遭到开除。[1] 这篇文章的题材明显涉及西德政治，哈费曼在文中探讨了西德重建德国共产党的问题，然而他将这些看法与“1956 年以后如何在纲领上和在组织上构建一个共产主义政党”这一问题联系到了一起。如何构建呢，指导思想是反斯大林主义，也就是民主主义。哈费曼通过要求西德撤销对德国共产党的取缔并重建德国共产党，强烈批判了斯大林式的党派作风，批判了过去的共产主义政治。

1965 年秋，《明镜周刊》请哈费曼来写这篇文章，于是哈费曼给库特·哈格写了一封信：“我不想仅仅凭借自己的想法撰写这篇文章。[……] 我想，你们有必要在这件事情上对我表示支持，并一次性忽略所有的观点分歧。”[2] 哈格没有回复这封信。哈费曼还是找来了斯蒂芬·海姆、维尔纳·乔佩（Werner Tzschoppe），汉斯·博尔（Hans Bunge）和沃尔夫·比尔曼一起商量，听取他们的意见，他所有的朋友圈子和一起奋斗的战友圈子都参与了文稿的讨论。文章于 12 月初刊登在《明镜周刊》上，就在第 11 次全体大会的最后一天首次正式发表，这令党中央政治局非常吃惊，立即做出再次无限期开除哈费曼的决定，这次开除出了东德科学院。[3]

---

① 参阅 Müller; Florath: *Entlassung*, Dok. 18 – 29, S. 126 – 142。

② Robert Havemann an Kurt Hager, 4. 11. 1965. In: Müller; Florath: *Entlassung*, Dok. 18 – 29, S. 109.

③ 参阅 Müller; Florath: *Entlassung*, Dok. 18 – 29, Dok. 19, S. 127.

接下来的几年，哈费曼在努力发表并推广著作的同时，也和各出版社商定好，图书要合理定价，价位不能太高。哈费曼青年时代结交的朋友恩斯特·皮珀（Ernst Piper）1970年出版了他的回忆录，第二年罗沃尔特出版社推出了价位合理、便于携带和掩藏的平装袖珍版。[1] 此外哈费曼为了照顾到所有对这本书感兴趣的人，还要求出版社给他提供大量样书。哈费曼只字不提他是如何得到这些书的，像政治家哈特穆特·耶科尔（Hartmut Jäckel），还有一些外交官和记者参与了运送工作。哈费曼自己将这些书提供给了所有感兴趣的读者。

然而哈费曼也知道这种借助西方媒体与东德沟通的方式有着潜在的风险，有些言论由于误解会在东德并且尤其在社会主义批判家中间引起强烈不满，他也完全愿意去冒这种风险。哈费曼在西方媒体发表作品的同时，也必须要为西方传媒市场服务。仅仅令东德读者感兴趣的文章在西方很快就会失去因风格迥异而获得的特别待遇。一位瑞典记者采访哈费曼的文章刊登在了报纸上，文章不长，[2] 其中哈费曼有一句

---

① Havemann, Robert: *Fragen Antworten Fragen. Aus der Biographie eines deutschen Marxisten. München 1970 und Reinbek 1972*（RHG – Bibl. Nr. 558, 592）.

② Dirk Sager 于 1972 年 1 月 30 日在德国电视二台的一档评论节目中谈到了一处观点分歧："哈费曼认为未来属于社会主义。但我们最近看到了不一样的观点。《图片报》称：这位东德物理学家谴责柏林潘科区，人们什么也不再相信了。为了引起读者注意，第二页又以粗体字重复了一遍：这里的人们什么也不再相信了，但必须像希特勒时期那样保持着希望。正如一些西德人愿意听到的那样，东德体制无异于纳粹统治。是哈费曼改变了看法，还是《图片报》传达了错误的信息?" RH 174（BStU，AU 145/90. Bd. 3），Bl. 417。

话经这位记者错误地简要概述为“现在［必须］像希特勒时期那样保持这份勇气”,[1] 这句谣传导致了哈费曼最亲密的朋友沃尔夫·比尔曼和他反目成仇达几个月之久。[2] 事实上在哈费曼和记者的对话中没有出现这句话。比尔曼很恼火，要求哈费曼立刻做出修正，并这样描述了间接沟通方式的难处：“这段访谈出自一次对话，瑞典记者当时简短地做了笔记，在他的能力范围内并按照他的想法来理解罗伯特·哈费曼讲的德语内容。从笔记中加工出的瑞典语文章现在又回译成了西德德语。”[3] 如果在此顺着比尔曼的解释继续往下说，那么如果在东德重新发表哈费曼的著述，由于第三者的多次改写而导致的物质损失是不能忽略的，这种形式上的变异也要考虑在内。70 年代初的时候，哈费曼没有对此过多关注，接下来的几年里他对自己著述的回译检查得越来越严。

哈费曼知道，为在东德传播推广他的文章，仅通过各个西德报纸是不够的。虽然有不少党员干部能读到这些文章，但这些文章不能成为人们探讨的对象，因为能够通过官方接触各种敌对媒体的人士不允许交流各自的读书成果。即使他们可能有一种非语言表达出来的类似的不满感受，他们获取

① “Man måste behålla sitt mod nu, liksom man behöll det under Hitlertiden.” 哈费曼接受瑞典《Expressen》晚报采访（RH – Bibl.，Nr. 597）. In：RH – Bibl.，S. 365. 参阅 die tatsächliche，dem Journalisten gegebene Antwort Havemann. In：同上，S. 354。

② 参阅 Havemann Katja；Widmann，Joachim：*Robert Havemann oder Wie die DDR sich erledigte*. Berlin 2003，S. 63f。

③ Havemanns Interview. In：Die Zeit，28. 1. 1972.

的信息和对事物的理解也是不全面的。

所以哈费曼更倾向于电台访谈的形式，也越来越多地采取电视节目访谈的形式。这两种媒体可以让东德的听众和观众获取未曾接受过审查的信息。因此哈费曼通过西德朋友[①]的成功支持，同时利用起各种媒介把他最后两本书带到了读者面前：电视节目里报道了他的著作《一位德国共产主义家》，电台播出了由哈费曼朗读作品长达几个小时的录音。即使东德的读者看不到这本书，也能通过这种方式了解书的内容。

然而，与所有在东德可以接收到的西德广播相比，包含众多广播节目和新闻报道的多样性媒体和通过邮寄进口来的政治刊物所处的位置是一样的：远远落在了广告和娱乐信息的后面，《Otto》商品目录的后面，《踢球者》和《Bravo》杂志的后面。

罗伯特·哈费曼为了让他最后的著作《柏林呼吁》得到重视，甚至在去世前几天还让人将沃尔夫·比尔曼最后一次探望他的情形拍了照片，这次会面成了媒体报道中的大事件。[②] 同时，这也是被统一社会党变为没落人士的异议分子间接通过西德媒体亲自带到他的同胞自家家园的最后一条信息——同时，这也是一位无疑即将逝去的人发出的呼喊，不要屈服于统一社会党对媒体和言论的垄断。

---

① 主要有 Hartmut Jäckel，Manfred Wilke，Lucio Lombardo Radice，到了西德后还得到了 Jürgen Fuchs 的帮助。

② 参阅 den Bericht Wolf Biermanns. In：*Robert Havemann – Ein Bürger und Wissenschaftler in Deutschland.* 柏林勃兰登堡科学院为纪念罗伯特·哈费曼去世 25 周年举办的展览。Offener Kanal Berlin，2. 4. 2007。

无审查

——看波兰萨密兹达中的德语文学

马雷克・哈耶奇（Marek Rajch）

波兰的非法和秘密出版业有着悠久而丰富的传统。早在19世纪被瓜分之时该国就已有各种包含爱国、历史和政治内容的出版物。第二次世界大战期间众多政治和军事反抗组织纷纷散发自己的报纸、小册子和传单，由此在波兰仅以反抗为导向的出版业达到了空前的发展规模。这期间共计出版了2000多种报纸和杂志、1500多种图书和小册子以及数千份各式各样的传单。其中许多二战以后还得以继续出版并到1953年成为了波兰各个反对苏联统治地位组织的新闻机构。①

① Paczkowsik, Andrzej: *Trochęhistorii.* In: Bibuła. Wolne słowo w Polsce 1976 ~ 1980. Rzeczpospolita 6/2003（副刊）。

1956 年以后也就是所谓的政治解冻期开始后，非法新闻界不再是传播抗议信息和内容的最重要渠道。这一时期如果不想再被垄断的国家信息蒙蔽可以收听由美国支持的从慕尼黑播送出的无线电台“自由欧洲”（Wolna Europa）。另外还可以阅读从西方阵营走私进来的外国文学和刊物及那些离开波兰的国人在那边出版的作品。波兰虽然是东方阵营中对现存政治体系反对声最明确最强烈的国家之一，但当时国内还未形成不受国家控制的组织良好的出版业。其间在苏联广泛传播的萨密兹达（秘密出版物），即借助机械印制复印本的方式在波兰是被大家熟知的，只是未能像在苏联一样被那么广泛应用。

1976 年波兰人民共和国独立出版业的发展遇到了决定性的转折点。6 月政府实施的新食品价格过高，造成华沙和拉多姆工人的激烈抗议。这一抗议被残暴镇压，不少罢工参与者被逮捕判决。1976 年秋反对派的知识分子成立了“保护工人委员会”以支持被迫害的工人。随后很快诞生了许多政治和社会目的基本相同的新地下组织，如“保卫人权和工人权利运动”。

众多地下组织的出现即是波兰独立出版业的诞生之际。各类政治组织不仅散发自己的传单，而且在一定周期内发行自己的报纸和期刊以介绍他们的纲领，当然周期有长有短。于是不久波兰就形成了一个组织及配备良好的出版业，即所谓的“第二流通渠道”，那里汇集了所有的政治和世界观的理念和方向。独立出版业为政治纲领的形成提供了另一个信息来源和交流平台，作为组织者这是波兰政治反对派做过的最重要的行动之一。地下期刊里会发表各种各样人们激烈深入讨论的话题。那些质疑现存政治体系、批判波兰社会主义经济状况和执政党领导方法的出版物也有着非凡的意义。另外发表较多的还有历史类文章，因为它们填补了这里几十年来读者面临的知识空缺。[①] 1976 年秋“保护工人委员会”出版了第一批期刊。紧接着“保护人权和工人权利运动”和其他组织出版发行了报纸。这些期刊在或长或短的周期内出版，只是名称经常改变。

独立出版业为作家们打通了新渠道，以前未通过审查的作品也可以呈现给公众了。作家们往往首先和现存的政治地下期刊合作，而后再成立自己的文学和文化期刊，如《Zapis》——这大概是最有名的杂志了，还有《Puls》和《Kultura Niezależna》。同时众多出版非定期小册子和书籍的出版社也相继出现。秘密读者们终于有了机会去了解历史政治著作及波兰和外国作家的纯文学（作品）。

独立出版社 NOWA（Niezależna Oficyna Wydawnica）是最著名的地下出版社之一，几年内它就向图书市场输送了近 100 种出版物。70 年代后半期地下出版社出版了波兰作家塔伏乌什·孔维茨基（Tadeusz Konwicki）、朱利安·斯特里科夫斯基（Julian Stryjkowski）和耶日·安杰耶夫斯基（Jerzy Andrzejewski）的作品。非法出版社还出版了捷克作家博胡米尔·赫拉巴尔（Bohumil Hrabals）的《过于喧嚣的孤单》

① 参阅 Paczkowski, Andrzej: *Pól wieku dziejów Polski.* Warszawa 2005, S. 292。

(1978)、英国作家乔治·奥威尔（George Orwell）的《动物庄园》(1984）和德国作家君特·格拉斯（Günter Grass）的《铁皮鼓》(1978）的波兰语译本，这几部作品之前都没通过官方出版社的审查。①

出版物大多与波兰相关，但有关其他欧洲国家的文学、文化、历史和当代的主题也很受欢迎。耶杰·康吉奥拉(Jerzy Kandziola)、吉塔·佘曼因斯卡（Zyta Szymańska）和克勒斯特纳·托卡依芙纳（Krzstryna Tokarzówna）曾编辑出版了一个厚达1000多页的目录，其中记载了各类与出版相关的信息，主要涵盖文学、出版业、文学组织和戏剧。这无疑给研究1976年到1989/1990年期间外国文学在波兰“第二流通渠道”的接受提供了很好的资料。② 目录中共181页记载了54个国家的纯文学出版物。从数据来看非法出版业最为青睐的是俄语文学（66页)，其次是捷克文学（27页)，排在之后的是德国、英国和爱尔兰文学（各13页)，再就是美国和法国文学（各10页)，匈牙利文学（6页)，犹太文学（4页）和斯洛伐克文学（2页)。奥地利和瑞士的纯文学（各1页）受到的关注较小。

独立期刊和出版社刊登及出版的德语文学文章类型多种多样：长篇小说、短篇小说和诗歌的译文、作品选段、对新

① 参阅 Paczkowski, Andrzej: *Pól wieku dziejów Polski.* Warszawa 2005, S. 292 - 293.

② Kandziola, Jerzy; Szymańska, Zyta; Tokarzówna, Krystyna: *Bez cenzury 1979 ~ 1989. Literatura, ruch wydayniczy, teatr*（以下简称：Bez cenzury). Bibliografia. Warszawa 1999。

出版物的简述或评价、书评、已由波兰官方出版社出版的译文（往往是某些作家的生平简介抑或对近期或当下发生的文学、文化或文化政治事件的报告）、外国期刊及波兰流亡期刊节选。另外采访和谈话在期刊中也成为一种广泛而受欢迎的出版形式，大多是对波兰流亡期刊或外国期刊的翻印。如法国的《新观察家》(*Le Nouvel Observateur*)[①] 和《快报》(*L' Express*) 中的对君特·格拉斯的采访后来就在波兰被翻印。不久出现了波兰作家专门为“第二流通渠道”所作的作品。80年代波兰人有了自己与德国作家的访谈。如波兰作家亚当·扎加耶夫斯基（Adam Zagajewski）受杂志《Zapis》所托采访了格拉斯，格但斯克（Gdańsk）的杂志《Solidarność》[②] 和《Przegląd Politycyny》[③] 也采访了这位德国作家。对波兰读者来说与君特·格拉斯或海因里希·伯尔(Heinrich Böll) 的访谈有着非常重要的意义，因为这些访谈传递了一个信息，那就是他们与非社会主义世界还保持着联系和对话。

波兰的秘密读者阅读内容涉及两德作家和古典德国作家。不过关于德国文学和作家的出版物大多涉及的还是东德，特别受关注的是那些持批评意见的作家。各种短述、简介、评论和各类型的文章将作家沃尔夫·比尔曼（Wolf Biermann)、伊蕾娜·波墨（Irene Böhme)、尤尔根·富克斯（Jürgen Fuchs)、齐格弗里德·海因里希斯（Siegfried

---

① Le Nouvel Observateur 12. 9. 1977.

② Solidarność 20/1981.

③ Przegląd Politycyny 3/1984.

Heinrichs)、斯蒂芬·海姆（Stefan Heym)、莱纳·孔策（Reiner Kunze）和汉斯·尤阿希姆·沙德里希（Hans Joachim Schädlich）带到了读者面前，并让他们了解到了这些作家是被政府驱逐离境还是自己离开了东德。[①]

对波兰读者来说最重要的不是这些作家的文学作品，而是这个社会主义邻国的文化政策及东德艺术家和知识分子的处境。1979 年东德作家协会部分作家在西德出版作品而被开除事件被大篇幅报道。[②] 1981 年《Obóz》发出消息称数位东德作家接到禁令不允许接受国外媒体采访。[③] 1985 年、1987 年《Tu. Teraz》和《Obóz》分别发表了一篇关于东德独立出版业的文章。[④] 两年后《Obserwator Wielkopolski》报道了 1987 年 11 月第十届柏林东德作家大会。1986 年《Podpunkt》中一篇名为“Inni Niemcy，Rozmowa z Ewą i Volkerem”（“不一样的德国人：与伊娃和沃尔克的对话”）的采访中杂志编辑与来自东德的年轻作家探讨了创作独立文学作品的可能性和非可能性及首次出版的机会。[⑤]

在西德居住过并在非法出版社发表过作品的作家有霍斯

---

① Anonym：*Heretycy na banicję*（《异教徒的逃亡》）. In：Biuletyn Informaczjny. Przegląd Prasy Zagranicznej 5 - 6/1977， S. 11 - 12. *Anonym*：*Pisarze na dłuższy czas poza krajem*（《长期在国外的作家》）. In：Biuletyn Informacyjny. Przegląd Prasy Zagranicznej 7/1978， S. 6 - 7.

② 相关信息见《Puls》7/1979/1980。

③ Obóz 1/1981， S. 73.

④ Tu. Teraz 和 Obóz 刊登了 5 月 8 日至 6 月 29 日在科隆市图书馆举行的展览会的目录册内的一部分内容《秘密出版物：东欧和苏联的独立文学》。

⑤ Kandzioła；Szymańska；Tokarzówna：*Bez cenzury*， S. 772.

特·毕涅克（Horst Bienek）、克里斯蒂娜·布鲁克纳（Christine Brückner）、汉斯·马格努斯·恩岑思贝格（Hans Magnus Enzensberger）、尼克拉斯·弗兰克（Niklas Frank）、恩斯特·荣格尔（Ernst Jünger）、克里斯蒂安·格拉夫·冯·克洛科夫（Christian Graf von Krockow）、戈洛·曼（Golo Mann）、赫尔塔·米勒（Herta Müller）、克劳斯·施德穆勒（Klaus Stämmler）、君特·瓦尔拉夫（Günter Wallraff）和彼得-保罗·萨尔（Peter-Paul Zahl）。这里没有提到托马斯·曼（Thoman Mann）和他的儿子克劳斯·曼（Klaus Mann）是因为两人二战以后既没有在东德也没有在西德生活过。如前文所提，波兰"第二流通渠道"里的报纸最关注的要数君特·格拉斯和海因里希·伯尔，主要探讨过的主题有：两位作家的文学在波兰和苏联的接受度，《铁皮鼓》70年代在波兰被禁止出版及该作品在官方出版社即国家出版机构PIW（Państwowy Instytut Wydawniczy）出版时审查机构对作品的介入。很多杂志都刊登了对这两位作家的采访、有关格拉斯与其夫人被禁止进入波兰共和国的消息以及他们在政治方面活动的详细报道。[①]

期刊的编辑们极其重视发布两德文学发展的最新情况。由此他们刊登书评、作品分析、概述、对最新文化政治事件的报道及国内国外举行的大大小小的会议内容。如《Zapis》的9/1979号发表了波雷斯瓦夫·法茨（Bolesław Fac）1978年在第八届卡舒布-波莫瑞文学大会上的一篇关于君特·格

① Kandzioła; Szymańska; Tokarzówna: *Bez cenzury*, S. 773, 777-778.

拉斯的报告。1986 年《Arka》刊登了大会“流亡和驱逐文学”上的一份研讨内容。

70 年代末 80 年代初瑞沙德·克里尼基（Ryszard Krynicki）和布赫尔茨（B. Bucholc）翻译了汉斯·马格努斯·恩岑思贝格的诗歌和其他出版物并得以出版。杂志《Puls》则刊登了恩岑思贝格 1978 年 10 月在联合国教科文组织和国际作家协会于巴塞罗那联合举办的大会上作的一篇报告，报告中他讨论了文学的意义和对文学的支持。[①]

引起较大关注的还有克劳斯·曼和戈洛·曼两兄弟的两篇短文。《Europa》和《Podpunkt》这两份期刊分别于 1987 和 1988 年刊登了克劳斯·曼的《欧洲灵魂的寻家路》。《Krytyka》1988 年发表了戈洛·曼的《Opium intelektualistów》（《给知识分子的鸦片》）。[②]

十八、十九世纪的德国古典作家及哲学和政治代表人物相对较少出现在秘密出版物中，其中包括：费尔迪南德·弗莱利格拉特（Ferdinand Freiligrath）、约翰·沃尔夫冈·冯·歌德（Johann Wolfgang von Goethe）、卡尔·路德维希·冯·哈勒（Karl Ludwig von Haller）、克里斯蒂安·弗里德里希·黑贝尔（Christian Friedrich Hebbel）、格奥尔格·威廉·弗里德里希·黑格尔（Georg Wilhelm Friedrich Hegel）、威廉·克莱姆（Wilhelm Klemm）、乔治·克里斯托夫·利希滕贝格（Georg Christoph Lichtenberg）、弗里德里希·尼采

① 参阅 Kandzioła; Szymańska; Tokarzówna: *Bez cenzury*, S. 775。
② 参阅 Kandzioła; Szymańska; Tokarzówna: *Bez cenzury*, S. 781。

(Friedrich Nietzsche) 和亚瑟·叔本华 (Arthur Schopenhauer)。非法出版业一般不会出版这些作家的整部作品，也很少出版作品中的选段，而多数是引用他们的名言箴言。80年代早期出版了尼采的5个作品，这些是利奥波德·施达夫(Leopold Staff) 和斯坦尼斯瓦夫·伍吉科夫斯基 (Stanisław Wyrzykowski) 在20世纪初翻译的译本再版。[①] 杂志《Krytyka》1988年翻译并刊登了弗里茨·斯特恩 (Fritz Stern) 在《纽约书评》发表的一篇关于弗莱利格拉特的文章，作者称弗莱利格拉特是位革命诗人并列举了1848年革命到1953年东德工人抗议历史中的类似人物。[②]

篇幅较大的德国纯文学作品译文或以片段的形式刊登在期刊中或以整本书单独出版。1979年君特·格拉斯的《铁皮鼓》在华沙最著名的秘密出版社NOWA出版之际轰动一时。与《但泽三部曲》中的第二部不一样，《铁皮鼓》没能在官方出版社出版。[③] 由于反响强烈NOWA同年就印刷了第二版。该部小说的第一个官方版本是1983出版社PIW出版的由斯瓦沃米尔·波娃乌特 (Sławomir Błaut) 翻译的译本。[④] 1981年、1986年和1988年几个出版社纷纷出版了格

① 参阅 Kandzioła; Szymańska; Tokarzówna: Bez cenzury, S. 781。

② 参阅 Kandzioła; Szymańska; Tokarzówna: Bez cenzury, S. 776。

③ 《猫和鼠》的波兰语译本1963年在最重要的国家出版社之一Czytelnik出版(译者为Irena Naganowska和Egon Naganowski)。《但泽三部曲》的第三部《狗年月》直到1990年才在Wydawnictwo Morskie出版社出版(译者为Sławomir Błaut)。

④ Grass, Guenter: *Blaszany bębenek. Nachwort von Roman Bratnuy.* Warszawa 1983.

拉斯的《比目鱼》之第九章，取名为《Aż do wymiotów》。[①] 1995 年波娃乌特翻译的《比目鱼》全书在波兰出版。[②]

瑞沙德·克里尼基为传播德国诗歌作出了巨大的贡献。他翻译并整理出版了贝尔托·布莱希特（Bertolt Brecht）的诗歌：第一册于 1979 年由波森的 Witrynka Literatów i Krytyków 出版社出版，第二册于 1980 年由华沙的 NOWA 出版社出版。1979 年至 1987 年期间杂志《Robotnik》《Naprzeciw》《Solidarność》《Solidarność Wielkopolski》《Bez debitu (Poznań)》《Tu. Teraz》《Promieniści》和《Koncept》纷纷刊登了他翻译的布莱希特的作品。[③] 另外 1987 年 NOWA 出版社出版了克里尼基选编及翻译的莱纳·孔策的诗歌，书名为《Nokturn i inne wiersze》（《夜曲及其他诗歌》)，共 3 册收录诗歌 60 首，另含孔策注释和编者后记。[④] 弗罗茨瓦夫大学的秘密大学生组织独立大学生团体 NZS（Niezależne Zrzeszenie Studentów）的出版社 1988 年出版了孔策的散文集《美好的岁月》（*Cudowne lata*），由弗罗茨瓦夫的日耳曼语言学家马雷克·希布拉（Marek Zybura）（笔名 Henryk Niżański）翻译并作评论，随书印有孔策的照片和生平简介。1984 年到 1988 年期间杂志《Obecność》《Brulion》《Obser-

---

① 见 Połczyńska, Edyta; Załubska, Cecylia: *Bibliografia przekładów z literatury niemieckiej na język polski 1800 – 1900*. Tom III: 1945 – 1990（以下简称：Bibliografia przekładów）. Poznań 1999, S. 92. Kandzioła; Szymańska; Tokarzówna: *Bez cenzury*, S. 776.

② Grass, Günter: *Turbot. Nachwort von Maria Janion*. Polnord – Oskar, Gdańsk 1995.

③ Kandzioła; Szymańska; Tokarzówna: *Bez cenzury*, S. 773 – 775.

④ Kandzioła; Szymańska; Tokarzówna: *Bez cenzury*, S. 779.

wator Wielkopolski》《Biuletyn Dolnośląski》《Kontur》《Oświata Niezależna》《Wybór》和《Impuls》也分别刊登过孔策的诗歌和短片散文。

1984年波兰战时状态结束后一年，华沙的两个出版社即Oficyna WE和NOWA出版了霍斯特·毕涅克的小说《细胞》。NOWA在1985年又出版了尤尔根·富克斯的《审讯记录》。富克斯的诗歌和短篇散文在期刊《Bez debitu》《Obecność》和《Veto》中也发表过，主要都是克里尼基翻译的译本。[①] 此外出版的作品还有沃尔夫·比尔曼的歌集、伊蕾娜·伯默的《那边》的一个选段、齐格弗里德·海因里希斯回忆录中的选段、恩斯特·荣格尔的第一部《巴黎日记》中的选段、威尔海姆·克莱姆的一些诗歌、克里斯蒂安·格拉夫·冯·克洛科夫的《女人们的时间》的一个选段、赫尔塔·米勒的诗歌和格哈德·茨韦伦茨（Gerhard Zwerenz）的散文选段。编者往往还会附上作者的生平简介。由此波兰的读者对两德的文学发展和那些作家有了初始了解。

奥地利和瑞士德语文学与德国文学相比获得的反响要小得多。只有1971年出版的弗里德里希·迪伦马特（Friedrich Dürrenmatt）的短篇小说《坠落》（*Upadek*）在波兰引起过轰动：文章形式紧凑，讲述了国务委员会主席的下台，这一主题在当时世界文学内是无法比拟的，其中对苏联的影射一目了然。1979年至1989年期间由斯坦尼斯瓦夫·

① Kandzioła; Szymańska; Tokarzówna: *Bez cenzury*, S. 776.

安德鲁·欧夫席安科（Stanisław Andrzej Owsianko）翻译的这部作品的译文共以 15 个不同的图书版本出版，其中部分是插图版。[①]

非法出版业出版的奥地利文学中的代表有赫尔曼·布罗赫（Hermann Broch）、埃利亚斯·卡内蒂（Elias Canetti）、弗朗茨·卡夫卡（Franz Kafka）、雷纳·玛利亚·里尔克（Rainer Maria Rilke）、约瑟夫·罗特（Joseph Roth）、亚瑟·施尼茨勒（Arthur Schnitzler）、格奥尔格·特拉克尔（Georg Trakl）和斯蒂芬·茨威格（Stefan Zweig）。阿图尔·施尼茨勒的关于真理和谎言的怪诞作品《绿鹦鹉》1981 年在华沙的克拉格（Krąg）出版社以图书形式出版，译者为约翰·米切克（Jan Miciak）。期刊《Czas Kultury》《Arka》和《Impuls》于 80 年代后半期出版了保罗·策兰（Paul Celan）和格奥尔格·特拉克尔的诗歌，译者是瑞沙德·克里尼基和彼得·维克多·劳尔科夫斯基（Piotr Wiktor Lorkowski）。杂志《Skorpion》《Arka》《Puls》《Eutopa》《Nurt》《Głas》和《Zapis》纷纷刊登过对埃利亚斯·卡内蒂、保罗·策兰、弗朗茨·卡夫卡、雷纳·玛利亚·里尔克和约瑟夫·罗特文学创作的注释和评析。[②]

由于篇幅有限，还有许多 1976 ~ 1989 年在波兰独立出版业出版的德语文学没有在本文中被兼顾到，但是德语文学

---

① 这里指的是对 1976 年 Kniznice Konfontace Helvetia 出版社出版的译本的再版。《Upadek》在华沙、布雷斯劳、克拉科夫、波森、格但斯克的多家出版社出版过。

② Kandzioła; Szymańska; Tokarzówna: *Bez cenzury*, S. 707 – 708.

被秘密接受的趋势和方向还是很清晰的。被出版的文章首先是那些直接或间接批评政权以及质疑波兰和其他社会主义国家政治秩序的文章。不管是德语作家的纯文学还是新闻类作品，抑或是关于德语作家的文章都促进了秘密读者带着批判的态度去思考。翻译作品多样化的主题和形式，加上优秀的文学翻译和自己与外界的访谈，让读者体会到了一种感觉，就是尽管边境紧闭、出国不易，他们还是和全世界的公众保持着联系。

“他们那么多自由刊物令我们自愧不如”

——看80年代东德萨密兹达中的波兰

安德里亚·格内斯特（Andrea Genest）

萨密兹达（Samisdat）是独立编辑、印刷、发行，避开审查的地下出版物，有小册子、报纸杂志、图书和录音带的形式，是共产主义国家反对派活动的重要组成部分。对比东欧和东中欧的萨密兹达可以看出，70年代末以来波兰独立出版物的发展有着特别的不同之处，其影响力已越过国界辐射到邻国。

波兰反对派从事的政治、社会以及文化方面的活动曾经遭到当局严密的跟踪调查，而当时东德还不具备反对派从事各种活动的条件。波兰 80 年代的政治事件影响了政治反对派的活动，比如波兰团结工会运动，以及 1981 年 12 月实施的战争法，同时，在柏林和莱比锡的波兰信息中心成为了重要地点，那里可以买到各种爵士唱片和波兰艺术海报。波兰独立编辑印制的书刊以及相关的各种活动，比如在私人住宅里举办的讨论会、朗诵会、戏剧和音乐演出以及电影和广播节目等，成了人们生活的一部分，表达出了一代人的心声。① 波兰反对派多样化的活动内容以及富于想象力的实践激励着东德的志同道合者，为东德反对派从事政治和社会反抗运动树立了典范。80 年代中期以来东德才出现定期出版的萨密兹达刊物，其中有两个组织经常被提到，一个是“自由与和平”组织，以反对强制服兵役为宗旨并为此在欧洲寻找合作伙伴，另一个组织被称为“橙色抉择”，推崇无政府主义，80 年代末通过街头戏剧的艺术形式以及制造大规模事件来讽刺性地批判共产主义僵化的清规戒律。

波兰是东德公民在 70 年代唯一完全无限制出入的国家，这里与东德比起来能“更加自由地呼吸”，因此受到东德人的欢迎，但专业研究波兰或者还学习波兰语的人数很有限。一些东德反对派人士在波兰读过大学，像后来成了萨密兹达刊物《radix - blätter》编者之一的路德维希·梅尔霍恩（Ludwig Mehlhorn），以及负责编辑地下杂志《两难选择》的沃尔夫冈·滕普林（Wolfgang Templin）。还有“波兰神学

① 参阅 Hamersky，Heidrun（Hg.）：*Gegenansichten. Fotographien zur politischen und kulturellen Opposition in Osteuropa 1956 ~ 1989*. Berlin 2005。

院”是东德反对派存在时间最长的从事德波关系研究的机构之一，由君特·萨尔兴（Günter Särchen）在马格德堡天主教教会的背景下推动创建，1985 年起更名为“安娜—莫拉斯卡（Anna – Morawska）神学院”。

出生在工农社会国家的东德新一代年轻人强烈要求亲自贴近了解与国家宣传明显不同的真正的德国历史面貌，因此从 60 年代起不断出现自行组织的波兰邻国之行。来到波兰的德国人大多是东德人，在那里直面感受了德国占领波兰留下的种种痕迹。《两难选择》第三期刊登了一次波兰之行的报告：“我们作为德国游客对波兰人如此的热情好客感到吃惊；由于德国 1939 ~ 1945 年在波兰的所作所为，我们几乎不敢说德语，后来证明我们的担心是没有必要的。［……］只有提到有针对性的问题时，才会勾起不愉快的回忆。”①

在亲自了解刚刚过去的东德历史的时候，总会有一种对国家政府不信任的感触。《教会与人权论坛》报道了在莱比锡举办的德国袭击波兰 50 周年的活动上，国安部和警察暴力干涉“朝圣之旅”。② 150 人被拖走穿过整个莱比锡城，毫无反抗之力。萨密兹达杂志《联络》对此在报道中写道：“政府媒体简明扼要地回答称‘被拖走的主要是上下班途中

① Björn（Gerd Poppe）：*Reiseimpressionen aus Polen oder eine Lektion Zivilcourage*（以下简称：Reiseimpressionen）. In：Grenzfall 3/1986，Berlin，S. 1 – 2，hier S. 2。

② Pilgerweg der Betroffenheit in Leipzig. In：Forum für Kirche und Menschenrechte 1/16. 9. 1989，S. 8 – 9.

的汽车司机'。"[1]

谈论纳粹罪行以及德国占领波兰的文章总是在这二者之间游离不定，一方面是追求和解的愿望，另一方面是已经确信造成了无可挽回的损失。《radix - blätter》曾经刊登了电影《掩盖真相》的部分脚本内容，其中以图画的方式表现了这种两难困境：一名受伤的德国军官被安排住在政府里的一个波兰家庭，这是个有文化教养、知书达理的家庭。德国军官想用普通市民消磨时间的方式度过他的康复期，然而他喋喋不休地谈论文学、艺术和音乐遭到父亲和女儿的沉默相待。在离开之前，他又固执地试了最后一次，为了看到家庭成员对他善意的无理要求做以回应，除了从这个家庭借来看的书，他还想把多余的唱片录音带一起留下——这是一场所有人都面临的战争。父亲表示拒绝。接着德国军官从一本书中拿出一张折叠了的非法传单，让继续保持沉默的女儿做出选择——给他回话或者两个人都被送至盖世太保。[2]

从对东德萨密兹达工作者的采访中可以看出，1980 年波兰团结工会的成立令人产生了一股巨大动力和好奇心，有被采访者讲道："一天，我和父亲听着广播，屏住了呼吸，我心里激动不安：邻国出了些事情，那儿的人并没有长期束缚于游戏规则，敢于为自己着想。不知道为什么，我支持他

---

① Sasse, Gottfried: *50 Jahre danach...* In: Kontakte, September 1989, Leipzig, S. 2 - 3, hier S. 2.

② Olszewski, Olaf: *Verdunklung. Ein Filmszenarium.* In: Oder. Literatur Texte (radix - blätter; 4)（以下简称：Oder. Literatur Texte). Berlin 1987, S. 40 - 45。

们——就是因为发生了一些事情。”[①] 然而波兰和东德之间的自由通道在 1981 年战争法实行之后又遭到东德重新封锁。[②] 70 年代边境上的自由往来已成为历史，接下来 80 年代的东德人已经经历不到。[③] 1987 年路德维希·梅尔霍恩论证指出东德社会不仅缺乏对波兰的关注——而且正因如此，东德人心目中又讽刺般地对波兰形成了新的偏见，这是“冷漠、无知以及缺少投入的结果”。同时，东德社会更加专注于自身，对波兰人在柏林亚历山大广场把本来就供应不足的消费品很快一抢而空的现象嗤之以鼻。这样德波对话必然会被搁置。还有，当局没有将社会主义兄弟国家间的差距作为重要议题提上日程，也没有像梅尔霍恩表述的那样“通过双方会面实现一种社会性学习”，而是两个政权之间的对抗以及导致东德出现这种抢购现象的“经济社会落差”将两个社会分裂开来。

如何实现这一对话，《两难选择》中的几篇文章以及《radix - blätter》中对此都给出了实际建议，这些建议的共同

---

① Jankowski，Martin：*Deutsch.* In：Oder. Literarische Texte，S. 65 - 66，hier S. 65.

② Olschowsky，Burkhard：*Einvernehmen und Konflikt. Das Verhältnis zwischen der DDR und der Volksrepublik Polen 1980 ~ 1989.* Osnabrück 2005，S. 55.

③ 参阅 *Polen，Deutsche und das “Haus Europa” . Brief des Anna - Morawska - Seminars der Aktion Sühnezeichen an die ökumenische Versammlung*（以下简称：Polen，Deutsche und das “Haus Europa”）．In：Aufrisse zwei. Über das Nein hinaus（radix - blätter；9）．Berlin 1988，S. 35 - 38，hier S. 36. Mehlhorn，Ludwig：*Wir brauchen ein dialogförderndes Klima：Europa und der Dialog zwischen Deutschen und Polen*（以下简称：Wir brauchen ein dialogförderndes Klima）．In：Aufrisse（radix - blätter；5）．Berlin 1987，S. 56 - 61，hier S. 56。

之处是要求东德自己创造机会，一方面必须要有合适的行动框架——这是对国家和社会机构提出的一个要求——，另一方面也要采取主动——这是对读者本身的一种期望。所以《两难选择》在一篇有关波兰政治形势的报道结尾呼吁大家动身前往波兰，亲自看看这个邻国："有强势的合法反对派存在，国家最终还能存活吗？无论如何，即使德波边界未能完全自由开放，波兰之行的意义也绝对不仅仅限于一场旅行的意义。"①

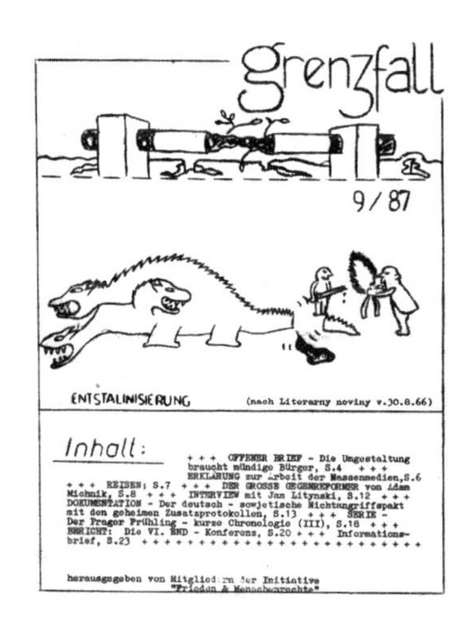

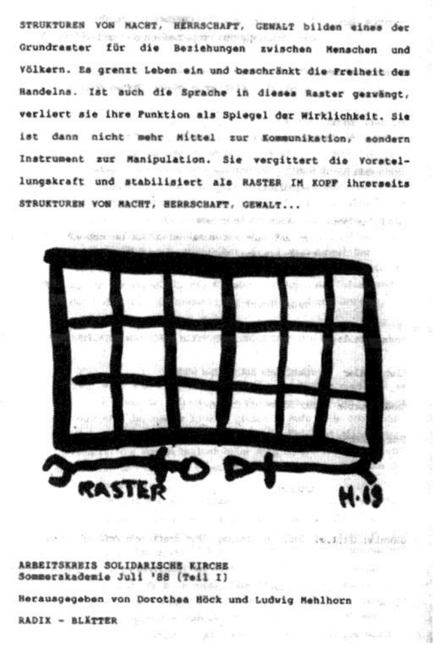

图 1 《两难选择》1987 年 9 月刊与《radix - blätter》1988 年 7 月刊

波兰问题在东德被罩上了一层由政府挑选特别人士组织会晤而强行塑成的民族友谊。同这种僵化的教条式做法进行斗争成了最迫切的要求，就像东德反对派人士米歇尔·巴尔

① Polen nach der Amnestie. In: Grenzfall 2/1986, Berlin, S. 8 - 9, hier S. 9.

托谢克（Michael Bartoszek）在《radix - blätter》中说的那样："一些我们本以为不断被揭开面纱的事实却消失了，所以在这个时候想对波兰以及我们同这个国家之间的关系说点儿什么很难。"[①] 国家和政党有意识地操控同波兰之间的联系是为审查而服务，然而反对派从另一个层面阐述道：互相缺乏认识了解不在于没有联系，而在于缺少能够独自建立联系的条件。[②] 与政党使用的措辞不同，反对派在这里与在很多其他问题上一样，使用的都是国家式的措辞。当然，这种对话并不是指交换党章，而是互相沟通交流。《奥德河》的前言中对此写道："人民团结不可空谈，而需要沟通。"[③]

君特·萨尔兴和路德维希·梅尔霍恩1988年以安娜—莫拉斯卡神学院的名义在给东德世界大会[④]的一封公开信中再次表述了这一要求："世界大会应该呼吁政府为民众出行提供更多便利。必须保证个人、各团体以及牧区之间任何时候都能互通往来。除了教会领导层之间的接触，也必须保证各教会团体和牧区之间能够便捷顺利地进行会面及合作 。"[⑤]

80年代中期以来，东德的萨密兹达杂志基本上开始定期出版，印数达100份甚至更多。在对欧洲其他国家的报道

---

① Bartoszek，Michael：*Die einfache Nähe oder Warum schreiben deutsche Dichter über Polen*?（以下简称：Die einfache Nähe）In：Oder. Literarische Texte，S. 26 - 39，hier S. 27。

② Mehlhorn：*Wir brauchen ein dialogförderndes Klima*，S. 57.

③ Bartoszek，Michael；Mehlhorn，Ludwig；Zeller，Joachim：*Auf dem Weg über die Oder*（以下简称：Auf dem Weg über die Oder）. In：Oder. Literarische Texte，S. 3。

④ 为世界正义、和平以及保护世界为宗旨在东德召开的大会。——译者注

⑤ Polen，Deutsche und das "Haus Europa"，S. 37.

中——这里主要指波兰——原有的各种问题被置于一种共同的也就是国际性背景下讨论，比如说对戈尔巴乔夫改革的不同评价，从波兰的角度看待政治流亡对反对派政治局势的影响，或者关于代替服兵役的争论等。跨越国界的合作通常都是通过个人之间的接触实现的，并且必须限定于有选择性和指向性的文字。东德萨密兹达在对波兰的报道中无须向读者提及透过西德媒体已经可以了解到的政治大环境，而是首先关注那些经国家审查而不予报道的消息，以及在西德媒体中不能很好地被接受的题材。

东德萨密兹达杂志关于波兰的报道内容主要涉及两国共同走过的历史、被中断的德波对话以及波兰反对派公众。《radix – blätter》第四期名为《奥德河：文学作品》，集中以波兰及德波两国为主题，编辑米歇尔·巴尔托谢克、路德维希·梅尔霍恩和尤阿西姆·蔡勒（Joachim Zeller）这样说道："我们在文学领域寻找德波两国实现对话沟通的证明。我们没有找到，但会从各个方面为之努力。"[①]

可以说，米歇尔·巴尔托谢克笔下的有关波兰的德语文学概述也是在寻找这样的证明。巴尔托谢克描述了上百年来德国通过哪些文学渠道与邻国波兰建立对话，也提到了奥斯维辛集中营，证明了1945年后德国文学与波兰文学之间的紧密联系。[②]

致力于东欧与东中欧之间交流的《东十字》杂志1989年1月版刊登了一篇对马雷克·埃德尔曼（Marek Edel-

---

① Bartoszek；Mehlhorn；Zeller：*Auf dem Weg über die Oder*，S. 3.

② 参阅：Bartoszek：*Die einfache Nähe*。

mann）的访谈，访谈出自由《战斗着的团结》编辑出版的波兰杂志《时代》。从来没有被视作英雄人物的马雷克·埃德尔曼作为指挥官参与了二战时期波兰的两次起义，也是起义的幸存者，他说道："大家认为开枪是最具英雄气概的。我们当时也确实开了枪。"① 在这篇翻译成德语的访谈中，埃德尔曼打破了所有对波兰人和犹太人英雄气概的颂赞："到底能否称之为起义？当我们遇到攻击时，我们要做的是从屠刀下逃生。我们要做的是选择死亡的方式。"②

东德一份独立杂志借此刊登了一篇文章，论证了波兰反对派公众内部也存在着多种多样有争议的观点。波兰反对派的一个重要目标是以自我观点反对现行的历史观，并填补现存的各种"空白点"，而该篇文章证明了这些观点在反对派之外也得到了讨论。

1987年以来定期就会出现有关"自由与和平"组织活动的报道，该组织的宗旨反对强制服兵役也在东德各政治组织中得到广泛讨论。③ 1980年以来波兰法律规定可以以服民役的方式代替服兵役，然而国家却阻挠该项规定的实施。④

① "Red keinen Quatsch, mein Kind …" Ein Gespräch mit Marek Edelmann. In: Ostkreuz. Politik – Geschichte – Kultur. Januar 1989, S. 20 – 32, hier S. 21.

② "Red keinen Quatsch, mein Kind …" Ein Gespräch mit Marek Edelmann. In: Ostkreuz. Politik – Geschichte – Kultur. Januar 1989, S. 20 – 32, hier S. 21.

③ 参阅 Zur Arbeit von Freiheit und Frieden in Polen. In: Grenzfall 4/1987, Berlin, S. 6. Umweltschützer festgenommen. In: Grenzfall 5/1987, Berlin, S. 11。

④ 参阅 Zivildienst für Verweigerer. In: Grenzfall 2/1987, Berlin, S. 10 – 11。

《环境报》对此这样报道，波兰大约只有60%服民役的申请得到批准，服民役者的报酬降到最低，并且通常被分配到离家很远的地方，也就很难得到家人关心支持，很多人被劝不要选择服民役就是一个证明。[①] 总在东德萨密兹达中被提及的“自由与和平”组织几乎根本无法直接与外界建立对话：“由于出行受到限制，波兰与东欧邻国，与匈牙利、捷克以及东德之间的联系只剩下为共同呼吁发起的签名活动，有实质内容的对话至今都没出现过，1981 年以来至少与该组织成员会面的东德人都没有过。”[②]

《两难选择》报道过“自由与和平”组织于 1987 年 5 月 7 日至 9 日在华沙举办国际和平讨论会，讨论如何促进欧洲和平以及东西欧和平运动之间的关系。[③] 来自东德和平组织的代表想参与讨论会却被拒绝入境，所以试着间接以书面形式转达观点参与讨论。[④]

东德萨密兹达的作者们在研究自认为熟悉的题材时，有时也会听到某些意想不到的言论，比如《环境报》关于“自由与和平”组织的一篇报道中就写到该组织对德国问题的看法：“如果两德统一，只不过是一个解除武装中立的国家在欧洲独立站稳了脚跟，即便这样他们还是惧怕两德统

① 参阅 Problems des Zivildienstes in Polen. In：Grenzfall 5/1987，Berlin，S. 40。

② N.：*Die polnische Friedensbewegung*（以下简称：Die polnische Friedensbewegung）. In：Umweltblätter，1.9.1987，Berlin，S. 17。

③ Internationales Friedensseminar in Waschau. In：Grenzfall 5/1987，Berlin，S. 10 – 11.

④ Waschauer Erklärung. In：Grenzfall 6/1987，Berlin，S. 17.

一。这个东德和平组织至今几乎从未考虑过的问题，将在与波兰基层政治工作组织的对话中，也肯定会在与其他东欧邻国的对话中扮演重要角色。”[①]

读东德萨密兹达总能读到对波兰独立出版业一句接一句几乎如痴如醉的描述，比如有人曾经这样写道：“他们那么多自由刊物令我们自愧不如。多年从事地下工作的各个印刷所有非常棒的出版物，在众多巨著中一部独立的波兰史诞生了，各作家的作品自由印制，60 多种报纸在波兰各地出版，自十月份以来‘自由与和平’组织开始出版了自己的刊物。”[②]

波兰的各种出版物不仅形式更加多样化，这种为政治服务的独立出版业本身也是政治反对派合法行动的范例。编辑们尽可能利用波兰的审查法中允许的自由式措辞，他们公开坦率的行为方式获得成功也赋予了他们这样做的权利。《两难选择》1987 年报道了《radix - blätter》中就已提到过的《公共事务》[③] 杂志得到了官方印刷许可。路德维希·梅尔霍恩认为，这本杂志在社会、文化及政治领域之间架起了一座桥梁，促进了各领域之间的沟通理解。这样一本杂志在东德始终没有出现过。[④]

在把目光聚焦到东德涉及波兰的萨密兹达刊物时首先要

---

① Die polnische Friedensbewegung, S. 17.

② Björn (Gerd Poppe): *Reiseimpressionen*, S. 1.

③ 曾经是地下杂志的后来成为合法杂志. In: Grenzfall 5/1987, Berlin, S. 11.

④ Mehlhorn, Ludwig: *Start einer Zeitschrift*: *Res Publica*. In: Oder. Literarische Texte, S. 104 - 107.

明确一点，东德政治界首先是倾向于西方的。波兰作为邻国共同分担了一段痛苦的历史，过去是现在也是，然而波兰并非仅仅因此而引起我们的关注，波兰的反对派公众能为东德自身的政治活动及各种论辩起到推动作用，这种作用方式很少见于西德媒介。对于反对派公众的形成和发展，波兰这个国家扮演了更重要的角色。

萨密兹达—文学—现代性

——东欧萨密兹达与东德独立刊物

克劳斯·米歇尔（Klaus Michael）博士

东德的萨密兹达

在柏林墙倒塌以后的20年里，各界对东德非官方刊物以及由私人出版社编辑出版的文学类画册、艺术家手制书及报纸杂志的评价依然有争议，有人认为这标志着一种独立而纯正的对立文化，有人称其为“后来追上的现代派”，还有人将其视为国家权力的模拟产物。还有80年代中期以来出现了各政治团体编辑出版的关于基层政治工作组织与公民维权组织[1]的杂志以及信息手册，虽然从当代史以及理论史的角度评判这两大类杂志的标准有着根本区别，然而矛盾的是，二者至今无论在类型上还是在题材上都与苏联及其他东欧邻国的萨密兹达刊物有着密切的联系。

毋庸置疑，东德东部邻国的文学类和政治类萨密兹达在欧洲文化与文学史上留下了成功的一页，萨密兹达也为1989年后东欧新民主建立的神话传奇增添了一道色彩。多种多样的萨密兹达刊物不仅促进了苏联、波兰和捷克现代文学的发展，也为反对派独立政治运动的产生以及铁幕的落幕起到了重要作用。除了亚历山大·金斯堡（Alexander Ginsburg）、伊日·格鲁沙（Ji ří Gruša）、瓦茨拉夫·哈维尔（Vάclav Havel）、瑞沙德·克里尼基（Ryszard Krynicki）和亚历山大·索尔仁尼琴（Alexander Solschenizyn）这些作家外，还有很多其他作家在萨密兹达刊物中扮演着重要角色。

如何区分东德与东欧国家及苏联的萨密兹达刊物？东欧萨密兹达刊物在1989年后一步步被写入各个国家的文化史与文学史，成为国家与民族自我认同的一个重要因素，而如果不考虑例外情况，东德以及现在的全德文学界没有出现过类似的现象，[2] 而是重复了一个过程，可以称为中断了的或者说没有完成的艺术创立过程，这种过程将自然主义、象征主义或者表现主义这些艺术流派作为次要流派或对立流派，

① Kowalczuk，Ilko - Sascha（Hg.）：*Freiheit und Öffentlichkeit. Politischer Samisdat in der DDR 1985～1989*. Berlin，2002.

② Wolfgang Emmerich 是一个特例：*Kleine Literaturgeschichte der DDR*. Erw. Neuausgabe. Leipzig 1996。

丰富了德国多次断裂的文化史。

对此存在着四点决定性原因：首先东德非官方刊物没有统一的文风标准。它们不是延续托尔斯泰（Tolstois）或者陀思妥耶夫斯基（Dostojewskis）史诗风格的异议刊物，也不是姆罗策克（Mro ȧek）、哈维尔或者埃斯特哈齐（Esterhazy）荒诞派戏剧的延续，也不是塔迪尔兹·凯恩特（Tadeusz Kantor）在安托南·阿尔托（Antonin Artaud）“残暴戏剧”的基础上创作的“死亡戏剧”。编者的计划与文章作者的意图并不相同，各篇文章之间也不相同，所以无法形成统一的风格。如果存在一定的区别于其他刊物的典型文风特点，那么必然会有助于其在德国学界长期占据一席之地。东西两德紧密连接在一个共同的语言空间和公众空间下，这种特殊形势决定了东德非官方杂志包含的文学与艺术始终是全德文学界公众的一部分，也就成为了全德艺术界的一部分。这样东德私人出版的杂志就具有一种与俄国、波兰和捷克的萨密兹达完全不同的作用。这些杂志必须从一开始就参与到整个德国差异巨大的文化背景当中，这一点与属于同一类文化背景的东欧社会完全不同。作为杂志，像自然主义或者表现主义的杂志，首先必须具有创新性和激进性。它们是一种自我理解和艺术交流的媒介，因此对于艺术团体以及新美学流派的教育具有重要作用，这样也就打开了一扇自由空间，在这种空间下可以进行各种艺术及文学实验，试验各种不同的方式方法，以及进行一种所谓的合法性测试。文艺类杂志对于编者及其他参与者来说充当了前期公众的角色，这里能够保持并实现的东西，也能在西德文学界公众经受住考验。

这一要求基本上适用于每一本东德杂志，无论是官方还是非官方出版的杂志。

1989年后这类文学杂志失去了独立地位：1979～1989年出现的30多种文学杂志没有一本到了1990年以后还能继续出版，能够坚持下来的只有几本从一开始就专门面向图书收藏家出版的图文杂志[①]，而且成本较高。相反，在捷克和波兰，80年代期间从各种非官方杂志中渐渐成立了一系列重要的出版社，具有代表性的是1988年由波兰任萨密兹达作家及翻译家多年的瑞沙德·克里尼基成立并且至今还在领导的a5出版社，该出版社位于波兰克拉科夫，出版过诺贝尔文学奖获得者女作家辛维斯拉瓦·辛波斯卡（Wislawa Szymborska）的作品。即使是1989年以后从各种杂志中新成立的小型出版公司，像加尔雷夫（Galrev）出版社和康泰斯特（Kontext）出版社也不再做杂志这样的刊物。

另一方面，从政治角度评价东欧萨密兹达的标准被一一对应地视为对东德各种现象的描述，因此至今读者们都没有对东德非官方杂志、图文杂志以及艺术家手制书做到正确的理解。非官方刊物直到今天大都被放在当代政治关系背景下，并且基本上只当做政治言论来理解。在柏林墙倒塌后的20年里，各大学的艺术和文学研究学者始终没有把萨密兹达刊物列入其研究对象，而将这一研究任务指向了东欧与东

① 比如由Uwe Warnke1983年以来编辑出版的《非此即彼》（柏林），或者由Maximilian Barck1989年以来编辑出版的《心脏病突发》（柏林），此外值得一提的还有Thomas Günther（柏林）以及德累斯顿奥博格拉本印刷所编辑出版的图文杂志。

德各研究所及学院。因此，萨密兹达刊物通常只放在政治学、社会学以及当代史学的框架下研究也就不足为奇。东德非官方杂志从未被列入文学或艺术史学的研究对象，因此也就在90年代早期的文学大辩论中一同分担了所有东德文学的命运。这类杂志无论其宗旨是什么，都和官方杂志一样，产生的影响和所受到的评价都发生了变化。此外，编者们还应该思考这样一些问题，为什么非官方杂志里出现了秘密传播信息的现象，[①] 为什么东德地下杂志中没有走出瓦茨拉夫·哈维尔这样的作家。

各东欧邻国的文学界在1989年后受到了反对派作家、遭排斥的或流亡作家回归浪潮的影响，也受到新修订的文学规则的影响，整个德国文学界对此都投来了羡慕的眼光。然而德国文学界1990年后开始出现一种完全不同又毫不逊色的发展趋势，作家们并没有继承沃尔夫·比尔曼（Wolf Biermann）或者尤尔根·富克斯（Jürgen Fuchs）对当权者所持的批判态度，也没有延续对立文化作家的模式，比如弗兰克－沃尔夫·马蒂斯（Frank – Wolf Matthies）、伯特·帕彭富斯（Bert Papenfuß）或者卢茨·拉特诺（Lutz Rathenow），而是受到了相比之下名气不大的作家影响，如莱因哈德·伊尔格尔（Reinhard Jirgl）、卢茨·塞勒（Lutz Seiler）、杜拉斯·格仁拜因（Durs Grünbein）或者托马斯·布鲁西克（Thomas Brussig），同时还有自1989年以来致力于

---

① Michael, Klaus: *Samisdat – Literatur in der DDR und der Einfluß der Staatssicherheit.* In: Deutschland Archiv 11/1993, S. 1255 – 1266.

报告文学的埃里希·略斯特（Erich Loest）。

不同的时间，相同的萨密兹达

一般认为萨密兹达刊物以苏联异议作家亚历山大·金斯堡1960年在列宁格勒编辑出版的诗歌杂志《句法》为开端。[①] 其中金斯堡提到了苏联诗人尼科莱·格拉兹科夫（Nikolai Glazkow）40年代就在自己的作品上标明“samsebjaizdat”，意思为“自行编辑出版”。苏联和东欧萨密兹达的特征体现在文字内容、政治诉求以及拥护支持公民权利这三方面的统一，而且到今天依然保持着这种典型特征。并非作者们最初就树立了这样的宗旨，而是1966年达到顶峰的文字狱将作者和编者这样的文人变成了罪犯，所有这些同样也在萨密兹达中得到了记录。[②] 这样就形成了一种模式，用特殊的方式将政治诉求、道德无暇与艺术革新联系在一起。

不同的是，东德类似的萨密兹达刊物产生的时间比苏联晚了20年，比各东欧国家晚了10年。当然，像沃尔夫·比尔曼、莱纳·孔策、尤尔根·富克斯或者雷纳·基尔施（Rainer Kirsch）这些作家不能出版的作品，也总有文稿和复印本在流传。但问题是，这些刊物是否能够算作萨密兹达。还有1968年的布拉格之春失败后人手散发的各种传单虽然含有沃尔夫·比尔曼的歌词，但这些传单既没有固定的编者也并

---

① Hirt, Günter, Wonders, Sascha (Hg.): *Präprintium. Moskauer Bücher aus dem Samizdat*. Bremen 1998, S. 24f.

② Forschungsstelle Osteuropa: *Samizdat. Alternative Kultur in Zentral und Osteuropa: Der 60er bis 80er Jahre*. Bremen 2000.

非系列刊物，因此现在看来也不能代表萨密兹达的开始。此外也没有任何标准指出如何评判某种刊物是否具有独立的文体风格。严格地说，东德1979年才开始出现一系列非官方杂志[①]，有迪特·科斯切克（Dieter Kerschek）、洛塔尔·菲克斯（Lothar Feix）和格尔德·阿德洛夫（Gerd Adloff）编辑的文集《信鸽》，有托马斯·波墨（Thomas Böhme）的《灯笼人》，还有乌韦·科尔贝（Uwe Kolbe）编辑的《米卡多》杂志的前身《裸身的皇帝》[②]。此外还有拉尔夫·克巴赫（Ralf Kerbach）、科妮莉亚·施莱默（Cornelia Schleime）和萨沙·安德森（Sascha Anderson）编辑出版的抒情诗和艺术家杂志《题 诗 册》，1979～1984年共出版了20期。[③]

这些杂志以20世纪初德国表现主义、行为主义或达达主义艺术觉醒运动的各种画册和杂志为基础，其宗旨、中心思想以及模式从根本上区别于东欧国家的萨密兹达杂志。东欧的萨密兹达是紧紧和异议分子联系在一起的，各种杂志和以打字稿的形式流传的文稿其存在本身就是另一种文化的证明，显示出国家势力范围受到了限制。同时东欧萨密兹达也

---

① Henkel, Jens; Russ, Sabine: *DDR 1980～1989. Künstlerbücher und originalgrafische Zeitschriften im Eigenverlag.* Bibliografie. Gifkendorf 1991.

② Kolbe, Uwe; Trolle, Lothar; Wagner, Bernd (Hg.): *Mikado oder der Kaiser ist nackt. Selbstverlegte Literatur in der DDR*（以下简称：Mikado）. Darmstadt 1988。

③ 这些杂志有：Schäkel, Ilona: *Sudelblatt und Edelfeder. Über den Wandel der Öffentlichkeit am Beispiel der offiziell und inoffiziell publizierten künstlerisch-literarischen Zeitschriften aus der DDR (1979～1989).* Berlin 2003, S. 276f. Michael, Klaus; Wohlfahrt, Thomas (Hg.): *Vogel oder Käfig sein. Kunst und Literatur aus unabhängigen Zeitschriften der DDR 1979～1989.* Berlin 1992。

是一种信号，一种标志，一种号召，呼吁人们进行文化反抗和政治反抗，至少在早年时期反映出一种个人化的行动要求。因此萨密兹达始终是一个个人态度和自我主张的问题，要求读者作出具体的回馈，通常是指尽可能短时间内抄写、复印、传递读过的文字并且发出更多的抗议信号。在此还要提及的一点是，在斯拉夫语国家，尤其是在1989年之前的俄国文学界，文字制品及其作者历来都得到很高的评价，书写语言、图书文献以及萨密兹达在这里融为了一体。以文字为中心的文学萨密兹达发展成了一种社会机制。

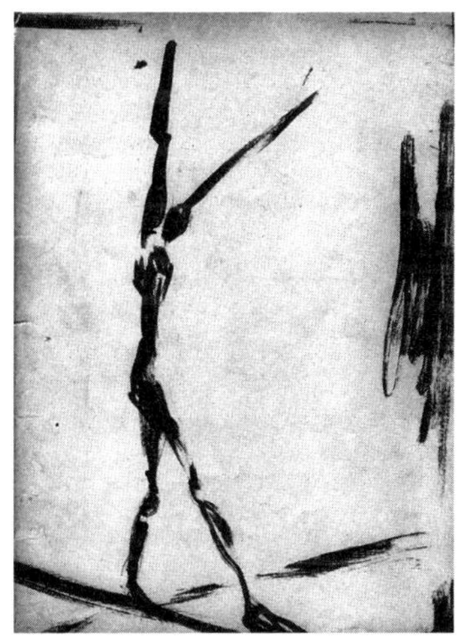

图1 1984年的《米卡多》杂志

萨密兹达在东欧的意义并不完全适用于东德80年代初以来出现的各种杂志和艺术家手制书，因为东德是一个既不以文字为中心也不以作家为中心的社会；尽管东德有着种种不同之处，但和西德一样，东德社会也同样是一个媒体社会。在东德，象征着对立文化的不是图书或杂志，而是被封杀的乐队、电影、艺术家和媒体人的行为表现，还有嬉皮士、朋克和蓝调音乐派这类人群的装扮艺术，他们往往喜欢尝试表达一些与当权者相异的观点。对立文化的象征首先源于流行文化的媒体领域。比起东欧的异议文化史，东德更多地参与了西方社会流行媒体的对立文化史。这一点在东德日常文化中可以准确地体现到一分一秒：我们可以从每晚20点15分开播的每日新闻中听到个人化的另类意见，这是一种通过电视节目形式展现的对立文化。其他表达抗议的文化形式从一开始就注定了失败。

“七七宪章”对于从类别上比较反对派、异议分子和萨密兹达文化具有特殊的意义，捷克的萨密兹达也和“七七宪章”有着最为紧密的联系。这场公民维权运动的产生不是起因于一本禁书，也不是因为某个作家或政治活动家被捕，而是由于非常火爆的摇滚乐队“宇宙塑料人”被封杀且乐队成员遭到判刑。首先“七七宪章”的宗旨并不是实现某个政治构想，也不是为了保护某种文化态势，而是涉及根本性的一点：即人权的不可分性。用这种模式看待东德的情况就引发了一个问题，为什么东德作家在“七七宪章”签署的当年没有公开反对当局禁止“Renft”乐队，尤尔根·富克斯（Jürgen Fuchs）和贝蒂娜·魏格纳（Bettina Wegner）还曾在乐队巡演期间登台演出。这就导致了作家在流行文化环境面前和在文艺类萨密兹达领域里一样难以有所作为。这无疑是一个态度的问题，是一个作家自我形象的问题，同时也是一个不同时代的文化习惯问题。克里斯塔·沃尔夫（Christa Wolf）或者斯蒂芬·赫尔姆林

（Stephan Hermlin）作为摇滚乐队的主打歌手在事后看来也是令人难以想象的。可以说，比起东德大多数批判作家，像 Renft、Pantha Rhei 或者 Pankow 这些摇滚乐队的成员，他们的理念与行动显然更贴近“七七宪章”的宗旨。

文学类萨密兹达

文艺类萨密兹达在东德的产生要归结于三点原因：第一，1976 年比尔曼被驱逐出境，作为文学政治上的后果，上一代和最新一代的作家被排挤出文学界；第二要归结于萨密兹达脱离文化界及各种社会机构的普遍趋势；第三，更好的技术手段为 80 年代时期编写、印制和传播这些另类刊物提供了前提条件。雅采克・库隆（Jacek Kuron）早在 70 年代为波兰萨密兹达提出了新概念“平行公众”作为其文化政治上的目标，然而这一概念却不完全适用于东德的文学杂志。截至两德统一，共有 30 种文艺杂志分别出版了 15 ~ 200 册不等，80 年代中期以来，各个公民维权组织、环境组织及活动团体的 30 种杂志共计 5000 册。根据波兰内政部的统计数据，仅在 1976 ~ 1980 年就有“440000 册独立刊物、121 台打印机、106 台打字机、1770 份纸张和 113 公斤的印刷油墨被没收”[1]，和邻国波兰相比，东德的萨密兹达刊物数量少了很多。

---

[1] Mack, Manfred: *Schreibmaschine und Kohlepapier. Die Eroberung des öffentlichen Raums.* In: Forschungsstelle Osteuropa (Hg.): *Samizdat. Alternative Kultur in Zentral - und Osteuropa: Die sechziger bis achtziger Jahre.* Bremen 2000, S. 111.

三个最重要的有代表性的文学萨密兹达杂志分别为《米卡多》（*Mikado*，1984～1987）、《损失》（*Schaden*，1984～1987）和《阿里阿德涅工厂》（*Ariadnefabrik*，1986～1990）。《米卡多》由乌韦·科尔贝、洛塔尔·特罗勒（Lothar Trolle）和贝尔恩德·瓦格纳（Bernd Wagner）编辑出版，可以说是东德最有名也是最重要的文学萨密兹达杂志。编者的目的在于与"神圣的社会主义"决裂，与"临死挣扎中的社会"决裂。从另一方面来看，这是编者对"全体一代作家"被排挤的现状做出的反应，体现了他们曾在《米卡多》中表达的观点"文学在进入公众的过程中不仅仅涉及出版社、编辑部、书店和印刷所"，[1] 因此编者们对统治东德文学界的公众及审查是持反对态度的。这种非常明显的政治目标和东欧的萨密兹达类似，即使东德萨密兹达的编者们不希望他们的刊物事后被视为一种"文学反对派"的证明，而希望被视为"另一种公众"[2] 产生的前提条件。就像乌韦·科尔贝后来说的那样，《米卡多》不仅指明了"各种打破常规的道路"[3]，而且也属于"叛变活动"[4] 网的一部分，这一言论比科尔贝之前为1998年在卢希特汉德（Luchterhand）出版社出版的《米卡多文选》写的前言更为尖锐。后来乌韦·科尔贝和贝尔恩德·瓦格纳离开了东德，《米卡

---

① Kolbe；Trolle；Wagner（Hg.）：*Mikado*，S. 7.

② Kolbe；Trolle；Wagner（Hg.）：*Mikado*，S. 9

③ Kolbe；Trolle；Wagner（Hg.）：*Mikado*，S. 10

④ 参阅 Kolbe，Uwe：*Renegatentermine. 30 Versuche，die eigene Erfahrung zu behaupten.* Frankfurt a. M. 1998。

多》也就不再出版。《米卡多》共出版了将近100册，10年以后依然没有离开人们的视线：柏林市政府的文化事务管理处1995年又重新出版了该杂志1985年的第三期。

《损失》于1984~1987年出版，编者有艾格蒙·黑塞（Egmont Hesse）、约翰内斯·杨森（Johannes Jansen）、莱昂哈德·洛雷克（Leonhard Lorek）和克里斯托夫·谭纳特（Christoph Tannert），这本杂志从一开始就致力于美学改革以及艺术实验。对于编者和作者来说，社会批判的前提条件是批判占统治地位的语言，批判社会习俗公约，批判社会思想体系的行为准则和道德规范。因此，该杂志同时也力图在政治层面发挥作用，从政治角度感知艺术。在这种背景下，即使在文化抗争的方式和地点这个问题上出现了各种不同的意见，杂志的名字也已经说明了某些问题。可以说，该杂志代表了一种行为主义小派别，完全从经典先锋派的角度将艺术革命视为社会革新和政治革新的统一。编者们希望更加突出杂志的媒介作用来发挥影响力并将其作为一种艺术上和政治上的反馈。但一些为杂志写作的作家对此并不认同，他们希望进行艺术内部的现代化和革新，并首先将杂志视为群体内部和艺术上自我理解的媒介。[①] 由于《损失》只出版了35册，因此读者圈子很有限，但围绕杂志展开的各种辩论使其影响力不断扩大，远远超出了最初的读者圈子。每一位参与编写的人都可以得到一本杂志，部分杂志还在东德西德

① 参阅 Gespräche von Egmont Hesse mit den an der Zeitschrift beteiligten Autoren。Hesse，Egmont（Hg.）：*Sprache und Antwort. Stimmen und Texte einer anderen Literatur aus der DDR*. Frankfurt a. M. 1988.

出售，以收回成本。此外马尔巴赫德国文学档案处、不来梅东欧学院、德累斯顿铜版画陈列室以及萨克森州州立图书馆也都会收到一份杂志，莱比锡“Eigen + Art”画廊以及柏林锡安教堂的环境图书馆偶尔也有收藏。1986 年夏天，杂志的编者和作者们在撒玛利亚教堂举办了一次名为“文字与创作”的艺术类萨密兹达杂志作品展，在展览上让更多的读者了解了杂志的创作班子。这次展览推动创立了其他杂志，比如专门涉及文学翻译的《应用》以及文艺短评类杂志《阿里阿德涅工厂》。

图 2 《损失》(1987) 以及《阿里阿德涅工厂》(1986 ~ 1990)

80 年代中期以来有关各界出现了越来越强的呼声，要求创办一本发行量大并且跨区域发行的期刊，使其成为“第二文化”的发言人。为了推动创建这样一份期刊，相关人士做出了各种各样的努力：比如有人试着在 1984 年春的

“Zersammlung” 朗诵会期间创建一个独立艺术家协会，又如自 1985 年秋以来，来自柏林、德累斯顿和莱比锡的艺术类萨密兹达杂志的编者们进行会面商讨组织事宜，还有 1986 年夏在撒玛利亚教堂举办的作品展。虽然 1984 年乌韦·科尔贝在创建《米卡多》杂志时提议，也要面向其他艺术群体和作家将该杂志塑造为表达各种反对意见的重要渠道。但这一提议由于没有得到各方认可并且在艺术执行办法上没有达成一致而未能实现。1986 夏的作品展在一定程度上结束了持续十年的艺术改革进程，这次展览虽然没有促成创立一本大家要求的跨区域杂志，但却促使创立了杂文杂志《阿里阿德涅工厂》，记录了这一接近尾声的艺术改革进程。编者为雷纳·切尔宁斯基（Rainer Schedlinski）和安德烈亚斯·科齐奥尔（Andreas Koziol），每两个月出版一期，其中刊登过对阿道夫·恩德勒（Adolf Endler）和格哈德·沃尔夫（Gerhard Wolf）文学作品的总结性文章，还有文章论及了比较全面的旨在重新塑造文学对立文化形象的自我理解辩论，其中包括杨·法克托尔（Jan Faktor）的自我理解辩论。[①] 1990 年后编者雷纳·切尔宁斯基作为国家安全部通报合作者的身份被曝光后，在官方文化和对立文化之间关系的这个问题上，《阿里阿德涅工厂》成了讨论的焦点。从那以后，在是否能够以及如何对民间文学界施加影响这个问题上出现了各种针锋相对的观点，大多数观点都高估了这种可能

① Koziol, Andreas; Schedlinski, Rainer (Hg.): *Abriß der Ariadnefabrik*. Berlin 1990.

性，因为自80年代中期以来，没有任何途径能够融合、支配或者改写民间文艺。1990年，在《阿里阿德涅工厂》《莲妮》《损失》以及《应用》这几本杂志的基础上位于柏林的加尔雷夫文学出版社成立，而之前也已提到，加尔雷夫出版社不再出版杂志这样的刊物。

回顾东欧各国的萨密兹达，即使忽略不同国家之间以及不同文化上的差异，仍然存在的一个问题就是，为什么东德邻国萨密兹达的作家们拥有很高的文学地位——像苏联的米歇尔·布尔加科夫（Michail Bulgakow）、安娜·阿赫玛托娃（Anna Achmatowa）、奥西普·曼德尔施塔姆（Ossip Mandelstam）或者安德烈·普拉托诺夫（Andrej Platonow）——而这种情况如果出现在东德就只能算作特例。其中一个原因可能在于，东德作家即使持批判态度，其写作活动也是在维护一种特定文化态势的条件下进行的。毫无疑问，克里斯塔·沃尔夫和斯蒂芬·赫尔姆林曾私下里默默帮助过一些面临危机的作家，以避免他们卷入诱使人犯罪的政治运动，其中有因反抗比尔曼被开除国籍而被捕的女作家嘉布里尔·卡霍尔德（Gabriele Kachold，又名Gabriele Stötzer），还有莱比锡的艺术政治萨密兹达杂志《打击》的编者之一格尔特·诺依曼（Gert Neumann）。“要批判可以，但请在内部批判”，这一模式历经了几十年的考验一直持续到两德统一。如果抛弃这种模式，就会产生一股非常重要的推动力促使一种独立于国家文化之外的文学公众的形成。阿道夫·恩德勒、埃尔克·埃尔贝、沃尔夫冈·希尔毕西（Wolfgang Hilbig）、卡嘉·朗格－米勒（Katja Lange－Müller）、弗里茨·米劳

(Fritz Mierau)、洛塔尔·特罗勒和格哈德·沃尔夫定期会在非官方杂志和艺术家手制书里发表一些重要的表达构想的文章。此外，海纳·米勒（Heiner Müller）也为《阿里阿德涅工厂》《奇怪的城市》和《损失》写过各种不同的短文，又和开姆尼茨的图像设计师克劳斯·海纳尔－施普林穆尔(Klaus Hähner－Springmühl）编辑出版了一本艺术家手制书。然而米勒的文章中丝毫看不出与这些杂志探讨的问题有任何关联。

由阿斯泰利克斯·库图拉斯（Asteris Kutulas）编辑出版的《奇怪的城市》是一个特例。这本杂志创刊于1987年，目标是将80年代以来与审查的斗争日益激烈的新老作家联合在一起，其中第一期就刊登了沃尔克·博朗（Volker Braun）和海纳·米勒的文章。编者一方面为“挑战东德文学界现状”[①] 而创立了这本杂志，另一方面也是在尝试弃用固有的出版社体制而创立一本官方作家杂志。新生活出版社在此之前曾推出文学年刊《性情》，《奇怪的城市》读起来就像无审查版的《性情》，甚至完全可以取而代之。因此有名望的老作家可以以这本杂志为平台安全放心地参与官方与非官方文学界的讨论。

政治文化类萨密兹达

接下来要特别谈一谈政治文化类萨密兹达杂志，这类杂

① “Ein Ausdruck von Freiheit”. Gespräch mit Asteris Kutulas. In: Berliner Hefte zur Geschichte des literarischen Lebens 4/2001, S. 162－163.

志在内容、纲要和类型上都和各邻国的萨密兹达具有可比性，编者们不仅明确参照东欧萨密兹达的模式，而且还和东欧国家的反对派保持着良好的关系，其中有斯蒂芬·比克哈特（Stephan Bickhardt）与路德维希·梅尔霍恩（Ludwig Mehlhorn）1986～1989 年合编的《radix – blätter》，有托斯滕·梅特尔卡（Torsten Metelka）1988～1990 年编辑出版的《Kontext》，还有莱因哈德·万斯胡恩（Reinhard Weißhuhn）和格尔德·伯珀（Gerd Poppe）1989 年 1 月合编的国际性杂志《东十字》（*Ostkreuz*）。编者们既在政治领域又在艺术领域从事活动，因此各个杂志涉猎的主题非常广泛。与那些高要求但发行量小的先锋派杂志和艺术家杂志不同，编者们希望能够拥有广泛的读者群体。

《radix – blätter》

斯蒂芬·比克哈特和路德维希·梅尔霍恩合编的《radix – blätter》最初是一本典型的文集，将各界关于东德后期思想、文化及政治局势的不同意见汇编到一起，1986～1989 年共出了 12 期。《radix – blätter》并非传统意义上的杂志，而是一本刊物标识，专门汇集各类反对意见。“Radix”来自于拉丁文，表示“根”、“源头”或“来源”的意思。[①] 新教教会的有关机构承担了《radix – blätter》的部分发行工作，编者们希望

① Lotz, Christian: *radix – blätter. Zur Geschichte eines Untergrund – Verlags in der DDR.* In: Deutschland Archiv 3/2000, S. 424 – 432. Bindernagel, Franka; Lotz, Christian: *radix – blätter. Ein Untergrund – Verlag in der Berlin 1986～1989.* Begleitheft zur Ausstellung. Leipzig 1999.

新教教会这些年赢得的公众在政治上活跃起来，并且提出了如下长期工作目标：像波兰一样将教会塑造为政治反对力量并且为此在教会内部开展相关工作、提供理论支持以及组织形成工作网络。由于《radix - blätter》在全东德发行，通过各教区办公室、各教育机构以及其他一些教会机构都能看到这本杂志，因此它对东德后期公众舆论的形成具有非常重要的影响。路德维希·梅尔霍恩曾经说道，《radix - blätter》应参照波兰萨密兹达，长期努力“创造社会平行机制”来克服体制的束缚并且“为现存的机制建立另一种公众”[1]。

《radix - blätter》涉及的主题包含三大方面：欧洲分裂问题、对德波特殊关系的重视以及寻找各种机会与曾被大屠杀破坏的犹太德国思想传统接应。值得一提的是延斯·莱希（Jens Reich）对中欧问题[2]发表的意见以及讲德波历史及文学的《奥德河》。编者斯蒂芬·比克哈特曾说：“我认为，反对派如果想将他们的理念付诸实践，就需要艺术，艺术是社会的集中表达。”[3]

尤其让《radix - blätter》引起强烈反响的是一份纲领，编者们联系“七七宪章”以及波兰工人保护委员会的各种提议，提出了“拒绝实践，划清界限”[4]，要求结束“东

---

① 参阅 Kowalczuk, Ilko - Sascha: *Freiheit und Öffentlichkeit. Politischer Samisdat in der DDR 1985 ~ 1989*. Berlin 2000, S. 11。

② Asperger, Thomas (d. i. Jens Reich): *Mittelosteuropa*. Berlin, Oktober 1988.

③ “Wenn ich eine Rolle Spielte, dann die des Vermittlers”. Gespräch d. Verfassers mit Stephan Bickhardt vom 6. 5. 1994. In: Berliner Hefte zur Geschichte des literarischen Lebens 4/2001, S. 225.

④ Aufrisse. Absage an Praxis und Prinzip der Abgrenzung. 1987.

西德对峙”结束德国分裂的现状。早在70年代末，捷克和波兰的民众就普遍持有这样一种观点，结束欧洲的政治文化分裂现状以及结束中东欧社会边缘化的前提条件是解决德国问题。在1987年4月柏林—勃兰登堡新教教会代表会议上，这份纲领成为了形式上的会议决议，因此也记录下了一段历史。[①] 在具体措施方面，纲领要求恢复去往波兰的交通，完全自由出入西方国家。如果提议通过，那就意味着这个德国新教教会最重要的分支教会之一必须要求国家和政府打通柏林墙，结束东德社会分裂现状。前者对东德作为国家存在的身份提出了质疑，后者以结束政党特权、结束无产阶级专政为目标，实际上就是要求统一社会党退出国家和政府。这项提议最后在有关安全机构的帮助下被送至了教会代表会议委员会，但值得高兴的是，编者们创办了一本新的杂志《第二面：超越否定》，该杂志提出了众多保护公民权利的要求，而且引起的反响不小于《radix – blätter》。这一次，像乌韦·科尔贝这样的作家和艺术家也参与了进来。科尔贝坚定地认为：“‘拒绝实践，划清界限’就要求社会转型，变得更开放更包容。”[②]

---

① 参阅 Neubert, Erhardt: *Geschichte der Opposition in der DDR 1949 – 1989*. Berlin 1997, S. 678f。参阅 Findeis, Hagen; Pollack, Detlef; Schilling, Manuel (Hg.): *Entzauberung des Politischen. Was ist aus den politisch alternativen Gruppen der DDR geworden. Interviews mit ehemals führenden Vertretern*. Berlin 1994, S. 154 (Interview mit Ludwig Mehlhorn) und S. 78f. (Interview mit Hans Jürgen Fischbeck)。

② Kolbe Uwe: *Abgrenzung. Fragmente aus einem ländlichen Exil* (nachgetragen der Publikation “Aufrisse”, Berlin 1987). In: Aufrisse zwei. Über das Nein hinaus. Berlin 1988, S. 68.

1988 年 9 月，很多团体在德国新教教会代表会议上以其他的形式提出了这份纲领。公民维权组织“即刻民主”的创始人之一沃尔夫冈·乌尔曼（Wolfgang Ullmann）说道：“我支持这个提议，因为在敌对政治思想意识的指导下，我认为两个德国都已融入了各个权力集团，这些权力集团广泛宣扬的理念是反动、狭隘而且有害的。”[①] 该提议在德国新教教会代表会议上也被送至了会议委员会，但依然引起了不小的反响。各个创始人从中意识到，教会至多也就是作为一种政治革新进程波及的领域，而不可能推动政治革新。《radix – blätter》和《第二面：超越否定》都反映出了东德公民维权运动的基本纲领。这两本杂志经大批复印后再次出版并且又在西德加印。已经离开东德的反对派作家如尤尔根·富克斯本来要为第三期杂志撰写文章，由于 1989 年 11 月 9 日柏林墙倒塌而东德也随之垮台，出版第三期的计划也就成了泡影。

《东十字》

《东十字》创刊时间较晚，可以说是当时最重要的政治类萨密兹达杂志。编者最初受到“七七宪章”的影响，计划把《东十字》打造为一本国际性杂志，同时在东德、波兰、捷克和匈牙利以相应的语种出版，“七七宪章”的伦敦办公室负责各个国家编辑部的协调工作。编者们本来对杂志

① Ullmann, Wolfgang: *Absage – theologisch, kirchengeschichtlich, politisch.* Drei Antworten auf drei Fragen. In: Aufrisse. Absage an Praxis und Prinzip der Abgrenzung. Berlin 1987, S. 14 – 15.

的取材定位很高，但翻译、协调以及差旅这些工作需要投入大量人力物力，导致编辑部的工作开展得越来越慢，最后到了1989年1月《东十字》只预先在东德出版。杂志副标题为“政治，历史，文化”，编委会成员有捷尔吉·达洛斯（György Dalos）、克里斯蒂安·迪特里希（Christian Dietrich）、彼得·格里姆（Peter Grimm）、齐格弗里德·内尔（Siegfried Neher）、格尔德·伯珀、沃尔夫勒姆·奇谢（Wolfram Tschiche）和莱因哈德·万斯胡恩。此外，编辑部自1988年以来定期组织召开编辑部会议，除了编委会的成员，参与会议的还有莱比锡的杂志《第二人》编者海德玛丽·黑特尔（Heidemarie Härtl）、米谢拉·沙哈布（Michaela Shahab）和埃德加·杜斯达尔（Edgar Dusdal）。格里姆、伯珀和万斯胡恩1985年创立了公民维权组织“和平与人权”，杂志编辑部通过这三位成员与东德反对派的重要人士建立了联系，他们在出版期刊方面已经积累了很多经验。“和平与人权”组织1986～1988年编辑出版了信息类杂志《两难选择》[1]，此外到1988年为止还出版了一些信息手册如《文章27——为了民主和平》（1987）以及文献汇编《脚注3》（1988年7月），记录了1988年1月纪念卢森堡（Luxemburg）和李卜克内西（Liebknecht）的抗议游行活动后发生的众多事件，大量人员被捕、离境。

为了纪念罗马尼亚布拉索夫起义被镇压一周年，《东十

---

[1] Hirsch, Ralf; Kopelew, Lew (Hg.): *Grenzfall. Vollständiger Nachdruck aller in der DDR erschienen Ausgaben (1986/1987). Erstes unabhängiges Periodikum.* Berlin 1989.

字》第一期主要分析了罗马尼亚的政治、经济和文化局势，其中包括罗马尼亚以及罗马尼亚裔德国作家罗尔夫·波塞特（Rolf Bossert）、米尔查·迪内斯库（Mircea Dinescu）、约翰·利伯特（Johann Lippet）、赫尔塔·米勒（Herte Müller）和理查德·瓦格纳（Richard Wagner）的文章。此外还有一篇捷尔吉·达洛斯写的文章，讲的是直到 1988 年 1 月反对派人士遭逮捕之前东德萨密兹达的发展情况，但却没有谈及文艺类萨密兹达杂志。

特别值得一提的是伊日·丁斯特比尔（Ji ří Dienstbier）为杂志写的创刊号文章，文章讲述了捷克民主社会主义从形成一直到 1968 年 8 月布拉格之春失败的发展过程，并且在这一背景下分析了苏联的改革开放。然而，丁斯特比尔在政治上和决策上没有明确的主张，回顾来看，1989 年时东德反对派在组织纲领上似乎同样如此。民主社会主义思想还能作为政治行动的准则吗？苏联的改革开放是布拉格之春政治传统的延续吗？东中欧国家会对戈尔巴乔夫作何期待？丁斯特比尔描绘了一幅昏暗的未来画面，他没有脱离 1968 年的基本思想，谈论了社会主义的诸多方面，而唯独没有指出社会主义政治将何去何从。丁斯特比尔认为，然而通过 60 年代的起义以及在反抗 1968 年 8 月 21 日后苏联军队入侵的斗争中可以明显看出，作为“一个民主社会的组成部分”[1]，公民社会的发展是有各种机会的。与此相反，苏联的情况就是拯救一个殖民帝国，并且这个殖民帝国从不关心它的各个

① Dienstbier, Jiri: *Was bleibt übrig?* In: *Ostkreuz.* Januar 1989, S. 9.

附庸国。“因此，要做到热忱友好地接受戈尔巴乔夫的政治是有限制条件的。为‘社会主义老家’开一张空头支票是不值得的。”①

图 3 面向东欧的国际性杂志《东十字》(1989 年 1 月)

到了 1989 年秋，杂志的第二期出版计划就已搁浅，这场变革令《东十字》的编者们感到意外，当时字模已经打出，只需进行印刷。第二期杂志计划刊登的有阿道夫・恩德

---

① Dienstbier, Jiri: *Was bleibt übrig*? In: *Ostkreuz*. Januar 1989, S. 9.

勒和延斯・莱希的文章、一篇拉尔夫・乔尔达诺（Ralf Giordano）论“注定的反法西斯主义”的文章，一篇格尔特・伯珀探讨新经济政治的文章，一篇埃德尔伯特・里希特（Edelbert Richter）从历史角度论证人权的文章，一篇杨・法克托尔讲80年代东柏林文艺概况的文章，一篇捷尔吉・达洛斯谈匈牙利当下局势的文章以及乌尔里希・齐格（Ulrich Zieger）、贝尔特・帕彭富斯（Bert Papenfuß）和马蒂亚斯・巴德・霍尔斯特（Matthias BAADER Holst）的文学论文。

第三期计划刊登一篇格尔特・诺依曼的文章，诺依曼是莱比锡的艺术政治萨密兹达杂志《打击》的编者之一。《东十字》的主要目标是为东欧的反对派和知识分子之间创造联系。编者们最初将《东十字》定位为国际性杂志，杂志本应该逐步朝着这个方向发展。《东欧文坛》本来在计划出版之列，遗憾的是，编者们在1989年这场影响了所有东欧国家的政治变革发生后，认为出版这本杂志已经没有了意义。法国杂志《国际文坛》的德国版本几年以后在此基础之上推出，但影响力明显小了很多，其德国编辑部的成员一部分来自于文学反对派。

《Kontext》

《Kontext》的编者为托斯滕・梅特尔卡（Tosten Metelka）和贝恩・鲁尔夫（Benn Roolf），编委会成员有彼得・比克哈特（Peter Bickhardt）、马丁・伯特格尔（Martin Böttger）、埃尔克・埃尔贝（Elke Erb）、沃尔夫冈・乌尔曼（Wolfgang

Vllmann）和康拉德·万斯（Konrad Weiß）。1988 年 1 月 15 日纪念德国共产党领袖卢森堡和李卜克内西遇害的抗议游行活动之后，众多参与游行的反对派人士被捕，外界认为，编者正是因为受到这次事件的影响而在 1988 年初出版了第一期《Kontext》，然而编者们本意并非如此。社会民主党和统一社会党 1987 年 8 月联合发表了一份名为“意识形态论战”的文件，很多反对派人士和艺术家认为这份文件代表了东西两德之间的一种误解，编者们想通过《Kontext》杂志来对此发表看法。当时杂志的部分内容已经完成，选择在大批人士遭到逮捕之时出版简直再好不过，这样从一开始该杂志就受到了极大的关注。

编者在第一期的前言中写道：“《Kontext》将通过多种形式映射社会现实［……］从政治文章到最新文学作品，杂志取材是很广泛的，以此为各界人士和团体之间的必要对话提供新的思维模式。［……］因此《Kontext》也是在尝试以一种具体的形式促进对话。”《Kontext》自 1989/1990 年以来一直拥护公民维权组织“即刻民主”，努力推广自由与责任意识，1990 年的一期前言中对此写道：“只有成年人才有责任意识［……］谁想拥有言论自由，就必须负有责任意识地从事写作、演说、出版作品。”① 像《radix – blätter》一样，新教教会的有关机构承担了《Kontext》的大量发行工作，甚至还可以通过教会的渠道订购《Kontext》，而政府方面始终在全面阻止传播这本杂志。最初杂志的副标题为

① Weiß, Konrad: *Geleitwort*. In: *Kontext* 8, März 1990.

“论政治、社会和文化”，后来编者因第二期杂志受到处罚①之后，副标题中的“政治”被改为“教会”。通过蜡版印刷的形式，杂志印制出1000本，同时像其他很多杂志一样，订书钉装订遇到了技术上的限制。

KONTEXT

Beiträge aus
Politik · Gesellschaft · Kultur

heft 8 märz/april (1) 1990

herausgegeben von Torsten Metelka und Benn Roolf

mit beratung & unterstützung von Peter Bickhardt, Elke Erb, Ulrike Poppe, Dr. Wolfgang Ullmann, Konrad Weiß

mit einem geleitwort von Konrad Weiß.

INA MERKEL / OHNE FRAUEN IST KEIN STAAT ZU MACHEN. Einige Frauen-Fragen an ein alternatives Gesellschaftskonzept. 03

PETER WAWERZINEK / MIT NEM DRINK INNER HAND IN DIE NEUE ZEIT. 11

LOTHAR W. PAWLICZAK / WAS HABEN SUBVENTIONEN MIT SOZIALISMUS ZU TUN? 16

UWE KOLBE / WIE ICH NACH VINETA KAM/ EIN STÜCK DES WEGES/ DAS ENDE - A SPOT ONLY. 25

KONRAD WEISS / VIERZIG JAHRE IN VIERTELDEUTSCHLAND. Nachdenken über deutsche Identität. 29

MICHAEL THULIN / DER ÜBERBAU IST ENTMACHTET, DER UNTERGRUND TOT. Die Literatur des Prenzlauer Bergs. 34

CHRISTOPH WIELEPP / LÄHMUNG. 43

CHRISTOPH TANNERT / "ALLEZ! ARREST." KÖRPER. ORTE. ABLÄUFE. Aktionskunst in der DDR. 51

CHRISTOPH KONRAD / ZEITGEIST UND MODERNITÄT. 58

RALF SCHLUCKWERDER / DIE SONNENSEITE DER BARRIKADE/ EIN NICHTS. 65

KONTEXT: LESER-DISKUSSION 70

KONTEXT: FORUM mit Beiträgen von: ANDRE H. MEIER / LIANE BURKHARDT / WOLFGANG ULLMANN 76

erscheint im KONTEXTverlag preis acht mark

图4 公民维权组织“即刻民主”的杂志（1990年3月）

直到1990年11月停刊，《Kontext》第一期包含的各类题材几年以来基本没有变化，其中有东德各邻国以及

① Forck主教承担了因第二期杂志受到的两次罚款。

苏联的发展情况，存在于国家、反对派和教会的其他政治模式，生态问题，加快制造核武器的危害以及东西德当下的政治局势。特别值得一提的是论波兰文化界和知识分子界的几篇文章[①]和为抗议瓦茨拉夫·哈维尔 1989 年 2 月再次被捕而推出的一期特刊，其中刊登了格尔德·伯珀的一篇传记，还有论苏联改革开放的结果以及文化氛围的几篇报告。东德在苏联改革开放的意义这个问题上出现了各种针锋相对的观点。一些人认为，苏联政治模式下的改革在东德就像苏联特色的社会主义在东德一样成效甚微，而另一些人坚持认为东德也应该借鉴苏联的经验实行改革开放，因为在东欧集团国存在的特殊背景下，只有改革开放能够保证打破政治僵化的局面。总的来说对改革开放的意义持怀疑态度的居多，然而以西德新社会运动的经验为依托的各种政治模式却得到了支持。其中重要的作家除了编委会的成员还有马丁·伯特格尔（Martin Bötlger）、尤阿西姆·加尔斯特茨基（Joachim Garstecki）、托马斯·克莱因（Thomas Klein）、路德维希·梅尔霍恩、埃尔哈特·诺伯特（Erhart Neubert）、塞巴斯蒂安·普夫卢格拜尔（Sebastian Pflugbeil）、埃德尔伯特·里希特和理查德·施罗德（Richard Schröder）。

从一开始，各种讨论视觉艺术、电影以及现代音乐新发

---

① Mehlhorn, Ludwig: *Leben im Warteraum. Stimmen zur Emigrationswelle in Polen.* In: *Kontext* 5, März 1989. Szaruga, Leszek: Stimmen, ihrer Zeit voraus. In: *Kontext* 11, September 1990, oder Krzeminski, Adam: Ungleiche Nachbarschaft. In: *Kontext* 12, November 1990.

展的文章都谈到了政治话题。这些年来自文艺界的代表作家有斯蒂芬·多林（Stefan Döring）、库特·德拉维特（Kurt Drawert）、阿道夫·恩德勒、埃尔克·埃尔贝、杨·法克托尔、莱纳·弗吕格（Reiner Flügge）、埃伯哈德·黑夫纳（Eberhard Häfner）、约翰内斯·杨森、嘉布里尔·卡霍尔德、安德烈亚斯·科齐奥尔、弗兰克·兰岑德菲尔（Frank Lanzendörfer）、贝尔特·帕彭富斯、德特雷夫·奥皮茨（DetlefOpitz）和雷纳·切尔宁斯基（Rainer Schedlinski），他们的文章之前已经在各小型文艺类杂志上发表过，而通过《Kontext》杂志第一次达到了这么大的发行量。第1期到第7期每期发行1000册，第8期至第11期每期售出约12000册，第12期印制了6000册。

康拉德·万斯的论文《新旧危险：东德新一代法西斯分子》[1] 在东西德引起了轰动。随后，不仅各萨密兹达杂志和西德媒体，还有东德逐渐土崩瓦解的政治阶层也开展了一场大辩论，探讨这一趋势出现的原因及可能带来的后果。东德几十年以来都将自己视为反法西斯主义的安室利处，这一形象在一夜之间出现了裂痕。

1989年后，《Kontext》没有成为"联盟90"的机关刊物，虽然杂志在人事上和在内容编排上似乎都有这一趋势。和所有东德近几年来创办的杂志一样，到了1991年，《Kontext》也停刊了。

1991年3月31日后，东德邮报销售总局失去了对东德

① *Kontext* 5，März 1989，S. 3 - 12.

所有杂志销售业务的垄断地位，这带来了非常严重的后果。这个日期为东德杂志界画上了句号，尤其为80年代期间和1989年秋创立的杂志画上了句号。[①] Kontext出版社因为推出了一些研究乌韦·约翰逊（Uwe Johnson）的著作，还有尤其因为出版了俄国哲学家帕维尔·弗洛连斯基（Pawel Florenski，1882～1937）的全部作品而受到了关注。

沃尔夫冈·乌尔曼1992年发表的文章《对民主的未来展望：乌托邦结束后的一份总结》就像是一份悼词，悼念他曾为杂志写作的三年时光。文章开篇第一句是这样说的："启蒙运动不可放弃。"[②]

---

① 其中停刊的有《Die Andere》、《Constructiv》、《Kontext》、《Sondeur》、《Ypsilon》和《Die Zaunreiterin》。

② Ullmann，Wolfgang：*Zukunftshorizonte der Demokratie，eine Bestandsaufnahme nach dem Ende der Utopien.* Manuskriptdruck Kontextverlag Berlin 1992，S. 2.

一书难求

卡尔·麦——秘密读物与极端事件

克里斯蒂安·黑尔曼（Christian Heermann）

1962 年 10 月 15 号，德国萨克森州靠近捷克边境埃尔茨山一带的茨沃尼茨，一位 42 岁的男人坐在他的手提式打字机“Erika”前，开始了一部作品的创作，一直到 1979 年——17 年的时间。“第一章。‘四只眼睛的父亲’”，他敲着键盘：“‘Hai’ es sala – rief der fromme Schech el dschemali, der Anführer der Karawane – ‘auf zum Gebet!’” 用了 132 天，到 1963 年 2 月 24 日才实现了第一个阶段性目标，共打出了 333 页，（也就是）原书的 632 页，相当于每天 4.8 页，这是个可观的成绩，他周一到周六每天满负荷工作，只有周日能稍微放松一下。他的名字叫海因茨·蒂姆勒（Heinz Thümmler，1920~1986），是一名普通职员，他用打字机抄下来的几部作品复本封面写着《卡尔·麦作品集》/《41册》/《奴隶商队》/《苏丹的故事》。

蒂姆勒在童年和少年时代就被卡尔·麦的魅力所吸引。1939年蒂姆勒参加青年义务劳动军，后来又加入国防军，当时卡尔·麦的经典作品集《绿色文集》65册中他收藏了33册。蒂姆勒在二战期间结婚，不再住在开姆尼茨，搬家时把卡尔·麦的书一起带到了埃尔茨山下，所以这些为数不多的收藏在轰炸中幸免于难。通过私人关系他还弄到两三册，所有的都在这了。对于“人民书店”和“人民图书馆”来说卡尔·麦是不成问题的。因为读卡尔·麦曾经给蒂姆勒带来了欢乐，为让两个儿子同样享受到这种乐趣，决定用他的“Erika”打字机把没有收藏到的作品打出来。到1979年12月——2788个“打字日”——他完成了21册，原书总共11933页，用打字机打出的总页数为6157页，《温内图1—3》三册集不包含在内，因为他自然已经收藏了这部作品的原版，另外还包括《银狮的帝国》四册集、《温内图之死》《安静的海洋》《地球上的和平》《老德绍人》及其他12册作品。《撒旦与伊斯加略》只抄写了第一部，后两部他已经收藏了“绿色装潢”的原版。然后在两个儿子的帮助下，蒂姆勒把卡尔·麦出版社二战前的版本封面画临摹下来，然后小心翼翼地用硬质文件夹装订好。

为了弄到原书的样式，他们下了点儿工夫，同事朋友都来帮忙，两个儿子有时还根据书名去一一找书，每找到一本蒂姆勒给他们 50 马克奖励。

1964 年 11 月根据统一社会党的政策，东德首批退休人员可以到访西德，此后以“紧急家庭事务”为由也可获得批准，接着上百万西德人相继来到东德。如果有人从西德带来无论是小礼物还是大礼物，东德卡尔·麦的粉丝们一直都期待着从东德搬到西德班贝克的卡尔·麦出版社出版的《绿色文集》系列。蒂姆勒也通过这种方式将他的收藏扩充到 73 册，包括已经有的 21 册。

图 1　蒂姆勒自己为《奴隶商队》打字稿的封面画的图画

海因茨·蒂姆勒多年以来用打字机复写卡尔·麦的作品

从西德带卡尔·麦的作品到东德始终是有风险的，海关关员的眼睛发现的东西基本都要没收，所以必须偷着运送。即使 1983 年 1 月后东德开始自己出版发行了一些卡尔·麦的作品，情况也没有很大改观。

海因茨·蒂姆勒1986年去世。1993年6月萨克森州霍恩施泰因—恩斯特塔尔的卡尔·麦之屋买下了他收藏的卡尔·麦作品，卡尔·麦之屋负责人1995年在一份报告中也讲到了蒂姆勒为收藏作品所付出的种种辛苦。[①] 一种体制自认为能够对他的公民施以规定哪些书可以读，哪些不可以，蒂姆勒打出的21册复本无声地见证了这种最终走向失败的体制是多么的不堪一击。

卡尔·麦如何被迫成为秘密读物

“不足为奇，我们在上课的时候偷着看费森菲尔德出版社的卡尔·麦的小说，10点的休息时间也牺牲了，从学校到家的路上也走得特别快，因为回家可以继续看书。但为了让家长相信我们是痴迷于教科书，必须用《Putzger历史地图集》的封面做掩饰。”埃贡·埃尔温·基施（Egon Erwin Kisch，1885～1945）1920年时曾对自己的“美好少年生活”这样回忆道：“我们都读卡尔·麦。”[②] 或许一套全新的哈利波特系列能在人年少时激起这种读书热情。在被窝里偷着读书可能早就已经过时了。因为很难将卡尔·麦的冒险小说归为具有高度美学价值的主流作品，所以在卡尔·麦时期，始终有人对其作品持以傲慢、不屑一顾，甚至更为恶劣的态度，例如

---

① Neubert，Andre：*Taste für Taste Karl May*. In：Karl－May－Haus Information 8/1995，S. 15f. 2008年1月海因茨·蒂姆勒的一个儿子卡尔－海因茨·蒂姆勒为我提供了其他相关信息。

② Kisch，Egon Erwin：*Die Abenteuer in Prag*. Wien u. a. 1920，S. 77f. 弗赖堡的费森菲尔德出版社是1913年成立的卡尔—麦出版社的前身，1892年起出版了一系列卡尔·麦的作品。

哲学家恩斯特·布洛赫（Ernst Bloch，1885~1977）1929年3月31日在《法兰克福报》上发表了他著名的支持卡尔·麦的言论："卡尔·麦是德国最优秀的小说家之一，如果他不是个贫穷迷惘的无产者，也许他就是最好的小说家［……］"[①] 这时有人站出来说话了，接下来的二十年里他的名字就意味着对卡尔·麦的阴险攻击——威廉·弗罗内曼（Wilhelm Fronemann），一名教师，偶尔写一些时事评论。1929年5月12日弗罗内曼就在《柯尼斯堡日报》上放言称卡尔·麦的作品"无精神追求，思想低下"，并且言语攻击"德国思想界"支持卡尔·麦的人士，将他们形容为"愚蠢迟钝、思想肤浅幼稚"，言词尖酸刻薄。

1933年起弗罗内曼开始从政治层面强烈反对阅读卡尔·麦的作品，他带着至少十篇"呈文"找到了相关纳粹人士或机构，如1938年7月20日向国民教育与宣传部部长约瑟夫·戈培尔（Joseph Goebbels）以亲党式的口吻阿谀逢迎地写道："卡尔·麦试图通过讥讽种族观念、言语攻击种族扩张尤其是攻击殖民帝国主义来塑造自己的圆满形象，我使出了所有方法来与他这种和平主义模范作斗争，并且讥讽他、嘲笑他［……］"接着提出一些毫无意义的论断，认为卡尔·麦是马克思主义者。然而下面这些观点虽然是弗罗内曼故意诽谤卡尔·麦而提出的，但却言之有理，非常贴切："卡尔·麦的世界观和他的全部作品都具有极端的和平主义

① Heermann，Christian：*Old Shatterhand ritt nicht im Auftrag der Arbeiterklasse*. Dessau 1995. 本文部分内容出自这本书，该书也应用到大量参考文献。

色彩［……］作品中的主人公始终都发挥着为世界公正与和平而努力的律师角色，没有以真正的斗争理念去斗争，而以最恶毒的方式攻击帝国主义、暴力政治、权力国家和殖民帝国主义等，如果向我们的青少年推荐这类作品，还怎么培养起他们的殖民思想呢？与卡尔·麦的和平主义相伴随的是一场反对民族与种族价值观的阴险斗争，德国青少年还有思想单纯的读者如果受之影响变得风气败坏，就更令人担忧［……］卡尔·麦是种族思想的反对者［……］。”

弗罗内曼的最高目标是全面禁止卡尔·麦，或者“至少”“清除”卡尔·麦“极端和平主义”的作品。他在1934年2月22日给巴伐利亚州文化部长及纳粹教师联盟主席汉斯·舍姆（Hans Schemm）的信中写道：“我们不是从中小学图书馆中清除出了犹太人、和平主义者、马克思主义者等其他所有非德国精神的书籍吗？我觉得卡尔·麦的作品最终也会横扫德国青年文学，就是个时间的问题。”但是他写错了人，舍姆部长从小就是卡尔·麦的忠实读者。其他一些纳粹大人物同样如此，可能还包括希特勒自己。弗罗内曼无论如何都没有达成他的目标。只有和平主义小说《阿尔德斯坦与金尼斯坦》没有继续出版。对此是否弗罗内曼的建议起到了作用，我们不得而知。

1933年起，纳粹德国开始将其政治理念付诸实践，弗罗内曼受到了肯定。到了1945年法西斯分子很快转变为反法西斯主义者，1946年3月弗罗内曼又写了一份新“呈文”，这次是写给苏占区的萨克森州管理处。二战时期弗罗内曼对卡尔·麦的温和品性和极端和平主义持反对态度，现在这样写道："纳粹党卫队的种种行径足以体现出他们的卡尔·麦思想理念，他们的师傅和英雄卡尔·麦一样值得尊敬。"因此弗罗内曼要求卡尔·麦和"他的全部作品必须都要列入国家级禁令"，对这位"无精神追求、思想低下的英雄人物"应该进行"思想道德上的去纳粹化。"[1] 苏占区的教师报《新学校》将弗罗内曼介绍为"有经验的教育工作者"，弗罗内曼在《新学校》上向苏占区的新教师们讲道："纳粹主义通过卡尔·麦塑造出了一个裹在英雄光环下的文学傀儡［……］在反法西斯时期应尽可能与之保持距离。"他还指出卡尔·麦是一位"危险的罪犯"，"卡尔·麦经常在作品中精心刻画了各种苦痛折磨，很可惜从战争的结果来看，纳粹党卫队的酷刑手段的确受到了他的影响。"从此以后，弗罗内曼的这些尖刻言论便出现在了各种涉及卡尔·麦的官方公告中。

战后的几年中，苏占区有过多次关于卡尔·麦的"讨论活动"。根据德国共产政治家乌布里希（Ulbricht）的名言"必须要有民主的样子，但我们也必须将一切掌握在手"[2]，在处理卡尔·麦的事情上也要体现出"人民的意愿"。1947 年 8 月 6 日在萨克森州拉德博伊尔的"Heiterer Blick"酒店大厅举办的一场题为"支持还是反对卡尔·麦"的讨论之夜引起了很大轰动。讨论会上来了 1000～1200 名听众，大家很关心组织方自由德国青年团文化联盟和青年学

① 根据作者档案中的复印件。

② Leonhard, Wolfgang: *Die Revolution entläßt ihre Kinder.* Band 2. Leipzig 1990, S. 406.

校是如何排挤卡尔·麦的。反对方即将献上的是弗罗内曼式的恶毒诽谤。一位德累斯顿市议员伦奇（Rentzsch）讲到自己“纳粹时期的个人经历”，认为“纳粹党卫队从卡尔·麦的作品中总结出了用来指导他们犯罪的行动指南”。[①] 德累斯顿电台台长 E. 莫特纳（E. Mauthner）希望从卡尔·麦的作品中找出“最极端的残酷暴行”，正是这些残酷暴行令他“成为每个纳粹党人最喜欢的作家”，“激发纳粹党卫队在集中营里为非作歹”。[②]

1947 年 8 月 12 日的柏林《明镜日报》这样写道：“来自德累斯顿的特林克斯（Trinks）教授也持同样的观点，甚至将卡尔·麦称为两次世界大战的思想之父之一。”还有一些其他报纸也在对此次讨论会的报道中提及这些骇人听闻的言论。统一社会党的中央机关报《新德国》对诽谤卡尔·麦的言论驳斥道：“很多人和事都对两次世界大战负有责任，但卡尔·麦和他创作的故事绝对没有。”[③]

参与创建了位于拉德博伊尔的卡尔·麦博物馆并长年担任管理员的莱比锡教会总监察员帕蒂·弗兰克（Patty Frank），与其他卡尔·麦支持者在会上都收到了很多赞同的声音。一位来自耶拿的支持卡尔·麦的教授海因茨·斯托尔特（Heinz Stolte）用卡尔·李卜克内西（Karl Liebknecht）和埃里希·米萨姆（Erich Mühsam）讲

---

① 出自 1947 年 8 月 9 日的德累斯顿《联合报》。
② 出自 1947 年 8 月 10 日的《新德国》。
③ 出自 1947 年 8 月 10 日的《新德国》。

过的话结束了他的辩论词，并将讨论会推向了高潮，最后被一群欢呼雀跃的年轻人从演讲台托起退场。几十年后他还回忆道："在这场支持与反对的论战中，卡尔·麦以绝对优势获胜。"①

这场讨论之夜是一场胜利，但并没有为苏占区的卡尔·麦支持者带来转折。谁支持卡尔·麦，就要随时小心了，因为可能很快就要被淹没在纳粹党与世界大战罪责的"论辩"之中。特林克斯教授也依然没有停止对卡尔·麦的攻击，几个月之后在《大众图书管理员》杂志上发表了题为《低俗文学斗争法》的文章。② 他在文章中虽然不再就两次世界大战明确指责卡尔·麦，但开始抛出了如下论断："［……］'德国国防军总司令部'将卡尔·麦用作反抗俄国游击队的斗争手段。"特林克斯认为，反对卡尔·麦的"斗争"是出于"文化政治和教育的需要"，此外还提到"禁书的诱惑"、"过多的［……］警告"还有各种阴谋诡计，并让年轻的读者们远离他所说的"低俗文学"。"还有一些很好的探险小说可以压倒库柏（Cooper），压倒卡尔·麦［……］"，看来库柏探险小说在他看来也是低俗文学！"谁愿意的话，就应该继续读［……］《温内图》［……］"，特林克斯这句话听起来似乎很悲观。因为反正秘密阅读是不违法的。但是："当然教育领域还是不允许存在这样的低俗刊物。"

另外还有一件趣事作为题外话值得一提。"没有人愿

---

① Stolte, Heinz: *Karl May in meinem Leben*. Bamberg 1992, S. 29.

② 出自1948年2月的《大众图书管理员》。

意”，特林克斯写道，“在一本文选或者一本教科书里刊登哪怕一行卡尔·麦的作品［……］”。这就错了，看看一些文选和教科书就知道，目前（自 2001 年起）慕尼黑巴伐利亚教科书出版社供文理中学 8 年级使用的教科书《Projekt Lesen A8》就有卡尔·麦的文章《老铁手骑得飞快》，还有一段摘自我的第一本卡尔·麦传记《曾经的老铁手》，书中还有给学生布置的几项作业，比如：“了解一下作者卡尔·麦。做一份关于他的生平及作品的报告。演示介绍他的小说。”① 斯图加特有名的恩斯特·克莱特（Ernst Klett）出版社 2007 年 8 月出的两本新书就以卡尔·麦为例讲述“名人

图 2　自由德国青年团 1946 年为卡尔·麦之夜出的海报

---

① Gigl, Claus (Hg.): *Projekt Lesen A 8* (für die Klassenstufe 8). München 2001, S. 127 – 129 und 130. Heermann, Christian: *Der Mann, der Old Shatterhand war*. Berlin 1988.

轶事”，又引用到我的卡尔·麦传记里的文章，接下来又以弗朗茨·卡夫卡的一篇文章为例讲到“寓言”这种文学体裁，真是有一股不可抗拒的吸引力。[①]

没有禁止令—没有通行证

二战过后直到1982年底，卡尔·麦在东德遭遇了没落的命运。他的作品不予出版，并且在无数公共图书馆中下架，对此有关当局除了重复以往的观点还添加了新的论据：卡尔·麦具有宗教感情色彩和国家主义色彩，他的作品并不现实，就好像要求童话作品中体现现实主义。卡尔·麦还传递了一种“错误的历史观”，老铁手不是工人阶级的代表！接下来还有更荒唐的事情：1956年11月30日东德文化部的一次会议上，俄国和苏联文学学者娜达莎·路德维希（Nadeshda Ludwig）讲道，卡尔·麦的小说是人民民主国家“近期大事件”发生的“原因之一”，引发了波兰的工人骚乱和被苏联军队血腥镇压的匈牙利人民起义！这个说法在一位东德报纸的编辑看来都很过激。1956年12月13日的《东德最新消息》对此称“这种言论太冒进了［……］粗俗性无人能及”。这句话的作者任该报纸在哈雷的驻站编辑，后来因此丢了工作。

我们看到了各种歪曲事实耸人听闻的论断，然而，当局对于反卡尔·麦的真正原因却只字未提：

---

① Gigl, Claus: *Wisse OK! Deutsch/Gymnasium (G8) /9./10. Schuljahr.* Stuttgart 2007, S. 52 – 53. Ders.: *Wissen OK! Deutsch/Realschule /9./10.* Schuljahr. Stuttgart 2007, S. 46 – 47.

——卡尔·麦作品中的主人公生活在没有当权者存在的环境，或者当权者的权力非常软弱，主人公便闯入了无边无际的自由世界。此类形象不可以作为社会主义人民效仿的榜样。

——东德对卡尔·麦的决定还是在没有电视的时代做出的，当时读书在业余生活中占据最重要的地位，卡尔·麦的小说能够抓住一个人的全部，把人诱拐到白日梦的世界，并抵抗住像红色宣传这样的外界影响。渐渐卡尔·麦的主人公就失去了红极一时的偶像地位。到了80年代初期，由于东西德电视节目的影响，遭遇没落的卡尔·麦又重新得到了关注。

——东德想拥有自己的冒险小说，卡尔·麦则是强劲的竞争对手。尽管其作品遭禁长达几十年之久，然而想用一部社会主义巨著战胜卡尔·麦的计划还是没有实现。

在这38年里，卡尔·麦在东德既没有被下达禁止令，但也没有拿到一张通行证，而是处于灰色地带，这是典型的专制特征，同时卡尔·麦也永远不会被人遗忘。为了避免引起麻烦，读者们私下里偷着读起他的作品。在官方保持沉默期间，总有人来打破沉默的气氛，除了举办各种讨论会还有读者在报刊上发表询问之外，还有其他多种方式，比如《杂志》从1954年第一期开始一整年刊登了22册连环画系列暗指卡尔·麦作品中的主人公：总在做广告的“瓦普塔”（Waputa）酋长和他的白人兄弟“老铁脚”。连环画中有很多对西德尖刻的讽刺内容，还蕴涵着对东德局势的轻度批判，再加上卡尔·麦的关系，最终根据读者反馈，这部连环画系列停载了。主编海因茨·H. 施密特（Heinz H. Schmidt）得重新找一份事情做了。

图 3　70 年代刊登在报纸上交换或出售卡尔·麦作品的广告

《马赛克》是东德 1955 年来唯一的一本画册，其内容从不直接借用卡尔·麦笔下的人物名称，但很多都和卡尔·麦的童话世界有关。托马斯·克莱默（Thomas Kramer）在很多出版物中都介绍了《马赛克》中和卡尔·麦有关的内容及其他内容，其中包括他用于取得大学执教资格的论文和由此出版的一本著作。① 其中有一章节特别讲到卡尔·麦的作品在东德探险文学中的“秘密”接受情况，比如波兰作家维斯瓦夫·维尼克（WiesławWernic）和德国作家瓦尔特·皮舍尔（Walter Püschel）和维尔纳·雷格利（Werner

① Kramer，Thomas：*Micky，Marx und Manitu. Zeit – und Kulturgeschichte im Spiegel eines DDR – Comics 1955 ~ 1990. “Mosaik” als Fokus von Medienerlebnissen im NS und in der DDR.* Berlin 2002.

Legère）的小说。[①] 名声已被埋没的卡尔·麦有时在人意想不到的地方又出现了：1970年，萨克森－安哈特州的迪斯考国营农场出了一种用于栽培球盖菇的培养基，名字就叫做“温内图”。东德各家报纸为了吸引读者眼球，有时用“温内图从温床中疯长”或者“温内图和奥斯特从大树中疯长”这样的题目作大字标题。

到了1973/1974年，如果来自莱比锡的名为“温内图”的纯种雄马在赛马场上赢得了第一名，接着又会出现类似“认真考虑温内图”或者“如果温内图赢了”这样的大字标题。并非所有的报纸，但是东德基民盟和自民党出的报纸还有70年代起《周报》上的寻物广告或者以物换物广告中就经常出现卡尔·麦的名字，比如1974年7月2日魏玛的《图林根州报》上就刊登了这样一条广告：“出售卡尔·麦的51本小说还有4本年刊等，求一辆Trabant 601。”

卡尔·麦的小说成了强有力的替代货币，买一辆轿车需要等10～12年的时间，再后来需要等14年，有了卡尔·麦的小说就可以尽快购车，还可以用来买到其他社会主义贫乏的经济下没有或者几乎没有的东西，比如一套假发。大多数提到卡尔·麦的广告都使用代码和暗号，秘密读者们不想透露自己的姓名，不愿受到贬低和嘲笑。在几十年以前东德早期，出这样的风头会非常危险。

从以下四个各不相同但又具有代表性的事例可以看出，

---

① Kramer, Thomas: *Micky, Marx und Manitu. Zeit – und Kulturgeschichte im Spiegel eines DDR – Comics 1955 ~ 1990. "Mosaik" als Fokus von Medienerlebnissen im NS und in der DDR*. Berlin 2002, S. 110.

卡尔·麦的小说作为秘密读物如何引发了各种不可思议的极端事件。

监禁

1950年7月7日国民教育部颁布了“关于所有图书馆设立少儿部的规定”。但在“设立”少儿部之前要先对图书进行“筛选”，“所有内容劣质的图书、虚假庸俗的游记或者英雄主义传记”一律不得上架［其中包括作家埃尔泽·乌里（Else Ury）、冯·费尔森内克（v. Felseneck）和欧叶妮·马利特（Eugenie Marlitt）的所有多愁善感的少女小说，还有所有卡尔·麦式的侦探类、西部牛仔类低俗图书］。这项规定为统治者的专制独裁铺平了道路。相关部门组织成立了“审查委员会”，此外，“自由德国青年团、少年先锋队和自由工会联合会各出一名代表”协助各图书馆馆长的工作。① 将马利特的作品视为“少女小说”，这种规定无疑显示出当局有关人士胸无点墨。

国民教育部部长保罗·万德尔（Paul Wandel）将乌里的名字列为四大文学反派之首，直到两德统一以后才恢复名誉。埃尔泽·乌里，1877年生，儿童文学家，她的《最小的孩子》系列作品给数以百万计的儿童带来了欢乐无穷的读书时光，当然，这位著名的儿童作家对自己的名誉遭到诽谤已无从知晓。

---

① Heermann, Christian: *Zweimal "ausgesondert"*. In: Leipziger Volkszeitung, 1./2.11.1997 (Beilage Journal).

乌里的苦难命运从 1935 年开始，由于是犹太人出身，她被禁止写作出书，作品也首先从各图书馆下架。1938 年起乌里被迫使用 Sara 作为名字表示其犹太人身份，1941 年起必须佩戴犹太人标志大卫王之星，1943 年 1 月 12 日被遣送至奥斯维辛集中营，代号为“Nr. 638 – Welle XL”，一天后被送进了毒气室。

至于卡尔·麦，国民教育部颁布的规定引发了意想不到的后果。位于萨克森州韦尔道的洪堡高级中学图书馆也牵涉了进来。三名中学生卡尔 – 海因茨·埃卡特（Karl – Heinz Eckardt）、西奥博尔德·克尔纳（Theobald Körner）和齐格弗里德·米勒（Siegfried Müller）不顾规定在先，组建了“卡尔·麦爱好者团体”，互相偷着传阅他们最喜爱的这位作家的作品，当时并没有发生什么事情。直到一名学生的父亲被苏联内务人民委员部逮捕并在集中营里去世，从而引发了一系列政治讨论。除了卡尔·麦的作品，乔治·奥威尔的《1984》也在他们中间流传。学校校长偏激地谈到共产主义反抗，说学生认为自己的所作所为到今天看来依然是正确的。

对高中生赫尔曼·约瑟夫·弗拉德（Hermann Joseph Flade）的死刑审判带来了最终的转折；弗拉德来自德国捷克边境的奥尔贝尔恩豪，当时 18 岁的弗拉德印制了很多反对 1950 年 10 月 15 日全民选举的传单，遇到警察检查时出于慌乱拿出了一把随身携带的小折刀。法官对他的死刑判决理由为“挑拨煽动”和“试图谋杀”，接着引发了一系列抗议活动，韦尔道的高中生们要求“还弗拉德自由”，并将这句话写在了各处房屋外墙上，还写进了各种传单里。“卡尔·麦爱好者团体”最终变成了一个反抗团体，战斗者数量由3个增加到至少19个。韦尔道几个月处于紧张状态，传单到处散布，统一社会党的宣传活动被多次投放臭鼬炸弹，夜间大家一旦听到电话铃响，就打开收听美占区广播电台的消息。1951年5月这些学生被逮捕，有几个逃到了西德，在1951年10月3日、4日的审判上法官做出了严厉判决：17岁的学生尤阿西姆·格布勒（Joachim Gäbler）判处15年监禁，16岁的学生卡尔－海因茨·埃卡特判处14年。19名被告判处年数加起来共130年。出人意料的是，卡尔·麦作为事情的起源，审判中却只字未提，因此重心就更多地转移到了赫尔曼·约瑟夫·弗拉德的身上。对弗拉德的判决使韦尔道的学生从文学战场转移到政治战场，从秘密借书读书变为积极投身行动。

这些学生在第一时间积极勇敢的行动肯定也为“赦免”弗拉德起到了帮助，弗拉德由死刑改判为15年监禁；其中10年必须在声名恶劣的包岑监狱服刑，然后再关押到其他地方。赫尔曼·约瑟夫·弗拉德是我的校友，比我高三个年级，1951年1月10日，在一场我们中学生必须参与的公审上我最后一次见到他，地点是在奥尔贝尔恩豪广场。刑满释放几天后弗拉德就去了西德。他在自传《德国人反抗德国人》中讲述了自己最悲惨的遭遇，[1] 其中还提到卡尔·麦笔下的温内图，但这只是包岑监狱充当看守助手的囚犯。由于

---

① Flade, Hermann Josef: *Deutsche gegen Deutsche. Erlebnisbericht aus dem sowjetzonalen Zuchthaus.* Freiburg i. Br. u. a. 1963 und Grünhain 2000.

多年监禁给身体带来了严重伤害，弗拉德于 1980 年去世。

过失

东德文化部 1956 年 11 月 30 日召开的大会在没完没了地继续，会上娜达莎·路德维希指责卡尔·麦为导致匈牙利人民起义的“原因之一”，大会领导彼得·内尔（Peter Nell，又名 Kurt Heinze，1907～1957）已经病入膏肓，想要结束这场无休止的讨论，然后做出了一项精明的决定，不再禁止卡尔·麦，所以出版与否在于各出版社，如果有人想将卡尔·麦“有责任感地纳入出版计划”，请吧，这也是应该的。与会同志一致认为，没有出版社敢再出版卡尔·麦的作品。这是个错误的认识，德苏友谊协会“文化与进步”出版社要求大会领导内尔信守诺言，并决定出版卡尔·麦的作品。1958 年 1 月卡尔·麦的小册子系列作品“小青年系列”“获德累斯顿附近的拉德博伊尔的卡尔·麦出版社友情许可”出版了《亚布拉哈姆·马穆尔的暴力之下》，64 页，售价 35 芬尼，印数高达 20 万册；其中包含《穿越沙漠》中的两章。卡尔·麦的粉丝们欣喜不已，荒谬的禁令和秘密阅读的日子终于过去了。一份广告宣传单上这样写道：“战斗结束了，我们终翻身！暂时只有小开本，却是真的卡尔·麦！”一位莱比锡书商汉斯·库尔策（Hans Kurze）把这张广告摆在了他位于卡尔—海涅大街的书店橱窗。但种种希望很快就在莱比锡《德国书业交易报》的粗鲁攻击中化为泡影。

1958 年第一期《交易报》“预告栏”里题为“不是玩笑”的宣传广告就先遭到嘲笑，接着第四期刊登了库尔策书店橱窗的照片，上面标题为《必须这样来》，下面是扭曲事实的恐吓文字：引入“小青年系列”是为了对抗西德热门侦探小说和漫画这些价值不菲的东西。现在这一系列出版了一本书，内容和图饰实际上和某些低俗书刊不相上下。这里所谓的低俗图饰就是由四幅尤里乌斯·荣汉斯（Julius Junghans）画的素描画组成，画着卡尔·麦笔下的主人公卡拉·本·纳姆西（Kara Ben Nemsi）和哈德奇·哈雷夫·奥玛（Hadschi Halef Omar）被带进了亚布拉哈姆·马穆尔（Abrahim Mamur）的房子。“卡尔·麦这一章”，《交易报》继续强调，“很多年前在德意志民主共和国就已经终结了”。

大家“永远不要期待有出版社会真的考虑再次出版卡尔·麦的作品［……］不可思议的事情还是发生了，现在来看，接下来出现的后果不足为奇［……］”。就是说书商汉斯·库尔策书店的橱窗，他的举动会让人“期待更多的作品”。但“没有什么是比再次公开讨论卡尔·麦的问题更错误的事情了，战斗真的结束了，书商库尔策的预想并没有实现。”

“和库尔策持类似观点的一些零售书商本以为文化与进步出版社会继续出版‘探险小说’，他们的幻想要破灭了。这家致力于德苏友谊的出版社以其有约束力的名称其实肩负着其他任务。”出版社被要求“对其过失表态”，社长海因茨·密斯里茨（Heinz Mißlitz）在第 7 期报纸上遵照要求对事件作了表态。“各现代作家的作品中”，他写道，“只有很少的一部分，通常花费很多时间编辑后，才有利用价值”。所以我们也考虑过探险小说的其他“经典作家”像伦敦

(London)、史蒂芬逊（Steveson)、格斯泰克（Gerstäcker)、希尔斯菲尔德（Sealsfield）和姆格（Mügge)，同样也考察了卡尔·麦的作品，然而发现“能够利用的东西很少”，最终我们从60部作品中“选取了60页，这60页也是编辑之后才出版的。所以我们没有打算继续出版该作者的作品，我们丝毫没有兴趣对卡尔·麦投入特别关注，或者激起新一轮讨论，《交易报》以惊人的、大家长的形式成功了”。《交易报》以“作答”为题表示：“大家长式”的审判官自认为有权决定作为成年公民哪些书可以读，哪些不可以，出版社对其“过失”的表态显然丝毫没有令审判官满意。

海因茨·密斯里茨自己也对这件事很不满意，他最初绝对是打算“继续出版该作者的作品”。密斯里茨计划1958年上半年从《穿越沙漠》中选取两册出版，书名为《法老之海》，下半年出版两篇短篇小说，书名为《说话的皮革》，但这些计划很快便如石沉大海。

党支部的无党派人士

“噢，美好的萨克森撒谎大王，你那屡次遭到谩骂的大名值得一赞!”作家赫尔曼·康德（Hermann Kant）在它的长篇小说《大礼堂》中开始了对卡尔·麦的称赞：“你夸夸其谈，魅力四射；你相机行事，无人能及。”1965年7月《论坛》周报预先刊登了这些内容,[1] 相应的图书同年也相

[1] Vorabdruck von Hermann Kant: *Die Aula* (15. Fortsetzung und Schluss). In: Forum 13/1965.

继出版。

当年 8 月，某所大学的全体教授在广播和电视中展开有关卡尔·麦的辩论，当时节目很流行；《德累斯顿区域快报》开展了长达一周的读者讨论。除此之外，卡尔·麦的粉丝也希望在他们最喜爱的作者身上出现转机。曼弗雷德·海克（Manfred Hecker）同样如此，他是萨克森州比格施塔特国民教育、文化与体育部主任，自 1947 年起同时为报纸撰写文章，为家乡的文化事业贡献力量。作为一位无党派人士和文化爱好者，1963 年海克得到了政府部门的一个职位，从此以后有 7 所学校和 4 个体育场在他的管理之下，他也得到了各界好评。学生们很喜欢这位年轻的部门领导，和统一社会党那些官僚作风的党政干部相反，海克甚至能脱稿演讲，但这一点也让其他同志感到不快。

海克的一项工作任务是编辑《比格施塔特月刊》（副标题为："精神文化与体育信息"）。他错误地以为那一年卡尔·麦备受推崇，便表明自己是卡尔·麦的读者，在 12 月份的期刊上写了有关他的文章，引发了"支持还是反对卡尔·麦"的小型讨论，并得到了市里和乡镇统一社会党领导的许可，不经他们同意没有什么事情行得通。

1965 年 12 月 15 至 18 日，统一社会党中央委员会第 11 届全体大会召开，这次大会留下了不太好的名声，当局在会后开始了文化领域的大清扫。12 部德国电影股份公司的电影遭到禁止，所有文化涉及的领域都被纳入狭隘严格的社会主义整顿范畴。在大清除行动中，比格施塔特这样的小城也要有人"丢乌纱帽"。同一批党员干部，对 1966 年 1 月的

《月刊》还予以批准，现在又禁止印制。因为曼弗雷德·海克不服政策，甚至到党支部书记那投诉，可想而知，各种令人不悦的“座谈会”随之而来——在“党支部无党派人士团体”（这个组织是真实存在的！）面前，在当时卡尔－马克思城（今天的开姆尼茨）的文化联盟，在自由工会联合会的地区下属机构，等等。一切都来了个180度大转变，海克的工作以往都是得到大家的积极评价，现在各位同志发现海克的工作“始终存在缺陷”，当然还有“思想浑浊”的问题，甚至海克“私自和文化机构建立联系”也属于犯罪行为！

因为卡尔·麦，5月31日海克失去了部门主任的工作，被比格施塔特市政厅解雇。但灵魂的折磨没有削减我这位朋友对卡尔·麦的热爱，卡尔·麦出生地纪念馆卡尔·麦之屋刚刚在萨克森州霍恩施泰因—恩斯特塔尔建成，他就来纪念馆的学术委员会开始工作了。

文书军官

在两德统一大转折到来的前几年，东德出现了卡尔·麦转折，确切地说是1982年12月25日14点15分，东德电视开始播放纪录片“我埋葬了温内图：卡尔·麦——他的人生历程”。卡尔·麦可以告别没落的命运而重新复出，外界的思想压制没有得逞。然而实际上并非如此，因为过去这些年情况发生了变化。新生英雄偶像早就通过电视在东西德得以传播，代替了卡尔·麦笔下主人公的榜样形象。1981年11月10日和17日，统一社会党政治局委员在最高政治局会议上讨论了有关“新生活出版社出版卡尔·麦部分作品”的事宜，甚至还议论到图书装订采用的面糊种类这样的细节问题，总的来说为卡尔·麦开了一盏微亮的绿灯。从1982年圣诞节第一天起，每到节日东德电视台都在放映西德的卡尔·麦电影。

首先“致死一跃”这样的冒险精神遭到了众人的嘲笑。马列主义已深入人们的思想意识，甚至有人称卡尔·麦也可以被“集中用来深化社会主义本土意识”。但不久后所有防线就已坍塌崩裂，卡尔·麦的时代踪迹随处可见。

一些流行作品像《温内图》和六连册《小野蔷薇》精装再版出版了，我的卡尔·麦传记《曾经的老铁手》也得以出版；一些报纸也推出有关卡尔·麦的系列文章和大量漫画；柏林、德绍和德累斯顿的剧院，萨克森州的拉腾和永斯多夫的露天剧场，还有些地方就在岩石路面上放映起卡尔·麦的戏剧；德累斯顿人民高校开设了一门卡尔·麦课程；柏林一名偷书贼因为偷了卡尔·麦的书，判处“三年劳动教养”；科特布斯一名女服务员克劳蒂娅·贝克尔（Claudia Becker）用“卡尔·麦宴席”通过了专业资格考试；德累斯顿一名面点师马蒂亚斯·米勒（Matthias Müller）用他“无可忘却的卡尔·麦”蛋糕考取了满师证书。

所有一切都很美妙，但卡尔·麦的粉丝们最希望的是读到卡尔·麦的作品。在东德很多事情都是这样，出书的进展也十分缓慢，从1983年到1989年，7年内出了11本书，平均每年刚好一本半。

图4 班贝克卡尔·麦出版社如今的广告：作家卡尔－海因茨·艾克哈特（Karl－Heinz Eckhardt）和小读者们

但卡尔·麦出版社位于西德的班贝克，装有“绿色文集”的包裹始终都被“海关当局”退回甚至没收。但东德开始出版这位来自东德萨克森州故事家的作品后，就连在他的家乡也只能通过从西德寄来的“礼包”收到他的书然后光明正大的翻看吗？来自萨克森州霍耶斯韦达的赫尔穆特·里德尔（Helmut Riedel）想要知道个究竟，便询问邮政海关是否允许从西德私人寄送卡尔·麦的作品到东德，等了四个星期后，1983 年 2 月 18 日他收到了文书军官简德罗塞克（Jendrossek）的一封信：

> 对于您的问题是这样的，根据海关法第 20 条实施细则，符合 1973 年 6 月 21 日颁布的进口许可条件的图书，可以进口到东德。然而，只有在东德海关根据这项法律规定进行货检时才能检查相关图书，所以即使事先知道书名和作者也不能预先给出答复。另外，东德邮政局可以针对本信所提到的进口规定提供相关信息。

“文书军官”的这些废话要读上两遍才能彻底领会到什么是专横跋扈。赫尔穆特·里德尔先生对这一回答并不满意，试图到霍耶斯韦达的邮政总局继续了解情况。第一次没有成功，负责“问询与检查”事务的女同事 1983 年 3 月 8 日那天不在，一个星期以后接待了里德尔。由于这位女士也解释不了最后一段的意思，里德尔先生请她给“文书军官”打电话。电话持续了十分钟，然后赫尔穆特·里德尔被告知，这封专横的回信内容“完全符合社会主义法律”，有关部门无法签发通用的卡尔·麦作品进口许可。女同事临走时顺便说了一句，“进口卡尔·麦的书，干脆就试试吧”。

里德尔先生听从了她的建议，并且事情进展顺利，到 1985 年底他就集齐了在班贝克出版的所有卡尔·麦的作品。里德尔觉得不能白白接受所有图书，于是问在西德的朋友是否愿意交换图书，朋友的要求令他感到惊讶，但却很好办，就是用马克思换卡尔·麦。还有一些斯大林文集也从霍耶斯韦达踏上了去往西德的旅途，这也不是很安全，因为斯大林曾经作为“千秋万代的伟人”当时也在东德海关的没收名单上，但保留着斯大林主义色彩的政治环境没有对此产生什么影响，来自霍耶斯韦达的斯大林小包裹很显然没有被查到而顺利过关。

我汉堡的朋友阿尔弗雷德·施耐德（Alfred Schneider）是卡尔·麦协会的创建者和总负责人，他曾向波恩的“东德常驻代表处”打听涉及卡尔·麦的包裹信件邮局如何处理。因为不能在西德首都对一位西德公民用空话套话敷衍了事，于是代表处的回答是这样的，要他在图书包裹上贴一张小纸条写上：“根据波恩东德代表处的答复：图书内容安全放心！”

科幻小说与唱片

——秘密交易与偷运入境

埃格贝特·皮奇（Egbert Pietsch）（P）、卡尔海因茨·施泰因米勒（Karlheinz Steinmüller）（St）与齐格弗里德·洛卡蒂斯（Siegfried Lokatis）（L）的座谈

L：现在我们来谈谈东德的科幻文学以及唱片交易。唱片交易在莱比锡克鲁泽（Kreuzer）出版社的发展中扮演着重要角色。

P：重要角色之一。

L：卡尔海因茨和妻子安格拉·施泰因米勒（Angela Steinmüller）在东德不仅作为优秀的科幻作家而出名，后来在1989年政治转折之际，卡尔海因茨·施泰因米勒转行成

为一名未来学家，原因是什么呢？

St：原因很容易理解。对我来说，从事未来学研究是以其他途径继续从事科幻创作，我们曾经在东德构想出来的东西，现在可以投入实际应用了。所以二者的差别真的不是很大，不仅文学需要疯狂的想法，在公司里同样如此。

L：施泰因米勒先生，您来自东德靠近捷克边境的地方，在那儿怎么才能接触到科幻小说呢？那里的人到底知道科幻这个东西吗？

St：就连在那儿也流行科幻小说，50 年代的时候广播里就有了。但即使是东德的主流科幻作品，因为数量很少，在五六十年代大部分也都是秘密交易。计划经济下物品稀缺，也就提升了书的价值，以至于科幻作品虽然可以在东德通过正常渠道购买，但主要还是在读者之间互相传看或者买卖，因为这类图书太少了。

L：如果提到乔治·奥威尔和他的《1984》，那么科幻类题材并非始终是政治上无害，就像电视剧《猎户座号宇宙飞船》一样。

St：如果 60 年代中期一个中学生看了这部电视剧，肯定会在学校里遇到麻烦，但我们当时从电视上拍下照片然后在学校里分发传看，并没有被怎么样。电视剧里那广袤的宇宙，还有对抗外来入侵者的青蛙大战冒险经历，极大地激发了我们的兴趣。这是图书的效果通过屏幕展现了出来，深深地影响了当时我们这些 14 岁的青少年。

回到乔治·奥威尔，《1984》不是文学里的灰色地带了，而是属于黑色地带。如果在错误的时间错误的地点被发现，单单这本书就能把人送进监狱，给人戴上一顶反共产主义战斗者的帽子。大家对奥威尔总的来说也是持批判态度，这是有历史原因的，因为1954年BBC的电视节目将奥威尔归为冷战的一部分，两股势力都以这种方式解读奥威尔。

50年代时可能因为乔治·奥威尔会进监狱，到了1983年底，马上就要跨入1984年，因为要做一场关于这本书的报告，我自己还是非常小心。我们有一位朋友，莱因哈德·格勒克纳（Reinhard Glöckner），当时在格赖夫斯瓦尔德做牧师，后来两德统一之际成了市长，他邀请我们1983年12月28日那天去他的牧区谈谈这本书。这件事情真难办，我们当时感觉非常不自在。我想：能说什么呢，这种报告里可讲些什么呢，能涉及多少批判斯大林的内容？毕竟牧区里有60个人在。我们一位朋友甚至警告说："你们在干什么？——等着到时给我寄包裹吧。"意思是说如果我们被驱逐出境，也就是如果被开除国籍，就从西德给他寄包裹。牧师在开场先适当地讲了讲《约翰启示录》，然后大家唱教会歌曲，我谈了谈《1984》接着大家展开讨论。我们发现，至少有一半的人都没读过这本书，也许有三分之一也只是大概知道这本书的内容，总的来说大家始终没有表现出兴趣，没有任何人提出反对意见。报告进行的还算顺利，我们不用从西德寄包裹了。

L：说到从西德寄包裹，顺便提一下，到底怎么才能弄到西德图书呢？

St：在罗马尼亚和匈牙利。我们去找了布达佩斯的一位女性朋友，在那逛了旧书店。有一天，应该是1978年，终于我们在一家旧书店里找到了《1984》的英语版第一版，这本书花了20福林，当时对于东德人来说不少了。买书是一件事，20福林我们还是有的，但还要把这本书带过边境！然后我们想，我们要把书裹到毛衣里，还是藏到香肠里，要不要塞到塑料袋里？是大大方方地放到包里还是裹进报纸里，或者那上面还有更显眼的地方，放到行李架上，这样就不用偷偷摸摸地掩藏了。当时想了各种各样的办法。而且为了掩饰还要买些其他东西，这样看起来就不显得那么可疑，我们在布达佩斯买了很多工艺品，还有印度的铁皮和黄铜制品用来掩饰。过去这么多年我们还学会了如何伪装得像模像样。不能吹口哨，而要展现自由德国青年团大方诚实的面貌，遇到海关关员，或者更糟糕遇到女关员，不能正视他们，千万千万要做到，而且不能朝边上看，最好看着肩膀，近距离地走过。这些特殊的行为举止规范必须要遵守。我们就见过隔壁车厢的旅客不注意行为举止，被没收了两本娱乐

图1　埃格贝特·皮奇拿着他偷带入境的唱片

小说，而我们若无其事地坐在那儿，说说笑笑很开心，箱子里至少藏了 15 本书。有时拿出一张面巾纸，就可能遭到检查。

L：皮奇先生，您后来对唱片产生了很大的兴趣，您是在一个小城里长大的，当时在那儿就知道有唱片吗？

P：那时在克莱因·万茨莱本还没有唱片。我 14 岁住进了埃格尔恩的学生宿舍，当时高年级的同学总是有 Deep – Purple 乐队的唱片，或者其他正是我们想听的唱片，比如 Dire Straits 乐队，但要卖到 120 ~ 130 东德马克。每个星期 15 东德马克的零用钱是不够用的。很快我就决定采取对策，所以就产生了自己偷带唱片的想法，而且是批发买卖，但是是在搬出了学生宿舍之后才做的。接着我服了四年兵役，去了柏林，在菩提树下大街演奏普鲁士乐曲。那更应该说成是军事美学，而非真正的军队，弗里德里希·恩格斯（Friedrich Engels）戴白色手套的警卫团，军刀和塑料头盔。如果在纪念碑那里戴着真正的钢制头盔，在南边，30 度的夏天，一切就都不一样了。我们的时间非常充裕，我的室友也从埃格尔恩的学生宿舍搬了出来。

就这样，我们倒运唱片的生意做得很兴隆，集乐趣、冒险当然还有利益于一身。

L：您是 1965 年生人，过柏林墙就是个问题，怎么把那些唱片从西柏林带过去？不是很安全吧？我想起来电影《太阳街》中的一个场景：一名男子被枪射，子弹打到了一张 Rolling – Stones 乐队的唱片上，救了他一命，而他看起来好像宁愿自己被击毙，也不愿意让那张唱片成为牺牲品。

P：是的。另外，Rolling – Stones 乐队《Exile on Main Street》这张双碟唱片的准确价格是 250 东德马克，2001 年在西柏林售价为 19.90 西德马克，而在东德就要 250 东德马克。总的来说偷运唱片这门生意就有两个难题，第一，怎么把大量唱片从西德带到东德，第二，怎么能换到大量的西德马克。这两个棘手的问题一直也都是唯一的问题。但是办法是有的，在柏林能收听美占区广播电台，电台里经常广播汇率。

柏林动物园火车站的德意志交通信贷银行可以换钱。

汇率在 1∶8 到 1∶12 之间浮动。有时候走运的话，从某个老奶奶那里能换到 1∶5 或者 1∶6。80 年代能换到 1∶10 以下就算赚了。我们很多钱都是在动物园的德意志交通信贷银行换的，虽然那儿的汇率不怎么好。

我们总共三个人一起做的这门生意，我和我的同事在东柏林，另一个是同事的远房亲戚，在柏林学医，是他起到了关键作用，因为他有一些巴勒斯坦的同事，可以开外交用车出入境，完全零风险，我们就用他那辆欧宝阿斯科纳，装着 VEB—Bako 面包房的箱子开到东柏林，箱子正好放进行李箱，两个人就能抬出来。整个过程比较简单。

当然这个过程中也是有很大乐趣的，在国安部的人面前总是有点儿害怕，但最后什么也没发生。我在东德反正胆子很大，看上去也就没那么可疑。我那位同事相反就胆子小，一次有位医生对他说，这样会不会做得太过分，换成他可不会这么干，我那同事就非常紧张，说道：“天哪，我们不能再这么干了。”

我们的主要货源是韦因海姆唱片中心，按照订单订货，现在可能叫做邮购订单。500张以上的价格是4.99西德马克，当然不是所有的，但很多在东德抢手的都是这个价格。主要是重金属音乐最多。弹着吉他流着汗的男人们。（那时）还是真正的手工活。

现在在年轻人的音乐圈子里就不一定是这样了。

Black Sabbath、Saxon和Judas Priest，当时有很多这些乐队的唱片，也很容易买到。当然在西德有的唱片也很贵，汇率不好的情况下这些唱片的生意就不好做了。倒运图书是次要生意，但我们也做了一些。

还有更贵的东西，比如说比尔曼（Biermann）的有声图书，一张比尔曼唱片至少300东德马克，因为大家知道，他的唱片即使在80年代中期两年都不过时。或者鲁道夫·巴赫罗的《抉择》，蓝色包装，不大，西德卖到6.8西德马克或者7.8西德马克，换成东德马克肯定就100了。

L：施泰因米勒先生，您也倒运过唱片吗？

St：没有自己倒运过，但让西柏林的朋友帮着弄了一些，数量不多，可能对于皮奇来说都是不值钱的东西，就是说恰恰不是Dire Straits这样的摇滚乐队，而是克劳斯·舒尔茨（Klaus Schulze）的电子音乐或者杰夫·韦恩（Jeff Waynes）非常棒的音乐剧《宇宙战争》。

P：小众市场。

St：没错，小众市场。轻口味，没有风险回报。不过亲戚朋友当然也给我们偷带了一些图书，数量不多，也从来不是为了卖书。但朋友们都知道，所有跟科幻有关的东西都可以带给我们。

比如有一次我和我的岳父在保加利亚见面，他给我们带了超级好东西：50 年代旧版科幻小说。现在旧货市场上可能一本卖 50 分，但那些小说里有些可是几乎绝版的，比如最早的《佩利·罗丹》科幻系列，当时还不是正式上市的版本，而是借阅版。

保加利亚海关当然查了我岳父的行李，发现了那些书，我岳父结结巴巴地说“宇航员，宇航员”，就过关了，有时候科幻小说还是享有一定的特殊待遇。我们偶尔在柏林的东德旧书店里也能淘到些东西。

旧书店的人都认识我们了，这个很重要。所以进了弗里德里希大街上的旧书店之后，店员对我们说：过来一下吧，我们有东西给你们。然后他们拿出来 60 本平装袖珍版科幻小说，英国的和美国的，总共大约 250 东德马克。我们可没带那么多零钱，在东德一个人如果带了 10 马克，一般都够出一趟门的了，于是我们去附近找了一位朋友，从她那借钱把所有的书买了下来。书店老板不敢把书摆在橱窗里，也不敢放到书店前厅，一本书可能没问题，但这么多就太显眼了，并且他们都是找值得信赖的人当雇员。

有些科幻作家的作品到了海关那总是被没收，比如卡洛斯·拉什（Carlos Rasch）。有人跟我们讲起一次他在等着收包裹，一个很普通的包裹，里面装的科幻小说，他当时在写关于科幻小说的博士论文。那些书被没收之后，他要投诉，但很难搞清楚到底要去哪儿投诉。最后他找到了海关总局，工作人员也确实表示理解，说道：“好吧，您是有权收到那些书的，行，这就把书退还给您，跟我们过来一下吧。”然后他被带到了柏林不知道什么地方的一个大厅，桌子一个接一个排成50米长的一排，没收来的书在上面堆成了山。海关关员和他说："可惜我们也不知道哪本是您的，您找到了就拿走吧。"对于读书迷来说那就是天堂，这天堂就在海关。

L：我从您那了解到，东德的科幻小说，尤其是这里本地科幻作家的作品，还是远远比美国科幻小说更受欢迎。

St：一直是这样。

L：那我就不明白了，为什么您也倒运这些美国科幻小说。

St：每位东德科幻作家都感觉自己像是一位小海纳·米勒（Heiner Müller）（剧作家），米勒当然也需要读作家孔萨利克（Konsalik）的消遣文学作品。

L：还有苏联科幻作家斯特鲁加茨基兄弟，他们写的东西很多都隐藏在潜台词里。而事实上又完全是另一回事，他们在作品中勾画出的社会带有强烈反斯大林主义的批判色彩。

为什么有些人不了解这一点，为什么在东德能见到他们的作品呢？人民与世界出版社甚至大量发行。

St：恰恰不是的。斯特鲁加茨基兄弟是个特殊情况，他们是勃列日涅夫领导的审查下真正的受害者，约20年之久在苏联不能出版作品，勃列日涅夫时代过去之后才出版了一系列图书。他们把《讨厌的城市》（*Die verfluchte Stadt*）[①]

---

① 在德国出版的版本名为《Stadt der Verdammten》，Frankfurt a. M. 1993 和《Das Experiment》，München 2002。

的手稿藏起来，甚至同事朋友都不让看，不承认有这本书存在，不然两个人就有危险了。他们身上发生的事情太多了。所以说他们是一个特例。这样的情况东德是没有的。

两德统一之后，很多人包括科幻小说粉丝都希望作家们打开抽屉，这样才能让以前被禁的文稿浮出水面。但无论是科幻作家，还是其他作家，都没拿出什么新的东西，也许是出现了一些冷门作品，但也仅此而已，大家期待的热门禁书、非主流图书没有出现。当然，是我们自己的错。但还是有点儿可惜。当然很多作品中有些内容是有批判性的，写得更加尖锐了，但很少涉及真正的、严格的审查，起码在我看过的科幻小说中很少。一些作品文笔十分庸俗，被返还给出版社重新编辑，这样审查甚至还为作者们做了件好事。

此外，东德也有一些私人出版社少量发行的科幻小说，不像耶和华见证人那样把文稿藏在李子里，而是自己手工制作的，做得非常好。几个小伙子坐下来，用转印支架翻拍自己做的模板，然后缩小复印，挂起晾干，最后把这些微型小册子分发给朋友们，其中大多数文章都是合乎主流的。

另一方面，这种对科幻小说的喜爱也有可能被置于政治背景下曲解，科幻小说爱好者们都知道德累斯顿 Stanislaw - Lem 俱乐部曾经发生过什么事情，有大学生因为传阅英美科幻小说，其中部分是他们自己翻译的，然后以传播帝国主义文学为由被学校开除。如果在大学里遇到煽动闹事想出风头的人，俱乐部里流传的这些文稿可能就会让这些人的职业生涯遭遇严重挫折。我们一位朋友罗尔夫·克罗恩（Rolf Krohn）就是这样，没有成为物理学家，而成了司炉工，同时写科幻小说，可以说开除学籍之后他还是能靠着工作生活，其他人可就没那么幸运了。

L：还有对皮奇先生的一个问题，是提到耶和华见证人用李子藏文稿的时候我想起来的。唱片就一点儿也藏不了吗？您当时整个行李箱都装满了。我就不是很明白了。

P：其实风险很大。500张唱片就要运两趟，车里从来都是装得满满的，不然不值得冒一趟这么大的风险。我们当然还稍微培训了一下在西柏林的那位朋友，如果海关查看要怎么应付，但海关几乎从来没查过。我们五年里可能运了30趟，至少几个月就一趟，这么长时间就被真正查过一次。他每次都开进伯恩霍默大街，当时海关发现那些唱片后，那位朋友说："那个，我是迪厅唱片管理员。"当时DJ还叫迪厅唱片管理员。"我今晚要在克罗伊茨贝格（柏林一个城区）放唱片，我住在五楼，因为你们我就不把唱片都拖到楼上了。"然后海关关员说："嗯，差不多没问题"，便放了他入境，但在他回来的路上快到半夜12点时，关员们真的花了一刻钟的时间查看是否所有的唱片都在。我们当然很无奈，因为每次都要给他报销25东德马克的入境费，那次相当于拉了个空车。

编辑致辞

在“民主德国的秘密读者”大会召开前2个月，2007年7月，一直辛勤负责大会组织工作的 Simone Barck 突然离世，本来很可能推迟举行的大会还是如期召开，这在很大程度上是和我们各位莱比锡大学生的积极投入分不开的，学生们通过两门研讨课的形式筹备大会，之后在“写作工作室”对各篇文章进行编辑整理。

我们要感谢大会上播出的影片《Gift für die Republik》导演 Geraldine van Gogswaardt，Anika Heintze 和 Tina Stephan，还要感谢大会主持人 Kristin Wolter，Jenifer Hochhaus，Ulrike Geßler，Kerstin Schmidt，Carmen Laux，Maria Dobner 和 Diana Burgdorf，此外还有 Jens Hüttmann 博士和 Hedwig Richter。

Berit Bornschein 负责与会成员的食宿工作，Nicole Bornschein - Laugwitz 设计海报、宣传册及会标，Wenke Hahn 和 Claudia Panzner 负责客人接待。Vera Nickel 负责电影录音，并得到了波茨坦当代史研究中心 Agnieszka W. Wierzcholska 的支持。Mario Gäbler 负责布置并管理图书展台。

本书大部分篇幅是在研讨课“写作工作室‘民主德国的秘密读者’”下完成的。各位学生把录制下来的专题讨论会落实成文字，审校编辑与会者的发言稿，在此要向以下学生表示感谢：Manuel Binternagel，Ulrike Brandt，Sara Fischer，Ulrike Geßler，Kerstin Schmidt，Katy Gillner，Geraldine von Googswardt，Anika Heintze，Tina Stephan，Susanne Günter，Susann Hannemann，Uwe Hofmann，Carmen Laux，Oliver Matthes，Michael Niepraschk，Sandy Nitzsche，Stefanie Ohle，Stefanie Schwibode，Heike Trautloff，Julia Wallmüller，Jeannine Wanek 和 Peter Zeckert。

此外还要感谢莱比锡大学传媒传播中心的 Waldemar Scheible 先生在录音录影工作上的技术支持。

此次大会的方案来源于德国研究联合会在波茨坦当代史研究中心的项目“秘密读者”，我们在此还要感谢 Martin Sabrow 博士（教授）作为协办方给予的支持。同样作为协办方的莱比锡书业历史工作组提供“书之屋”的场地供大会使用，对此向 Mark Lehmstedt 博士表示感谢。

莱比锡储蓄银行传媒基金会提供使用其在莱比锡传媒校园的会议厅。莱比锡图书学友人及促进者协会协助招待与会客人。

我们还要感谢“联邦前东德统一社会党历史整理基金

会”对大会所需全部资金的慷慨支持，感谢德国研究联合会、波茨坦当代史研究中心以及历史整理基金会对本书印制的资金支持。

2008 年 8 月 16 日于莱比锡

齐格弗里德·洛卡蒂斯

英格里德·宗塔格

编者及作者简介

齐格弗里德·洛卡蒂斯（Siegfried Lokatis）

生于1956年；在波鸿和比萨攻读历史学、考古学和哲学，1992年获博士学位，1993~2001年在波茨坦当代史研究中心任职，2001~2005年任职于波茨坦大学；2004年获大学执教资格，2006年获莱比锡大学图书学教授席位。

英格里德·宗塔格（Ingrid Sonntag）

1953年生于德国图林根州格拉；攻读日耳曼语言文学，之后于莱比锡哈雷东德出版社及莱比锡 Gustav Kiepenheuer 出版集团任编辑，莱比锡艺术自由学院院长；目前为自由职业人，在莱比锡大学任教，居于莱比锡。

芭芭拉·阿梅隆（Barbara Amelung）

1940年生于德累斯顿；1957年移居西德，1961~1966年先在哥廷根和柏林攻读法学，后于哥廷根法院任法官；1968年与Knut Amelung结婚；自1983年起在特里尔任公证代理人及特里尔手工业商会消费者投诉调解委员会主席；1998年参选特里尔市长办公室，输给在职人员落选；1994~2005年任某信托机构法律顾问（德国土地开发与管理有限公司）；2005年以来继续任公证代理人；1992年受Knut Amelung博士（教授）聘请，于德累斯顿工业大学新成立的法律系任教，1994年起全家居于德累斯顿。

罗兰德·贝温克尔（Roland Bärwinkel）

生于1958年，在莱比锡攻读日耳曼语言文学及通用文学，获日耳曼语言文学硕士学位；任魏玛安娜·阿玛利亚女公爵图书馆信息部主任。

齐格弗里德·布罗伊尔博士教授（Prof. Dr. Siegfried Bräuer）

1930年生于萨克森州靠近捷克边境的奥尔伯恩豪，在莱比锡攻读神学，之后在莱比锡做牧师；1972~1979年任萨克森州牧师学院院长，学院位于弗莱贝格附近；1980~1991年任柏林新教出版社社长；1991~1995年任德国新教教会柏林分会神学部负责人；同时于瑙姆堡高等神学院取得大学执教资格，授课内容为路德在第三帝国的接受，后转入柏林洪堡大学编外任教；2000年退休不再担任教学任务；居于柏林。

君特·德·布律（Günter de Bruyn）

1926年生于柏林；1946~1949年在东德波茨坦和拉特诺任临时教师；1949~1953年接受图书管理员培训，接着担任柏林人民图书馆管理员；1953~1961年在图书馆管理学中心学院任职；1961年起任自由作家；1980年起参与编辑出版《勃兰登堡作家花园》；1969~1978年东德作协主席团成员，1970~1990年东德国际笔会成员，1991德国国际笔会成员；1978年起东德艺术科学院成员，1986年起西柏林艺术科学院成员；荣获众多奖项，如1964年获海因里希—曼文学奖，1982年获里昂—福伊希特万格文学奖，1989年获托马斯—曼文学奖，1997年获让—保罗文学奖，2008年获霍夫曼—冯—法勒斯莱本文学奖。居于柏林。

科琳娜·布绍（Corinna Buschow）

1983年生于勃兰登堡州诺伊鲁平；2002年起在莱比锡攻读新闻学和文化学，在科特布斯的《Lausitzer Rundschau》以及《20cent》报社完成实习，同时在各日报社兼职。

卡尔·科里诺博士（Dr. Karl Corino）

生于1942年；在埃尔兰根大学、图宾根大学及罗马大学攻读日耳曼语言文学、古典语文学和哲学；1969年于图宾根大学获得博士学位，博士论文题目关于罗伯特·穆西尔（Robert Musil）的早期作品；1970年起在黑森州广播电台文学部工作，1985年起任部门主管；重点方向为东德文化与文学；设立时事述评节目“穿越边境·东德文化”并担任主持；

获得联邦十字勋章；退休后居于黑森州巴特·菲尔伯尔。

汉斯－赫尔曼·德克森（Hans－Hermann Dirksen）博士

1966 年生于美茵河畔法兰克福；在基尔攻读法学；在石荷州任见习律师；在格赖夫斯瓦尔德的恩斯特－莫里茨－阿恩特大学获法学博士学位；1995 年获律师资格；在黑森州生活工作。多年来致力于研究共产党执政时期小型宗教团体受到的迫害。

伊莲娜·德姆克（Elena Demke M. A.）

文学硕士；1968 年生于波茨坦；在莱比锡和牛津分别攻读日耳曼语言文学及现代史；国家安全部档案柏林处负责人。

玛利亚·多布纳（Maria Dobner）

1983 年生于柏林附近；2003 年起在莱比锡大学攻读文化学、新闻学和企业经济学硕士。

雷纳·埃克特博士教授（Prof. Dr. Rainer Eckert）

1950 年生于波茨坦；1969 年在柏林洪堡大学攻读档案学和历史学，1972 年由于政治原因被大学开除；1975 年远程学习获硕士学位，1984 年获博士学位，于图书馆任职至 1988 年；1990 年 10 月至 1991 年 12 月任德国历史学院副院长；1991 年任洪堡大学历史学院现代史学教授席位助理；

1997 年 1 月任莱比锡系列项目领导，1998 年 6 月接管“联邦德国历史”基金会莱比锡当代史论坛博物馆，2001 年

12 月起任馆长；2001 年于柏林自由大学 Otto – Suhr 学院获得大学执教资格，居于莱比锡和柏林。

发表过众多作品，内容涉及东德形势、国家安全部问题、盖世太保、1945 年及 1989 年后两德专制、洪堡大学史、1989 年后东德历史学、东德反对派及反抗行动、民主社会主义党历史观、流亡传播学及纳粹统治下的德国工人形势。

克里斯蒂安·埃格尔（Christian Eger）

1966 年生于德绍；攻读日耳曼语言文学、语言学及近代史；《中德意志报》文化部编辑；哈雷 Waldersee 出版社发行人；居于哈雷。

西格马尔·福斯特（Siegmar Faust，原名 Siegmar Kayenberg）

1944 年生于萨克森州多纳；1965～1966 年于莱比锡卡尔 – 马克思大学攻读艺术教育及历史学；后被开除学籍，接受生产劳教；之后于“Johannes R. Becher”文学院学习，1968 年再次由于政治原因被开除学籍；从事各种勤杂工作，在莱比锡 Knauthain 水库开过汽艇，做过莱比锡德意志图书馆夜班门卫。1971～1972 年由于“从事敌对国家的煽动活动”受莱比锡国安部拘留待审；后被释放；指控国安部及离境申请；后被再次逮捕，判处 54 个月监禁，在科特布斯服刑；由于编辑手写囚犯报《不幸的德国》被关入地牢单独监禁 400 天；经国内外有关人士的帮助下提前释放；后迁往西柏林；自由职业者；《今日东德》及《那里的耶稣基督》杂志总编；1989年后迁回东柏林；任德国自由作家协会副主席及项目负责人，国安部档案柏林处负责人；1997年在德累斯顿创建“了解在于回忆”协会；1996～1999年国安部档案萨克森州处负责人；居于巴伐利亚州赖兴贝格。

贝尔恩德·弗洛哈特博士（Dr. Bernd Florath）

生于1954年；在国家人民军服役后在东柏林攻读历史学，1976年被注销学籍；在生产队“劳动教养”；1978年再次入学；1981年起任东德科学院史学家；1986年加入统一社会党；1990年1月退党，参与成立独立社会党；1990年4月成为新论坛运动成员，1990年6月任新论坛运动柏林发言人，1990年9月至1993年任德国发言人；1992～1996年于柏林洪堡大学任职；1997～2003年于德国反抗纪念馆任职；1999～2000年于柏林自由大学Otto－Suhr学院政治社会学任教；2007年起在国安部档案处教育与研究部门任职。

安德里亚·格内斯特博士（Dr. Andrea Genest）

1970年生于柏林；1990～1991年在柏林自由大学攻读政治学及日耳曼语言文学；1991～1992年在奥斯维辛国际青年会议宫任和平志愿者；1992～1993年在波兰国家奥斯维辛纪念馆参与协调欧盟Tempus系列项目“奥斯维辛以后的欧洲公民社会及社会变迁”；1993～1999年继续学业；1999年1月获硕士学位，毕业论文题目为《以自由城市格但斯克的犹太社区为例论1933～1939年国际联盟的人权政治》。1999年4月至2005年3月在柏林自由大学反抗史研究处及德国反抗纪念馆任职；2002～2005年攻读博士，题目为《波兰反对派的1968年危机——1989年体制转变前后的事件与接受》；2005年4月起在波茨坦当代史研究中心任职。

乌尔里克·格斯勒（Ulrike Geßler）

1984年生于萨克森－安哈特州德绍；2004/2005年冬季学期开始于莱比锡大学攻读传媒学硕士，主攻方向为图书学、日耳曼语言文学及心理学。

约恩－米歇尔·谷尔（Jörn－Michael Goll）

1977年生于巴符州斯图加特附近；在图宾根和莱比锡大学攻读古代史、近代史、政治学及新闻学；2005年起获弗里德里希—瑙曼自由基金会奖学金攻读博士，题目为《经审查的审查官：海关对于国家安全部“政治战略工作”的意义》；2006年1月至2007年1月与德国分裂纪念博物馆以及莱比锡技术、经济与文化高等专科学院的学生合作，负责博物馆长期展览“东德海关”的陪同工作。

巴德尔·哈泽（Baldur Haase）

1939年生于捷克克尔科诺谢山一带；被驱逐出境后在苏占区长大，后迁至图林根州萨尔费尔德；1955～1958年在莱比锡学习印刷技术；由于和国外联系密切，1957年受到国安部关注，1958 年起成为邮政检查通报合作者；由于某届德国青年聚会举办后收到西德朋友寄来奥威尔的《1984》，1959 年被捕，判处三年零三个月监禁。

克里斯蒂安·黑尔曼（Christian Heermann）

1936 年生于开姆尼茨，攻读物理学和数学；于莱比锡大学任数学家 30 年，爱好写作出版；霍恩施泰因—恩斯特塔尔卡尔·麦之屋学术委员会主席，莱比锡卡尔·麦爱好者协会主席，莱比锡“自由文学界”促进委员会理事会成员。

恩里克·海策尔（Enrico Heitzer）

1977 年生于图林根州阿尔滕堡；1996 年中学毕业后服兵役两年，1998～2004 年在波茨坦和哈雷攻读历史学和政治学；发表硕士论文；于哈雷－维腾堡大学攻读博士，研究反对非人道战斗团（KgU）；波茨坦当代史研究中心研究员。

君多尔夫·赫尔茨贝格博士（Dr. Guntolf Herzberg）

1940 年生于柏林；1961～1965 年于柏林洪堡大学攻读哲学，后在东德科学院做研究助理；1973 年被禁止从业；支持鲁道夫·巴赫罗 1976～1977 年完成《抉择》一书；1985 年迁往西柏林；绿党成员；自 1994 年起于柏林洪堡大学哲学院任职。

沃尔夫冈·欣茨（Wolfgang Hintz）

1937 年生于东普鲁士海尔斯伯格（现波兰境内）；1945

年至60年代居于柏林，后迁往西德明斯特；长年以公共资金协助教会工作，以直接或间接的方式满足教会日常需求；自学研究东德历史、统一社会党党史、东德生活，尤其是东德天主教、新教教会成员日常生活。

詹妮弗·霍赫豪斯（Jenifer Hochhaus）

1986年生于图林根州米尔豪森，2004/2005年冬季学期开始于莱比锡大学攻读新闻学硕士，辅修文化学。

哈罗德·霍尔维茨博士教授（Prof. Dr. Harold Hurwitz）

1924年生于美国；于哥伦比亚大学攻读社会学；1946年作为占领军成员来到柏林并长期居于柏林；与社会民主人士（如古斯塔夫·克林格霍弗 Gustav Klingelhöfer）联络往来；1948年春任“Talk Back 行动”青年编辑；1949年柏林自由大学毕业：调研德国工会联合会；1952～1954年通过匿名调查问卷研究西德杂志《月份》在东德的“秘密读者”情况；60年代初任威利·勃兰特（Willy Brandt 时任德国社民党主席，后任德国总理）办公厅社会学顾问；为恩斯特·罗伊特（Ernst Reuter）写传记；1967转到柏林自由大学任政治学教授至1988年。哈罗德·霍尔维茨是“柏林政治文化研究的带头人”；其大量出版物的核心内容为当代史背景下柏林战后发展的政治观研究。

托马斯·克莱因博士（Dr. Thomas Klein）

1948年生于柏林；1966年任机电专家。1966～1973年攻读大学，1973 年起于柏林洪堡大学研读数学；1976 年获博士学位；1973 ~1979 年任东德科学院经济学院高级助教；研究宏观经济建模；攻读政治经济史及苏联经济史。1979 ~1980 年由于政治原因被监禁，直至 1989 年禁止发表著作；1981 ~1990 年任柏林 VEB 家具联合公司定价员；1990 年德国第 11 届国会议员，1991 ~1992 年国会工作人员。1995 年获奖学金，做波茨坦学术新计划有限责任公司的“当代史研究”；以“统一社会党内反对派及反抗行动”为题材撰写过多篇学术论文，自 1996 年 1 月起任波茨坦当代史研究中心研究员，研究方向为反对派史。

海因茨·克隆克（Heinz Klunker）

生于 1933 年；在萨克森州里萨附近的村庄长大，1952 年高中毕业；至 1955 年 5 月在莱比锡攻读新闻学；后逃往西德；攻读日耳曼语言文学、英语语言文学、哲学、艺术史，后来在明斯特攻读社会学和历史学；定期在广播电台（如英国广播电台和德国广播电台）及各类刊物（如《苏占区档案》、《周日报》及《世界周刊》）发表文章。1967 年任德国广播电台编辑以及汉堡《全德周日报》小品文编辑；1977 ~1996 年在科隆任德国广播电台政治专题部主任；2003 年起居于柏林。

克劳斯·克尔纳（Klaus Körner）

1939 年生于现波兰的格但斯克；在柏林自由大学、波恩和基尔攻读法学和政治学；1965 年通过初级国家司法考试，1969年通过高等国家司法考试，在汉堡大学政治学院任助教；1976年起成为当代史题材的自由作家，参与《亮点周刊》当代史专题编辑工作，参与编写多本史书及北德广播电台电视剧编辑工作；参与各种当代史展览及报告；1988年以来主要出版与当代史有关的作品，特别包括法律史、出版社历史及记者、政治家的传记；90年代积极参与创建“基层教会”组织，以德国当代史为题材撰写论文，重点为冷战时期的宣传活动。

马克·莱姆施泰特博士（Dr. Mark Lehmstedt）

1961年生于柏林；1979年由于政治原因被勒令退学，在比特费尔德褐煤联合企业教养一年；服兵役后在莱比锡和柏林攻读日耳曼语言文学，1987～1991年在莱比锡任18世纪德国文学教授助理；1990年获博士学位，研究课题关于出版商菲利普·伊拉斯谟·莱希（Philipp Erasmus Reich），之后参与各种研究项目，同时任柏林科学院研究员。1999～2002年任柏林Directmedia Publishing出版社编辑，参与建立并扩建“数字图书馆”；2003年在莱比锡成立莱姆施泰特出版社；参与成立“莱比锡图书史工作组”并任荣誉主席，参与成立“作家、图书与出版史工作组”并长年担任理事会成员，德国书业交易协会历史委员会成员。

埃里希·略斯特（Erich Loest）

1926年生于萨克森州米特韦达；1947～1950年先在

《莱比锡人民报》做见习生，后任编辑。在莱比锡“约翰内斯 R. 贝歇尔”文学院学习；因持反对态度被开除东德统一社会党，并判 7 年半监禁；后来任自由作家，用笔名 Hans Walldorf 和 Waldemar Naß 写探险小说及侦探小说；1979 年退出作协；1981 年迁往西德；1987 年创立 Linden 出版社；获奖众多，如 1981 年获汉斯－法拉达文学奖，1984 年获马尔堡文学奖；1996 年获莱比锡荣誉市民，1999 年获联邦十字勋章；居于莱比锡。

罗兰德 · 林克斯（Roland Links）

1931 年生于罗马尼亚。攻读日耳曼语言文学、历史学及艺术史。1954～1978 年先后任人民与世界出版社编辑及总编；1978～1979 年自由职业者，1979～1990 年任莱比锡 Kiepenheuer 出版集团总领导，1990 年任莱比锡 Insel 出版社经理，1992 年退休；1993～2001 年任库特 · 图霍文斯基（Kurt Tucholsky）协会主席团成员，奥尔登堡大学库特 · 图霍文斯基研究所研究员；目前为时事评论家及文学史学家，居于莱比锡。

米歇尔 · 迈恩博士教授（Prof. Dr. Michael Meyen）

1967 年生于吕根岛；1988～1992 年在莱比锡攻读新闻学，1991～1997 年任日报、无线电及电视文字广播记者及新闻编辑，1995 年在莱比锡获博士学位，1997～2000 年期间获德国研究联合会奖学金，2001 年获大学执教资格；1995～2001 年任职于莱比锡大学，2000～2001 年哈雷－维腾堡大学，2001～2002 任年德累斯顿工业大学客座教授，自 2002 年起任慕尼黑大学通用传播学及系统传播学教授；研究重心为传播学专业史及理论史、媒介使用（主要关于东德）、历史式接受研究、方法论及新闻学研究。

克劳斯·米歇尔博士（Dr. Klaus Michael）

生于 1959 年；在耶拿攻读日耳曼语言文学；1987～1996 年在东德科学院及柏林工业大学任文学研究员。1986 年起致力于非官方杂志的推行。1988～1990 年任柏林非官方文学艺术杂志《莲妮》编辑［与 H. 哈费迈斯特（H. Havemeister）合编］。1990 年创办 Druckhaus Galrev 文学出版社，1992 年任出版社经理；1994 年在柏林洪堡大学获博士学位；撰写多篇关于东德文学、反对派及艺术的学术论文；1993 年担任由德国国会任命的调查委员会“联邦前东德统一社会党历史整理基金会”鉴定员；1994～1996 年参与柏林工业大学有关东德作协的项目［与 H. －D. 齐默曼（H. －D. Zimmermann）教授合作］；1997 年起任萨克森州艺术学院总秘书；同时在众多文化机构兼任名誉职位。

弗里茨·米劳（Fritz Mierau）

1934 年生于波兰布雷斯劳；于柏林洪堡大学攻读斯拉夫语言文学；1956～1957 年任德国苏联友谊协会核心主席团研究员；1957～1962 年于洪堡大学任助教；1962～1965 年自由职业者；1965 年首次前往苏联；1966～1980 年任德国科学院文学史院及斯拉夫语学院任教；自 1980 年起自由职业者；任

作协成员直至1991年去世；1974～1991年任东德国际笔会成员；撰写众多关于俄国20世纪抒情诗人及作家先驱的学术论文；编辑、评论及翻译人员如下：Anna Achmatowa，Isaak Babel，Andrej Bely，Alexander Blok，Ilja Ehrenburg，Pawel Florenski，Sergej Jessenin，Michail Kusmin，Wladimir Majakowski，Ossip Mandelstam，Boris Pasternak，Alexander Puschkin，Sergej Tretjakow，Juri Tynjanow，Marina Zwetajewa.

汉斯－J·米塞维茨博士（Dr. Hans－J. Misselwitz）

1950年生于图林根州阿尔滕堡；攻读生物学和神学；1981年与鲁特·米塞维茨（Ruth Misselwitz）共同创建潘科和平圈；1990年东德人民议院议员（社民党）；外交部国务秘书；1991～1999年任勃兰登堡州政治教育中心主任；柏林"反对遗忘－为了民主"协会副主席；社民党主席团基本价值委员会成员；1999～2005年任社民党副主席沃尔夫冈·蒂尔泽（Wolfgang Thierse）办公室主任；社民党基本价值委员会秘书；SPD基本价值委员会秘书；2006年起任"东德社会民主论坛"主席。

埃格贝特·皮奇（Egbert Pietsch）

1965年生于马格德堡，在马格德堡低地的克莱因·万茨莱本长大；1979～1983年在埃格尔恩就读高中；1983～1987年在国家人民军服役；"弗里德里希·恩格斯"警卫队成员；1987年开始攻读日耳曼语言文学，未结束学业；1990年后成为莱比锡Connewitzer出版社书店书商，1991年参与创办杂志《十字币》，1993 年任该杂志出版社社长；此外还从事其他生意，如进口咖啡、啤酒、经营旧书等。

康拉德·冯·拉伯瑙博士（Dr. Konrad von Rabenau）

生于 1924 年；神学家及教会史学家；1956～1974 年任瑙姆堡高等神学院讲师，1973 年起任东德新教教会联盟教育处负责人；创建历史书籍收集、研究及维护工作委员会，担任主席多年；居于柏林附近。

马雷克·哈耶奇博士（Dr. Marek Rajch）

生于 1971 年；于波兰亚当－密茨凯维奇大学日耳曼语言文学学院任职。

格尔德·赖尼克（Gerd Reinicke）

1956 年生于梅前州伏尔加斯特，1974 年起在国安部任临时官兵，1977 年成为正式官兵，两年后 1979 年调任罗斯托克国安部侦查部门，任 M 部门（邮政检查）“特别分析员”；出于对工作职务及统一社会党政治的不信任，1985 年“申请辞职”；退出统一社会党及国安部；参与“新论坛”的工作；1990 开始接受商业培训，之后任建材市场经理；负责梅前州东德历史整理工作；2008 年起接受培训成为帆船教练；居于梅前州泰特罗。

安娜·李希特（Anne Richter）

1984 年生于科特布斯；2003 年高中毕业；自 2004 年于

莱比锡大学攻读文化学、传媒学。

海德维希·里希特（Hedwig Richter）

生于1973年；在海德堡、英国贝尔法斯特及柏林攻读历史学、日耳曼语言文学及哲学；通过初级及高等国家司法考试；担任《日报》《法兰克福评论报》及《自由新闻》（开姆尼茨）自由记者；2008年获博士学位，研究课题为“统一社会党专制下虔诚的生活世界及全球视野——1945～1975年苏占区的摩拉维亚弟兄会”，由“前东德统一社会党历史整理联邦基金会”、Fazit基金会及华盛顿德国历史学院提供奖学金；曾在美国及日内瓦世界宗教理事会从事学术研究。

黑尔佳特·罗斯特（Helgard Rost）

1943年生于莱比锡；1964～1969年在莱比锡卡尔－马克思大学攻读罗曼语言学；1969～1993年在Reclam出版社任罗曼语及非洲语言文学编辑，1994年起在莱比锡文学局工作，后任职于萨克森州文学翻译促进协会“Die Fähre”。

彼得·席克坦茨博士（Dr. Peter Schicketanz）

生于1931年；1951～1957年在哈雷和巴塞尔攻读神学；曾在哈雷做助理牧师，在马格德堡低原地区做4年乡村牧师；1965～1968在马格德堡任约翰内斯·耶内克（Johannes Jänicke）主教个人助理，参与《教会和平工作》的编纂；1968～1979年在马格德堡新教教会监理会负责神学家教育工作；1979～1996年任波茨坦新教牧区教育学院创始院长及讲师；自攻读大学以来致力于研究虔信主义，常年担任虔信主义研究历史委员会成员。

戴安娜·施密特（Diana Schmidt）

1977年生于开姆尼茨；1995～1999年于高等专科学院攻读企业经济学硕士；2003年开始于莱比锡大学攻读传媒学，主攻方向为公共工作、政治学及英语语言文学。

克斯汀·施密特（Kerstin Schmidt）

1978年生于耶拿；1995～1998年牙医助手培训；2004年于莱比锡大学攻读日耳曼语言文学，辅修新闻学和心理学。

托斯滕·泽拉博士教授（Prof. Dr. Torsten Seela）

1948年生于萨克森州格尔利茨；1967～1970年在莱比锡高等专科学校攻读图书馆学；后于柏林洪堡大学攻读图书馆学；1975～1985年于莱比锡高等专科学校教授图书馆学；1985～1987年于莱比锡大学继续攻读高等专科教育学；1990年于洪堡大学获博士学位，1992年起任莱比锡技术经济文化高等学院教授，1994～1997年以及2000～2003年担任媒体与博物馆系系主任；1997～2006年任该系国外联络负责人，居于莱比锡。

汉斯－格奥尔格·索尔达特（Hans－Georg Soldat）

1935年生于勃兰登堡州柯尼斯堡；在萨克森州弗兰肯

贝格就读中学；在格赖夫斯瓦尔德攻读数学和物理；1958年遭国安部短期监禁，后逃往西柏林；在BBC驻德国电台、西德广播电台及北德广播电台任职；《明镜日报》任实习生，后任小品文专栏编辑；1967～1994年任美占区广播电台文学编辑，后来在柏林任自由文学批判家和杂文家；德国作家团体、德国批判家协会和德国魔术团成员；发表众多散文、诗歌、杂文，题材有关东德、国安部、魔术及电脑游戏等。

卡尔海因茨·施泰因米勒博士（Karlheinz Steinmüller）

1950年生于萨克森州克林根塔尔；攻读物理学及哲学；1977年获博士学位，之后在东德科学院控制论研究中心任研究员。

同妻子安格拉·施泰因米勒（Angela Steinmüller）作为科幻作家共同出版众多图书项目，1982年起二人都任自由作家；1988年任东德作协主席团成员，负责“文学与环境”领域的工作，1991年起在盖尔森基兴未来学研究有限公司任职；1997年起成为埃森、卡尔斯鲁尔及柏林预言公司股东。

克劳蒂娅－莱奥诺蕾·泰施纳（Claudia－Leonore Täschner）

生于1950年，1968～1973年于柏林洪堡大学攻读档案学及历史学；1973～1980年在莱比锡系谱学总局任研究员；1981年起于莱比锡大学图书馆任研究员及历史部负责人，1987年起任借阅部主任；1991～2003年同时兼任图书馆主馆重修工作负责人。

让尼娜·瓦内克（Jeannine Wanek）

1980 年生于萨克森州多纳；接受商科培训；2002 年起在莱比锡大学攻读文化学、戏剧学和新闻学。

莱蒙德·瓦利戈拉（Raimund Waligora）

生于 1952 年；1975～1979 年攻读哲学，之后于柏林洪堡大学攻读图书馆学；1979 年起任（东德）柏林国家图书馆哲学部负责人，1992 年起任职于柏林国立普鲁士文化遗产图书馆。

帕特里夏·F. 采卡特（Patricia F. Zeckert）

生于 1980 年；于莱比锡大学、法国西布列塔尼大学攻读英语语言文学及传媒学；于莱比锡图书贸易局兼职，做过各种实习；2004 年完成图书学/图书经济学硕士论文，题材有关未经阅读的书籍；在莱比锡 Klett 小学教育出版社图书管理部自由任职；教授图书学/图书经济学；2007 年 1 月起获“前东德统一社会党历史整理联邦基金会”奖学金攻读博士，研究莱比锡书展。

图书在版编目（CIP）数据

民主德国的秘密读者：禁书的审查与传播 /（德）洛卡蒂斯等著；吴雪莲译．—北京：社会科学文献出版社，2013.10（2024.6 重印）
（莱茵译丛）
ISBN 978 - 7 - 5097 - 5037 - 7

Ⅰ．①民…　Ⅱ．①洛…②吴…　Ⅲ．①德意志民主共和国 - 社会史 - 研究　Ⅳ．①K517

中国版本图书馆 CIP 数据核字（2013）第 214090 号

· 莱茵译丛 ·
民主德国的秘密读者
——禁书的审查与传播

著　　者 / 齐格弗里德·洛卡蒂斯　英格里德·宗塔格 等
译　　者 / 吴雪莲

出 版 人 / 冀祥德
项目统筹 / 段其刚　董风云
责任编辑 / 段其刚　张　骋
责任印制 / 王京美

出　　版 / 社会科学文献出版社·甲骨文工作室（分社）（010）59366527
地址：北京市北三环中路甲 29 号院华龙大厦　邮编：100029
网址：www. ssap. com. cn
发　　行 / 社会科学文献出版社（010）59367028
印　　装 / 三河市尚艺印装有限公司

规　　格 / 开　本：889mm × 1194mm　1/32
印　张：19.5　字　数：421 千字
版　　次 / 2013 年 10 月第 1 版　2024 年 6 月第 7 次印刷
书　　号 / ISBN 978 - 7 - 5097 - 5037 - 7
著作权合同登记号 / 图字 01 - 2012 - 5886 号
定　　价 / 79.00 元

读者服务电话：4008918866